dtv

Wilbur, gerade mal 1 Meter 50 groß, ist sich ganz sicher: Bei ihm geht einfach alles schief. Seine Mutter stirbt bei der Geburt, sein Vater ist verschwunden, er selbst ist zu klein und sein erstes Zuhause der Brutkasten. Als seine Großeltern ihn nach Irland holen, bekommt er eine Ahnung von dem, was Heimat ist. Doch das Glück währt nicht lange: Sein bester Freund landet in der Erziehungsanstalt, und er verliert seine Großmutter Orla. Wilbur gerät aus der Bahn. Erst die charmante Aimee kann ihm etwas anderes beibringen: Wilbur muss endlich lernen zu leben – ob er will oder nicht.

Rolf Lappert hat einen großen Roman geschrieben über das Erwachsenwerden eines kleinen, an der Welt verzweifelnden Jungen, der durch seine bezwingende Komik mitreißt: »Was für ein mutiges Buch – und was für ein großer Wurf. Ein Roman, mit unerhörter erzählerischer Großzügigkeit geschrieben: wuchtig, kraftvoll erzählt und kühn erdacht.« (Roman von Bucheli in der ›Neuen Zürcher Zeitung‹)

Rolf Lappert, geboren 1958 in Zürich, ließ sich zum Grafiker ausbilden, bevor er sich entschloss, Schriftsteller zu werden. In den achtziger Jahren unterbrach er für längere Zeit das Schreiben, gründete mit einem Freund einen Jazzclub und reiste kreuz und quer durch Amerika. Zwischen 1996 und 2004 arbeitete er als Drehbuchautor. ›Nach Hause schwimmen‹ wurde 2008 mit dem Schweizer Buchpreis ausgezeichnet. Rolf Lappert lebt in Listowel, County Kerry, Irland.

Rolf Lappert

Nach Hause schwimmen

Roman

Deutscher Taschenbuch Verlag

Von Rolf Lappert
ist im Deutschen Taschenbuch Verlag erschienen:
Die Gesänge der Verlierer (13813)

Ausführliche Informationen über
unsere Autoren und Bücher
finden Sie auf unserer Website
www.dtv.de

Dezember 2009
Deutscher Taschenbuch Verlag GmbH & Co. KG,
München
Lizenzausgabe mit freundlicher Genehmigung
des Carl Hanser Verlag
© Carl Hanser Verlag München 2008
Umschlagkonzept: Balk & Brumshagen
Umschlagfoto: Corbis/Alen MacWeeney
Satz: Greiner & Reichel, Köln
Druck und Bindung: Druckerei C. H. Beck, Nördlingen
Gedruckt auf säurefreiem, chlorfrei gebleichtem Papier
Printed in Germany · ISBN 978-3-423-13830-7

Für Petra, wie versprochen.

Und für Anne-Christine Kaemmerer.

Kein größerer Schmerz ist denkbar,
als sich im Unglück zu erinnern an die Zeit des Glücks.
Dante, *Die Hölle*

1

Heute ist der Tag, an dem ich sterbe. Offenbar versuchen eine Menge Leute, das zu verhindern, doch ich bin so gut wie tot. Ich sehe das Licht, über das ich schon oft gelesen habe. Und mir ist warm. Ich will die Arme ausstrecken, weiß aber nicht, ob ich es wirklich tue. Rinnsale fließen aus meinem Haar. Ich triefe, aus meinen Schuhen tropft es. Meine Augen brennen. Ich presse die Lippen zusammen, zumindest versuche ich es.

Schon als Kind habe ich Wasser gehasst. Stand ewig auf dem Einmeterbrett, erstarrt, die Augen geschlossen. Der Lehrer brüllte mich an, bis ich mich fallen ließ. Ich schwamm wie ein Hund, eher schlechter. Jetzt bewege ich mich. Oder alles um mich herum ist in Bewegung. Ich würde gerne meinen Körper verlassen. Ich mag meinen Körper nicht. In den Artikeln stand, man schwebe über sich. Man könne sich daliegen sehen, die eigene leblose Hülle. Und man sei nicht traurig darüber, gehen zu müssen. Ich bin nicht traurig. Ich gehe, wenn man mich lässt. Ich bin bereit.

Einmal ließ ich mich auf den Beckengrund sinken. Da war nur Stille. Kein Lachen, keine Anfeuerungsrufe, kein Brüllen. Der Lehrer holte mich raus. Er pumpte Luft in meine Lungen, bis ich mich übergab. Elf Jahre alt war ich da, mager und bleich wie keiner in meiner Klasse. Ins Wasser musste ich danach nicht mehr. Richtig schwimmen lernte ich nie. Badewannen habe ich seither gemieden, und sogar beim Duschen befürchtete ich zu ertrinken. In einem Etui trug ich einen Trinkhalm aus

Kunststoff mit mir herum. Wenn Flüssigkeit in meinen Körper musste, wollte ich die Kontrolle darüber haben. Freiwillig überquerte ich keine Brücke. Heftiger Regen machte mir Angst.

Oder denke ich mir das alles nur aus? Vielleicht läuft gerade dieser berühmte Film in meinem Kopf ab. Bilder, die in Sekunden ein Leben nacherzählen, egal, wie belanglos es war. Gut möglich, dass mein Hirn diese Autobiografie erfindet, verfälscht. Aufpeppt unter Zugabe von ein paar Macken. Immerhin liege ich im Sterben.

Man berührt mich, hält mich zurück. Dabei will ich dorthin, wo das Licht ist. Es ist nicht mehr so hell wie zuvor. Mir wird plötzlich kalt, ich zittere. Ich will nicht zurück in die Welt. Ich bin nicht traurig, weil ich gehen muss. Ich will am Grund des Beckens liegen und nichts mehr hören. Das Wasser umgibt mich. Es beschützt mich. Wie damals.

The First Deadly Sin

1980

Als er geboren wurde, starb seine Mutter. Es hatte sie ihre ganze Kraft gekostet, ihn sieben Monate und elf Tage in ihrem Bauch zu tragen. Ihn aus sich herauszupressen brachte sie um. Sie schloss für immer die Augen, als er seine zum ersten Mal öffnete. Wie zur Strafe dafür, dass er seine Mutter getötet hatte, schlug ihn der Arzt auf den Hintern. Er schrie und machte den ersten Atemzug, als seine Mutter den letzten tat. Während sie in die Leichenhalle gebracht wurde, legte man ihn in den Brutkasten. Er war zu klein, zu leicht. Er hatte keine Kraft, aber er hörte nicht auf zu schreien. Die Ärzte rätselten darüber, wie seine Lungen es schafften, sich mit so viel Luft zu füllen. Die Schwestern versuchten alles, um ihn zu beruhigen, zu trösten, aber nichts half.

Er war allein. In den fünf anderen Brutkästen lagen keine Säuglinge. Sämtliche Geburten der letzten drei Wochen waren normal verlaufen, bis auf seine. Er spürte, dass etwas fehlte, dass er nicht in diesem Glasbehälter sein sollte. Deshalb schrie er. Und weil ihm die Welt zu hell war, zu weiß. Das Licht drang durch seine geschlossenen Lider, die dünn und faltig waren. Manchmal schien etwas in ihm nachzugeben, und er wurde ruhig. Dann verschwand das Licht. Seine Fäustchen öffneten sich, und im unruhigen Schlaf zitterten seine Finger.

Schwester Lorraine Sadler stickte die Namen der Kinder, die das Licht der Welt im Saint Francis Hospital in Philadelphia, Penn-

sylvania, erblickten, auf Kissenbezüge aus weißem Baumwoll-
stoff. Sie benutzte dabei Rosa für die Mädchen und Hellblau
für die Jungen, weil es Tradition war. Die Eltern durften die
Bezüge mit nach Hause nehmen, als Erinnerung. Auch das war
Tradition.

Obwohl Schwester Lorraine neununddreißig und noch ledig
war, sah sie ihrem vierzigsten Geburtstag mit Gleichmut entgegen. Sie lebte mit einem einfältigen Labrador namens Bob
zusammen, hatte alle paar Jahre eine kurze Affäre mit einem
Hilfspfleger und nicht vor, noch einmal zu heiraten. Als sie
neunzehn war, ließ sie sich von einem doppelt so alten Rodeo-
reiter, der ohne sie nicht leben wollte, vor den Altar schleppen.
Als sie ihn verließ, weil es noch andere Frauen gab, ohne die er
nicht leben wollte, war sie zwanzig. Er wurde kurz darauf von
einem Bullen zertrampelt, und sie machte eine Ausbildung zur
Krankenschwester.

Kam ein Findelkind ins Saint Francis, gehörte es zu Schwester
Lorraines Aufgabe, ihm einen Namen zu geben. Sie benutzte
dabei eine Liste mit alphabetisch angeordneten Vornamen, die
sie der Reihe nach abhakte. Mittlerweile war sie beim Buchstaben W angelangt, und dem winzigen Jungen im Brutkasten,
der seit zwölf Tagen entweder schrie oder vor Erschöpfung
schlief, fiel der Name Wilbur zu. Sie hatte seine Mutter gesehen, einmal nur und ganz kurz, als diese halb bewusstlos in
den Entbindungssaal geschoben worden war. Nach ihrem Tod
hatte Schwester Lorraine ihre Kolleginnen gefragt, aber keine
konnte sich erinnern, ob die Frau erwähnt hatte, wie sie ihr
Kind nennen wollte. Auch der junge Arzt, dem zum ersten
Mal eine Frau bei der Geburt weggestorben war und der noch
Tage danach mit leerem Blick durch die Flure ging, konnte
ihr nicht weiterhelfen. Den Vater des Kindes hatte Schwester
Lorraine nie gesehen. Die Frau am Empfang wusste nur, dass
er schmal und schüchtern war und vor lauter Sorge um seine
Frau geweint hatte. Er habe sich in den Besucherraum gesetzt

und dort eine endlos lange Zeit der Ungewissheit verbracht, die um fünf Uhr zwanzig morgens zu Ende war, als man ihm die Nachricht vom Tod seiner Frau überbrachte. Er sei eine Weile stumm dagesessen, als habe er die Tragweite des Gehörten nicht begriffen, dann sei er aufgestanden und gegangen. Der Arzt habe ihm nachgerufen, das Kind, ein Junge, sei am Leben, aber der Mann habe nur kurz gezögert und das Krankenhaus dann rasch verlassen.

Als ihre Schicht zu Ende war, legte Schwester Lorraine den Bezug, auf dem WILB zu lesen war, in einen Schrank und fuhr nach Hause. Statt wie üblich in den Park ging sie mit Bob nur ein paar Schritte die Straße hinunter. Sie fütterte ihn, trank eine Tasse Kaffee im Stehen und nahm dann ein Bad. Danach zog sie ihr bestes Kleid an, ein ärmelloses schwarzes, das sie nach einem Katalogbild selber geschneidert hatte, ließ sich ein Taxi kommen und zu einem Theater in der Innenstadt fahren.

March And April gefiel Lorraine so gut, dass der Kummer, den der tagelang weinende Wilbur ihr bereitete, für eine Weile verschwand. In dem Stück ging es um eine junge amerikanische Lehrerin namens April Baxter, die im Paris der Jahrhundertwende den exzentrischen englischen Maler Frederic March kennenlernt. Die beiden können sich zu Beginn nicht ausstehen, doch nach neunzig Minuten Irrungen und Wirrungen sind sie ein Paar. Was da auf der Bühne geboten wurde, war weder Broadway noch Shakespeare, aber dank der Extraportion Romantik und Leidenschaft genau das, was Lorraine brauchte.

Nach der Vorstellung blieb sie eine Weile im Foyer und betrachtete die ausgehängten Plakate und Fotos. Ein Mann stellte sich hinter sie, und sein Gesicht wurde vom Glas des Schaukastens reflektiert. Lorraine erkannte den Darsteller des Frederic March und drehte sich so erschrocken um, dass der Mann laut lachen musste. Mit jedem der drei Akte hatte Lorraine sich mehr in den Schauspieler verliebt, das warme Gefühl nach dem letzten Vorhang aber als alberne Schwärmerei belächelt, wie sie es auch nach dem Abspann im Kino tat, wenn das Licht sie in die Wirklichkeit zurückholte. Montgomery Field, so hieß der neben der Bühne kleiner und irgendwie verloren wirkende Mann, bot Lorraine eine Zigarette an, und obwohl sie nicht rauchte, ließ sie sich von ihm Feuer geben.

Drei Tage später, als die Theatertruppe weiterzog, ging Lorraine mit. Den Hund, der immer Mittelpunkt ihres privaten Lebens gewesen war, gab sie ihrem Bruder, ihren Hausrat schenkte sie einem wohltätigen Verein. Im Krankenhaus sagte sie allen Adieu und machte einen letzten Besuch auf der Säuglingsstation.

Wilburs von den Glaswänden gedämpftes Schreien hörte sie schon im Flur und war zuerst erstaunt und dann besorgt, als es verstummte, sobald sie die Tür öffnete. Der schrumpelige Winzling mit der durchsichtigen Haut lag in seinem Brutkasten wie ein seltsames Tierchen, das man zu Forschungszwecken an Schläuche und Kabel angeschlossen hatte. Seine Augen waren leicht geöffnet, und Falten standen auf seiner Stirn, als hätte er Kopfschmerzen oder würde nachdenken. Er bewegte sich nicht, nur sein runder, von einem Geflecht aus blauen Arterien durchwachsener Bauch hob und senkte sich im Rhythmus seiner Atemzüge. Lorraine trat an den Kasten heran, löste die Verriegelung an der Klappe und schob ihre rechte Hand durch die Öffnung. Wilburs Kopf war warm und trocken, Flaum aus farblosem Haar stand in alle Richtungen ab. Lorraine strich vorsichtig über den durch die Geburt leicht deformierten Schädel, ständig damit rechnend, dass Wilbur wieder zu schreien anfing. Aber er schrie nicht. Er lag da, den Blick abgewandt, und schien den leisen Worten zu lauschen, die Lorraine an ihn richtete, während sie mit den Fingern sanft über den Wulst fuhr, an dem die beiden Schädelhälften zusammenwuchsen.

Als Wilbur nach Lorraines kleinem Finger griff und ihn mit erstaunlicher Kraft festhielt, traten ihr Tränen in die Augen. Mehrere Minuten blieb sie so stehen, weinte leise vor sich hin und fuhr mit dem Daumen über seine winzigen Knöchel. Sie musste die Fingerchen, die sie so energisch umklammerten, mit der freien Hand lösen und eilte hinaus, ohne sich noch einmal nach dem Kind umzudrehen.

Weil nach Lorraines Weggang keine der Schwestern den Brauch mit den bestickten Kissen weiterführen wollte, blieb Wilbur für unabsehbare Zeit der letzte Säugling, dem diese Ehre zuteil geworden war. Dass auf seinem Bezug nur WILB stand, schien niemanden zu stören. Jeder im Saint Francis nannte ihn so. Wilb. Sogar der Name war zu kurz geraten.

Eine der Schwestern, Edna Porter, machte es sich zum Ziel, dass Wilbur wuchs. Sie badete ihn, puderte seine gerötete Haut, rieb seinen wunden, verschrumpelten Hintern mit Salbe ein und glättete seine störrischen Haare, indem sie etwas Spucke benutzte. Mehrmals täglich gab sie ihm die Flasche, und während Wilburs Kopf an ihrer schweren, unter dem weißen Kittel sich abzeichnenden Brust lag, summte sie *Breakfast In America* von Supertramp und schaukelte langsam vor und zurück.

Fütterte ihn Edna, starrte Wilbur an die Decke. Nur manchmal, wenn Edna selbstvergessen trällernd ins Leere blickte, sah er sie für Sekunden mit Augen an, in denen so etwas wie Neugier stand. Die klassische Schönheit von Lorraines Gesicht hatte er längst vergessen, jetzt überwältigten ihn Ednas üppige Sinnlichkeit, ihr wogender Körper, ihre großen fleischigen Hände. Sie roch süßlich, und ihre Stimme klang tiefer als die der anderen Schwestern. An dem Tag, an dem Lorraine gegangen war, hatte er aufgehört zu schreien, als habe er begriffen, dass sich dadurch nichts ändern könne. Und seit jenem Tag waren Geräusche, die er zuvor übertönt hatte, zu einem Teil seines Lebens geworden. Die Stimmen der Ärzte und Schwestern, die Laute, die aus den blinkenden Maschinen kamen, Schritte von Gummisohlen auf Linoleum, das entfernte Quietschen der Räder des Gerätewagens, den die Putzfrau durch den Flur schob, dumpf durch die Wände dringendes Telefonklingeln. Alles war neu, verwirrend und beängstigend.

Schön und beruhigend war nur Ednas Stimme. Sang sie, fühlte sich Wilburs Bauch warm an, beinahe heiß. Und wenn sie ihn berührte, nicht zaghaft wie die anderen, die Angst hatten, er könnte zerbrechen, sondern unzimperlich zärtlich, war er so glücklich, wie sein mandarinengroßes Gehirn Botenstoffe losschicken konnte.

Edna bewarb sich um die Stelle als Sprechstundenhilfe bei einem jungen Arzt, der seine erste Praxis eröffnete, wurde genommen und verließ das Saint Francis. In den ersten Tagen, an denen Edna nicht bei Wilbur war, lag der Junge still und fast reglos da und sah an die Decke aus weißen Kunststoffplatten. Er vermisste Edna. Es war nicht die gleiche Sehnsucht, die ihm nach der Geburt die ersten Qualen seines Lebens bereitete. Er merkte ganz einfach, dass etwas von ihm weggenommen worden war, das nichts und niemand zu ersetzen vermochte. Neue Schwestern kümmerten sich um ihn, einige davon dünn und beinahe brustlos, andere weich und füllig. Alle wussten von der engen Bindung, die zwischen Schwester Edna und Wilbur bestanden hatte, und alle versuchten, ihren Platz einzunehmen. Aber etwas, das sich in den kommenden Jahren zu Wilburs Unterbewusstsein entwickeln würde, weigerte sich, seine Liebe erneut an eine Frau zu verschwenden, an ein neues warmes Wesen, dem er sich hingab und auslieferte, nur um irgendwann verlassen zu werden.

Das erste Pferd seines Lebens sah Wilbur im Park des Kinderheims Chestnut Hill in Reading, Pennsylvania, etwa achtzig Kilometer nördlich von Philadelphia. Die alte, aus mehreren Backsteingebäuden bestehende Anlage hatte bis in die fünfziger Jahre als Kaserne gedient, und sie stand weder auf einem Hügel, noch hatte sie auf ihrem bescheidenen Grund auch nur einen einzigen Kastanienbaum vorzuweisen. Den idyllischen Namen hatte sich ein Komitee ausgedacht, das dem traurigen Zweck des Anwesens, Waisen zu beherbergen, etwas Positives gegenüberstellen wollte. Immerhin lag das Heim außerhalb der Stadt, und von den obersten Zimmern im Ostflügel konnte man das Footballfeld einer Highschool sehen, was zumindest den Jungs im Heim lieber war als langweilige Kastanienbäume.

Lawrence Krugshank, der Leiter des Traktes, wo die Jungen im Alter zwischen wenigen Wochen und zehn Jahren untergebracht waren, wickelte Wilbur am Nachmittag in eine Wolldecke und trug ihn in den Park, der an die Weide eines Bauernhofs grenzte. Leute aus der Stadt hatten ihre Reitpferde auf dem Hof einquartiert, und ab und zu kam eines der Tiere an den Zaun, um sich von den Kindern bestaunen zu lassen.

»Sieh mal, Wilbur, ein Pferd«, sagte Lawrence und nahm Wilburs Hand, damit sie die zarten weißen Nüstern berühren konnte. Aber Wilbur zog die Hand zurück und fing an zu weinen. Lawrence drückte ihn an sich, ging zurück ins Gebäude und schaukelte den Jungen in den Armen, beruhigend auf ihn einredend. Kinder grüßten ihn auf den Fluren, und er lächelte und zwinkerte ihnen zu. Zwei Jungen, die ihn daran erinnerten, dass er mit ihnen im Hof Baseball spielen wollte, vertröstete er auf später. Er bemühte sich, allen seinen Schützlingen gleich viel Aufmerksamkeit und Zuneigung entgegenzubringen, aber es war ein offenes Geheimnis, dass er an Wilbur einen Narren gefressen hatte.

Während Wilburs ernste Züge die meisten Betreuer verstörten, sah Lawrence darin etwas, das er scherzhaft infantile Weisheit nannte. Er war sicher, dass dieses Kind einen Grund dafür hatte, eine solche Miene aufzusetzen. Er nahm sich vor, Zeuge zu sein, wenn Wilburs Gesicht zum ersten Mal eine Gemütsregung zeigte, die Zufriedenheit, vielleicht sogar Glück ausdrückte. Und er setzte alles daran, diesem Glück auf die Sprünge zu helfen.

Vierzig Tage war es jetzt her, dass die Sozialarbeiterin aus Philadelphia den kleinen Jungen in die Obhut des Heims gegeben hatte, wo er so lange bleiben sollte, bis die vorgeschriebene

Frist abgelaufen war, während der Verwandte des Kindes das Sorgerecht beantragen konnten. Wilburs Vater hatte sich nicht mehr im Saint Francis gemeldet, und eine Suchaktion, bei der die Polizei, lokale Zeitungen und Fernsehstationen beteiligt gewesen waren, verlief ergebnislos. Der Mann, dessen Name in den Akten mit Lennard Arne Sandberg angegeben war, schien vom Erdboden verschwunden zu sein. In einer Zeitungsmeldung vom elften April 1980 wurde ein Beamter der Polizei von Philadelphia mit der Vermutung zitiert, Lennard Sandberg habe sich aus Gram über den Tod seiner Frau das Leben genommen.

Bei seiner Ankunft in Chestnut Hill war Wilbur gesund gewesen, aber noch immer zu klein und zu dünn. Er lag in einer Trage, für die man im Krankenhaus gesammelt hatte, und sein Kopf verdeckte die auf das Kissen gestickten Buchstaben W, I, L und B. Seine Augen waren groß und dunkelbraun, und Warren Clarence Rush, der Direktor des Heims, war versucht, Resignation darin zu erkennen.

Wilbur, inzwischen fast drei Monate alt, legte dank eines neuen Speiseplans stetig an Gewicht zu. Hatten die Schwestern im Saint Francis ihn noch ausschließlich mit der Flasche gefüttert, so wurde er hier auch mit Getreide- und Obstbrei, Vitamintropfen und Lebertran aufgepäppelt. Die Flasche, an der Wilbur scheinbar gelangweilt nuckelte, während er die Decke musterte, gab es nur noch zweimal pro Tag. Lawrence besorgte vom benachbarten Bauern Stutenmilch, die besonders nahrhaft war und die er mit eigenem Geld bezahlte. Er ließ nie locker, bevor Wilbur alles gegessen und getrunken hatte, wog den Jungen und ließ seine Frau das Gewicht in eine Liste eintragen, stolz, dass täglich ein paar Gramm dazukamen.

Alice Krugshank war mit einem Meter vierundachtzig drei Zentimeter größer als ihr Mann und überragte sämtliche weiblichen Kräfte in Chestnut Hill um mindestens zehn. Sie hatte rötliches Haar, und ihre Haut war von einer Helligkeit, die Lawrence verliebt perlmuttern und alabastern, sie selber aber einfach bleich nannte. Ihre Körperlänge und ihr sicheres Auftreten, das mit einer dunklen, festen und gleichzeitig warmen Stimme einherging, kaschierten geübt ihre tiefe Traurigkeit, von der niemand in ihrem Umfeld etwas ahnte und nur Lawrence wusste. Aber nicht einmal ihr schlafender Mann bemerkte es, wenn ihr Körper neben ihm zu zittern begann, wenn sie die Finger ins Laken krallte und die Tränen niederkämpfte. Er hörte sie nicht, wenn sie darauf wartete, dass das Toben in ihrem Brustkorb verebbte, und sie leise die Namen der Mädchen aufzählte, die gerade in Chestnut Hill lebten.

Vor zweieinhalb Jahren hatte Alice von ihrer Krebserkrankung erfahren. Eine Woche später wurde alles, was sie ihrer Meinung nach zur Frau machte, aus ihr herausgeschnitten. Der letzte Gedanke, den sie vor der Operation fassen konnte, war, dass sie nicht mehr aufwachen wollte. Sie hatte Lawrence in der Suppenküche in Newcastle, Delaware, kennengelernt, wo sie beide an den Sonntagen als freiwillige Helfer arbeiteten. Schon damals, während sie den Obdachlosen die Teller füllten, hatte er ihr vorgeschwärmt, wie groß seine Familie einmal sein würde. Lawrence war ein Mann, der den Sinn des Lebens darin sah, mit der Frau, die er liebte, mindestens fünf Kinder zu haben. Alice war diese Frau, und obwohl sie die Zahl der Sprösslinge auf drei reduzieren wollte, heirateten die beiden, nachdem sie ihr Studium abgeschlossen hatte. In den Flitterwochen plagten Alice Unterleibskrämpfe, und sie ging zum Arzt. Als der nichts finden konnte und die Schmerzen stärker wurden, schickte er sie zu einem Spezialisten.

Sie wollte Lawrence zuliebe sterben. Er würde eine andere Frau finden, das musste er ihr versprechen. Er verbot ihr, so zu reden, und als sie aus der Narkose aufwachte, erzählte er ihr von seinen Plänen, in einem Waisenhaus zu arbeiten. So werde er ständig mit Kindern zusammen sein und es überhaupt nicht vermissen, keine eigenen zu haben. Alice gab vor, ihm zu glauben, aber sie wusste, dass er nicht glücklich sein konnte. Und dass sie schuld daran war.

Zum ersten Mal hatte Lawrence von Adoption gesprochen, als er Alice dabei zusah, wie sie Wilbur die Fingernägel schnitt. Sie tat das mit großer Sorgfalt und Vorsicht, gleichzeitig aber mit einer Selbstverständlichkeit, wie Lawrence sie aus Kindertagen von seiner Mutter kannte. Obwohl Wilbur demonstrativ an die Decke sah und kein Interesse daran zu haben schien, was mit ihm gemacht wurde, redete Alice die ganze Zeit sanft auf ihn ein, als müsse sie ihm versichern, dass ihm nichts passieren konnte. Ihre dunkle, sonore Stimme löste etwas in Wilbur aus, von dem er nicht wusste, woher es kam. Etwas Verschüttetes, Vergessenes wurde halbwegs freigelegt, an das sich nicht sein Hirn erinnerte, sondern sein Bauch.

Jetzt badete Alice Wilbur, und wieder sprach Lawrence von der Möglichkeit, den Jungen zu adoptieren. Alice, die ihren Mann eben noch getadelt hatte, weil er mit Wilbur so lange in der Kälte gestanden hatte, nur um ihm das Pferd zu zeigen, antwortete nicht gleich. Von einer Beamtin der Adoptions-behörde, bei der Lawrence jede Woche anrief und seinen Charme spielen ließ, wussten sie, dass Wilbur Verwandte hatte. Wer diese Menschen waren und wo sie lebten, durfte die Frau ihnen nicht sagen, ebenso wenig, ob sie sich um das Sorgerecht für Wilbur bemühten. Lawrence hatte in Erfahrung gebracht, dass Maureen Sandberg, geborene McDermott, fünf Tage nach ihrem Tod kremiert worden war, wie es ihre Eltern veranlasst hatten. Wo Wilburs Großeltern wohnten, hatte er nicht heraus-finden können, aber er meinte, sie seien bestimmt zu alt, um ihren Enkel bei sich aufzunehmen, und weder die Verstorbene noch der verschwundene Vater schienen Geschwister zu haben.

Alice hob Wilbur aus der Wanne und trocknete ihn ab. Sie liebte dieses wunderliche, ernste Geschöpf, und der Gedanke, es weggeben zu müssen, brach ihr das Herz. Aber sie wollte sich nicht verletzen lassen, wollte das Verstreichen der Frist abwarten und dann den Adoptionsantrag stellen. Das sagte sie ihrem Mann auch jetzt wieder, und Lawrence, der so viel mehr gedankenlose Zuversicht besaß als sie, nickte. Besser als irgendjemand verstand er, warum es für sie unmöglich war, sich auf eine neue Hoffnung und das unsichere Glück mit Wilbur einzulassen.

Erst vor einem halben Jahr hatte Alice damit begonnen, nicht mehr nur das Sekretariat zu leiten, sondern sich nach Feierabend und an den Wochenenden auch um die Kinder zu kümmern, deren Akten sie führte. Davor hatte Lawrence sie regelmäßig und möglichst beiläufig gefragt, ob sie ihm mit dem einen oder anderen Jungen helfen könne, bis sie irgendwann, seine Absicht ahnend, eingewilligt hatte. Erst sollte sie einem Achtjährigen zur Hand gehen, der unbedingt ein Pferd zeichnen wollte. Einer hatte sich vorgenommen, heimlich stricken zu lernen. Einem anderen brachte sie bei, eine Krawatte zu binden.

Innerhalb weniger Wochen lernte Alice alle Jungen kennen und hatte plötzlich ein Gesicht, eine Stimme, meistens sogar eine Geschichte zu den Namen. Wenn sie jetzt eine Akte anlegte oder neue Einträge in bestehende machte, kannte sie das Kind, das dahinterstand. Jetzt wusste sie, woher der kleine Rodney Summers kam und warum er sich im Geräteschuppen versteckte, wenn ein Auto auf den Vorplatz fuhr. Warum Jimmy Barrett Häuser ohne Dächer malte und kein Huhn aß. Sie erfuhr, dass Alan Warchowski in einem kleinen blauen Buch eine Liste der Dinge führte, die er liebte, und in einem schwarzen diejenigen, die er hasste. Dass Jeffrey Green den Kopfstand machen und dabei eine Flasche Limonade trinken konnte. Dass Paul Hewitt in Sarah Morton verliebt war und Gedichte für sie schrieb, die er ihr nie zeigte.

Die Mädchen in Chestnut Hill verfolgten staunend und neidisch, wie sich Mrs. Krugshank plötzlich um die Jungen kümmerte. Wenn die in ihren Augen riesige und außerirdisch schöne Frau mit ein paar besonders mutigen Jungs im leeren Speisesaal Walzer übte, standen die Mädchen auf Schemeln hinter den Türen und beobachteten durch die Oberlichter das seltsame und wunderbare Treiben. Als Alice einer Gruppe von Jungen auf dem Vorplatz zeigte, dass sie das Hufeisenwerfen seit ihrer Kindheit nicht verlernt hatte, drückten sich die Mädchen an den Fensterscheiben die Nase platt. Alice war mit ihrer neuen Aufgabe so beschäftigt, dass sie die sehnsüchtigen, vorwurfsvollen und manchmal feindseligen Blicke der Mädchen nicht wahrnahm. Erst als eines Tages die fünfjährige Ruby Fletcher mit einem zerfledderten Stoffhasen im Arm in ihr Büro trat und fragte, ob Alice sie nicht leiden könne, wurde ihr klar, dass sie ihre Zuwendung ungerecht verteilt hatte.

Noch am selben Abend las sie den Mädchen im Aufenthaltsraum seitenweise aus einer Illustrierten vor, die eine Kollegin im Büro abonniert hatte und die überquoll vor Klatschgeschichten über Hollywoodstars, Musiker und Sportler. Die Mädchen lauschten den Skandalen und Romanzen begeistert und ignorierten dabei die grimassenschneidenden Köpfe der Jungs hinter den Oberlichtern. Am nächsten Tag brachte Alice den Mädchen bei, wie man Lockenwickler benutzte, am Tag danach, wie man Jungs auf sich aufmerksam machte und die allzu aufdringlichen loswurde. Natürlich waren es jetzt die Jungen, die sich vernachlässigt fühlten, und Alice beschloss, ihre Stunden aufzuteilen. Am Montag, Mittwoch und Freitag war sie für die Jungen da, Dienstag, Donnerstag und Samstag gehörte sie den Mädchen. Den Sonntag hielt sie für Lawrence frei. Und für Wilbur.

Was ein Sonntag war, wusste Wilbur nicht. Für ihn war es einfach eine wundersam in die Länge gezogene Zeit, während der dauernd etwas passierte, er ständig herumgetragen, durch die Gegend gefahren und hochgehoben, öfter als üblich abgeküsst und nie alleine gelassen wurde. Er spürte, dass einmal in der Woche beinahe alles stimmte, dass das, was er vermisste, für eine Weile ersetzt wurde durch etwas, das er mochte. Schien die Sonne, wurde er rittlings und mit einem Hut auf dem Kopf in einen Korb gesteckt, der an einem Fahrradlenker befestigt war.

Dann ging es aufs Land, wo er zum ersten Mal riesige Kühe sah und Mähdrescher. Er saß auf Alice' Schoß in einem Ruderboot, und Fische schwammen durch sein Spiegelbild, in dem er sich nicht erkannte. Über ihnen flogen Vögel, nach denen er griff, als störten sie die Leere seines Himmels. In den Wiesen, in denen sie zu dritt lagen, gelang es ihm überzeugend, sein Interesse an Ameisen, Käfern und Schmetterlingen zu verbergen. Doch obwohl Wilburs scheinbare Gleichgültigkeit gegenüber allem, was sie zusammen unternahmen, Alice und Lawrence Sorge bereitete, sah der Junge immer, wenn er hochgehoben wurde, in strahlende Gesichter. Diese Sonntage waren angefüllt mit Lachen und Singen, dem quäkenden Ton der Fahrradhupe, Kirchenglocken und Vogelzwitschern, den Geräuschen des Glücks.

Alice trocknete Wilbur ab und zog ihm den Schlafanzug an. Wenn sie ihr Gesicht über seines brachte, sah der Junge an ihr vorbei an die Decke. Am Anfang hatte sie das wütend gemacht und traurig. Jetzt akzeptierte sie es, weil sie wusste, dass er ihr irgendwann in die Augen sehen, ihren Blick erwidern und die unermessliche Liebe darin erkennen würde. Dann würden seine Pupillen aufleuchten und sich weiten vor wahrhaftigem Erstaunen, und er würde lächeln. Nur ein wenig, aber genug, um ihr das Leben zu retten.

2

Warum mussten sie mich zurückholen? Warum konnten sie mich nicht einfach gehen lassen? Ich war beinahe fort. Im Licht. Ich war nicht traurig, im Gegenteil. Ich will zu meiner Mutter. Sie wartet auf mich. Sie ist mir nicht böse, dass ich sie umgebracht habe.

Vor ein paar Stunden lag ich auf einem Bett im Flur eines Krankenhauses. Notaufnahme. Ärzte schrien die Namen von Medikamenten, Unfallopfer vor Schmerzen. Leute rannten herum. Von draußen wehte ab und zu Sirenengeheul herein, wenn ein Ambulanzwagen blutige Körper ablieferte. Schwestern und Krankenpfleger schoben Rollbahren an mir vorbei und verschwanden in Fahrstühlen. Aus Kunststoffbeuteln tropfte Blut oder Kochsalzlösung durch Schläuche in die Venen der Unglücklichen. Einige jammerten, als könnten sie ihr Los noch nicht fassen, manche brüllten, bis eine Droge sie zum Schweigen brachte, während andere das zweifelhafte Glück hatten, bewusstlos zu sein. Ich kam mir vor wie in der Szene einer Fernsehserie. Ich hätte gerne eine Fernbedienung gehabt, um das alles auszuschalten, mich eingeschlossen.

Warum musste mich jemand aus dem Wasser fischen? Wer war der Kerl überhaupt? Ich versuche mich an irgendetwas zu erinnern, aber es gelingt mir nicht. Ich habe Kopfschmerzen. Kann sein, dass ich irgendwo aufgeschlagen bin, bevor ich im Wasser landete. Dann war ich auf dem Weg zum Grund. Diese

Erinnerung lege ich mir jetzt einfach zu. Wie das alles passiert ist, spielt im Moment keine Rolle. Ich bin reingefallen und versunken. So etwas nennt man Schicksal. Da pfuscht man nicht dazwischen. Schon gar nicht riskiert man sein eigenes Leben, um jemanden vom Sterben abzuhalten. Es war still da unten, glaube ich. Wie damals auf dem Grund des Schwimmbeckens. Bis mich dieser Mistkerl im Trainingsanzug rausholte.

Ich lag in durchnässten Kleidern auf einem Flur, und mir war kalt. Ich schmeckte das Salz in meinem Mund. Ich war durstig. Jemand steckte mir eine Kanüle in die Armbeuge und sagte etwas, aber ich verstand nichts. Ich wurde schläfrig. Ich wartete auf das Licht, doch stattdessen kam von irgendwoher Dunkelheit.

Ich liege auf einem Bett in einem Zimmer, durch dessen Fenster schwaches Licht fällt. Man hat mir die feuchte Kleidung ausgezogen und mich in ein Krankenhausnachthemd gesteckt. Ein Arzt sitzt an meinem Bett. Er ist vielleicht fünfzig, trägt eine Brille und schreibt etwas in ein Heft, das auf seinen Knien liegt. Ich sehe an die Decke. Ich habe noch kein Wort gesagt, seit mich jemand aus dem Meer gezogen hat. Man hat mir zu trinken gegeben, vermutlich in der Hoffnung, dass ich dann sprechen würde. Aber ich habe nur an die Decke gestarrt, als gäbe es da etwas zu sehen außer dem weißen Verputz. Der Arzt spricht leise. Bestimmt denkt er, ich stünde unter Schock, sei traumatisiert oder etwas in der Art. Immerhin war ich eine Weile unter Wasser. Der Sauerstoffmangel könnte Teile meines Gehirns zerstört haben, kurzfristig oder dauerhaft. Ich frage mich, was mir lieber wäre.

»Wissen Sie, wie Sie heißen?« Er spricht mit einem Akzent.

McDermott, könnte ich ihm antworten. So hieß meine Mutter, bevor sie heiratete. Man kann das Gedächtnis verlieren und sich trotzdem an Dinge in der fernen Vergangenheit erinnern. Ich sehe mich auf einem grasbewachsenen Erdhaufen sitzen, der den Namen Hügel nicht verdient, aber ich weiß nicht, wie ich ins Meer gefallen bin. Ich heiße Wilbur, könnte ich antworten. Aber ich sage nichts. Da sind Risse im Deckenverputz. Feine Linien, verästelt. Ich stelle mir die Decke als Karte vor. Eine Landkarte aus einem einzigen weißen Fleck. Terra incognita, unbekanntes Land, durchzogen von Flüssen. Das wird mich eine Weile beschäftigen.

»Erinnern Sie sich an den Unfall?«

Es war am Meer. Wäre das eine Feststellung oder eine Vermutung? Eine etwas dunklere Stelle an der Decke mache ich zum Meer. Da fließen die Flüsse hin.

»Können Sie mir sagen, wo Sie wohnen?«

Langsam geht er mir auf die Nerven. Sieht er nicht, dass ich Passagen zum Meer entdecken muss? Ich wohne im Hotel, fällt mir ein. Mein Zimmer geht zur Straße. Tagesdecke und Vorhänge riechen nach Zigarettenrauch. In die Bibel hat irgendein Spaßvogel ein pornografisches Bild gelegt. Auf den Tapeten sind Blumen. Blaue Blumen, vielleicht auch gelbe. Aber ich sage nichts. Ich sage nie mehr etwas.

Der Arzt erklärt mir, wo ich mich befinde, und ab und zu nicke ich, um zu verbergen, dass ich ihm nicht zuhöre. Schließlich hält er mir ein Klemmbrett hin, auf dem ein Formular befestigt ist. Er sagt, wenn ich hierbleiben wolle, müsse ich diese Einverständniserklärung unterschreiben. Er reicht mir einen Kugelschreiber, und ich setze meine Unterschrift an die vorgesehene Stelle. Vielleicht ist es ein Vertrag, mit dem ich eine hundertbändige Enzyklopädie bestelle, vielleicht verkaufe ich gerade meine Organe oder bevollmächtige die Klinik, neue Medikamente an mir zu erproben. Es ist mir egal. Ich kritzle meine Signatur hin, in der vom Arzt erhofften schlafwandlerischen Mechanik, eine nach oben und unten hektisch ausschlagende Tintenspur, ein Seismogramm meiner kümmerlichen Seele, gedrängt, unleserlich. Der Arzt betrachtet sie und verbirgt Ratlosigkeit und Enttäuschung, lächelt, verabschiedet sich und geht.

Die ganze Nacht liege ich halbwach da. Draußen, weit entfernt, fahren Autos. Ab und zu dringt ein verwehtes Hupen an meine Ohren, als läge ich an Deck eines Schiffes, dem ein anderes durch den Nebel zuruft. Meine Zunge schmerzt. Ich bewege sie und spüre, dass sie dicker ist als sonst, geschwollen. Vielleicht habe ich auf sie gebissen, als ich ins Wasser fiel. Mit der rechten Hand taste ich den Kopf ab. Eine Beule sitzt darauf wie ein kleiner alberner Hut.

Ich stelle mir vor, wie ich aufstehe und das Krankenhaus verlasse. Aber ich bin müde. Arme und Beine fühlen sich zu schwer an, als dass ich sie bewegen könnte. Außerdem bin ich so gut wie nackt. Meine Kleider und Schuhe hat man mir abgenommen, was ich sonst dabeihatte, weiß ich nicht. Und eigentlich will ich gar nicht weg. Wohin sollte ich denn gehen? Das Hotel war schäbig und bevölkert von alten Männern. Dorthin will ich nicht zurück.

Eine Schwester, von der ich nur den unglaublich dicken Körper wahrnehme, betritt das Zimmer und stellt sich ans Fußende des Bettes. Ich starre an die Decke. Wenn ich nie mehr rede, lässt man mich vielleicht in Ruhe. Die Schwester sieht, dass ich nicht schlafe. Bestimmt hat man ihr gesagt, ich sei der Stumme aus dem Meer. Jedenfalls geht sie weg, ohne ein Wort an mich zu richten. Ihr Duft, Desinfektionsmittel und Schweiß, bleibt da.

Ich fahre durch einen hellen Tunnel. Schliefe ich, würde ich erwachen. Es ist still. Licht fließt an den Scheiben vorbei. Der Hund liegt am leuchtenden Rand der Straße, sein Fell bewegt sich im Wind. An seinem Hals erkenne ich ein rotes Band, vielleicht ist es auch Blut. Ich rufe dem Fahrer zu, er solle anhalten, aber er hört mich nicht, aus meinem Mund kommen keine Worte. Alles wird weiß, immer weißer, als falle Schnee. Wir fahren weiter, hinein ins blendende Herz. Wäre ich wach, würde ich die Augen schließen. Ich erkenne Dinge und versuche mich an ihre Bedeutung zu erinnern. Alles liegt weit zurück, viele Atemzüge, viele Jahre. Der Körper des toten Hundes löst sich auf, sein gleißender Rand wandert in die Mitte und schmilzt. Ich sehe ihm nach und forme einen Namen, schreibe ihn an die Scheibe, spiegelverkehrt, verschwindend.

Als ich aufwache, ist es noch immer dunkel. Das Geräusch meines Atems füllt den Raum. Ich spüre den Druck auf meiner Blase, ein leichtes Stechen, heftiger als die Kopfschmerzen. Wasser will meinen Körper verlassen, was gut ist. Der Gedanke, dass wir zu achtzig Prozent aus Flüssigkeit bestehen, ist mir zuwider. Ich taste nach einem dieser Plastikgefäße, in die man sich erleichtern kann, finde aber nichts, auch nicht auf den Regalen der Kommode, die neben dem Bett steht.

Den Mann nehme ich erst wahr, als er sich aufrichtet. Er ist ein schwarzer Berg, auf dessen Kuppe eine kurz gehaltene Wiese steht. Statt erschrocken bin ich empört über seine plötzliche Anwesenheit. Ich frage mich, seit wann er im Zimmer ist. Wurde er samt Bett hereingerollt, als ich schlief? War er schon vor mir da, verborgen von einem Vorhang, der zurückgezogen wurde? Ich lege mich wieder auf den Rücken, unterdrücke den Drang, Wasser zu lassen, und sehe an die Decke. Der Mann ächzt, vielleicht ist es auch sein Bettgestell.

»Bist du wach?« Seine Stimme ist tief und rasselt ein wenig, als würden die Worte durch einen Stollen aus grob gehauenem Stein kollern. Er räuspert sich, wartet.

»Ich weiß, dass du wach bist.«

Ich habe weder mit dem Arzt noch einer der Schwestern gesprochen und nicht vor, mit diesem Kerl zu reden. Ich schließe die Augen, obwohl mir klar ist, dass er es nicht sehen kann.

»Warum bist du hier?«

Weil man meine Abreise verhindert, mich in letzter Minute aus dem Flieger geholt hat. Weil meine Aufenthaltsbewilligung noch nicht abgelaufen ist, die Formalitäten mit dem Jenseits nicht geklärt sind. Weil jemand mutig war und selbstlos und schwimmen konnte. Weil ich Pech hatte.

Ein Seufzer dringt an mein Ohr. Vielleicht liegen da noch

mehr Männer. Einer neben dem anderen, in einer endlosen Reihe von Betten. In einem Saal, dessen Dimension mir erst bewusst wird, wenn Tageslicht durch die Ritzen der Jalousie sickert.

»Ich weiß, warum.«

Ich warte, dass er noch etwas sagt, aber er schweigt. Ich höre, wie er sich wieder hinlegt, das Kissen zurechtknetet und ausatmet. Dann höre ich kein Geräusch mehr, nicht das leiseste. Es ist, als ob der Mann neben mir ausgeatmet hat und nun keine Luft mehr holt. Als ob er weggelegt wurde, wie die Puppe eines Bauchredners nach der Vorstellung weggelegt wird.

Ich lasse die Augen geschlossen. Draußen ist es jetzt so still wie im Zimmer. Der Harndrang fühlt sich an, als läge ein schweres Buch auf meinem Bauch. Ich gleite an farbigen Lichtern entlang. Ich drehe mich im Kreis. Meine Mutter heißt Maureen. Sie winkt mir zu und ruft meinen Namen.

Der Mann ist samt Bett verschwunden, als hätte es ihn nie gegeben. Da, wo ich ihn zu sehen glaubte, ist nichts. Links von mir, wo jetzt die neue Schwester steht und meinen Puls misst, sind es keine fünfzig Zentimeter bis zur Wand. Neben der Kommode wäre genug Platz für ein Bett, aber er ist leer. Ich würde die Schwester fragen, will aber mein Vorhaben, nicht mehr zu sprechen, auf keinen Fall aufgeben. Die Schwester ist alt und ihre braune Haut faltig. Ihr Geruch erinnert mich an etwas. Seife und Hühnersuppe. Aber landet man nicht immer bei Seife und Hühnersuppe, wenn man nach den Ursprüngen eines Geruchs sucht? Sie bettet meinen Arm zurück auf die Decke, trägt etwas in eine Liste ein und schiebt sie in die Halterung am Fußende des Bettes. Dann klappt sie den Deckel des Wasserkrugs hoch, sieht, dass er voll ist, murmelt etwas auf Spanisch und verlässt das Zimmer.

Bestimmt wird gleich der Arzt kommen. Er wird mir wieder Fragen stellen, und es ist Zeit, dass ich mir eine Strategie zurechtlege. Wenn ich stumm bleibe, werde ich dieses Bett eine Weile behalten können. Ich erinnere mich an das Hotelzimmer, sehe den Kleiderschrank vor mir, schwarz und scheinbar bodenlos, ein Schacht, in dem Drahtbügel hängen wie Skelette von Fledermäusen. Das Fenster sehe ich und die Hauswand dahinter, die Leitungen und Rohre, die zugemauerten Öffnungen und die Tauben, die paarweise darin hocken. Und ich kann das abgegriffene Bild sehen, das ich nur deshalb fand, weil ich die Bibel aus der Nachttischschublade genommen und auf den Flur gelegt habe, so wie andere Gäste ihre Schuhe vor die Tür stellen.

Dorthin will ich nicht zurück, lieber bleibe ich hier. Nachts drang Musik aus billigen Radios durch die Wände und das Husten alter Männer. War es einmal still, hörte ich das Ächzen der Stahlseile, die den Aufzug durch die Stockwerke schleiften. Im Geist zähle ich alle Dinge auf, die meinen Koffer, der unter dem Hotelbett liegt, nicht einmal zur Hälfte füllen.

Meine Zunge liegt trocken im Mund, pelzig, wie aufgeplustert. Ich schlüpfe aus dem Bett. Auf der Kommode steht ein Glas Wasser. Ich schütte den größten Teil davon zurück in den Krug und trinke die Tropfen aus dem Glas, wiederhole den Vorgang, bis ich nicht mehr durstig bin. Der Boden unter meinen nackten Füßen ist kühl, meine ersten Schritte sind unsicher, als ginge ich auf spitzem Kies. Das Hemd, hinten aus irgendeinem Grund offen und nur von zwei Bändeln zusammengehalten, geht mir bis über die Knie. Zum Glück hängt nirgends ein Spiegel. Ich betaste die Beule und fühle erst jetzt die verkrustete Stelle, die sich darauf gebildet hat.

Der Flur vor dem Zimmer ist leer. Ich ziehe die Tür hinter mir zu und gehe nach links. Nach rechts kann ich nicht, da ist nur eine Wand mit einem Fenster, weit oben, unerreichbar. Auf beiden Seiten des Flurs sind Türen. Beim Gehen fühle ich die volle Blase als dumpfen Druck. Meine Beine sind steif und taub, die Füße stecken in unsichtbaren Stiefeln, an denen schwere Erde klebt. Ich stakse den Gang entlang, biege um eine Ecke, komme an ein Treppenhaus. Ich gehe hinunter, glaube,

Stimmen zu hören. Um nicht zu fallen, greife ich mit beiden Händen das Geländer, bewege mich seitwärts. Musik, wie sie in Kaufhäusern gespielt wird, weht nach oben.

Plötzlich schwappt bleierne Müdigkeit durch meinen Körper, aber statt mich hinzusetzen, tappe ich weiter. Am Ende der Treppe betrete ich taumelnd ein Schiffsdeck. Mir ist kalt, das muss die Müdigkeit sein. Bunte Fische schwimmen vor meinen Augen. Ein einfältiges Lied, eine Girlande aus hohen Tönen, legt sich neben das dumpfe Pochen in meinem Kopf.

Mir ist heiß, ich zittere mit kalten Füßen. Der Boden hebt und senkt sich unter den Wellen. Ein Mann, leuchtend in seinem gelben Hemd, kommt auf mich zu. Sein Gesicht ist freundlich, und trotz seiner kräftigen Statur wirkt er nicht bedrohlich. Dass ich mittlerweile auf dem Boden sitze, merke ich erst, als ich zu dem Mann aufblicke. Er sagt etwas, aber ich verstehe ihn nicht. Die Augen fallen mir zu, die Musik und die Schmerzen verlassen meinen Kopf, meine Blase entleert sich.

The Verdict
1982

Die Wellen schienen gegen die Mauern zu schlagen, aber es war nur der Wind, der in Böen Regen ans Haus warf. Wilbur lag in seinem Bett und sah ins Dunkel, wo Balken knarrten, wenn das Dach sich anzuheben schien unter dem Druck einer besonders mächtigen Luftwoge. Ein dickes Kissen begrub das Kind unter sich, dessen Kopf darunter hervorschaute wie aus einer Schneewehe. Es war Nacht, und er hätte gerne die leuchtende Blume gesehen, die auf dem Lampenschirm neben der Tür blühte, aber sie lag nicht in seinem Blickfeld.

Als unweit des Hauses die von einem heftigen Windstoß aufgerissene Scheunentür gegen den Rahmen krachte, fing Wilbur an zu weinen. Wenn es draußen so laut toste, dass sein dünnes Stimmchen darin unterging, wartete er und schrie in der kurzen Pause, die der Sturm zum Atemholen brauchte. Nahm der Lärm erneut für einen Moment ab, schrie er nochmals, und meistens hörte er in der darauffolgenden Lücke die dunkle Stimme, die ihm Angst machte, und die helle, die er liebte. Dann weinte er wieder, aber nur, um augenblicklich damit aufzuhören, sobald sie die Tür öffnete, ihn unter der Decke hervorzog und in die Arme nahm. Nach einem letzten Schluchzer war er still und lauschte ihrer Stimme. Er schmiegte den Kopf an ihre Brust und gab sich mit geschlossenen Augen dem Schaukeln ihres Oberkörpers hin und dem Singsang, der flüsternd das wütende Toben des Sturms ausblendete.

Im Spätsommer des letzten Jahres hatte Eamon McDermott in Begleitung eines Anwalts seinen Enkelsohn aus Chestnut Hill geholt. Nach einem langen Papierkrieg mit den amerikanischen und irischen Behörden zu müde, um sich als Sieger zu fühlen, war er vor dem Heim aus einem Taxi gestiegen und auf Lawrence Krugshank zugegangen, abwartend, ob der Mann ihm die Hand entgegenstrecken würde. Krugshank musste für diesen Gruß alle Kraft, die ihm noch geblieben war, aufbringen, schüttelte Eamons Hand und die des Anwalts und führte die Männer durch einen leeren Flur zu dem Büro, wo die letzten Formalitäten erledigt wurden. Warren C. Rush und eine Mitarbeiterin des Sozialamtes warteten auf die beiden. Eamon sprach während der ganzen Prozedur kein Wort. Er nickte, wenn sein Anwalt ihm etwas erklärte, setzte seine Unterschrift dorthin, wo es verlangt wurde, und wollte dann so rasch wie möglich den Jungen holen.

Alice Krugshank brachte es nicht fertig, den Mann zu sehen, der ihnen ihr Kind wegnahm. Sie saß auf dem Bett im Schlafzimmer ihrer Wohnung, die in einer der ehemaligen Offiziersunterkünfte etwas abseits des Hauptgebäudes lag, knetete einen Wollfäustling, den sie für Wilbur gestrickt hatte, und starrte auf den Fleck an der Wand, an der eben eine halbvolle Kaffeetasse zerschellt war. Als sie den Motor des Taxis hörte, kippte sie seitlich auf das Bett, zog die Knie an und weinte.

So fand ihr Mann sie, als er zwei Stunden später den Raum betrat und Wilbur auf dem Weg zum Flughafen war.

Als Eamon in Sligo aus dem Zug stieg, der ihn und eine Handvoll Leute, vor allem amerikanische Touristen auf der Suche nach ihren Wurzeln, von Dublin in den Nordwesten gebracht hatte, fühlte er sich noch immer nicht als Sieger. Auch nicht, als er seine Frau sah, die die lange Fahrt mit dem Bus auf sich genommen hatte, um ihren Enkel willkommen zu heißen. Wilbur hatte im Taxi vor dem Heim angefangen zu weinen und, mit wenigen Unterbrechungen, in denen er rot verfärbt und schweißnass wegdämmerte, bis zu seiner Ankunft in Dublin nicht wieder aufgehört. Kaum auf irischem Boden gelandet, verstummte er jedoch, was Eamon als Zeichen deutete, dass der Junge spürte, wohin er gehörte.

Im Bus konnte Eamon den mit blauem Nylonstoff eingefassten Tragekorb, den Lawrence Krugshank ihm aufgedrängt hatte und in dem Wilbur lag, seiner Frau auf den Schoß stellen. Froh, die Reise endlich hinter sich zu haben, hielt er sich an seinem Koffer fest, in dem, eingewickelt in einen Pullover, die Urne mit Maureens Asche lag. Orla schälte den Jungen aus den Tüchern und Decken, prüfte den Zustand der Windeln, die eine Stewardess der Aer Lingus über Neufundland gewechselt hatte, herzte ihren neuen Schatz und ließ nicht von ihm ab, bis der Bus auf dem Dorfplatz von Kindrum hielt.

Was Wilbur von seiner neuen Welt sah, war umstellt von Mauern. Regnete es nicht und war es nicht zu kalt, wurde er auf eine Wolldecke in die Mitte der asphaltierten Fläche gesetzt, die man durch die Küchentür erreichte. Die Mauern waren unverputzt und hätten die Wände eines Anbaus sein können, dessen Errichtung man vertagt oder verworfen hatte. Zwei Holzstühle, ein Ascheimer und ein schwarzes Fahrrad standen in ihrem Schatten, in einer Ecke lagerte gestochener Torf unter einer Plane, Heizmaterial für den Winter. Auf dieser Decke hatte Wilbur gelernt, auf allen vieren zu kriechen und wie man auf zwei wackligen Beinen steht.

Auf dieser Decke saß er jetzt, hielt mit beiden Händen einen geschnitzten Holzesel fest, sah auf die Mauer, hinter der das Meer lag, und wartete auf sie. Er hörte, wie die Wellen an die Küste rollten, ein sanftes Rauschen, dazwischen riefen Möwen, die manchmal, vom Wind hergetragen, hoch über seinem Kopf auftauchten. In den ersten Wochen hatte Wilbur nach ihnen gegriffen, doch irgendwann die Vergeblichkeit seiner Bemühungen eingesehen und aufgehört. Stattdessen rieb er den Kopf des Holzesels auf dem Asphalt, bis Nüstern und Maul abgeschliffen waren.

Wenn sie endlich kam, warf er den Esel in die Luft, worauf sie jedes Mal jubelnd in die Hände klatschte. Dann hob sie ihn hoch und trug ihn in die Küche, wo sie ihn auf den Schoß nahm, ihm zu essen gab und scheinbar wahllos drauflos erzählte, Geschichten aus Büchern, Zeitungsmeldungen, Witze, Horoskope, Wetteraussichten, Nachbarstratsch, Hochzeiten, Geburten, nie Todesfälle. Sie redete ohne Punkt und Komma, die Worte kamen aus ihr heraus, als müsste sie den Jungen in möglichst kurzer Zeit mit möglichst vielen davon versorgen, als seien sie Bestandteil seiner Ernährung.

Orla McDermott war eine Frau, der man auch nach zweiundsechzig Jahren noch hätte ansehen können, dass sie einmal sehr schön gewesen war. Aber hier draußen, mehr als zwanzig Kilometer von Kindrum und einen Steinwurf vom Meer entfernt, gab es niemanden, der sich für den warmen Glanz in ihren schwarzen Augen oder die sinnliche Form ihrer Lippen interessiert hätte. Niemandem fielen ihre schmalen Hände auf, in deren Fingerspitzen Zärtlichkeit schlief, niemandem die hohen Wangenknochen, über die sich sonnenbraune, von unzähligen haarfeinen Fältchen geriffelte Haut spannte.

Früher blieben die Männer in Galway auf der Straße stehen, wenn sie an ihnen vorbeiging, mit federndem Schritt und einem Lächeln im Gesicht, das spöttisch war für die dreist Glotzenden und ermunternd für die verschämt Schmachtenden. Ihre Familie, deren Wurzeln mütterlicherseits in Spanien lagen, besaß zwei Fischkutter, die *Alicante* und die *Galway Grace*. Drei Männer, einen Onkel und zwei Cousins von Orla, hatte das Meer genommen im Tausch gegen einen Teil seines Schatzes, der die Schiffsbäuche mit zappelndem Silber füllte. Reich wurden die O'Learys mit dem Fischfang nicht, aber es reichte, um die älteste Tochter auf eine gute Schule in England zu schicken.

Hätte ihr Vater, der sich nach Tagen auf See stundenlang mit

Seife abschrubbte, um den Fischgeruch loszuwerden, geahnt, dass Orla nicht vorhatte, ihr in den drei Exiljahren erworbenes Wissen jemals für etwas anderes anzuwenden, als ihrer Mutter beim Lösen von Kreuzworträtseln zu helfen, hätte er sie gleich in seinen Laden gesteckt, hinter dessen Verkaufstheke sie glücklich war. Er betrachtete es als Verschwendung von Talent, als verpasste Gelegenheit, ja als Sünde, dass seine intelligente Tochter Makrelen und Kabeljau verkaufte, statt in London oder Paris zu studieren. Wenn Orla mit Touristen französisch sprach oder einem Kunden erklärte, dass der Name Thunfisch auf das griechische Wort thýnnos zurückgehe, schüttelte er den Kopf, konnte sich dabei aber ein stilles Lächeln nicht verkneifen, froh darüber, dass seine geliebte Tochter nicht mehr bei den Engländern war. Würde er eben abwarten und sehen, ob Deirdre, die Jüngere, ihre Nase lieber in Bücher oder Berge toter Fische steckte.

Orla erzählte Wilbur gerade von den beiden Schafen, die vom Deck einer Fähre gefallen waren und sich in Meerjungfrauen verwandelt hatten, als Eamon die Küche betrat. Er murmelte einen Gruß, goss Tee aus einem Thermoskrug in seine schwarze Tasse, lehnte sich gegen das Spülbecken und trank schlürfend und laut atmend. Wilbur hasste dieses Geräusch. Er hasste es, weil es schrecklich klang und weil es bedeutete, dass Orla verstummte. War der dunkle, nach Torf und feuchtem Stoff riechende Mann anwesend, versiegte der Fluss aus Tönen, dem er so hingebungsvoll gelauscht hatte und der ihn mehr wärmte als Kleidung und Decken. Warum gab es diesen Riesen überhaupt, der sich zwischen ihn und die Sonne stellte? Wer war dieser Berg, der beim Trinken Geräusche von sich gab, als würde in seinem Mund Papier zerrissen? Was wollte er hier, außer Schlürfen, Schweigen und Schnauben?

Eamon McDermott war siebzehn Jahre und dreiundzwanzig Tage alt, als sein Leben sich für immer änderte. Er lag im Bett unter dem Dach seines Elternhauses und stellte sich vor, wie es wäre, in New York zu leben und beim Bau der Häuser zu helfen, die so hoch waren, dass man sie Wolkenkratzer nannte. Vom Postboten wusste er, dass in der Neuen Welt Männer gesucht wurden, die kräftig und schwindelfrei waren, fähig, zwischen Himmel und Erde auf schmalen Stahlträgern zu balancieren. Seit Wochen lernte Eamon, seine Furcht vor Höhe abzulegen, indem er auf Bäume kletterte und von Klippen in den Abgrund blickte. Erst vor ein paar Tagen hatte ihn ein Nachbar vom Dach seiner Scheune gescheucht, dessen First er mit seitlich ausgestreckten Armen entlanggegangen war.

Eamon wollte nicht Schafe züchten wie sein Vater und sein Großvater. Er wollte nichts mit den dummen, stinkenden Tieren zu tun haben, wollte ihnen nicht im Nebel nachtrotten, nicht mit ihnen über Hügel stapfen oder mit ihnen unter Büschen hocken, vergeblich auf das Ende des Regens wartend. Er hasste die Gerichte, die mit ihrem Fleisch gekocht wurden, hasste die Pullover, deren fettige Wolle ihm die Luft zum Atmen nahm, und er hasste ihr Blöken, das einfältig und klagend war wie das Jammern der alten Weiber vor der Kirche. Er wollte nicht bis ans Ende seiner Tage unter diesen Kreaturen ausharren und irgendwann, genährt von ihrem Fett und eingehüllt in ihr Haar, zu ihresgleichen werden. Nach New York wollte er, über den Atlantik in ein neues Leben, am liebsten mit dem nächsten Schiff.

Daran dachte Eamon, als das dumpfe Bollern vom Strand her zu ihm heraufdrang. Erst hörte er es einmal, dann wieder, schließlich im gleichmäßigen Takt der ankommenden Wellen. Es klang wie Holz, das gegen Stein schlug, ein hohler Ton, ein leeres Fass vielleicht oder ein losgerissener Kahn. Eamon stand auf und ging ans Fenster. Als er zum Meer hinuntersah, schob der Wind eine einzelne Wolke vom Mond weg, der die Bucht beleuchtete wie eine Bühne. Das Boot lag mit dem Bug im groben Kies, die Brandung stieß das Heck mit sanfter Regelmäßigkeit gegen einen Fels. Eamon öffnete das Fenster, streckte den

Kopf in die Kälte. Das Mondlicht brachte die Luft zum Glühen, bedeckte jeden Gegenstand. Von der Gestalt, die scheinbar bewusstlos über die Ruderbank gestreckt dalag, konnte Eamon nur die Beine erkennen, schwarze Hosen und weiße Schuhe. Er schloss das Fenster, zog sich an, steckte das Taschenmesser ein und schlich aus dem Haus.

In Stiefeln, groben Hosen und einer Strickweste aus der Wolle seiner Feinde über dem Hemd ging Eamon die fünfzig Meter hinunter zum Strand. Bevor er an das Boot herantrat, bekreuzigte er sich. Der Mann, in dessen Gesicht er blickte, war nicht alt und nicht jung, trug außer der schwarzen Hose einen blauen Pullover und darüber eine Jacke aus grünem Stoff, die schmutzig war und versengt. Als Eamon sich über ihn beugte, bemerkte er den Geruch nach Rauch und Öl, der von ihm ausging. Er hob den Mann, der erstaunlich leicht war, aus dem Boot, trug ihn dorthin, wo der Kiesstrand in zähes Gras und schließlich eine löchrige, mit Steinen und Felsbrocken durchsetzte Wiese überging, und legte ihn hin.

Die Kiste bemerkte er erst, als er das Boot aus dem Wasser zog und so weit nach oben schleifte, dass die Brandung es nicht mehr erreichte. Dann kniete er sich neben den Bewusstlosen, berührte zögernd dessen rußgeschwärztes Gesicht, legte ihm das Ohr an die Brust und spürte, dass sie sich kaum merklich hob und senkte. Erleichtert darüber, dass der Mann am Leben war, rannte Eamon zum Haus, um Hilfe zu holen.

Als er im Flur vor der Schlafkammer seiner Eltern stand, die Hand erhoben, um anzuklopfen, hielt er mitten in der Bewegung inne. Eine Weile verharrte er in der Dunkelheit, hörte das Schnarchen seines Vaters und das Klopfen des eigenen Herzens, ließ die Hand schließlich sinken, drehte sich um und ging hinaus.

Der Mann lag da, wie Eamon ihn hingebettet hatte. Ab und zu bewegten sich seine Lippen, seine Finger und Augenlider zuckten. Er hatte kurzes blondes Haar, und an einem Arm, unter zerrissener Kleidung, war helle Haut zu sehen. Er hätte aus einem der Orte hier stammen können, auch wenn er dazu nicht genug nach Schafmist roch. Eamon deckte ihn mit der grauen Decke zu, die er im Boot fand, und machte sich dann daran, die Kiste über die Bordwand zu hieven.

Die mit Eisenbeschlägen versehene Holztruhe erwies sich als so schwer, dass Eamon das ganze Boot zur Seite kippen musste, damit sie auf die Steine rutschte, wo sie mit dem Boden nach oben liegen blieb. Das Rumpeln und kurze Krachen ließen Eamons Puls rasen. Für einen Augenblick kauerte er mit angehaltenem Atem neben dem Boot und sah zum Haus hoch, darauf wartend, dass der Schein der Öllampe aufflammte und sein Vater ins Freie trat. Doch im Haus blieb es dunkel, und auch der Matrose wachte nicht auf. Das monotone Schwappen der Wellen beruhigte Eamon, und nachdem er ein paar Mal tief ein- und ausgeatmet hatte, machte er sich mit dem Taschenmesser am Vorhängeschloss zu schaffen.

Weil eher die Klinge abgebrochen als das Schloss aufgesprungen wäre, begann Eamon, im Holz des Kistenbodens zu stochern. Manchmal, wenn der Matrose wie im Traum den Kopf bewegte oder mit den Füßen wackelte, setzte Eamon das Messer ab, rieb sich die kalten, schmerzenden Finger oder fuhr mit einem Stein über die Klinge, zwanzigmal auf der einen, zwanzigmal auf der anderen Seite. Er hätte in der Scheune den Schleifstein holen können, der zum Schärfen der Sense benutzt wurde, aber er wollte den Mann mit der Truhe nicht allein lassen. Ginge er für ein paar Minuten weg, so redete er sich ein, wären bei seiner Rückkehr Mann, Boot und Kiste weg. Dass das unmöglich war, wusste er, und trotzdem blieb er sitzen und schabte Stunde um Stunde mehr Holz aus dem Kistenboden.

Seine Finger waren taub vor Kälte und Anstrengung, als endlich ein Loch entstanden war, in das er die flache Hand stecken konnte. Was er ertastete, fühlte sich weich an, wie etwas Kostbares, für seine rauen Fingerkuppen Verbotenes, der Stoff vom Gewand einer Königin, die Haut eines Mädchens. Griff

Eamon danach und schloss die Faust, konnte er die Hand nicht mehr zurückziehen, und so stocherte er mit einem Ast in der Öffnung, bis er den Stoff anheben und mit zwei Fingern hervorziehen konnte. Er hatte noch nie Samt gesehen, nicht einmal davon gehört. Der leuchtend rote Stoff gehörte zu einem Beutel, der zu dick war, als dass er durch das Loch gepasst hätte. Ungeduldig und müde und in der ständigen Angst, der Matrose könne zu sich kommen oder der Vater vor dem Haus auftauchen, schnitt Eamon den Beutel auf.

Das einzige Buch, das er jemals in den Händen gehalten hatte, war die Bibel seiner Eltern. Er konnte nicht lesen, war nie weiter als bis Donegal Town gekommen, er wusste nicht, dass die Erde sich um die Sonne drehte und warum Automobile fuhren. Er lebte wie der Knecht seiner Eltern, die ihm dieselbe innige, derbe Zuneigung entgegenbrachten wie ihren Schafen und dem Hund, der sie zusammentrieb. Er hatte keinen Bruder mehr und keine Freunde, und wäre nicht der Postbote gewesen, der ihm alle paar Wochen ein Geheimnis verriet, hätte er nie geahnt, dass die Welt am Horizont nicht aufhörte und dass es Länder gab und Kontinente, die größer waren als das Königreich seines Vaters.

Er hatte noch nie Gold gesehen, aber als er eines der schweren, mattgelb glänzenden Nuggets in der Hand hielt, durchströmte ihn die brennende Gewissheit, dass er alles, was er hasste oder wofür er nach so langer Zeit nicht mehr genug Liebe aufbrachte, bald hinter sich lassen würde.

Am Horizont stieg Morgenlicht auf. Der Mond war verschwunden. Die Wolken, die jetzt über dem Meer standen, hatten graue, zerfranste Säume. Wind kam auf, strich über das zähe Gras und bewegte die kahlen Äste der wenigen Bäume. Auch in den Matrosen schien jetzt Leben zu fahren. Wie tastend bewegte er die Hände, und in seiner Brust rumorte etwas, das gelegentlich als Röcheln aus seiner Kehle drang. Eamon hatte acht Beutel voll Goldstücke, fünf glitzernde Steine, von denen er nicht wusste, dass es Diamanten waren, einige Gold- und Silbermünzen und zwei Umschläge mit bedrucktem Papier, das er für Geldscheine hielt, aus der Kiste geholt. Alles lag auf dem Stück Tuch, in das die Münzen eingewickelt gewesen waren. Die langen krummen Hörner, die Eamon nicht als Stoßzähne von Elefanten erkannte, den schweren Revolver und die Schachteln mit Patronen, das Fernrohr aus Messing und dunklem Holz und das verzierte Messer mit den zwei Klingen, tausendmal schöner und edler als das eigene, legte er in die Truhe zurück, nachdem er die Dinge eine Weile bestaunt hatte.

Er verknotete das Tuch und trug den Beutel in das Versteck, in dem seine anderen, jetzt wertlos gewordenen Schätze lagen. Dann schleppte er die Kiste vom Strand weg über eine flach ansteigende Hügelkuppe und schob sie in das Loch eines längst verlassenen, hinter Gras und Stechginsterbüschen verborgenen Dachsbaus, in dem er sich als kleiner Junge vor seinem Vater und den Schafen versteckt hatte.

Als Eamon endlich ins Haus ging, war es beinahe hell. In der Küche machte er Feuer, setzte Wasser auf und nahm die Tassen aus dem Regal an der rohen Steinwand. Er wusste, wo der Pocheen war, der selbstgebrannte Whiskey, tat Zucker in eine Tasse und füllte sie halb mit dem Schnaps und halb mit heißem schwarzem Tee. Damit und mit einem Kanten Brot ging er zur Bucht, setzte sich ins Gras und wartete, bis entweder der Matrose oder sein Vater wach wurde. Das leise Blöken der Schafe, die die Nacht im Schutz der Felsen und Büsche am Fuß des Hügelzuges verbracht hatten, wehte zu ihm herüber. Er hielt die dampfende Tasse mit beiden Händen umfasst, und wäre er nicht so müde und voller Angst gewesen, hätte er gelächelt.

Eamon blies vor jedem Schluck in die Tasse. Er schlürfte den Tee auch dann in sich hinein, wenn dieser fast kalt war, und kniff dabei die Augen zusammen, als befürchtete er, sich Lippen und Zunge zu verbrühen. Orla sah ihm dabei schon seit Jahrzehnten nicht mehr zu. Dass sie ihn hörte, genügte ihr.

»Du verwöhnst ihn.« Die Stimme kühlte Wilburs warmen Bauch aus.

»Ja«, sagte Orla. Sie schob Wilbur einen weiteren Löffel Bananenbrei in den Mund, den es zum Nachtisch gab. Bananen waren in ihrer Kindheit nicht einmal in Dublin zu haben gewesen. Noch immer musste sie mit dem Bus bis Letterkenny fahren, um welche zu kaufen, aber jetzt lagen sie in den Supermärkten wie selbstverständlich neben Kiwis und Mangos und anderen Früchten, die aus Ländern kamen, deren Namen sie vor den Regalen leise hersagte. Tansania. Ecuador. Costa Rica. Sie hätte die Namen Wilbur gerne ins Ohr geflüstert, in diese kleine rosa Muschel, durch die das Sonnenlicht drang und blaue Äderchen aufleuchten ließ.

»Das ist nicht gut.« Eamons Schlürfen klang wie das Wasser, das nach dem Baden kreiselnd im Abfluss verschwand.

»Ist es wohl«, sagte Orla ruhig, und nur Wilbur spürte die in ihren Worten verborgene Kälte.

»Er wird weich«, sagte Eamon. Er stand noch immer hinter seiner Frau ans Spülbecken gelehnt da und hielt die leere Tasse mit beiden Händen fest. Wilburs Haare, jedes einzelne in Licht gefasst, waren das Einzige, was er von dem Kind sah. Manchmal dachte er daran, diese Haare zu berühren, tat es aber nie. Er glaubte sich zu erinnern, wie sehr er es gemocht hatte, wenn seine Mutter mit der Hand über seinen Kopf gestrichen war, doch beim Anblick der eigenen Hände wurde ihm klar, dass sie nichts mit denen der Mutter gemein hatten. Wärme war in ihnen nur noch, wenn sie eine Tasse umklammerten.

»Er wird ein Mensch.« Orla sprach diese vier Worte weich aus und sanft und trotzdem bestimmt. Dann erhob sie sich und ging aus der Küche und durch das Wohnzimmer auf den Weg vor dem Haus. Dort setzte sie sich Wilbur auf die Schultern und ging über die Wiese und hinunter zum Strand, wo sie sich in einem Kreis langsam um die eigene Achse drehte, ein Leuchtturm am helllichten Tag.

Das Schiff war in weniger als einer Stunde gesunken. Die Mannschaft hatte versucht, das im Frachtraum ausgebrochene Feuer zu löschen, aber als das halbe Deck und die Rettungsboote in Flammen standen, als die Kommandobrücke prasselnd zusammenstürzte und mit ihr der Kapitän und der Erste Offizier verbrannten, ließen die Männer alle Hoffnung fahren und sprangen über Bord. Unter einem gleichgültigen Mond im eiskalten Wasser treibend, sahen sie zu, wie das Schiff auseinandergerissen wurde, als die Heizkessel explodierten und schwarze Wolken in den Himmel schickten, und wie es schließlich unterging. Erst träge und dann plötzlich rasend schnell versank der lodernde Koloss, überzog das schwarze Meer mit Blasen und ließ für kurze Zeit die Linie des Horizonts erzittern.

Die darauffolgende Stille hörte keiner der dreiundzwanzig Männer mehr, die, einer nach dem anderen, ihrem Schiff in die eisige Dunkelheit gefolgt waren. Hätte einer von ihnen überlebt, an ein Stück Treibholz geklammert oder auf dem Rücken eines Wals sitzend, und hätte er die Küste im Nordwesten Irlands erreicht wie am Ende eines schrecklichen Märchens, so hätte er vielleicht das Rettungsboot gesehen und den Matrosen darin, der einmal zu ihnen gehört hatte, zumindest auf dem Papier.

Er lag im trockenen Teil des Stalls auf Stroh. Eamons Vater wollte den Fremden nicht im Haus. Aidan McDermott hatte in seinem Leben schon einige Schiffbrüchige gesehen, viele davon Männer, die er kannte, und die meisten von ihnen tot, angeschwemmt an die felsige Küste und aufgebahrt in einem dunklen, kalten Haus. Er war kein Mann der See, stand lieber auf fester Erde als auf schlingernden Planken. Den Fischerbooten sah er, auf einem Hügel stehend, ohne Sehnsucht nach, und die Bereitschaft dieser Männer, sich mit den Elementen zu messen, war für ihn eine dreiste Herausforderung an Gott, eine hochmütige Wette, die der Mensch verlieren musste. Außerdem hasste er Fisch in dem Maße, in dem sein Sohn Schafe hasste. Wenn es am Freitag trotzdem welchen gab, würgte er ihn hinunter, weil er es für seine Christenpflicht hielt.

Dass die arme Seele im Stroh nicht dem Untergang eines Fischerboots entkommen war, sah Aidan gleich. Die Schuhe aus Segeltuch, die schwarzen Leinenhosen, der blaue Pullover aus einer Wolle, die nicht vom Schaf sein konnte, und die schmutzige, aber gute Regenjacke passten nicht zu einem Matrosen, der täglich knietief im schleimigen Auswurf der See watete. Überhaupt ging von dem Mann kein Fischgestank aus, seine versengte Kleidung roch nach Rauch und etwas, das Aidan an Maschinenöl oder Dieseltreibstoff erinnerte. Und dann die Wolldecke, grau mit schwarzem Balken, in dem etwas stand, vermutlich der Name des Unglücksschiffes. Aidan hatte nie einen Fuß auf ein Fischerboot gesetzt, wusste aber, dass keines in Irland Wolldecken dieser Qualität an Bord hatte, geschweige denn mit eingewirktem Namen.

Aidans Frau hatte dem Seemann die Kammer neben der von Eamon herrichten wollen, ein Bett in einer Behausung, deren Boden aus Brettern war statt Lehm und wo es nicht durch Ritzen zog. Zu der man gelangte, ohne über eine schlammige Wiese zu gehen, und die für Menschen gebaut war und nicht für Vieh. Aber ihr Mann hatte es anders bestimmt, und sie widersprach ihm nicht. Nuala McDermott war eine kleine, schweigsame Frau mit wenig Ansprüchen und viel Kraft. Dass sie Forderungen an ihr Leben stellen könnte, war ihr nie in den Sinn gekommen, sich Dinge zu wünschen hielt sie für anmaßend. Ein neuer Kochtopf bedeutete Glück, eine Bettdecke, gefüllt mit Gänseflaum, den Himmel. Anders als ihr Mann, empfand sie Fremden gegenüber nicht Argwohn, sondern Neugier. Stand sie auf dem Hügel und blickte den Schiffen nach, versuchte sie sich vorzustellen, was die Menschen am Ende der Reise erwartete. Nicht dass sie neben ihnen an Deck hätte stehen und zusehen wollen, wie sich der Streifen Land, der ihr Zuhause war, langsam auflöste. Dazu fehlte ihr der Mut, war ihre Sehnsucht zu unbestimmt. Sie hing lieber ihren von Hörensagen und Einbildungskraft genährten Träumen nach, erschauernd beim Gedanken an fremde Länder, Menschen, Tiere, malte sich Dinge aus, saß dabei in ihrer Küche und schälte Kartoffeln für die beiden Männer, die ohne sie verloren waren.

Jetzt versuchte sie eben, das Krankenlager im Stall so bequem zu machen, wie es ging. Gegen Aidans verhaltenen Protest hatte sie die Bettdecke aus Paudraigs Zimmer geholt, um den Frierenden zuzudecken. Eine Suppe hatte sie gekocht, Karotten und Kartoffeln lagen am Grund der Schüssel und natürlich Stücke vom Schaf, auf der Oberfläche lagen schimmernde Fettkreise. Aber der Matrose, inzwischen bei Bewusstsein, wollte nicht essen. Er lag auf der Wolldecke im Heu, die schmutzigen Finger, von denen sich Fetzen verbrannter Haut lösten, in die gute Decke gekrallt, und hustete, dass es ihm den Oberkörper krümmte. Rußiger Speichel floss aus seinem Mund, vermischte sich mit Tränen und zog Linien in die Schicht aus Dreck und Asche, die sein Gesicht überzog.

»Er wird sterben«, sagte Aidan, während er seiner Frau zusah, wie sie beinahe zärtlich die Stirn des Mannes wusch, der ausgerechnet in seine Bucht gespült worden war.

»Lass Gott das entscheiden«, sagte Nuala. »Und den Doktor.«

Der Arzt, den Eamon drei Stunden später in den zum Lazarett umfunktionierten Stall brachte, sah sich den Matrosen an, ließ eine Flasche Hustenelixier und eine Salbe gegen die Brandwunden da und machte sich mit einem Pfund gepökeltem Schafsfleisch als Bezahlung auf den Rückweg nach Rathmullan. Man solle für viel frische Luft im Stall sorgen, was wegen der fehlenden Tür leicht zu bewerkstelligen war, den Mann trotzdem warm halten und ihn mit Suppe aufpäppeln.

Die Aufgabe, den Mann zu füttern, fiel Eamon zu, der von nun an ganze Tage und halbe Nächte im Stall damit verbrachte, die kurzen Pausen zu nutzen, in denen sein Patient nicht schlief oder hustete und einen Löffel Suppe schlucken konnte. Eamons Vater hatte auf der Suche nach einem Hinweis auf die Herkunft des Matrosen dessen Taschen durchsucht und dabei einen Kompass, eine Schachtel Streichhölzer, einen Lederbeutel mit Tabak und Papier, ein paar fremdländische Münzen, einen Brief und einen Schlüssel gefunden. Die Dinge lagen jetzt aufgereiht auf einem Balken, und wann immer Eamons Blick auf den Schlüssel fiel, erfasste ihn eine Welle aus Scham über sein Versäumnis, in der Nacht zuvor danach gesucht zu haben.

Seine Eltern hatten gerätselt, zu welchem Schloss der Schlüssel wohl gehörte, und ihr Sohn war rot geworden und hatte absurde Vermutungen gestottert. Schlief der Matrose, unruhig und mit rasselnden Lungen, saß Eamon über den Brief gebeugt da, als würde sich ihm das Rätsel der blassen blauen Schrift mit den vielen Kringeln und Schlaufen offenbaren, wenn er nur lange genug darauf starrte.

Manchmal lag der Matrose mit offenen Augen da, rang nach Luft und presste Worte aus sich heraus, zerstückelte, von grauem Schaum begleitete Sätze, die flehend klangen und verzweifelt. Dann streckte er eine Hand aus und griff in die Luft, wimmerte und ließ den Arm bald sinken, erschöpft und vibrierend unter der Ankündigung eines weiteren Hustenanfalls. In den kurzen Phasen, in denen er röchelnd zurückglitt in die Besinnungslosigkeit, schien er von schlimmen Träumen heimgesucht zu werden.

Nicht die wachen, die Momente des fiebrigen Deliriums waren es, in denen Eamon sich am meisten vor dem halbtoten Mann fürchtete. Wenn Bilder durch den dunklen Schädel des Matrosen zogen und die Augäpfel unter den flimmernden Lidern in Aufruhr brachten, wurde Eamon von Entsetzen ergriffen, verließ den Stall und rannte zum Strand, wo er so viel von der feuchten Luft in die Lungen holte, dass seine Rippen knackten. Mit stechendem Brustkorb zum Horizont blickend, ahnte er nichts von der Tragödie, die sich dahinter abgespielt hatte.

Er sah nicht den Matrosen mit den blonden Haaren, wie er im Frachtraum Öl ausschüttet und mit einem Streichholz in Brand setzt. Wie er den Hund, das Maskottchen der *Pride of*

Durban, der ihm in den Bauch des Schiffs gefolgt ist, aufheben und nach oben tragen will, in Sicherheit. Wie der Hund bellend davonrennt, als sei alles ein Spiel und die Ladung nicht im Begriff, in Flammen aufzugehen. Wie er dem Tier folgt, seinen Namen ruft, durch die Gänge zwischen den riesigen Holzkisten stolpert, vom Rauch schon fast blind im Labyrinth herumirrt und schließlich, von den Flammen schon versengt, das Bellen hinter sich lässt und die Eisenleiter hochklettert, an Deck das Rettungsboot, in dem seit dem Morgen die Kiste liegt, zu Wasser lässt, geschüttelt von Kälte und Grauen über das eigene Tun. Wie er das Schiff verlässt und mit ihm die Kameraden, die gelacht hatten über ihn, als ihn Heimweh plagte, die ihn verspotteten, als er aus Sehnsucht nach seiner Frau weinte. Die einen Brief von ihr aus seinem Versteck gestohlen und herumgezeigt hatten, die Männer, die er hasste und für die er betete, während sie im Mondlicht davonfuhren in den Tod.

Erst nach einer Weile traute Eamon sich zurück zu dem Mann, den er beraubt hatte und der ihn manchmal, für eine schreckliche Sekunde nur, ansah, als wisse er alles. Dann setzte er sich in eine Ecke und dachte darüber nach, was wäre, wenn der Matrose sich erholen und seinen Schatz einfordern würde, wenn er Eamon als Dieb anklagen und seinen greifbar nahen Traum von Amerika zerstören würde. Um sich zu beruhigen, redete Eamon sich ein, der Fremde habe nicht nur sein Schiff, sondern auch das Gedächtnis verloren, möglicherweise den Verstand. Vielleicht wusste er nichts mehr von einer Truhe und wäre beim Anblick des Schlüssels ebenso ratlos wie Eamons Eltern.

Um nicht verrückt zu werden vor Angst und schlechtem Gewissen, beschloss Eamon in der zweiten Nacht, dass das Häufchen Elend, das unter Paudraigs Decke stöhnte und schlotterte, keine Bedrohung darstellte. Selbst wenn der Matrose genesen und sich an alles erinnern würde, bliebe die Kiste verschwunden. Er würde es kaum wagen, das Gold zu erwähnen, und einfach seiner Wege gehen. Irgendwo fände sich ein Schiff, das eine Besatzung brauchte. Dass der Seemann versuchen könnte, sein Gold mit Gewalt zurückzuholen, schien unwahrscheinlich, denn immerhin war es Eamon, der wusste, wo der Revolver und die Munition lagen.

Das dachte er, während er in der Ecke saß und auf seine dreckigen Schuhe starrte, weil er dem Blick des Matrosen kein weiteres Mal begegnen wollte. Und an seinen Bruder dachte er, der als Soldat in einem irischen Bataillon für die englische Königin im Sold stand und der in jener Nacht nicht zugelassen hätte, dass Eamon tat, was er getan hatte.

Orla hatte aufgehört, sich zu drehen, und sah jetzt auf das Meer hinaus. Wilburs Rücken gegen ihre Brust gepresst und ihn mit beiden Armen umfassend und wärmend, stand sie da und summte vor sich hin, mit dem Rauschen der Brandung und nicht gegen sie. Manchmal fragte sie sich, welche Richtung ihr Leben wohl genommen hätte, wenn sie und ihre Schwester damals nicht nach Dublin gefahren wären, um den St. Patrick's Day einmal woanders zu feiern als in Galway. Wenn sie diesen großen, gut aussehenden Burschen nicht getroffen hätte, über den die Zeitungen in Irland berichteten und der sie wie selbstverständlich am Arm genommen und durch die Menschenmenge auf den Platz geführt hatte, wo getanzt worden war. Wo sie jetzt wohl leben würde und mit wem, hätte sie sich nicht in diesen Mann verliebt, der sie an diesem von Musik und Lachen erfüllten Tag so gefangen nahm, dass sie Deirdre vergaß und sich erst Stunden später an sie erinnerte. Mit seiner Hilfe hatte sie die kleine Schwester auf einer Parkbank wiedergefunden, und sie hatten sich umarmt und geweint und später gelacht, waren singend durch die Nacht geschlendert, zwei Schönheiten aus Galway und der Mann, der in Amerika sein Glück gemacht hatte.

Als der Wind auffrischte und es zu kalt wurde, um draußen zu bleiben, ging Orla zurück ins Haus. Ihr Mann saß im Wohnzimmer vor einem Feuer und las zum zweiten Mal an diesem Tag die Zeitung, diesmal von hinten nach vorne. Obwohl er es bereits am Morgen getan hatte, las er jeden Artikel und jede noch so kleine Meldung erneut, als könnte er etwas übersehen haben oder suche nach versteckten Botschaften, Meldungen, die endlich einen Sinn ergaben. Dabei machte er sich nicht viel aus der Welt, Sport interessierte ihn nicht, und den Wirtschaftsteil verabscheute er aus tiefstem Herzen.

Das Ritual der zweiten Lektüre war während Eamons Jahren in Amerika entstanden, als er, fast schon zwanzig, das Lesen erlernte. Früher hatte Orla darin eine seltsame Angewohnheit gesehen, später nannte sie es Tick, dann Macke. Jetzt war es ihr zu gleichgültig geworden, als dass sie sich gefragt hätte, ob ihr Mann jeden Tag einem Zwang nachgab oder allmählich verrückt wurde.

Der Matrose hatte mit Gesten um Papier und Stift gebeten und geschrieben, ein paar Zeilen nur, hingekritzelt in einer ungelenken Schrift. Drei Tage lang brachte er jeweils am Nachmittag ein paar Sätze auf das grobe Papier, oft nach jedem Wort von einem Hustenanfall unterbrochen und immer nach zwei oder drei Zeilen so erschöpft, dass er, den Bleistiftstummel umklammert, wegsackte in einen Zustand, der weder Schlaf noch Ohnmacht war.

Am dritten Tag, während Eamon, der vor dem Keuchen und Wispern geflohen war, am Wasser stand und Luft in seine Lungen pumpte, hängte der Matrose eine zittrige Schleife ans Ende seines Namens und starb. Eamons Eltern, unentschlossen, was mit dem Toten zu tun war, schickten ihren Sohn noch einmal los, damit der Doktor sich des Falles annahm.

Zwei Tage später, der Leichnam lag mittlerweile in seine graue Wolldecke gewickelt und mit Brettern vor dem Regen geschützt neben dem Stall in der Kälte, kam ein schlecht gelaunter Beamter auf den Hof, stellte Papiere aus, die der Doktor unterschrieb und auf die Aidan McDermott einen schwarzen Daumenabdruck presste, und erteilte die Erlaubnis, den Fremden zu bestatten.

Nach weiteren zwei Tagen fuhr der Fischkutter *Spéir* aufs Meer hinaus, an Bord drei Mann Besatzung, Eamon und seine Eltern, ein seekranker Pfarrer und der tote Matrose. Der Pfarrer las bleich und schwankend ein paar Sätze aus der Bibel, danach bekreuzigten sich alle und murmelten ein Amen in den Wind. Hungrige Möwen warteten vergeblich darauf, dass etwas für sie abfiel. Statt unbrauchbaren Meeresgetiers rutschte die in weißes Tuch gewickelte Leiche auf einem Brett, das die beiden Söhne des Kapitäns über die Reling hoben, in die aufgewühlte See. Der Leichnam tauchte ins Wasser ein und schnellte wieder hoch, um dann rasch zu versinken. Eamon warf ihm heimlich den Schlüssel hinterher, begleitet von einem stummen Gruß, einer unausgesprochenen Entschuldigung.

Die Schafe bekamen ihren Stall zurück, die Decke wurde auf Paudraigs Bett gelegt, wo sie hingehörte, und das Boot, das den Matrosen nicht gerettet hatte, verkaufte Eamons Vater an einen Fischer. Das Geld reichte für die Bezahlung des Kapitäns und seiner Söhne, für das Leichentuch, das jetzt am Grund des Meeres lag, und eine Kerze in der winzigen Kapelle des Friedhofs von Kindrum. Es blieb sogar noch etwas übrig, mit dem ein neuer Kochtopf gekauft wurde.

Die graue Wolldecke, von deren Art in den folgenden Tagen und Wochen noch mehrere an die umliegenden Küsten geschwemmt wurden, sollte Eamon auf Geheiß des Vaters verbrennen. Doch Eamon wusch die Decke heimlich in einem Bach, ließ sie an einem Ast trocknen und legte sie dann zu der Truhe in den alten Dachsbau. Manchmal, wenn sein schlechtes Gewissen ihn zu erdrücken schien, holte er die Decke hervor und trug sie auf eine Felskuppe über dem Meer. Dort legte er sich hin, sah in den Himmel und strich mit den Handflächen über den groben Stoff, als könne er so nachholen, was er nie getan hatte. Er hatte den sterbenden Matrosen angepackt, herumgeschleppt und abgeladen. Er hatte ihn gefüttert, seinen Blick gemieden, gefürchtet. Wie einen Menschen berührt hatte er ihn nie.

Es gab keine festen Essenszeiten. Orla sorgte dafür, dass abends immer ein Topf mit etwas Warmem auf dem Herd stand. Davon konnte Eamon sich holen, wann er wollte. Seit Wilbur da war, setzte Orla sich mit dem Jungen zu den ungewöhnlichsten Zeiten in die Küche, um mit ihm ein Schüsselchen Brei, ein Butterbrot, einen Teller Suppe oder einen Pfannkuchen mit Ahornsirup zu teilen. Wenn der alte O'Reilly mit dem Fish-and-Chips-Wagen seine Runde einmal ausdehnte und vor dem McDermott-Haus auf die Hupe drückte, kaufte Orla ihm jedes Mal eine Tüte ab. Dann roch es in der Küche nach Fritteusenöl und Fisch und dem Essig, mit dem Wilbur seine Fritten getränkt haben wollte. Noch immer drückte der Junge nach jedem Bissen die Augen zu und verzog das Gesicht, aber nicht aus Ekel, sondern aus der gleichen absurden Verzückung heraus, mit der ein Trinker nach einem Schnaps Grimassen schneidet.

Nach dem Essen gingen sie in das Zimmer, das Orla eingerichtet hatte, während ihr Mann in Amerika war, um Wilbur zu holen. Sie hatte den dunkelgrün gestrichenen Wandverputz mit einem gebrochenen Weiß übermalt, hatte einen weichen blauen Teppich verlegen und eine neue Deckenlampe montieren lassen, hatte Vorhänge genäht, auf denen Marienkäfer liefen, eine Kommode, einen Schrank, einen kleinen Tisch und einen Stuhl gekauft, ein paar Bilder mit Motiven aus bekannten Märchen aufgehängt und schließlich das alte Bett ihrer Tochter weiß gestrichen und in die Mitte des Raumes gestellt.

Darin lag Wilbur jetzt, satt und glücklich und den Blick auf das Gesicht der Frau gerichtet, die er liebte. Orla saß neben dem Bett auf dem kleinen roten Stuhl und las ihm aus einem Buch vor. Es ging um Königstöchter und verwunschene Wälder, goldene Ringe und Tiere, die sprechen konnten. Wilbur wusste nicht, wovon die Rede war, und dennoch lag auf seinem Gesicht ein Ausdruck ungeteilter Aufmerksamkeit.

Eamon hatte nichts von dem Stew gegessen, das seine Frau für ihn auf den Herd gestellt hatte. Wie jeden Tag war er nach dem Mittagstee zu Fuß die zweieinhalb Kilometer über sein Land bis zur Kirche gegangen, die wie eine dunkle Festung am Rand der mit farblosem Gras bewachsenen Klippe stand. Eamons Kirche war ein umgedrehter Kahn aus grauem Stein, kieloben in einem Meer aus windbewegten Halmen treibend, ein Bau ohne Fenster und Turm. Ein gekentertes Schiff, riesig und düster über dem Tosen der Brandung aufragend, erbaut von Männern, die wütend und ratlos davongelaufen waren, als er ihnen am Ende sogar eine Tür verweigert hatte. Eamons Kirche war eine Opfergabe an Gott, Sühnewerk einer verlorenen Seele, Grabmal eines Lebenden.

Dort, wo die Treppenstufen aufhörten, lag brackiges Wasser. Eamon ging gebückt, den Kopf zwischen die Schultern gezogen, in der Haltung eines reuigen Sünders durch den Tunnel, dessen Wände und Decke aus grobem, mit Moos überzogenem Stein waren. Im finsteren Bauch des Gewölbes richtete er sich ein wenig auf, blieb in der Stille seines Atems stehen und wartete, stand da und wartete, dass Gott zu ihm sprach.

Eamon hatte sich in den langen Nächten, die still waren bis auf das Rauschen des Meeres und das gelegentliche Blöken von Schafen, einen Plan zurechtgelegt. Den ersten Schritt dieses Plans führte er aus, als er achtzehn Jahre alt wurde. Am Abend seines Geburtstags, an dem es als Geschenk eine Mütze aus Tweed und zum Essen für einmal Rind statt Schaf gab, sagte er seinen Eltern, er fahre mit dem nächsten Schiff nach Amerika. Die Mutter weinte, der Vater schwieg erst und trank noch mehr von dem Festtagswhiskey, der ihn einen guten Bock gekostet hatte. Als seine Zunge leicht wurde, verfluchte er das Land hinter dem Atlantik und die Flausen seines Sohnes, als sie ihm schwer im Mund lag, nuschelte er von den Gefahren einer Schiffspassage und der Unsinkbarkeit irischer Hügel. Schließlich war er so betrunken, dass er bettelte, Eamon möge bleiben, nur um ihm wenig später laut brüllend eine gute Reise zu wünschen.

Eamon wartete nicht, bis sein Vater wieder nüchtern war. Er hielt seine Mutter lange im Arm und versprach, in einem Jahr zurückzukommen, holte das vor Tagen geschnürte Bündel aus dem Versteck in der alten, eingestürzten Scheune, die ungenutzt weit weg vom Haus hinter einer Baumgruppe stand, und machte sich auf den Weg nach Belfast. Dort wartete er mehr als fünf Wochen auf ein Schiff, das ihn in die Neue Welt brachte. Die Überfahrt bezahlte er mit ein paar der Goldmünzen, die er in den Schuhen bei sich trug und die ihm bei jedem Schritt versicherten, noch da zu sein.

In New York City wollte Eamon dann doch nicht mehr auf den Wolkenkratzern arbeiten. Allein der Anblick ließ ihn schwindlig werden, und alles, wozu er sich überwinden konnte, war eine Fahrt im Aufzug und ein kurzer, ehrfürchtiger Blick von der Aussichtsplattform des Singer Building. Nach ein paar Tagen in der Stadt, die ihm mit ihrer Größe und dem Lärm und den vielen Menschen, Pferdefuhrwerken und Automobilen Angst einjagte, machte er sich per Eisenbahn, Postkutsche, Pferdekarren, Maultier und zu Fuß auf den Weg nach Colorado, kaufte ein Zelt, Lebensmittel, eine Schaufel und was man zum Überleben in der Wildnis braucht, suchte sich einen gottverlassenen Ort an einem namenlosen Seitenarm des mächtigen Flusses, hockte im Zelt, erkundete die nahe Umgebung und angelte.

Dreiundzwanzig Tage blieb er, fing Forellen, glaubte Wölfe zu hören und von weitem Bären zu sehen, zählte nachts die Sterne und sang leise die Lieder, die er kannte. Jeden Tag holte er ein paar Goldstücke aus dem Lederkoffer, den er einem Italiener in Brooklyn abgekauft hatte, legte sie zwischen die Steine in den Fluss, hob sie auf, trocknete sie ab und steckte sie in einen Beutel. Das wiederholte er so oft, bis er tatsächlich glaubte, die Nuggets im klaren kalten Wasser gefunden zu haben.

Am Morgen des dreiundzwanzigsten Tages machte er sich, abgemagert, schmutzig und übersät mit Mückenstichen, auf den Rückweg nach New York. Er mietete sich in einem der besten Hotels eine Suite und engagierte einen arbeitslosen Lehrer aus Edinburgh, der ihm innerhalb von drei Monaten das Lesen und Schreiben beibrachte. Wie man sich kleidete, bei Tisch benahm und mit gebildeten Menschen unterhielt, lehrte ihn ein verarmter englischer Lord, der ihn auch gleich noch trinkfest machte. Nur ins Freudenhaus hatte Eamon sich nicht schleppen lassen, obwohl der Lord dort wieder Stammgast war, seit er in den gut bezahlten Diensten des jungen Burschen stand.

Vier Wochen später war er Passagier der ersten Klasse auf der Fahrt nach Belfast, dinierte mit Bankdirektoren, Plantagenbesitzern und Opernsängerinnen und wurde der Hauptdarsteller seiner erfundenen Geschichte. Der Ire Eamon McDermott, ein halbes Kind noch, der am Colorado River ein Vermögen fand und als gemachter Mann in seine Heimat zurückkehrte.

Die Kirche abtragen, Stein für Stein. Das monströse gekenterte Schiff zu einem Hügel aufschichten, einem Berg. Das war die Aufgabe, die Gott ihm gab, und Eamon machte sich an die Arbeit, alleine und mit bloßen Händen, wie Er es wollte. Den Bau nicht zerstören, ihn zu etwas Neuem formen, das dem Himmel näher war. Mit der Kraft seiner alten Arme, den geschrumpften Muskeln, die nach wenigen Stunden schmerzten. Den Hunger vergessen und die Kälte und den Regen, der als bauschender Schleier über die See kam, aufgeladen mit dem Licht einer verborgenen Sonne.

Niemand sah Eamon bei seiner Arbeit zu. Hätte ein Hirte oder Fischer aus der Gegend diesen Mann beobachtet, er hätte den Kopf geschüttelt und sich abgewandt. Nun war Eamon endgültig verrückt geworden. Eamon McDermott, der vor über vierzig Jahren aus dem gepriesenen Land zurückgekehrt war, die Taschen voller Geld, der nicht mehr redete wie die Leute hier, der neben dem Steinhaus seiner Eltern ein neues bauen ließ, das erste mit elektrischem Licht, der eine Fremde aus Connemara brachte, der kein Schaf auf seinen Weiden duldete, der seltsam war und ein Glückspilz und eine verwirrte Seele. Eamon, Sohn des Aidan und der Nuala McDermott, der eine Kirche errichten ließ, ein Ungetüm aus grauem Schiefer, fensterlos, lichtlos, gottlos. Ein umgedrehtes Schiff, das keiner betrat außer ihm. Und das er jetzt zerlegte, unter dem Regen gebückt, stoisch, mit hartem Gesicht und verlorenem Verstand.

Als Wilbur eingeschlafen war, blieb Orla neben dem Bett sitzen und sah den Jungen an. Er hatte die Augen ihrer Tochter, die Lippen. Oft blieb sie sitzen, bis es dunkel war, bis sie ihren Mann hörte, der in der Küche etwas aß und dann ins Schlafzimmer ging, bis es ruhig war im Haus und sie nichts mehr hörte außer Wind und Wellen. Dann ging sie leise zur Tür, ließ die Blume im Lampenschirm aufleuchten und verließ, einen letzten Blick auf den schlafenden Jungen werfend, den Raum.

Am liebsten hätte sie ein Bett in Wilburs Zimmer gestellt und neben ihm geschlafen statt neben Eamon. Die Luft schien in den Jungen hineinzuströmen, Eamon schnappte röchelnd nach ihr wie ein Fisch an Land, wie ein Hund nach einer Fliege. Wilbur verzog im Schlaf den Mund, griff mit den Händen ins Leere, schloss die Fäustchen um etwas, das seine Träume durchzog, Eamon wälzte sich herum, ächzend, ein Felsbrocken am Grund eines gewaltigen Flusses. Wilbur roch nach Leben, Eamon verströmte einen Geruch nach Erde, Schweiß und Tod.

Orla versuchte sich zu erinnern, wann sie zum letzten Mal mit diesem Mann, der in Unterwäsche und Socken neben ihr lag, geschlafen hatte, aber es war ihr nicht einmal möglich, den Monat oder das Jahr zu nennen, in dem sie ihn zuletzt geküsst oder umarmt hatte. Sie lag da und betrachtete ihn, hörte dem feuchten Rasseln zu, das ihm stoßweise entfuhr, und war erleichtert, dass sie wenigstens noch wusste, warum sie sich damals in ihn verliebt hatte.

Eamon hatte den beiden Schwestern im Hotel, wo er wohnte, ein Zimmer bezahlt, denn in der Nacht des St. Patrick's Day war es spät geworden. Am nächsten Tag holten sie Orlas und Deirdres Gepäck aus dem Bed & Breakfast und aßen mit ihrem Gönner in einem piekfeinen Restaurant zu Mittag. Aus den von den Schwestern geplanten drei Tagen Dublin wurde eine Woche. Den Eltern in Galway richteten sie aus, sie teilten ihr Geld so gut ein, dass es länger reiche als erwartet. Die Wahrheit war, dass sie im Geld schwammen, in Eamons Geld. Der junge Mann aus dem Küstenkaff im Nordwesten war eine lokale Berühmtheit, und Orla und Deirdre gefiel es, sich in seinem Glanz zu sonnen.

In der *Irish Times* war wenige Wochen zuvor ein Artikel erschienen, der ihn als Abenteurer bezeichnete, als Glücksritter, der in der Wildnis Amerikas mit Grizzlys gekämpft und das dem Fluss abgerungene Gold gegen Banditen verteidigt hatte. Die Hälfte des Artikels bestand aus den Lügengeschichten des Reporters, die andere aus denen Eamons. Das Einzige, was stimmte, waren sein Name, seine Herkunft und die Tatsache, dass er sehr reich war. Die bessere Gesellschaft Dublins lud ihn zwar nicht zu ihren Partys und Bällen ein, doch noch Monate nach seiner Rückkehr aus Amerika war er bei jedem Auftritt die Quelle von Gerüchten und das Ziel von Bewunderung und Neid. Vor allem die Damenwelt schwärmte von dem Burschen mit dem zwischen Schüchternheit und Angeberei flirrenden Blick und dem verschwenderischen Herzen und setzte ihn ganz oben auf ihre Liste der begehrtesten Junggesellen.

Aber Eamon machte sich weder aus den rauschenden Festen noch den dazugehörenden Frauen etwas. Oft blieb er tagelang in seiner Hotelsuite, hörte Musik aus dem Grammophon und trank französischen Rotwein, auf dessen Geschmack ihn der englische Lord gebracht hatte. Das schlechte Gewissen und der Kummer, die seit dem Tod des Matrosen seine steten Begleiter waren, konnte er nicht ertränken, das war ihm nach vielen Versuchen klar geworden. Immerhin half der Alkohol, ihn in eine Dämmerwelt zu verfrachten, in der seine Sünden weniger schwer wogen und das in Stein gemeißelte DU SOLLST NICHT STEHLEN etwas an Kontur verlor und irgendwann in einem Meer aus Bedeutungslosigkeit verschwamm.

Manchmal bewirkte der Wein aber auch das genaue Gegenteil, holte die versunkenen Bilder des Sterbenden aus dem Dunkel und ließ sie vor Eamon aufblitzen, flammende Mahnungen eines Gottes, der nichts ungesühnt lassen würde. Dann warf Eamon sich, falls er nicht schon lag, auf den Teppich und heulte und schrie so lange, bis der Hoteldirektor persönlich kam, die Tür mit dem Universalschlüssel aufsperrte und den schluchzenden Gast beruhigte, indem er eine Wolldecke über ihn breitete, während der Empfangschef die Neugierigen auf dem Flur abwimmelte. Die Dunkelheit unter der Decke ließ Eamon langsamer atmen. Das Gefühl auf seiner Hand, die getätschelt wurde, und die von der monotonen Stimme des Direktors heruntergeleierten Sätze, die Börsenmeldungen sein mochten, Kinderreime und Gebete, machten ihn weich, ergeben.

Leise winselnd und benommen vom Alkohol, legte er schließlich den Kopf auf den Teppich und schlief ein, im Traum weiterhin mit sinnlosen Worten versorgt, obwohl der Direktor das Zimmer längst verlassen hatte. In diesen Träumen liefen die Bilder rückwärts durch Eamons Kopf, vom glitzernden Fluss zur mondhellen Bucht. Immer wieder trat er als Siebzehnjähriger aus dem Haus und ging zum Strand hinunter. Noch einmal sah er das Boot und darin den Matrosen, und noch einmal trug er den Bewusstlosen an Land. Doch im Traum bestahl er ihn nicht, ließ die Truhe im Boot und rief seine Eltern. Der Doktor kam rechtzeitig und rettete den Seemann, der allen so dankbar war, dass er seinen Schatz mit ihnen teilte. Im Traum, der guten Version der Geschichte, wurde seine Mutter nicht krank, während er mit dem fremden Gold in Amerika war, um sich eine Legende zu seinem Reichtum anzueignen. In diesem Traum starb sie nicht an einer harmlosen Infektion, die man mit Geld in einem Krankenhaus hätte behandeln können. In diesem Traum war er ein Kind, dumm und wunschlos und ohne Schuld.

Orla lag wach und lauschte dem leisen Wimmern ihres schlafenden Mannes, dessen Rücken im Dunkel neben ihr aufragte als weiße Mauer. Eamon träumte, das wusste sie, und dass es schlechte Träume waren, ahnte sie, obwohl er ihr nie etwas erzählt hatte. Die Worte, die er murmelte, verstand sie nicht, obwohl es immer dieselben waren, seit Jahren. Gab es diese Worte überhaupt, war es eine Sprache? Gälisch vielleicht, das sie als Kind nicht gemocht und als Studentin in England vergessen hatte? Oder stieß er nur Töne aus, hastig genuschelte Laute, die einem wiederkehrenden Muster folgten?

Er roch nach der Erde, in der er begraben werden wollte. Schwere, dunkle Erde, in der er versunken war als Knabe, die bedeckt war mit dem Kot der verhassten Schafe. Weicher, dampfender Boden, den er verlassen hatte und den er mit jeder Faser vermisste, als ein Ozean ihn davon trennte. Neben seiner Mutter wollte er liegen, fünf Schritte von seinem Vater entfernt, der seine Frau um zwei Jahre überlebt hatte, eine Seltenheit in einem Land, wo die Männer lange vor den Frauen starben. Zwei Jahre, während denen Aidan McDermott in Wohlstand dahinvegetierte, das Leben umgekrempelt von einem Sohn, der am Vater eine geheime Schuld abtrug, ihn in eine Wohnung in Dublin steckte, versorgt von Dienstboten, umgeben von Toastern, Badewannen und so viel Sauberkeit, dass der Alte auf den Boden schiss, um noch einmal Dreck zu riechen, auch wenn er nicht von Schafen kam.

Aidan McDermott, von dem es ein Foto gab, ein teures Studiobild, auf dem ein zerknitterter Mann in einem schau-

fensterneuen Anzug artig lächelt, war auf den Fliesen des Bade-
zimmers gestorben, mitten in der Nacht, als das Personal schlief
und sein Sohn im Traum ein anderer, besserer Mensch war.

Orla stand auf und ging ins Bad. Sie machte das Licht nicht an,
trank ein Glas Wasser und sah ihr Gesicht im Spiegel wie in der
Oberfläche eines dunklen Sees. Eine Wolke stand hinter ihr,
ein weißes zerknülltes Handtuch in einem Regal. Der Boden
unter ihren nackten Füßen war kühl, auch das Waschbecken,
auf das sie sich mit einer Hand stützte. Eamons Atemzüge
drangen herüber, unregelmäßig und stockend. Sie nahm seinen
Rasierpinsel, fuhr sich damit über den Handrücken, über die
Wange. Er hatte sich geschnitten am Tag ihrer Hochzeit, so
aufgeregt war er gewesen. Orla musste lächeln, noch immer
und trotz allem, wenn sie daran dachte, wie nervös und toll-
patschig Eamon gewesen war und wie ernst und beinahe ängstlich er in die Kamera geblickt hatte, als sie alle vor der Kirche
in Letterkenny standen. Wie erleichtert er war, als das offizielle
Programm vorbei war und die ganze Gesellschaft den Ballsaal
eines Hotels in Beschlag nahm.

Paudraig, Eamons großer Bruder, der aus einem Land in
Afrika angereist war, wo er mit seiner Truppe die Ansprüche
Englands verteidigte, nahm seine Aufgabe als Trauzeuge ernst
und hielt nach dem Essen eine Rede. Als er sagte, wie sehr er
und Eamon sich wünschten, ihre Eltern wären hier, um mit
ihnen zu feiern, fing Eamon an zu weinen. Er schluchzte in
seine Serviette und hörte auch nicht auf, als Paudraig seine
Ansprache mit einer taktvollen Bemerkung beendete und zögernd Beifall geklatscht wurde. Orla hatte Eamon an der Hand
genommen, der Kapelle ein Zeichen gegeben und war mit ihm
auf die Tanzfläche gegangen, wo sie ihren Mann, der sie um
einen Kopf überragte, zu den Klängen eines Walzers in den
Armen hielt, bis er sich beruhigt hatte.

Summte sie den Walzer? Sie stellte den Rasierpinsel zurück.
Atemzüge. Liebe. Die Spanne eines ganzen Lebens. Ihre Augen

gewöhnten sich an die Dunkelheit. Sie blickte in den See, fast bis zum Grund. Paudraig war kleiner als Eamon, aber muskulös und braungebrannt. Eine Narbe zog sich quer über seine Wange, eine geschwungene Furche vom Mundwinkel bis zum oberen Ohransatz. Orla war als Einzige indiskret genug gewesen, ihn zu fragen, wie er sich diese Verletzung zugezogen hatte, und er erzählte von schwirrenden Gewehrkugeln und Glück und dem ewigen Lächeln, das seither in seiner rechten Gesichtshälfte stand. Er redete an diesem Fest, das nicht recht in Schwung kommen wollte, mehr als Eamon in den ganzen Monaten vor der Hochzeit. Seine Stimme war sanft und leise, und er schien selber voller Verwunderung zu sein über das seltsame Leben, von dem er berichtete. Er stand mit Orla an einem Fenster, durch das der Blick auf wehende Laken an einer Leine ging, trank Tee statt Schnaps und trug Geschichten vor vom Krieg und von Elefanten, vom Irrsinn des Tötens und vom Lachen der Hyänen. Er tanzte mit ihr, obwohl die Musik nicht mehr spielte. Paudraig McDermott starb am Biss einer Schlange, fern von zu Hause, das es nicht gab, unverheiratet, lächelnd.

Das Wasser kam aus der Erde, sie schüttete es weg, stellte das Glas auf das Regal. Eamon wisperte seine Litanei aus Wörtern, die keinen Sinn ergaben. Bereute sie den Tag? Das Wort? Trug sie den Ring überhaupt noch? Ja, da war er, ein Teil ihres Fingers, eingesunken ins Fleisch, ein Kreis aus Gold, der sich schloss, ein anderes Wort für Ewigkeit. Aber die Zeit hatte längst aufgehört, unendlich zu sein und voller Versprechen. Die ersten Jahre in Cork, die Schwangerschaft, die glücklichen Tage waren viel zu früh Erinnerung geworden, Maureen im sonnendurchfluteten Garten, am Ast der mächtigen Buche schaukelnd, für immer da und schon fort.

Sie hätte mitgehen sollen, als Maureen Irland verließ, um in Amerika zu leben. Stattdessen war sie bei Eamon geblieben, der Unsinn herunterbetete in der Dunkelheit, sich drehte, der Fels, nach Erde riechend. Eamon, der das Haus in Cork verkaufte, um in den Norden zu gehen. Der Land erworben hatte, alles, was rund um das Grundstück seiner toten Eltern zu haben war. Der einen Zaun bauen ließ, gegen die Schafe. Später ein Haus, das erste weit herum, das elektrisches Licht hatte. Ein Badezimmer mit Wanne. Das Badezimmer, in dem Orla jetzt stand und ihr Gesicht im Spiegel sah.

Wenn die Jahre in Cork einen Sinn ergaben, was war dann mit den Jahren danach? Den Jahren hier oben, in denen sie Eamon zusah, wie er ihrem Leben abhanden kam, wie er zweimal am Tag die gleiche Zeitung las, am Morgen von vorne nach hinten, am Nachmittag von hinten nach vorne. Wie er die Kirche bauen ließ, diesen umgedrehten Dampfer, der aus der Erde zu wachsen oder in ihr zu verschwinden schien. Wie er Tee trank, vor der Sonne stand, atmete. Wie er den Blick senkte, wenn er ein paar Worte an sie richtete, wie er tagelang schwieg. Orla drehte das Wasser auf und ließ es über die Hände laufen, warm. Sie hörte Maureens Stimme, die knisterte, als käme sie aus dem Radio, als wäre sie nicht echt, eine Erfindung. Warum hatte ihre Tochter ihr nicht gesagt, dass sie geheiratet hatte, dass sie schwanger war? Orla wäre nach Philadelphia geflogen, auch ohne Eamon. Sie wäre bei Maureen gewesen, in deren Bauch ein Kind wuchs. Vielleicht wäre alles anders geworden, Maureen wäre nicht gestorben, es wäre kein Brief aus Amerika gekommen, in dem stand, sie sei kremiert worden und ihre Asche zur Abholung bereit. Wo war Lennard Arne Sandberg, warum hatte er seine tote Frau und seinen neugeborenen Sohn verlassen und war verschwunden, als hätte es ihn nie gegeben?

Orla drehte das Wasser ab und setzte sich aufs Bett. Eine Weile sah sie ihren Mann an, dann nahm sie seine Hand und tätschelte sie sanft. Seine Handballen und Fingerkuppen waren aufgerissen und rau, an manchen Stellen spürte sie Brandwasser unter Blasen. Er flüsterte ein Wort, und als ob sie ihn gebeten hätte, es zu wiederholen, flüsterte er es noch einmal, und es klang wie Himmel. Dann drehte er sich im Schlaf um und zog seine riesige Hand aus der kleinen von Orla, holte Luft in das unbehauste Gewölbe seines Körpers und wurde still.

Eine Wolke gab den Mond frei, Licht rann durch die Vorhänge und ließ die Urne auf dem Regal schimmern. Was übrig blieb von einem Menschen. MAUREEN stand in zittriger Schrift auf einem Stück Pappe, das Eamon mit Schnur um das runde Gefäß gewickelt hatte. Maureen, Morean, Mo, Sternchen, zu Staub geworden, das Herz Asche, grauer Puder, ein Nichts zwischen den Fingern.

Eine Weile blieb Orla noch sitzen, dann stand sie auf, nahm ihr Kissen und ihre Decke und ging über den Flur in Wilburs Zimmer. Sie sah sich satt an diesem Wesen, von dem Wärme aufstieg, legte sich auf den blauen Teppich, das Meer, das sie trug, und schlief endlich ein.

3

Ich sitze in der Ecke des Fahrstuhls. Auf jeder Etage öffnet sich die Tür. Der Hund, der noch nicht weiß, dass ein Auto ihn töten wird, wedelt mit dem Schwanz. Er ist schwarz und weiß gefleckt, ein Auge braun, das andere blau. Ich will ihn warnen, aber die Tür schließt sich, bevor ich ihm sagen kann, er soll Straßen meiden. Die Tür wird zum Vorhang, ein alter Mann steht da und hält mir eine offene Bibel hin, deren Seiten er umblättert. Ich erkenne einzelne Wörter und will sie aussprechen, öffne den Mund. Der Vorhang schließt sich. Ob ich wirklich fahre oder nur diese Tür, dieser Vorhang geöffnet und geschlossen wird, weiß ich nicht. Die Uniform der Schwester ist die Leinwand, auf der Vögel fliegen. Ich greife nach ihnen, die Tür schneidet mir die Hände ab.

Jemand sagt etwas. Ich vermute, dass die Worte mir gelten. Wenn ich nicht zuhöre, bin ich taub. Wenn meine Augen geschlossen sind, bin ich blind. Wenn ich den Mund nicht öffne, bin ich stumm. Ich muss dem Hotel mitteilen, dass ich bei Gelegenheit meinen Koffer hole, diese Pappwände um nichts, um mein ganzes Leben. Ich muss sie davon in Kenntnis setzen, dass Fledermäuse verwesen in den Schränken. Dass die Bibeln ausgeschüttelt werden müssen nach jedem Gast. Jemand fasst mir an die Augen. Sonne. Winzig, aber hell. Meine Pupille, eben noch ein Planet, wird zum Staubkorn. Vorhang runter, dunkel, danke. Zwei Stimmen. Keine Aufregung. Stille.

Warum ist man todmüde, nachdem man Ewigkeiten geschlafen hat?

Ich habe keine Ahnung, wo ich bin. Das ist nicht mein Zimmer, nicht der Raum, in dem ich vorher war. Vorher, das war gestern, vor zwei Tagen, drei. Ich erinnere mich an einen dicken Mann, an Fische. Ich möchte mit jemandem sprechen, möchte schweigen. Natürlich sind meine Hände noch da, ich kann sie sehen, bewegen. Die Füße auch, schon stehe ich. Ich setze mich auf den Stuhl neben dem Bett, als würde ich mich besuchen. Ich lege die Hände in den Schoß. Man hat mich in einen weißen Schlafanzug gekleidet, ich habe eine reine Hülle, rieche allerdings etwas streng. Meine Füße sind nackt, Gummischlappen stehen vor dem Bett.

Als Kind hatte ich Fußpilz, nässende Stellen zwischen den Zehen, juckend, anhänglich. Fintan Taggart. Ich habe den Namen des Scheißkerls nicht vergessen, der Geld gesammelt und ein Schwimmbecken gebaut hat, damit wir lernten, nicht abzusaufen wie unsere Großväter, unsere Nachbarn, die am Meeresgrund vermoderten. Eine Halle hatte er errichtet, einen verdammten Tempel, in dem es nach Chlor stank und Moder und ungewaschenen Füßen, ein gekacheltes Loch, ein Schlachthaus. Die Luft war warm und feucht, das Wasser milchig, eine Brühe aus Hautschuppen, Haaren, Rotz und Pisse, das Becken winzig, aber überall so tief, dass man nicht stehen konnte. Stand ich auf dem Einmeterbrett, verschwammen mir die Namen von ertrunkenen Frauen und Männern vor den Augen. Die hatte der Schweinehund auf die Bodenfliesen geschrieben, zur mahnenden Erinnerung an die Opfer der See, wie er uns feierlich erklärte. Fischer, Matrosen, Freizeitsegler, Angler, Paddler, unvorsichtige Kinder, übermütige Jugendliche, der ganze Grund war voll davon, eine einzige Gedenktafel. Eine Warnung, eine Drohung. Eine Prophezeiung.

Ich betaste die schorfige Stelle an meinem Kopf, als sie hereinkommt. Sie ist älter als ich, vielleicht Mitte zwanzig, und sie trägt

Pumas, dunkelgrüne Cargohosen mit jeder Menge Taschen und ein T-Shirt in verwaschenem Blau. Von ihrem Gesicht sehe ich nur ein Heftpflaster, das ihre rechte Wange bedeckt, und hellrot geschminkte Lippen. Kurze braune Haare nehme ich noch wahr, bevor ich den Blick abwende, den Kopf senke. Ich bin der Typ, den man aus dem Meer gefischt und der darin die Sprache verloren hat.

»Hallo, wie geht's denn so?«, fragt sie und legt einen Stapel Handtücher in einen Wandschrank. Ihre Stimme klingt eine Spur zu flott für meinen Zustand, immerhin leide ich unter Erinnerungslücken, einer Kopfverletzung und schweren Beinen. Es ist gut möglich, dass man mich hier für einen gescheiterten Selbstmörder hält. Kram beult die Taschen ihrer Hose aus. Sie holt eine Flasche Mineralwasser und einen Teller mit Obst von einem Rollwagen, der auf dem Flur steht, und stellt beides auf die Kommode neben meinem Bett. Ich zucke zusammen, als sie mit einer Hand auf das Kopfkissen eindrischt. Sie lacht.

»Tut mir leid«, sagt sie und wendet das Kissen. Dann schlägt sie die Decke zurück, streicht das Laken glatt und stopft die losen Ecken unter die Matratze. Ohrstöpsel eines Discmans baumeln an einem ihrer Beine. Aus ihrem Hinterkopf ragt ein buschiger Stummel aus Haar, mit einem roten Gummiband zusammengehalten. Ein Stein blitzt in ihrem Ohrläppchen. Sie hebt den Kopf so schnell, dass ich keine Zeit habe, den Blick abzuwenden, und sie sieht mich an, noch immer über das Bett gebeugt.

Nach einer Ewigkeit gelingt es mir, wieder meine Knie zu fixieren. Ich will sie nicht hierhaben, sie soll gehen. Wo ist die mit der Lederhaut und der fremden Sprache, wo die Dicke? Sie schüttelt die Decke und legt sie hin, Luft streicht über mein Gesicht. Sie geht zum Fenster und öffnet es einen Spalt weit, dazu braucht sie einen Schlüssel. Draußen, wo und was immer das ist, herrscht völlige Stille. Meine Zehen sind krumm. Sie soll einfach gehen. Jetzt.

»Bis morgen dann«, sagt sie und geht. Ich höre, wie der Wagen über den Flur geschoben wird, ein leises Quietschen, ein leises Klirren. Ihre Schritte sind unhörbar, vielleicht schwebt sie.

Kurz darauf oder auch Stunden später kommt der Arzt und fragt, ob ich mich an ihn erinnere. Ich liege im Bett und erinnere mich tatsächlich an ihn, seine Stimme, den Akzent, und ich bin irgendwie erleichtert. Er scheint zufrieden, dass ich nicht mehr an die Decke starre. Das wertet er bestimmt als Fortschritt, jedenfalls macht er eifrig Notizen. Ich betrachte die Wand hinter ihm, und wenn er eine neue Frage stellt oder etwas sagt, sehe ich ihn vage an, als löse seine Stimme ein kurzes Leuchten im Dunkel meines Schädels aus, ein Glimmen in der Rumpelkammer meines Gedächtnisses.

An seinem Revers steckt ein Namensschild, m. vermeer steht darauf. Dass die Bezeichnung Dr. fehlt, beunruhigt mich nicht.
»Wenn Sie sich besser fühlen, können Sie auf dem Flur spazieren gehen«, sagt Vermeer. »Es gibt ein Fernsehzimmer. Und einen Pingpongtisch.«
Pingpong. Das Wort gefällt mir, sein Klang ist hübsch, das mag am Akzent des Arztes liegen. Kann man Pingpong als Sport bezeichnen? Schwimmen gilt als Sport, obwohl es eigentlich etwas ist, das man tut, um nicht unterzugehen und zu sterben.
»Sie können sich frei bewegen, außer zwischen zehn Uhr abends und sieben Uhr morgens. Da halten wir Zimmerruhe.«
An der Wand hinter dem Arzt sehe ich ein Waschbecken, einen Spiegel, vier Fliesen hoch, fünf quer.
»Eine Schwester wird Ihnen nachher Sachen zum Anziehen bringen.« Vermeer lächelt, blättert in seinem Block.
Alle zwei Wochen musste ich das Becken putzen. Barfuß und mit hochgekrempelten Hosenbeinen stand ich auf den rutschigen Fliesen und schrubbte den Glibber von den Namen.

Fearghal McMahon. Roisin Duff. Maigh Faherty. Jede Fliese ein Name, Hunderte Fliesen. Ich musste das verdammte Becken alleine reinigen, weil ich als Einziger vom Schwimmunterricht freigestellt war. Die alte Brühe war Stunden zuvor abgelassen worden, röchelnd in den beiden vergitterten Öffnungen verschwunden, und trotzdem schrak ich bei jedem Geräusch zusammen, weil ich dachte, gleich würde ich unter sekundenschnell hereinbrechenden Wassermassen begraben. Die Fliesen verstärkten jeden Laut, und die Tatsache, dass ich, um die unterste Leitersprosse zu erreichen, auf den umgedrehten Eimer klettern musste, machte meine Lage nicht erträglicher.

»Ich lasse Ihnen Papier und Stift hier«, sagt Vermeer und legt Papier und Stift auf die Bettdecke. »Falls Sie lieber schreiben als reden.«

Einmal pfiff ich zaghaft vor mich hin, um mir Mut zu machen, da stauchte mich der Herr des Tempels zusammen, brüllte etwas von Respekt gegenüber den Toten und warf einen halb gegessenen Apfel nach mir. Ich war fast zu Tode erschrocken, als er am Rand des Beckens auftauchte, denn üblicherweise kam er erst zurück, wenn ich mit der Arbeit fertig war.

Vermeer geht. Jetzt erst rieche ich sein Aftershave, das sich mit meinen Ausdünstungen schlecht verträgt. Ich hätte ihn gerne gefragt, wo ich eigentlich bin, im Kranken- oder Irrenhaus. Ob er ein Knochenflicker sei oder ein Seelenklempner.

Diesmal klopft sie an, bevor sie das Zimmer betritt. Sie sagt nichts, lächelt nur kurz, ein Reflex, als müsse ich aufgemuntert werden, ermutigt. Auf ihren abgewinkelten Unterarmen liegt ein Bündel Kleidungsstücke, darauf ein Paar helle Segeltuchschuhe. Sie legt alles auf die Bettdecke. Ich sehe die Sachen an, als wären sie mir ein Rätsel. Sie faltet eine Hose auseinander, dann ein buntes Hemd. Unterwäsche kommt zum Vorschein, ein Paar Socken, eierschalenfarben wie die Hose. Alles ziemlich edel, würde ich sagen, aber ich sage ja nichts mehr, zumindest nicht so bald. Beige, sandfarben, fällt mir noch ein, während ich versuche, ihr nicht ins Gesicht zu sehen und auf das Heftpflaster. Khaki, Schlamm, und das Hemd grün, moosgrün.

»Ich schlage vor, du gehst erst mal unter die Dusche.«

Offenbar starre ich sie völlig entgeistert an, denn ein lauter Lacher platzt aus ihr heraus, dann fasst sie sich aber an die Wange mit dem Heftpflaster und sagt: »Aua.« Ich rutsche tiefer unter die Decke. Sie geht zum Schrank und holt einen Bademantel daraus hervor. Den legt sie auf die Bettdecke, bückt sich und stellt die Gummischlappen so, dass der Abstand zwischen ihnen stimmt und sie zur Tür zeigen.

»Rechts den Gang runter, auf der Tür ist ein Schild mit einem Duschkopfsymbol.« Damit verlässt sie das Zimmer. Ich bleibe liegen, betrachte die Sachen auf dem Bett und frage mich zum ersten Mal, ob ich beobachtet werde. Steht hinter dem Spiegel der Arzt und schreibt auf seinen Block, was ich hier mache? Habe ich diesen Status, bin ich ein Fall? Ich stehe auf und gehe zum Waschbecken. Der Spiegel sieht aus wie ein Spiegel. Aber das tun Spiegel in Verhörzimmern auch. Ich war nie in einem, aber ich kenne sie aus Filmen. Neben dem Raum, wo die Verdächtigen ausgequetscht werden, befindet sich ein zweiter, und darin stehen meistens zwei Bullen, die ihren Kollegen dabei zusehen, wie sie jemanden in die Mangel nehmen. Ihre Seite des Spiegels ist ein Fenster, sie stehen da, und meistens sagt einer der beiden so etwas wie: »Der war's nicht, das sehe ich gleich.« Oder: »Ich geh jetzt rein und mach das Schwein fertig.« Ich starre in den Spiegel. Die Ringe unter meinen Augen sind dunkel, und ich denke, ich trage vielleicht etwas zu dick auf, bis mir einfällt, dass sie echt sind. Ich taste nach meinen Wangen, Flaum statt Bartstoppeln, taube Haut. Meine Zunge ist belegt, die Flugaufnahme eines zerklüfteten Gletschers, auf dem sich Industriedreck abgelagert hat. Ob sich der Arzt hinter dem Fenster abwendet? Ich drehe das Wasser auf, betrachte den Strahl eine Weile und drehe den Hahn wieder zu, lausche dem Geräusch in der Röhre.

Ich spiele mit dem Gedanken, den Kopf gegen den Spiegel zu rammen. Das würde meinen Aufenthalt hier nicht nur rechtfertigen, sondern noch verlängern, und außerdem ginge der Spiegel dabei vermutlich in die Brüche und gäbe sein Geheimnis preis. Ich berühre mit der Stirn das kühle Glas, stoße zu, dann etwas fester und schließlich so hart, wie es mein Mut zulässt. Ein leichter Schmerz wabert durch meinen Schädel und verliert sich in der Gruft, in der ein Teil meiner Erinnerungen beigesetzt ist. Ich stütze mich mit beiden Händen auf den Rand des Waschbeckens. Ein wenig Blut auf der Schläfe wäre schön gewesen, immerhin kann ich in den nächsten Stunden auf ein Hämatom hoffen, einen Fleck, dunkelblau, mit etwas Glück schwarz. Kann ich aufgrund der Tatsache, dass niemand ins Zimmer gestürzt ist, um mich vor mir selber zu retten, davon ausgehen, dass ich nicht beobachtet werde? Oder macht der oder die Observierende gerade Pause?

Der Spiegel ist mit vier Schrauben an der Wand befestigt. Ich entferne mit kaum vorhandenen Fingernägeln die verchromten Kappen, unter denen die Schrauben versteckt sind, drücke eine Kappe auf dem Waschbecken platt und benutze sie als Werkzeug. Ich löse eine Schraube nach der anderen, arbeite konzentriert, vergesse die Zeit dabei. Es fließt doch noch etwas Blut, als ich abrutsche und mir den Finger an einem Schraubenkopf aufreiße. Die rote Kostbarkeit schmiere ich mir auf die Stirn. Ich zähle stumm die Gegenstände auf, die sich in meinem Kulturbeutel im Badezimmer des Hotels befinden. Kamm, Nagelschere, Tube Zahnpasta, Zahnbürste, Zahnseide, Flüssigseife, Fläschchen medizinischer Alkohol, Wattestäbchen, Heftpflaster, Pinzette, Schmerztabletten, Ohrenstöpsel, Lippenpomade, Fußpuder, Mückenstichstift, Miniaturtaschenlampe, Dose Rasierschaum, Nassrasierer, zwei Glasmurmeln, blau und braun.

Die Liste bete ich elfmal herunter, dann halte ich den Spiegel mit der linken Hand fest und drehe alle vier Schrauben heraus. Als ich die letzte Schraube löse, rutscht mir der Spiegel durch die

Finger und knallt mit einer Ecke auf das Waschbecken. Schon glaube ich, er sei heil geblieben, als er in drei Teile zerfällt, von denen zwei im Waschbecken zu vielen kleinen Stücken zersplittern. Beim Versuch, das bereits Geschehene zu verhindern, einem unbewussten, dummen und viel zu trägen Reflex, habe ich mir das rechte Handgelenk aufgeschnitten.

Ich sehe noch, dass hinter dem nicht mehr vorhandenen Spiegel kein Beobachtungsfenster, sondern Wand ist, ein helles Rechteck, eingefasst von einem hellgrauen Rand. Ich betrachte das Blut, das in Stößen aus der Wunde schwappt, und setze mich auf den Boden, seltsam erschöpft von der leichten Arbeit.

Stufen aus Stein einen Berg hinauf. Näher zu Gott, seinem Gott. Er atmet schwer, ächzt, blökt. Möwen? Ja, kreischend im Blau des Himmels wie Schmierereien an einer Wand. Von da komme ich, dorthin will ich nicht zurück. Der Bus hält an, und ich steige aus. Auf dem hintersten Platz sitzt ein dicker Mann und winkt mir zu. Ich weiß, warum du hier bist. Auf meiner Wange klebt ein Heftpflaster, dabei ist es die Stirn, die schmerzt. Ich sehe über ein weites Feld, Schafherden wandern darüber hinweg, nein, es sind die Schatten der Wolken. Der Hund verfolgt einen Hasen, sein bewegtes Fell glitzert im Licht. Der Hase rennt über die Straße, erreicht die andere Seite, das rettende Ufer, ein Wunder. Der Hund darf auf Wunder nicht hoffen, die sind für heute verbraucht. Er weiß nichts von Autos, wird nie lernen, ihnen aus dem Weg zu gehen. Seinen eigenen Flug erlebt er nicht mehr. Auf der Plakette um seinen Hals steht sein Name, er heißt wie ich, die Telefonnummer erinnert mich an meine Geburtsdaten. Er wird im Himmel meine Mutter treffen. Sie öffnet die Kapsel an seinem Halsband und liest meinen Satz. Es tut mir leid, dass du meinetwegen gestorben bist.

Wieder diese Stimmen. Ich kenne sie inzwischen, so fremd sind sie mir. Man berührt mich, geht mit mir um. Ich lese die Namen, das Chlor brennt in meinen Augen, ich streiche mit der

Fingerkuppe über die Fliesen. Páidi O Sé. 1942–1981. Diarmuid Maher. 1961–1972. Bald wird mein Name dazukommen, das Jahr meiner Geburt und das meines Todes. In meiner Armbeuge brennt etwas. Wie viele Leute sind nötig, um mich hochzuheben? Ich hasse den Gedanken, dass dieser Scheißkerl im roten Trainingsanzug mein Leben gerettet hat. Man kann ein Leben nicht retten, das der Gerettete nicht mehr leben will. Es ist, als trage man den Müllsack zu dem zurück, der ihn auf die Straße gestellt hat, und verlange Finderlohn. Ich wollte nicht ertrinken, ich wollte nur nicht schwimmen. Ich hatte keinen Plan. Es war ein Zufall. Das Leben kehrt heim wie ein kurzzeitig verreister Gast, den man aus Pflichtgefühl aufnimmt. Ich beherberge mich, ich gewähre mir Asyl.

Die Stimmen werden leiser, sie verlassen meinen Kopf, meinen Raum. Es wird Nacht. Das Boot, in dem ich liege, hört auf zu schaukeln.

Zimmer kann man das nicht nennen. Menschenkörperaufbewahrungseinheit. Kein Stuhl, auf den man steigen, keine Kommode, von der man sich stürzen, kein Kissenbezug, mit dem man sich ersticken, kein Waschbecken, in dem man sich ertränken könnte. Das Laken ist bestimmt aus einem Material, das sich nicht in Streifen reißen lässt. Keine scharfen Kanten, nirgends. Der Schlauch, der von einem transparenten Beutel in meine Vene mündet, würde nicht einmal dem Gewicht eines Kindes standhalten. Der Beutel hängt an einem polierten armdicken Rohr, von dem keine gefährlichen Teile abgeschraubt werden können. Statt eines Fensters ist ein Lüftungsschacht in die Wand eingelassen, vergittert und unerreichbar. Der Tür fehlt die Klinke. Die Mühe, die beiden Kameras zu verbergen, hat man sich gar nicht erst gemacht.

Wenn ich vorhatte, eine Weile hierzubleiben, ist mir das vermutlich gelungen. Der verwirrte junge Mann aus dem Meer war ich vielleicht gestern, heute bin ich der Typ, der einen Spiegel abgeschraubt hat, um sich mit den Scherben die Pulsadern aufzuschlitzen. Ich bin ein seriöser Fall, ein Wiederholungstäter. Ich setze alles daran, mein Leben zu beenden. Man darf mich nicht aus den Augen lassen. Leute wechseln sich damit ab, mich zu observieren. Sie essen mitgebrachte Brote, trinken literweise Kaffee und starren auf den Monitor, trauen sich kaum zu blinzeln. Wenn sie aufs Klo müssen, drücken sie einen Knopf, dann kommt jemand und springt für sie ein. Die Kontrolleure werden kontrolliert. Sollte jemand beim Lesen erwischt werden, droht ein internes Verfahren, die Strafen sind massiv. Erwischt man jemanden beim Schlafen, ist die fristlose Kündigung unabwendbar. Ich kann Existenzen vernichten, indem ich heimlich aufhöre zu atmen.

Ich will, dass jemand kommt, und reiße den Schlauch aus meiner Armbeuge. Der Schmerz ist beträchtlich, ich schreie auf. Flüssigkeit rinnt an meinem Unterarm hinab und tropft auf das Laken. Gerade will ich mich aus dem Bett fallen lassen, als die Tür auffliegt und zwei Männer sich auf mich stürzen, um mich daran zu hindern, mir beim Sturz aus vierzig Zentimetern Höhe das Genick zu brechen. Beinahe muss ich lachen.

»Entspann dich, mein Freund«, sagt der eine Pfleger.

»Immer schön ruhig bleiben, Kumpel«, sagt der andere.

Sie sind freundlich, ihre Stimmen angenehm, das ist ihr Job. Ich bin entspannt und ruhig. Ich bin ihr Freund, wir könnten irgendwann zusammen ein Bier trinken gehen. Ich will ihnen keinen Ärger machen. Ich will ein guter Patient werden, ein harmloser Insasse.

Der Arzt eilt an mein Bett. Ich würde ihm gerne versichern, dass er meinetwegen nicht hätte rennen müssen. Dann würde ich ihm die Sache mit dem Spiegel erklären, das Missgeschick mit lebhaften Worten schildern, und wir würden alle lachen. Natürlich müsste man mich noch eine Weile hierbehalten, nur zur Sicherheit. Aber man würde mich zurückstufen und mir erlauben, Pingpong zu spielen. Ich käme wieder auf die Station, wo die Spanisch sprechende Schwester ist und die dicke. Ich hätte ein Fenster, einen Stuhl und eine Kommode. Während der

Arzt geübt und mit warmer Stimme auf mich einredet, sitzen die beiden Männer links und rechts von mir auf dem Bett. Sie müssen mich nicht festhalten, ich liege ganz still, beinahe entspannt.

Dann kommt sie. Das Heftpflaster ist weg. Unter einem Rechteck Haut, das eine Spur bleicher ist als der Rest, sehe ich eine gebogene Linie, einen hellroten Halbmond. Abgelenkt von den Worten des Arztes, lasse ich mir von ihr die Kanüle in die Armbeuge schieben und mit dem Tropf verbinden. Flüssigkeit gelangt in meinen Körper, aber ich habe die Kontrolle darüber, weil ich es erlaube.

Wenn das Becken sauber war, musste ich auf den Eimer steigen, damit ich die Leiter erreichte. Auf der untersten Sprosse stehend, konnte ich mit dem Stiel des Schrubbers den Eimer am Henkel hochziehen. Dann kletterte ich die fünf Sprossen hoch, warf den Schrubber und den Eimer auf den Boden neben dem Sprungbrett und ging in die kleine, muffig riechende Kammer, die als Umkleidekabine benutzt wurde und über zwei Waschbecken verfügte. Dort wusch ich mir die Hände und Füße mit Seife, bis sie rot und wund waren, krempelte die Hosenbeine runter, zog Strümpfe und Schuhe an und ging nach draußen, um an der frischen Luft auf ihn zu warten. Oft kam der Herr des Tempels erst eine Stunde nachdem ich fertig war. Er zog die Schuhe aus, stieg in das Becken hinab und ging auf die Knie, immer in der Hoffnung, eine von mir nicht gründlich genug gereinigte Stelle zu entdecken.

Alle sind gegangen. Nur sie nicht. Ich weiß, dass man mir etwas gespritzt hat. Ein Bummelzug aus Beruhigungsmitteln tuckert gemächlich durch meine Venen, Endstation Hirn, Kopfbahnhof. Ich möchte ewig so liegen. Musik dringt aus ihren Ohrstöpseln, Bass, Schlagzeug. Ich lächle, warum lächelt sie nicht? Mein Lächeln liegt unter der Haut, verborgen, deshalb. Sie gibt vor, beschäftigt zu sein, dabei schraubt sie schon ewig am Infusionsregler herum, vor und zurück. Woher hast du die halbmondförmige Narbe an der Wange? Das ist ein Brandzeichen, ich bin Mitglied einer Sekte. Ich verstümmle mich selbst, sieh her, mein Körper ist bedeckt davon. Mir wurde ein Muttermal entfernt. Ich könnte die Frage aufschreiben, aber in diesem Raum hat man mir nicht einmal Papier und Stift gelassen. Er hat sich den Bleistift ins Herz gestoßen. Als wir ihn fanden, war er tot. Kichere ich? Nein, das Geräusch kommt vom Flur. Nächster Halt, Großhirn, dieser Zug fährt weiter nach Sleepy Town, Dreamville und Nightmare City.

Als ich aufwache, ist sie wieder da, oder noch immer. Sie hat einen Stuhl neben das Bett gestellt und liest in einem Buch. Ich betrachte sie aus den Augenwinkeln. Wenn ich den Kopf drehe, merkt sie, dass ich wach bin. Ich liege schwer in meinem Körper. Sie wendet eine Seite im Buch. Die zusammengebundenen Haare an ihrem Hinterkopf sehen weich aus, ein Rasierpinsel. Ich bewege die Arme. Sie sieht mich an, und ein Lächeln geht in ihrem Gesicht an wie Deckenlicht in einem hellen Raum. Rasch knickt sie eine Ecke um und schließt das Buch, legt es weg und steht auf.

»Wie fühlst du dich?«, fragt sie und nimmt mein Handgelenk.

Ich will ihre Hand schütteln, ein Reflex, aber sie misst nur meinen Puls. Dabei sieht sie auf ihre Uhr, ein riesiges Modell, wie es Berufstaucher und Astronauten benutzen.

»Gut«, sagt sie und legt meinen Arm auf die Decke, sanft, als sei er ein schlafendes Tier. »Du hast geträumt.«

Er fand fast immer etwas. Dann musste ich noch einmal barfuß hinab und zwei oder drei Fliesen polieren. Dermot Brennan. Mairead Doherty. Seamus Downey. Dabei stand der Mistkerl oben am Beckenrand und sah mir zu, gab Anweisungen und dirigierte mich. Während ich die nur für ihn sichtbaren Schlieren wegwischte, stellte ich mir vor, wie er den Inhalt der beiden Filterkörbe fraß, die ich bei jeder Reinigung leeren musste. Wie er mit vor Übelkeit zittrigen Fingern Brocken aus der kompakten Masse menschlicher Auswürfe und Absonderungen pulte und sich in den Mund stopfte, das Gesicht verzerrt vor Ekel und Scham. Wie er sich übergab und winselte und wie ich ihn zwang, auch sein Erbrochenes zu essen. Ich hatte eine Waffe, eine doppelläufige Schrotflinte, und wenn meine Knie schmerzten und mir die Kiefermuskeln hart wurden vor Hass, schoss ich ihm den Kopf weg. Schoss seinen verdammten Kopf in Stücke und sprenkelte damit die Wände. Saß auf dem Eimer und sah zu, wie sein Blut die Namen bedeckte, ein roter Vorhang, der sich senkt.

»Bist du hungrig?«

Bist du hungrig. Orla durfte das fragen, es ist ihre Frage, für immer. Hast du dir wehgetan. Wollen wir spazieren gehen. Niemand sonst darf mir diese Fragen stellen.

»Es gibt eine leckere Karottensuppe. Mit Basilikum. Oder Dill.« Sie sieht mich an.

In meinem Hinterkopf liegt ein Gewicht, das mich daran hindert, den Kopf zu schütteln, ihn leicht hin und her zu bewegen. Sedimente. Ablagerungen aus Medikamenten.

»Du musst was essen«, sagt sie und verlässt das Zimmer.

Welche Geschichte möchtest du heute hören.

Die Hard

1988

Das Haus und Orla, das war Wilburs Welt. Er war kein kräftiger Junge geworden, Erkältungen zwangen ihn für Tage ins Bett, und nach fünf Liegestützen, die er heimlich machte, lag er heftig atmend auf dem Teppich in seinem Zimmer. Er war schmächtig und auch am Ende eines guten Sommers bleich, er hatte nie einen Fußball getreten und war auf keinen Baum geklettert. Die Hügelzüge um das Haus waren ihm bekannt, aber nicht vertraut. Das Meer mied er, nur an Orlas Hand sah er über das Wasser und stellte sich Fische darin vor, groß wie die Schiffe, die den Horizont querten.

Orla hatte eigenhändig eine Öffnung in die Mauer geschlagen. Stand die rot gestrichene Holztür offen, sah man einen Streifen Meer. Mit einer Spitzhacke hatte sie einen Teil der Asphaltdecke aufgebrochen und die Brocken in einer Schubkarre weggebracht. Von einem Haufen neben dem Haus hatte sie gute Erde in die Schubkarre geschaufelt und dort ausgekippt, wo der Asphalt steinigem Boden gewichen war. Sie hatte Büsche gepflanzt und Blumen, Efeu, der irgendwann die nackte Mauer bedecken würde. Auf der Fläche, die der Küche am nächsten war, verlegte sie wetterfeste Holzplanken, in einer Ecke baute sie für Wilbur einen Sandkasten, in die andere stellte sie einen runden Tisch und zwei Stühle.

Eamon hatte ihr nicht geholfen, dafür Colm Finnerty, ein unverheirateter Nachbar, der für ein paar Pfund und ein Mittagessen den Holzrahmen und die Tür in die Mauer eingesetzt hatte. Er hatte ihr auch das Material besorgt, die Bretter, die Bausteine, den Zement. Geld hatte sie zum Glück genug. Nach der Heirat hatte Eamon sie damit überhäuft, obwohl sie nicht viel damit anzufangen wusste. Den größten Teil hatte sie ihrer Schwester gegeben, die es für sie anlegte. Orla musste sie nur anrufen, dann schickte Deirdre, die mit ihrem Mann und den beiden Kindern noch immer in Galway lebte, den gewünschten Betrag per Post. Schon oft hatte Orla sich vorgestellt, nach Galway zu fahren, alles Geld abzuheben und damit ein neues Leben zu beginnen, irgendwo weit weg. Dann hatte sie ein schlechtes Gewissen, weil sie im Angesicht Gottes einen Schwur geleistet hatte, ihren Mann nicht zu verlassen, bei ihm zu bleiben in guten wie in schlechten Tagen. Dass die guten Tage so schnell vorbei sein und die schlechten den Rest ihres Lebens ausmachen würden, hatte sie damals nicht ahnen können. Jetzt war sie froh, dass sie die ganzen Jahre neben Eamon ertragen hatte. Denn jetzt hatte sie Wilbur.

Wenn das Wetter es zuließ, verbrachten Orla und Wilbur den ganzen Tag in ihrem ummauerten Paradies. Im Sommer saßen sie im Schatten unter dem Vordach, das neben dem Küchenfenster aus der Hauswand ragte und an dessen Holzbalken wilder Wein rankte. Meistens spielte im Hintergrund das Radio, und Orla summte oder sang zu den Liedern mit, was Wilbur entzückte. Jeden Tag bauten sie im Sandkasten eine neue Stadt aus Steinen und Holzstücken, Blättern und Moos und was sie sonst noch fanden. Vogelfedern schmückten Türme, Muscheln bedeckten wie Kopfsteinpflaster die Straßen, und das Haus auf dem Hügel oder am Fluss zierte immer ein Seestern, den Wilbur an Orlas Hand in der Bucht gefunden hatte. In diesem Haus wohnten Wilbur und Orla, und es war immer das schönste der ganzen Stadt.

Regnete es, verbrachten die beiden den Tag in Wilburs Zimmer. Auch hier bauten sie Städte, nur waren die Häuser jetzt aus Pappe und die Türme leere Marmeladengläser. Orla hatte Wilbur ein Spielzeugauto geschenkt, ein rotes ohne Dach, aber

Wilbur zeigte kein Interesse daran und parkte es am ersten Tag unter dem Bett, wo es fortan blieb. Was der Junge jedoch innig liebte, waren die Indianerfiguren aus Plastik, die Orla von einer Nachbarin, deren Sohn nach Australien ausgewandert war, geschenkt bekommen hatte. Die Frau hatte ihr einziges Kind von diesem Schritt abzuhalten versucht, und als es ihr nicht gelang, verschenkte sie aus Schmerz und Wut alles, was an ihn erinnerte. Fünf Figuren waren es, zwei davon saßen auf Pferden, einem schwarzen und einem weißen. Ihr Stamm bewohnte Häuser aus angemalter Pappe, hielt auf mit buntem Papier beklebten Türmen Ausschau nach Riesenbären in Strickjacken und teilte sein Land mit Zebras, Giraffen und Elefanten.

Eines der kleinen farbigen Holztiere gab es bei jedem Einkauf in McSweeney's Gemischtwarenladen in Letterkenny, wohin Orla den Jungen zweimal im Monat mitnahm. Dort war es auch, wo Orla den Entschluss fasste, ein Auto zu kaufen. Der Zettel hing am schwarzen Brett beim Ausgang und fiel zwischen den achtlos hingekritzelten Inseraten auf, weil der Text fehlerfrei und in akkurater Handschrift verfasst war. »Günstig zu verkaufen, Nissan Sunny, 1979, himmelblau, tadelloser Zustand.« Die Worte Sunny und himmelblau genügten, um Orla davon zu überzeugen, dass es Zeit war, einen lange gehegten Traum zu verwirklichen.

Zwei Wochen später war Orla die neue Besitzerin des Autos, dessen Schlüssel ein pensionierter Lehrer ihr unter Tränen überreicht hatte. Weitere siebzehn Wochen danach hatte Orla den Führerschein in der Tasche. Die ersten Fahrten unternahm sie alleine, bis sie sich hinter dem Steuer sicher genug fühlte, um ihren Enkel mitzunehmen. Der beim Anblick des Wagens noch skeptische Wilbur saß bei seiner Jungfernfahrt angegurtet auf dem Beifahrersitz und staunte schon nach wenigen Metern über die neuen Landschaften, die ihm geboten wurden. Den Weg mit dem Bus nach Letterkenny kannte er, aber jetzt fuhren sie nach Osten und Südwesten, wie es ihnen gerade gefiel. Sogar ein eingebautes Radio gab es, und bald redeten die Leute in der Gegend von dem himmelblauen Gefährt, aus dem so laut Radiomusik und die Stimme der Lenkerin dröhnten, dass die Kühe auf den Weiden verschreckt die Köpfe hoben. Obwohl Wilbur die Musik nie laut genug sein konnte, brachte Orla ihn nicht dazu, mitzusingen. Wilbur wippte wild mit den Füßen und stieß ab und zu ein kurzes Johlen aus, aber in den Gesang einstimmen wollte er nicht.

Sie fuhren nach Glinsk, wo es einen Mann gab, der mit seinen Eseln sprach, nach Carrowkeel, das bekannt war für seine Bäckerei, nach Lehardan, wo es in einem Kirmeszelt ein Puppentheater gab, nach Gortaway, um den Segelbooten im River Swilly zuzusehen, und in die zahllosen anderen Ortschaften der Region, die ähnlich Spektakuläres zu bieten hatten. Einmal fuhren sie früh am Morgen los und waren am Nachmittag in Sligo, wo sie Orlas inzwischen geschiedene Schwester Deirdre trafen. Die Frauen weinten vor Freude, während Wilbur mit so viel Schokolade und Eis gefüttert wurde, dass er sich auf dem Heimweg übergab.

Nach den Ausflügen parkte Orla den Wagen in der leerstehenden Scheune von Colm. Eamon wusste weder vom Auto noch von Orlas Führerschein. Manchmal, wenn er in der Küche seinen Tee trank, war sie nahe daran gewesen, ihm alles zu erzählen. Doch dann entschied sie sich immer dagegen und schwieg, hörte seinem Schlürfen zu und hoffte, er würde bald wieder gehen.

Während Wilbur angefangen hatte zu reden, war ihr Mann noch schweigsamer geworden. Er nahm seine Frau und den Jungen kaum noch wahr, und wenn er es tat, starrte er die beiden an, als suche er in seinem verwirrten Kopf nach Gründen für ihr Dasein, Hinweisen auf ihre Herkunft, ihre Namen. Nicht einmal mehr die Zeitung las er, weder ein- noch zweimal am Tag. Trotzdem brachte der Postbote sie jeden Tag, und Orla suchte darin nach Meldungen, die sie Wilbur später vorlesen würde. Zum Beispiel die Geschichte vom Mastbullen, der in Leeds dem Schlachter davongerannt war, halb Yorkshire durchquerte und jetzt im Garten einer Familie lebte, die sich seiner erbarmt hatte. Vom alten Mann in Italien, der vergaß, wo er die Keksdose mit dem Ersparten vergraben hatte, wochenlang den Garten umpflügte und einen Goldschatz aus der Römerzeit fand. Oder von dem kleinen Jungen in Kilkenny, der sich, müde vom Spielen, auf die Rückbank eines Autowracks gelegt hatte und nur gerettet wurde, weil ein Blitzschlag die Schrottpresse lahmlegte.

Als Wilbur fünf Jahre alt wurde, zog Orla endgültig in sein Zimmer. Jede Nacht faltete sie die Wolldecke einmal zusammen und legte sich neben Wilburs Bett auf den Teppich. Weil sie am Morgen sowieso als Erste wach war und in der Küche das Frühstück vorbereitete, merkte Eamon nichts von ihrer allnächtlichen Abwesenheit. Orla bezweifelte, dass er sie in seinen von Träumen beherrschten Nächten überhaupt noch wahrgenommen hatte, und nach einer Weile wusste sie mit Sicherheit, dass er sie nicht vermisste.

Nicht einmal Wilbur war bewusst, dass seine Großmutter seit zwei Jahren neben ihm schlief. Dass sie immer gleich an seinem Bett stand und ihm über den Kopf strich, wenn er wegen eines bösen Traums aufwachte, nahm er als selbstverständlich hin. Orla war seine Beschützerin, sein Engel, sie war das weiße Pferd, auf dessen Rücken er saß und keine Angst hatte. Sie war der vor Liebe glühende Kern seiner Welt, und er wollte niemanden sonst in dieser Welt haben. Allen voran nicht seinen Großvater, der einen Schatten warf auf die Sandkastenstädte wie der Riese aus dem Märchen, das Orla ihm vorgelesen hatte. Wenn der Mann nur weg wäre, dachte Wilbur vor dem Einschlafen, wenn er nur aus dem Haus gehen und nicht mehr zurückkommen würde.

Aus dem Haufen war ein Hügel, aus dem Hügel ein Berg geworden. Sein Erbauer war gleichzeitig geschrumpft, ging gebückt die Stufen hinauf und trug Steine wie Opfergaben. Sogar auf der Spitze wirkte er klein, eine Termite auf ihrem Bau. Mit schrundigen Händen und die Finger fast steif von der Gicht, ruhte er sich manchmal auf den Resten der Kirche aus, trank Wasser aus dem Krug, in dem sommers tote Insekten schaukelten, und aß den Kanten Brot, der in ein Tuch gewickelt war. Er sah die runde Steinpyramide nicht als sein Werk, sich selber jedoch als Werkzeug. Er kaute Brot mit den paar Zähnen, die ihm geblieben waren, und vermied es, auf das Meer hinauszusehen.

Stand die Sonne über ihm und blieb er zu lange sitzen, erwärmte sich sein Kopf, und etwas darin schien sich mit Lichtpartikeln anzureichern. Bilder leuchteten schwach und verschwommen auf, zitterten wie die Säure in einer Batterie, die keine Kraft mehr hat, einen ganzen Mechanismus in Bewegung zu setzen. Zu matt war das Glimmen, um ihm die Gesichter zu zeigen, die er einmal gekannt hatte. Staub auf dem Flügel einer Motte waren sie, aufgeladen mit Mondlicht, rasch verblassend.

Wolken strichen über Eamon hinweg, Regen und Wind. Die Tage vergingen, die Jahre, alle wirklichen und erdachten Leben. Er hockte auf kaltem Stein und atmete, ein verbrauchter Körper, unnütz zur Aufbewahrung von Erinnerung. Nie jung gewesen, nie ein Kind. Nie der Mann, der am irischen Nationalfeiertag beschließt, seinem erfundenen Leben ein Ende zu setzen, indem er die Wahrheit erzählt. Nie der junge Kerl, der vor versammelter Menge eine Beichte ablegen, sich bei seinen toten Eltern entschuldigen will. Der in der Rede, die er im Grattan Park in Galway halten soll, einen Lügner aus sich machen will, einen Betrüger und Dieb, vielleicht einen Mörder. Der alles vergisst, als er sie sieht. Seine Vorsätze über den Haufen wirft, seine Zuhörer begeistert mit Anekdoten von Bären und Banditen und dabei nur sie ansieht. Für sie alle Lügen wiederholt, alle Geschichten bestätigt und alle Legenden glänzen lässt wie das Gold, das er ihr schenken will.

Dieser Mann war er nicht. Vielleicht kannte er ihn, früher einmal, hatte seine Geschichte in einer Zeitung gelesen, denselben Artikel zweimal am selben Tag. Zweimal die Geschichte, deren Held ein junger Ire war, der in Amerika zu einem neuen

Leben kam. Nein, das war er nicht. Wer sollte ihm das Lesen beigebracht haben? Sein Vater? Nicht einmal an den Geruch von Schafen erinnerte er sich. Er saß auf den letzten in die Erde sinkenden Steinen, die den Umriss eines Schiffs in die Wiese zeichneten, und kaute Brot, das jeden Tag in der Küche lag. Wer es dort für ihn hinlegte, wusste er nicht. Manchmal sah er eine Frau, die ihm aus dem Weg ging. Es kam vor, dass ihr Anblick eine Helligkeit in ihm entfachte, ein Funkeln nur, zu kurz, um eine wirkliche Empfindung auszulösen, aber lange genug, um eine Ahnung zu wecken, die jedoch bald abklang.

Nie würde er erfahren, wer die Frau war, die das Brot besorgte und die Äpfel, die seine Kleidung wusch und wusste, dass er Rindfleisch und Kartoffeln mochte und Kuchen. Und nie mehr würde er sich daran erinnern, dass er der Mann war zu dieser Frau. Dass es Zeiten gegeben hatte, da sie neben ihm lag. Dass ihr das Haar gehörte, das er auf dem Laken gefunden und das er um den Finger gewickelt hatte an der Stelle, an der früher ein goldener Ring gewesen war.

Nichts war ihm geblieben, wenn er unter dem weiten Himmel saß, kauend wie ein Schaf, und die Sonne ertrug und den Regen und die Kälte. Verschwunden waren die Bilder in seinem Kopf, die ihn mit den beiden Schwestern zeigten, Hand in Hand durch die Nacht treibend und etwas mit aller Kraft festhaltend, das ein Versprechen auf Glück schien, auf Trost und auf Vergebung.

Orla wollte Wilbur zu Hause unterrichten und stritt mit den Behörden fast ein Jahr lang um dieses Recht. Sie hatte es geschafft, ihn vor dem Vorschulunterricht und der ersten Klasse zu bewahren, aber obwohl der Junge fließend lesen und schreiben und einigermaßen rechnen konnte und wusste, was ein Buckelwal war und wie ein Vulkan entstand, verlor sie den Streit in letzter Instanz. Einen Tag nach der amtlichen Verfügung steckte man den acht Jahre alten Wilbur, der mühelos als Sechsjähriger durchging, in die Uniform und zweite Klasse einer Schule, die in einem schmucklosen Gebäude außerhalb einer Ortschaft namens Portsalon untergebracht war.

Es gab zwar einen Bus, der die Kinder auf den entlegenen Höfen aufsammelte, aber Orla fuhr Wilbur selber zur Schule und holte ihn dort wieder ab. Manchmal, nachdem sie im Auto gewartet hatte, bis Wilbur im Schulhaus verschwunden war, fuhr Orla an die nahe Küste und blieb dort, bis der Unterricht zu Ende war. Ohne ihren Enkel fühlte sie sich im Haus einsam und unnütz. Die ersten Tage allein hatte sie damit verbracht, das Zimmer aufzuräumen, die Küche gründlich zu putzen und für Eamon Essen vorzukochen, das sie in Plastikschüsseln abfüllte und einfror. Dann wusch sie sämtliche Vorhänge, jätete verbissen Unkraut und strich die Stühle, die das ganze Jahr draußen standen, neu. Als sie sich nach einer Woche dabei ertappt hatte, wie sie vor dem Sandkasten kniete und Muscheln nach ihrer Größe sortierte, war sie in den Wagen gestiegen und losgefahren.

Die Küste in der Nähe des Schulhauses unterschied sich nicht von der bei Fanad Head, aber die Tatsache, dass es nicht die vor ihrem Haus war, wirkte auf Orla beruhigend. Oft saß sie stundenlang im Auto, suchte einen Sender und blickte auf das Meer, das dasselbe war wie in ihrer Bucht und doch ein anderes. Seine Farbe war heller, und die Wellen erschienen ihr weicher und weniger bedrohlich. Sogar die Möwen hier kamen ihr freundlicher vor, sie flogen höher und ihre Rufe klangen lockend statt spöttisch. Wenn das Wetter es erlaubte, ging sie ein wenig spazieren und ließ sich den Wind über das Gesicht wehen. Beim Gehen überlegte sie sich, worüber sie mit Wilbur reden, was sie in den nächsten Tagen für ihn kochen und welche Geschichten aus der Zeitung sie ihm während des gemeinsamen Abendessens erzählen würde.

Im Auto lernte sie die Texte von Liedern auswendig, die im Radio gespielt wurden, strickte Pullover und füllte Zettel der öffentlichen Bibliothek von Letterkenny aus, mit denen sie Bücher für Wilbur reservierte. All das tat sie, um Zeit totzuschlagen, aber ihr wirkliches Leben fing immer erst dann wieder an, wenn sie mit Wilbur zusammen war.

Die ersten Wochen in der Schule waren für Wilbur die Hölle, und die Zeit danach wurde nicht viel besser. Er war der schmächtigste und kleinste unter den Jungen, und die Tatsache, dass ein Artikel über den Streit, den seine Großmutter geführt hatte, im *Donegal Democrat* erschienen war, machte ihn zur lokalen Berühmtheit. Die Lehrer, deren pädagogische Fähigkeiten Orla McDermott in Frage stellte, empfingen ihn mit kaum verhohlener Missbilligung, und für seine Mitschüler bot er die ideale Zielscheibe für Spott und Verachtung. Wilburs Klassenlehrerin, Miss Ferguson, eine Witwe in den späten Fünfzigern, behandelte ihn zwar wie ihre übrigen Schüler, aber das änderte nichts daran, dass er todunglücklich war. Er vermisste Orla, er wollte ihre Stimme hören und sie in jeder Sekunde, in der er wach war, bei sich haben. Zwar brachte er den Lehrbüchern und der Landkarte ein gewisses Interesse entgegen, aber im Klassenraum fühlte er sich eingesperrt, er hasste den Ton der Pausenglocke und fürchtete sich vor seinen Mitschülern.

Oft saß Wilbur auf seiner Bank, hielt in der Hosentasche den Indianer auf dem Pferd fest und dachte an Orla und daran, dass er alles dafür geben würde, bei ihr zu sein. Ertappte ihn Miss Ferguson bei seinen Tagträumereien, musste er aufstehen und unter den Blicken der übrigen Kinder wiederholen, was die Lehrerin eben gesagt hatte. Weil er das nicht konnte, musste er für den Rest des Unterrichts neben ihrem Pult stehen, ohne sich zu rühren, und regelmäßig ließ sie ihn eine Stunde nachsitzen und Sätze in ein liniertes Heft schreiben.

»Ich soll der Lehrerin zuhören.« »Ich soll dem Unterricht folgen.« Jede Seite hatte dreiundzwanzig Zeilen, und für jede Zeile ließ Wilbur sich genau so viel Zeit, dass die Strafaufgabe die Stunde füllte. Das erste Mal hatte er den Fehler begangen, nach einer halben Stunde fertig zu sein und aus dem Fenster zu sehen, worauf Miss Ferguson ihn eine weitere Seite schreiben ließ und eigens für ihren unaufmerksamen Wunderknaben anspruchsvollere Sätze ersann. »Wenn Gott gewollt hätte, dass ich den Tag mit unnützen Gedanken verschwende, hätte er mich zum sorglosen Äffchen im Urwald gemacht.« »Ich bin ein leeres Gefäß, und meine Unaufmerksamkeit ist der Riss, durch den das Wissen rinnt.« »Die Schule ist ein Ort des Fleißes und Lernens, nicht des Müßiggangs und Träumens.«

Immerhin war Wilbur nicht der Einzige, der nachsitzen musste. Auch andere Kinder schenkten dem Unterricht nicht die Beachtung, die Miss Ferguson forderte. Zudem verhängte sie Strafen für alles, was in irgendeiner Weise gegen ihre selbsterlassenen und ständig erweiterten Regeln verstieß. Ihr langer Katalog der Vergehen reichte von kleinen Sünden wie schmutzige Fingernägel, Nasebohren oder Bleistiftkauen über schwerer wiegende Verstöße wie Abschreiben, Ritzen von Initialen und Zeichen in die Pultdeckel oder Mitbringen von Spielzeug und Comic-Heften bis zu Kapitalverbrechen, zu denen unentschuldigtes Zuspätkommen, dreckige Schuhe im Klassenraum und Prügeleien zählten und die, je nach Schwere, mit einmaligen Ermahnungen, Strafaufgaben und Nachsitzen geahndet wurden.

Weil Wilbur immer mit sauberen Schuhen und Fingernägeln zur Schule ging, allein in der vordersten Bank saß und somit niemanden zum unerlaubten Reden hatte, den Indianer auf dem Pferd nie aus der Hosentasche nahm und auch sonst nichts tat, was Miss Ferguson hätte missfallen können, blieb es bei den zwei bis drei Stunden Nachsitzen pro Woche wegen Tagträumens. »Es ist nicht lehrreicher, vorüberflatternde Vögel zu beobachten, als den Ausführungen der Lehrerin zu folgen.« DOCH!, hätte Wilbur am liebsten hinter jede Zeile geschrieben. Zu Hause lag *Die Schatzinsel* auf seinem Kopfkissen, und im Regal warteten *Reise zum Mittelpunkt der Erde* und *In achtzig Tagen um die Welt* auf ihn, und sie lasen seit Monaten in einem Buch, dessen Sätze so einfältig und langweilig waren wie die Illustrationen dazu. »John kauft einen Apfel im Laden.« »Mister

Smith trägt einen neuen braunen Hut.« Natürlich waren die Vögel vor dem Fenster interessanter! Jedes ihrer Flugmanöver war aufregender als alle dummen Sätze des Buches zusammen. Jeder Flügelschlag, jedes Glitzern der schwarzen Federn im Licht war tausend Mal spannender als die Art, wie Miss Ferguson ihr Wissen weitergab. »Mit meiner Weigerung, dem Unterricht zu folgen, beschäme ich nicht nur mich und die Schule, sondern auch meinen Schöpfer.« Selbst nach der hundertsten Niederschrift gelang es Wilbur nicht, die tiefere Bedeutung des Satzes zu begreifen.

Conor Lynch machte sich gar nicht erst die Mühe, den Sinn der Wörter zu ergründen, die er ungelenk und mit der Zungenspitze zwischen den Zähnen zu Papier brachte. Es war eine Bestrafung, und er nahm sie hin wie schlechtes Wetter oder Zahnschmerzen. Im Gegensatz zu Wilbur bereitete es ihm große Mühe, die Seite innerhalb einer Stunde zu füllen, und das, obwohl er es noch immer mit den einfachen Sätzen zu tun hatte. Je mehr sich der Minutenzeiger der Zwölf näherte, umso schneller versuchte er zu schreiben und umso unleserlicher wurde seine Schrift, die ihm bereits unter größter Anstrengung nur ein Ungenügend einbrachte. Dann begann er zu ächzen und mit den Füßen zu scharren, und Wilbur konnte seinen Schweiß riechen.

Während Wilbur ruhig und flüssig Satz um Satz aufreihte, genoss er die Pein, die Conor Lynch erduldete. Jeder Seufzer erfüllte ihn mit Genugtuung, jedes kaum hörbare Wimmern entschädigte ihn für die Schläge, die er von dem Rüpel oder einem seiner Kumpane eingesteckt hatte. Heulte Conor leise auf, wenn ein Tintenklecks eine ganze Zeile ruinierte, hüpfte Wilbur das Herz vor Freude. Auch bei Conor hatte Wilbur zu Beginn des Schuljahres einen Fehler begangen, indem er ihn während des Nachsitzens schadenfroh angrinste. Später auf dem Flur und von Miss Ferguson unbemerkt, hatte Conor sich mit einer Kopfnuss gerächt, die Wilburs Schädel noch Stunden später summen ließ. Seither verkniff er sich jegliche Reaktion auf Conors Leiden und beschränkte sich darauf, seine kleinen Triumphe heimlich zu genießen.

Manchmal, wenn er seine Strafe absaß und Miss Ferguson für kurze Zeit den Raum verließ oder an ihrem Pult in ein Buch versunken war, sah Wilbur aus dem Fenster. Dabei achtete er darauf, den Kopf nur ein wenig zu drehen, kaum sichtbar, und stattdessen den Blick so weit wie möglich zur Seite zu lenken. Wenn er dann Orla entdeckte, die weit entfernt auf dem leeren Feld neben der Schule stand, durchströmte ihn das warme, wohlige Gefühl, das ihm während der endlos langen Stunden in diesem Gebäude so sehr fehlte. Orla schien zu spüren, wenn Wilbur sie ansah, und hob eine Hand, um ihm zuzuwinken. Wenn es besonders kalt war oder sie gute Laune hatte, hüpfte sie auf und ab und fuchtelte dabei mit den Armen, und ein der übrigen Welt verborgenes Lächeln legte sich für den Rest der Stunde auf Wilburs Gesicht.

Was für die anderen Kinder das Beste an der Schule war, fürchtete Wilbur am meisten. In den Pausen verkroch er sich in eine Ecke des von Steinmauern und Maschendrahtzaun eingefassten Hofes und hoffte, für einmal verschont zu bleiben. Ein Gestrandeter am Ufer eines Meeres aus Lärm, duckte er sich an die Mauer, machte sich kleiner, als er war, hob schützend die Hände vor das Gesicht, wenn die Wogen der Balgenden und Kämpfenden zu nahe an ihn heranbrandeten, und zählte die Sekunden bis zum erlösenden Schrillen der Glocke.

Als Conor, flankiert von seinen Freunden Sean Finn, Niall McCoy und Liam O'Donnell vor ihn trat, schloss Wilbur die Augen und flehte stumm darum, unsichtbar zu werden, im Boden zu verschwinden oder in einer Mauerritze.

»He, Hosenscheißer!« Conor gab sich Mühe, tief und bedrohlich zu klingen, obwohl auch er noch eine ganze Weile auf den Stimmbruch warten musste. Sein Gefolge kicherte, ballte nervös die Fäuste in den Taschen. »Warum biste so weiß?«

»Bleicher als 'n Nonnenarsch«, sagte Niall McCoy, der vorlauteste unter dem Trio, das an Conor klebte wie Putzerfische an einem Hai.

Conor trat einen Schritt nach vorne, um klarzumachen, dass es sein Vorrecht war, dem dürren Knilch eine Lektion zu erteilen. Dem Streber, der im Unterricht alles wusste und den Rest der Klasse dumm aussehen ließ, der mühelos in Büchern las und auf der Karte jedes noch so kleine Land am Ende der Welt fand. Dem Fremden, der seine Mutter auf dem Gewissen hatte. Dem Abkömmling eines Selbstmörders.

»Was haste da eigentlich inner Tasche?« Conor zeigte mit der Schuhspitze auf Wilburs Hand, die in der Tasche seiner Hose steckte.

Wilbur antwortete nicht, sah Conor nicht an. Er blickte durch den Spalt in der Mauer aus Beinen, die vor ihm einen Halbkreis bildete, wartete, zählte lautlos Sekunden. Vielleicht kam eine Lehrerin vorbei und wollte wissen, was los sei. Oder einer der Lehrer sah aus dem Fenster der kleinen Teestube, deutete die Ansammlung richtig und schritt ein, bevor etwas passierte. Wilbur wünschte sich Regen. Ein Wolkenbruch würde die Kinder ins Gebäude scheuchen. Dort wäre er einigermaßen sicher, solange er auf dem Fenstersims saß, gut sichtbar für die Lehrkräfte, die Aufsichtsdienst hatten.

Zwei Hände packten seinen Arm, und er öffnete die Augen. Conor riss seine Hand aus der Hosentasche, die den Indianer und das Pferd umklammerte. Wilbur und Orla. Warm von seinem Körper, ans Tageslicht geholt nur in der Sicherheit des Autos, des Zimmers, des Gartens. Niemand außer ihm und Orla durfte die Figuren berühren.

»Sieh mal an.« Conor hatte Wilburs Hand mit der Leichtigkeit geöffnet, mit der er einen Apfel in zwei Hälften brach. Jetzt hielt er Wilburs Unterarm mit der einen Hand fest, während die andere den reitenden Indianer herumzeigte.

»Das Bleichgesicht hat eine Rothaut zum Freund.« Niall lachte. Als Conor grunzte, lachten auch Sean und Liam.

»Der Bettnässer spielt also nicht nur mit Puppen«, versuchte es Liam und war erleichtert, als die Freunde glucksten.

Wilbur hing an Conors Hand wie ein zerschlagener Boxer, den der Ringrichter zum Sieger erklärt. Er kniete mit angewinkelten Beinen auf dem Boden, der kalt war und dunkel von einem Regen, der nicht auf ihn gewartet hatte. Sein Schultergelenk tat weh, Conor verdrehte es.

»Soviel ich weiß, ist Spielzeug hier verboten«, sagte Conor und erntete Zustimmung. Er grinste wie ein Anwalt im Fernsehen, der die Geschworenen im Griff, den Prozess so gut wie gewonnen hat. Er wandte sich an Wilbur, studierte dessen vor Schmerz und Angst verzogenes Gesicht. »Du weißt doch sonst alles, Klugscheißer.«

Wilbur atmete ein und aus. In der Hand hielt er eine Fackel, deren Flammen seine Haut versengten. Er hatte sich verzählt und wollte von vorne beginnen, aber er vergaß, was nach der Acht kam. So alt war er jetzt, acht, und sah aus wie fünf, ein bleicher Knirps mit hellbraunen Haaren, über das die Verkäuferinnen bei McSweeney's strichen, ein Winzling, dem wildfremde Frauen das hübsche Gesicht tätschelten. Ein Schwächling, der nachts zu einem Gott betete, dessen Existenz er anzweifelte. Ein Baby, das an der Hand der Großmutter eine Welt erkundete, die ihm auf Buchseiten entgegenleuchtete und die kleiner war als dieser Schulhof. Ein Angsthase, der an manchen Tagen tot umfallen wollte, statt zur Schule zu gehen. Ein Feigling wie sein Vater.

Er hörte das Schrillen der Pausenglocke und wusste nicht, dass es das Geräusch von Hass und Wut war, das in ihm aufstieg wie der Wirbel eines Tornados, dessen Bilder er im *National Geographic* gesehen hatte. Raunen hörte er, zu leise, um den Argwohn der Lehrer zu erwecken. Und dann, in einer Sekunde der Stille, im reglosen Auge des Sturms, hörte er seine eigene Stimme.

»Gib sie zurück.«

Gleich darauf spürte er einen heftigen Schmerz, als reiße

etwas in seiner Schulter, die Schnur, mit der der Hund an der Scheune angebunden ist. Er spürte die Tränen, die aus seinen Augen strömten, vielleicht schon lange über die Wangen liefen, und er spürte, wie seine geballten Fäuste auf etwas Hartes trafen und wie der Schmerz zur Kraft wurde, zum blinden Toben gegen einen Schädel, an dem weiche Teile unter seinen brennenden Knöcheln nachgaben, fühlte, wie er nach vorne stürzte und statt auf dem Boden auf etwas Nachgiebigem landete, etwas, von dem er büschelweise feines Gras reißen konnte und das brüllte wie ein Tier im blechernen Dunkel eines Transporters, unterwegs zum Schlachthof. Blut und Rotz und Spucke benetzten seine Hände, sein Atem war heiß. Er röchelte, zitterte, schlug beide Fäuste ein letztes Mal in das Weiche, unter dem das Harte lag und glühende Nadeln in seine Finger trieb, dann seufzte er matt und unerlöst, wollte zur Seite kippen und wurde hochgehoben, schwebte davon, ein Engel der Rache, ein müde keuchendes Engelchen, in dem der Zorn erkaltete, an einem Seil über der Bühne schwebend, der Arena, umspült von Lärm und geweiht vom Wasser eines verspäteten Regens.

Orla rieb die blau verfärbte und geschwollene Schulter mit Arnikasalbe ein und wickelte ein Tuch darum. Dabei summte sie für Wilbur ein Lied, *Mistletoe and Wine* von Cliff Richard, das in England die Hitparade anführte. Obwohl sie den Text auswendig konnte, ließ sie ihn weg, denn sie fand, ihr Summen sei beruhigender.

Wilburs Schulter war von einem Arzt in Letterkenny eingerenkt worden, demselben Arzt, der Conor die gebrochene Nase gerichtet, ein geschwollenes Auge behandelt und die geplatzte Unterlippe genäht hatte. Der Mann, ein ehemaliger Militärarzt, der schon einiges gesehen hatte, wollte von dem Lehrer immer wieder wissen, ob wirklich der Kleine für den üblen Zustand des Großen verantwortlich sei, und als der Lehrer jedes Mal mit ja antwortete, kicherte der Arzt in sich hinein und murmelte etwas von Boxtalent und wildem Stier.

Orla, die nach Unterrichtsschluss vor der Schule vergeblich auf Wilbur gewartet hatte und von einem Lehrer über den Zwischenfall informiert worden war, fand die Sache ebenso wenig witzig wie Conors Mutter, die weinend im Behandlungszimmer gesessen und versucht hatte, ihrem Sohn die Hand zu halten. Der Lehrer hatte Orla mit Konsequenzen gedroht, und Orla hatte geantwortet, von ihr aus könne man Wilbur jederzeit der Schule verweisen, dann unterrichte sie ihn eben wieder zu Hause.

Wilbur lag in seinem Bett, lauschte Orlas Summen und bewegte die Finger unter den Handtüchern, zwischen denen ein mit Eiswürfeln gefüllter Plastikbeutel lag. Er hatte seit der Prügelei keinen Ton von sich gegeben, während der Heimfahrt seine aufgedunsenen Hände angestarrt und sich gewünscht, Orla würde das Radio einschalten und so laut singen, wie sie konnte. Im Behandlungszimmer hatte er es vermieden, Conor anzusehen. Er hatte eingesunken auf dem Stuhl gesessen, während die alte Arzthelferin seine Knöchel mit Jod abtupfte und dabei leise vor sich hin murmelte, kopfschüttelnd und immer wieder enttäuscht mit der Zunge schnalzend.

Er hatte sich im Spiegel an der Wand gegenüber gesehen und nicht geglaubt, dass dieser Zwerg es war, der den auf der Liege ausgestreckten Jungen so zugerichtet hatte.

»Was du getan hast, war falsch«, sagte Orla sanft und strich Wilbur eine Haarsträhne aus der Stirn. »Das weißt du, nicht wahr?«

Wilbur nickte. Er bestrafte sich, indem er die Finger krümmte. Wasser trat in seine Augen, er sah Orlas Gesicht durch einen dünnen Film, der das Licht der Deckenlampe in Stücke brach. Orla lächelte, legte den Kopf schräg und presste die Lippen zusammen. Sie streichelte Wilburs Wangen, ihre Hand roch nach der Salbe. Sie beugte sich über ihn, küsste ihn auf die Stirn.

»Versuch jetzt zu schlafen.«

Wilbur sah ihr nach, wie sie das Zimmer verließ. Er wusste, sie würde zurückkommen, wenn er schlief, würde sich auf die

Wolldecke neben ihn legen und bei ihm sein, wenn er sich im Schlaf drehte und die wunde Schulter ihn weckte. Sie würde immer bei ihm sein. Das war, was Wilbur dachte und was ihn tröstete, bevor er einschlief.

Wilburs Hände heilten langsam. Nachdem die Schwellungen abgeklungen und die Schorfplacken abgefallen waren, konnte er keine Faust mehr machen. Er wollte sich zwar sowieso nie mehr schlagen, aber er schaffte es auch nicht mehr, sicher einen Stift zu halten oder eine Gabel. Orla machte Meerwasser warm, in dem er die Hände baden musste, rieb sie mit einer Tinktur aus Alkohol und Wallwurz ein, massierte sie und kaufte ihm einen Gummiball, den er kneten sollte. Zur Schule musste er nicht, der Arzt hatte ihm ein Attest ausgestellt.

Orla geriet in ein moralisches Dilemma, weil sie einerseits um Wilburs Hände besorgt war, andererseits aber nur halbherzig bedauerte, dass der Heilungsprozess kaum Fortschritte machte und Wilbur bei ihr blieb, statt zur Schule zu gehen. Nach ein paar Tagen war sie mit ihm nach Dublin gefahren, wo seine Hände einem Spezialisten vorgeführt wurden. Der Orthopäde, ein junger Franzose, der dauernd scherzte und Englisch und Muttersprache vermischte, sah sich die Röntgenaufnahmen an und sprach dabei leise seltsame Sätze in ein Diktiergerät, was aussah, als wolle er mit seinen wunderlichen Worten einen in der Faust gefangenen Vogel beruhigen. Dann gab er Orla eine Salbe mit und ermutigte sie, die Therapie mit den Meerwasserbädern und dem Gummiball weiterzuführen. Zum Abschied tätschelte er Wilburs Kopf und nannte ihn little filou.

Da sie nun mal in Dublin waren, beschloss Orla, ihrem Enkel die Stadt zu zeigen, in der sie vor vielen Jahren eine kurze glückliche Zeit mit Eamon verbracht hatte. Sie stellten das Auto in einem Parkhaus ab und ließen sich auf dem Oberdeck eines Busses durch die Straßen schaukeln, gingen im Phoenix Park und entlang dem River Liffey spazieren, aßen in einem Café riesige Portionen Eis und schlenderten Hand in Hand durch

Einkaufszentren und von Läden gesäumte Gassen. Wilbur fand nicht, dass er nach der Schlägerei ein Geschenk verdiente, aber Orla kaufte ihm trotzdem eine Uhr mit Lederarmband, die ihr in der Auslage eines Schmuckgeschäfts aufgefallen war. Weil Wilburs Handgelenk schmal wie der Hals einer Ente war, musste die Verkäuferin ein neues Armband dafür holen, eines für Mädchen, wie sie Orla flüsternd verriet. Das Leder war unecht und imitierte die Haut einer Schlange oder eines Reptils, es schimmerte manchmal blau und im nächsten Moment grün, und es fühlte sich glatt an, leicht bucklig und kühl. Wilbur war so stolz darauf, eine Uhr zu besitzen, dass er Orla alle paar Minuten die Zeit mitteilte, und jedes Mal lachte Orla und bedankte sich. Während sie durch die Straßen gingen, hielt Wilbur die Hand mit der Uhr vor sein Gesicht, als wartete er darauf, dass das Datum endlich wechselte. Sprang der Minutenzeiger nach vorne, hüpfte Wilbur, und mit der Uhr an der Ohrmuschel strahlte er vor Freude und Erstaunen über die winzige Fabrik, die unermüdlich und leise klickend Zeit produzierte.

Orla vermied es, in die Nähe der Straße zu kommen, in der sie mit Eamon vor dem Umzug nach Cork gelebt hatte. Das erste Jahr nach der Hochzeit war das beste gewesen, obwohl die fremde Stadt und der plötzliche Wohlstand ihr zu Beginn fast Angst gemacht hatten. Eine Bedienstete kochte und putzte für sie, und es war Orla peinlich, von der Frau, die ihre Mutter hätte sein können, Madam genannt zu werden. Deirdre wohnte eine Zeitlang bei ihnen, und die beiden Schwestern streunten durch die Stadt, blieben vor den Schaufenstern der teuren Geschäfte stehen und trauten sich nicht hinein, weil man ihnen anhörte, woher sie stammten, und weil sie dachten, die feinen Verkäuferinnen könnten den Fisch riechen, mit dem sie aufgewachsen waren.

Zwischen den wuchtigen Häusern kamen sie sich klein vor und fehl am Platz, und nur an den Kais, wo es nach Meer und Tang roch und der salzgetränkte Himmel Weite und Meer andeutete, fühlten sie sich wohl, wurden jedoch schief angesehen in ihren noblen Kleidern und blieben bald zu Hause, lasen Bücher und schrieben lange Briefe an ihre Eltern.

Deirdre hatte sich in Galway in einen jungen Mann verliebt, der nach England gegangen war, wo er, wie seine drei Brüder, Arbeit auf einer Schiffswerft fand. Jede Woche kam ein Brief von ihm, in dem er ihr in sperrigen, aber von Herzen kommenden Worten schrieb, wie sehr sie ihm fehlte. Schon nach wenigen Monaten teilte er ihr mit, er sei todunglücklich in England, vermisse Deirdre und seine Familie und seine Stadt und komme mit dem nächsten Schiff zurück. Kaum hatte Brendan Cavanagh in Galway irischen Boden betreten, heiratete er Deirdre, und Orla war in Dublin alleine mit dem Mann, dessen Wesen sie mit jedem Tag weniger verstand.

Eamon hatte gehofft, Orla würde die Schatten seiner Vergangenheit mit ihrem inneren Feuer verbrennen, würde mit ihrem Lachen die dunklen Gedanken vertreiben, die ihn besetzt hielten wie Krähen einen Turm. All das Geld würde eine Berechtigung erhalten, dachte er, wenn er es für Orla ausgäbe. Läge sie jede Nacht bei ihm, hörten die Träume bestimmt auf, die hell erleuchteten Albträume, in denen er einem Mann eine Wolldecke auf das Gesicht drückte, in denen er Goldstücke aus einem Boot klaubte und gierig verschluckte und in denen er sich in der engen Höhle eines Tieres verkroch, um sein verzerrtes Spiegelbild im blanken Metall eines Revolvers zu betrachten und aufzuschreien vor Entsetzen.

Aber seine Hoffnungen erfüllten sich nicht. Orla lenkte ihn ab und riss ihn aus dem Brüten über seine Sünden heraus, sie warf einen Lichtstrahl in das Loch im Hügel, in dem seine Seele hockte und darauf wartete, erlöst zu werden. Ihre Anwesenheit zwang ihn, unter Menschen zu leben und ihre Sprache zu sprechen, nötigte ihn zu Worten, Gesten, Zeichen von Anteilnahme. Sie half ihm, mit dem Trinken aufzuhören. Was Orla nicht konnte, war, ihren Mann vor seinen Dämonen zu beschützen, ihn mit ihrer Liebe und mit der Kraft ihres Lebens davor zu bewahren, in den langen vor ihnen liegenden Jahren den Verstand zu verlieren.

Hand in Hand gingen sie durch die Stadt, die Wilbur Angst einjagte und ihn zum Staunen brachte. Oft drängten sich so viele Menschen aneinander vorbei, dass Orla ihn an sich zog und vor einer Hausmauer wartete, bis die Flut aus Körpern verebbt war. Dann legte sie ihm beide Hände auf die Schultern oder die Brust, und Wilbur sah den fremden Leuten nach und verspürte kein Verlangen, jemals etwas mit ihnen zu tun zu haben. Nahm das Geschiebe ab, mischten sich die beiden wieder unter die Passanten und schlenderten zu ihrem nächsten Ziel, das sie noch nicht kannten. Vor einem Kino blieb Wilbur stehen und wollte wissen, was sich in dem Gebäude befinde, unter dessen Vordach sie auf dem Gehsteig standen und das man durch zwei Doppeltüren betreten und verlassen konnte. Orla erklärte es ihm und hob ihn hoch, damit er die farbigen Bilder sehen konnte, die in Schaukästen links und rechts neben dem verglasten Kassenhäuschen hingen, in dem eine dünne Frau saß und eine Illustrierte las.

Die Bilder zeigten ein Hochhaus, aus dem eine Blase gelben Feuers wuchs, und einen Mann mit schwarzem Gesicht, der Wilbur an den Krieger erinnerte, dessen Fotografie er in einem Bildband über Afrika gesehen hatte. Auf dem Bild, das Wilbur am meisten faszinierte, saß ein Mann, den Rücken gegen eine Wand gelehnt, am Boden und hielt einen Revolver in der Hand, mit dem Cowboys auf Indianer schossen. Der Mann trug ein weißes Unterhemd wie der Mechaniker, der im Sommer fast im aufgerissenen Maul von Orlas Auto verschwunden war. Das Unterhemd des Mannes, der müde aussah und trotzdem stark, war zerrissen und blutbefleckt, sein Gesicht und seine Arme waren schmutzig und mit Schnitten übersät.

Orla ging mit Wilbur rasch weiter zum nächsten Schaukasten, in dem bunte Bilder eines Trickfilms hingen, und sagte etwas, das Wilbur nicht verstand, weil er nicht zuhörte. Er schielte zum Bild mit dem blutüberströmten Mann, während Orla redete, und er fragte sich, was mit dem Mann passiert sein mochte. An Conor dachte er, dem Blutspritzer als schiefe Spur über das Hemd gelaufen waren, Punkte einer unsichtbaren Krawatte.

Zwei Halbstarke stellten sich vor die Schaukästen, beide in schwarzen steifen Lederjacken, in denen sie steckten wie Käfer in ihren Panzern. Der eine erzählte dem anderen von dem Film, schuf beidarmig Explosionen, stieß ihn aufgeregt lachend in die Seite und ahmte mit geiferndem Mund und die Hände um ein unsichtbares Gewehr geklammert etwas nach, das Wilbur, der heimlich und beeindruckt zuhörte, als Schüsse deutete. Orla warf den beiden einen verärgerten Blick zu und verließ mit Wilbur, den sie noch immer trug, den Eingangsbereich des Kinos. Es war später Nachmittag geworden, die Vorstellungen hatten schon begonnen, und wenn sie nach Hause wollten, bevor es dunkel wurde, mussten sie los. Orla setzte Wilbur ab, nahm seine Hand und versprach, mit ihm in den nächsten Tagen ins Kino nach Letterkenny zu fahren, wo der Trickfilm ebenfalls gezeigt wurde.

Während sie zum Parkhaus gingen, erzählte sie ihm von einem Film über ein Rehkitz, den sie gesehen hatte, aber Wilbur war nicht mehr interessiert an sprechenden Tieren. Er wollte wissen, wer dieser Mann auf dem Bild war und wozu er die Waffe benutzte, obwohl es in dem Film keine Indianer zu geben schien. Doch er fragte Orla nicht, ging neben ihr her, abwesend zuhörend. Seine Hand rutschte aus ihrer, und Orla griff danach und umschloss sie fester.

Drei Wochen nach dem Vorfall auf dem Pausenhof musste Wilbur wieder zur Schule. Seine Hände waren verheilt, die Finger beweglich wie zuvor. Machte er eine Faust, zuckte ein dumpfer Schmerz in den Knöcheln, eine Erinnerung an die Schläge, die er ausgeteilt hatte, eine Mahnung, es nicht wieder zu tun. Blicke begleiteten ihn auf dem Weg zum Schulgebäude, misstrauische, feindselige, bewundernde, jeden Morgen. Niemand sprach ihn an, nicht Conor und schon gar nicht dessen Schattentrio. Der großmäulige Niall McCoy, der im Schutz von Conors Rücken keine Gelegenheit ausgelassen hatte, Wilbur mit einem derben Spruch einzuschüchtern, senkte den Kopf, tat, als suche er die Schuhe nach verbotenem Schmutz oder den Boden nach einer geheimen Inschrift ab. Sean und Liam gaben vor, Wilbur nicht zu bemerken. Tauchte er auf, unterhielten sie sich mit einem plötzlichen Eifer über das letzte Hurlingspiel oder einen Fisch, den sie angeblich gefangen hatten, und wenn Wilbur zufällig in ihre Richtung sah, erwiderten sie für den Bruchteil einer Sekunde seinen Blick wie schlechte Statisten, die in die Kamera glotzen, bevor sie erneut die erröteten Köpfe zusammensteckten.

Miss Ferguson nahm Wilburs Anwesenheit zur Kenntnis, mehr nicht. Sie verzichtete auf eine Moralpredigt vor versammelter Klasse, was Wilbur ein wenig enttäuschte. John kaufte Orangen statt Äpfel, Mister Smith einen neuen Hut, diesmal einen grauen. Noch immer flogen vor den Fenstern Vögel, aber Wilbur sah ihnen nicht mehr nach. Geschichte und Geografie interessierten ihn, vergangene Zeiten und ferne Länder vermochten ihn aus der Lethargie zu holen, in die er die meiste Zeit versank. Immerhin hörte er den Ausführungen Miss Fergusons mit einem Ohr zu und musste nicht mehr aufstehen und beweisen, dass er nicht tagträumte.

Zum Nachsitzen wurde er kaum noch verurteilt, und wenn doch, schrieb er in seiner neuen, eckigen Schrift die Sätze hin, lauschte dem leisen Wimmern, das Conor entwich, und fühlte fast so etwas wie Mitleid. Sein ehemals ärgster Feind war harmlos geworden und ging ihm aus dem Weg. Conor Lynchs Wesen schien sich seit jenem Ereignis ebenso verändert zu haben wie die Form seiner Nase. Still und in sich gekehrt, schlurfte er über den Schulhof, aß nachdenklich sein Pausenbrot und vermied es, in die Ecke zu geraten, in der Wilbur ihm gezeigt hatte, wozu ein Mensch fähig war, wenn man eine Linie überschritt, die unsichtbare Grenze zu einem Land, wo Ungeheuer lebten. Er strahlte eine seltsame Ruhe aus, die von Verwunderung und Trauer genährt wurde. Fast jeden Tag stand er auf der Mauer und blickte mit hängenden Schultern über das Feld, auf dem Orla manchmal hüpfte, und sah dabei aus wie ein vergreistes Kind, das mit dem unerwarteten Verlauf seines Lebens hadert.

Die Steine waren zu schwer, zu tief verankert in der Erde. Sie bildeten das Fundament, ein Auge im zerzausten Grün der Wiese, Stechginsterbüsche die Brauen, hohes gelbes Gras die Wimpern. Ein Kran hatte sie in ihre Lage geschwenkt für alle Ewigkeit. Moos wuchs an ihren rauen Seiten, Flechten überzogen sie mit einem weißen Muster. Eamon ging hin und her als flackernde Pupille, wusste nicht, was zu tun war, und wartete auf neue Zeichen. In wütenden Anläufen zerrte der Wind Wolkenfetzen über eine See, die in bleierner Ruhe versunken war.

Ein Sonnenstrahl schlingerte über den Hügel, schliff Halme zu Messerklingen und verharrte an einer Stelle, bis Eamon endlich stehen blieb und den Blick hob. Zwischen verfilztem Gras wuchs der Stiel eines Werkzeugs, und als Eamon ihn umfasste und anhob, brach das morsche Ende und ließ den rostigen Klotz eines Hammers in der Erde zurück. Gedankenlos vor Erschöpfung und erfüllt von rasendem Eifer, kniete Eamon sich hin und barg mit beiden Händen den Kopf aus Metall, wischte Erde davon ab und betrachtete ihn, als sei er aus dem Himmel gefallen. Das Eisen lag kalt in seinen Handflächen, und es dauerte lange, bis sein Verwendungszweck ihm dämmerte.

In der Werkstatt schälte er mit einem Meißel das verfaulte Holz aus dem Loch und schlug mit der Axt einen Zaunpfahl zurecht. In der Unordnung, die von staubbedeckten Spinnweben zusammengehalten schien, fand er einen Metallkeil, hielt ihn in der Hand und erinnerte sich nach einer Weile, wozu er da war. Dann setzte er sich inmitten der Verwahrlosung auf den Boden und sah aus der Tür. Launische Böen fuhren ins Gras, aus dem kleine Vögel wirbelten und in dem sie flatternd wieder verschwanden. Der Pfad, auf dem vor langer Zeit die Schafe zu den Weiden trotteten, war zugewachsen und holte in Eamon keine Erinnerung hervor. Da war kein Korridor mit Bildern und Stimmen, kein Licht und Glück und keine Musik. Da war nur ein Loch, gegraben von einem Tier, das längst tot war. Die Kälte aus dem Boden wuchs in Eamon empor, aber er spürte sie nicht. Er ging auf alle viere und zog sich an der Steinmauer hoch, nahm das Werkzeug und stapfte zurück an seinen Bestimmungsort. Er dachte nicht an die Zeit, nicht an die Tage und Wochen, die vor ihm lagen, als er den Keil an den Stein setzte. Er hatte vergessen, dass es ein Leben gab, ein Ende und einen Sinn. Als der Hammer auf den Keil traf und Splitter aus dem Fels schlug, war ihm auch die Existenz der Sonne entfallen, die endlich durch die versprengten Wolken brach und seinen krummen Rücken aus der Farblosigkeit des Hügels löste, um ihn zu wärmen, um ihn zu verhöhnen.

Die Häuser der Stadt wuchsen spiralförmig den Hügel hinauf, dessen Spitze der mit Quarzsteinen und einer Blesshuhnfeder geschmückte Palast krönte. Eine Palisade aus geschälten Ästen umgab den quadratischen Hof, den der Reiter, nachdem er den purpurnen Rhododendronblütenfluss überquert hatte, durch einen Torbogen aus weißen, einander zugeneigten Vogelknochen erreichte. Fein geriebener Torf lag auf dem gewundenen, gemächlich ansteigenden Weg, mattschwarze Miesmuscheln und faltige Rindenstücke trennten ihn vom Sand, der im Sonnenlicht glitzerte. Der Reiter hatte eine schlechte Nachricht zu überbringen. Häuptling Wilbur und sein treues Pferd sollten noch einen ganzen Monat in der Gefangenschaft der schrecklichen Herrscherin Ferguson und ihrer Schergen bleiben, so hatte es der Rat der finsteren Mächte beschlossen.

Die Indianer stimmten einen Wehgesang an, und Orla gab sich Mühe, besonders laut zu klagen. Wilbur jammerte nur leise, es war ihm ein wenig peinlich.

»Nicht lachen«, sagte er zu seiner Großmutter.

»Ich lache nicht«, sagte Orla. Dann lachten beide, und das große Wehklagen der Indianer war vorüber. Nachdem die Pferde versorgt und in einem prächtigen Stall aus geschälten Ästen und Moos untergebracht waren, setzten sich die verbliebenen Angehörigen des Stammes an eine lange Tafel, die aus einem Stück angeschwemmtem Kistenholz bestand, und aßen. Orla hatte einen Apfelkuchen gebacken und Limonade aus Melisse und Honig gemacht.

»Wir könnten ins Schulhaus einbrechen, nachts, und sie befreien«, sagte Wilbur. Sie saßen im Schatten und spürten die Wärme, die von der Mauer in ihre Rücken gepumpt wurde. Ab und zu verscheuchten sie eine Wespe, die im Limonadenkrug brummte.

»Und all die anderen Sachen in der Kiste«, sagte Orla.

Wilbur biss vom Apfelkuchen ab und überlegte. Kein Schüler hatte die Kiste je gesehen, und doch wusste jeder von ihrer Existenz. In ihr wurden die konfiszierten Gegenstände verwahrt, die Comic-Hefte, Kaugummis, Steinschleudern, Gummibälle, Matchbox-Autos und all die Dinge, die in der Schule verboten waren. Eine Schatztruhe, da war sich Wilbur sicher.

»Wir könnten die Leiter mitnehmen«, sagte Wilbur. »Und ein Seil.«

»Und wenn wir erwischt werden?« Orla passte auf, dass keine Wespe auf Wilburs Kuchen landete. Sie trug ein knöchellanges Kleid aus blauem Stoff, keine Schuhe und einen großen Strohhut, um den ein gelbes Band gewickelt war.

Wilbur dachte erneut nach. Eine Wolke setzte sich vor die Sonne. Er nahm die Hand herunter, die er als Schirm über die Augen gelegt hatte, und kaute abwesend. Hinter der Mauer rollte das Meer gegen das Land. Möwen flogen heute keine, vielleicht war ihnen der Himmel zu hell. Als die Wolke von der Sonne wegtrieb und Licht in das Viereck aus Mauern stürzte, klopfte es zaghaft an der Holztür. Orla wischte sich die Hände am Kleid ab, als wolle sie gleich jemanden begrüßen.

»Colm?«, rief sie und erhob sich. Der einsame Nachbar kam gelegentlich herüber und trank eine Tasse Tee mit, setzte sich zu Orla und Wilbur und sah ihnen zu, wie sie ihre Städte bauten. Er war linkisch und schüchtern, und wenn er etwas sagte, stotterte er manchmal und schüttelte den Kopf, als wolle er seine eigenen Worte in Frage stellen.

Auf der anderen Seite der Mauer blieb es still. Colm kam nie an die Rückseite des Hauses, er klingelte immer vorne, wie er es getan hatte, bevor es die rote Tür überhaupt gab. Dann klopfte es noch einmal, zugleich zaghaft und hartnäckig. Orla seufzte und ging zur Mauer, nahm den Schlüssel vom Haken und sperrte die Tür auf.

Draußen stand Conor Lynch, hielt den Kopf gesenkt und verdrehte mit beiden Händen die Kappe, als wolle er sie auswringen.

»Conor?« Orla ging ein wenig in die Knie, um dem Jungen ins Gesicht zu sehen.

»Ist Will da? Ich meine, Wilbur.« Conor hob endlich den Kopf, um ihn gleich wieder zu senken. Er trug kurze Hosen aus grobem Stoff, seine Beine waren zerkratzt. Wenn er mit diesen Schuhen das Schulhaus betreten hätte, wären ihm zwei Stunden Nachsitzen sicher gewesen.

Orla drehte sich um. Wilbur saß da, sah in ihre Richtung und vergaß zu kauen. Eine Wespe umkreiste ihn, ein winziger summender Satellit. Er verscheuchte sie nicht.

»Conor ist hier«, sagte Orla. »Conor Lynch.« In der Gegend gab es noch einen Conor, den alten, alleinstehenden McGonigle, der Hirtenhunde züchtete und regelmäßig Ärger mit der Polizei hatte, weil er während der Schonzeit auf Rebhühner schoss.

Wilbur blieb sitzen. Er sah Conor nicht, der, von Orla verdeckt, im Türrahmen stand. Jetzt zog doch eine Möwe durch das Blau des Himmels. Sie schlug nicht mit den Flügeln, ihre Konturen wurden vom Licht verwischt, sie gab keinen Laut von sich. Wilbur sah ihr nach, der Kuchenbissen rutschte ihm in den Hals. Er machte eine Faust, es schmerzte nicht, dann öffnete er sie und stand auf. Jetzt rief die Möwe, stieß einen langgezogenen Schrei aus, einen gegen sein Ende abfallenden Ausruf der Klage, der allem Irdischen galt. Orla trat von der Tür weg, und Conor hob den Kopf.

Wenn eine Freundschaft aus Abenteuern bestand, aus Feldzügen und Eroberungen, wenn sie auf Herumtoben gründete und irrwitzigen Spielen und dem sinnlosen Stauen von Bächen, dann war das, was zwischen Wilbur und Conor bestand, keine Freundschaft. Ganze Nachmittage saßen die beiden im Gras auf dem flachen Erdhügel neben dem Haus, sahen statt aufs Meer hinaus ins Land hinein und redeten nichts oder in knappen Sätzen, wie es alte Männer taten. Eine stille Übereinkunft herrschte zwischen den beiden, die besagte, dass das Leben zu kompliziert sei, um darüber in achtlos hingeworfenen Worten zu plaudern oder es aus einer panischen Langeweile heraus zu verharmlosen, wie es die Mädchen auf dem Schulhof taten.

Lieber schwiegen sie, als die Stille mit Banalitäten zu stören. Sollten die Erwachsenen über die Farben des Himmels philosophieren und deren Einfluss auf das Wetter, über die Mannschaften fachsimpeln, die es ins Finale im Gaelic Football geschafft hatten, oder über die Gründe spekulieren, warum die siebzehnjährige Rosie O'Sea ins Meer gegangen war, obwohl sie nicht schwimmen konnte. Sie überließen es den Säufern im Pub, die fallenden Preise für Milch und die steigenden für Bier zu beklagen, und den Jungs auf dem Pausenplatz, sich über englische Fußballteams und italienische Rennautos auszulassen. Stumm saßen sie da und beobachteten die Bewegungen im Fell der Hügel, während die Welt aufgeregt und angeödet vor sich hin quasselte.

Wurde es kühl oder drohte Regen, kam Orla aus dem Haus und holte sie herein. Dann tranken sie in der Küche heiße Schokolade und hörten Musik aus dem neuen Radio, das wie ein silbernes Haus mit blau erleuchteten Fenstern auf dem Regal über der Anrichte stand. Zu den Liedern, die sie kannte, sang Orla mit, und Wilbur senkte verschämt und verzückt den Blick, während seine Füße unter dem Tisch in wildem Takt wippten.

Conor war diese Musik fremd wie die Bücher, die sich in Wilburs Zimmer stapelten. Er lauschte ihr mit der erstaunten Andacht und der unterdrückten Begeisterung, mit der ein Forscher den Lockrufen eines unbekannten Tieres lauscht. Der U2-Song *Desire* baute in ihm Berge von Genügsamkeit ab und trieb Stollen in sein Innerstes, durch die Helligkeit flutete, Begehren und Verwirrung. Angefüllt mit heißer Schokolade und Musik, saß er auf seinem Stuhl, zuckte fiebrig mit den Fingern und öffnete den Mund, als schlucke er die Töne. Manchmal schloss er selbstvergessen die Augen, dann ruckte sein Kopf vor und zurück, und seine Ohren, den Klängen entgegengewölbte Schüsseln, leuchteten. Öffnete er in der kurzen Stille zwischen zwei Stücken die Augen, lief er rot an und verbarg sein Gesicht hinter der Tasse, deren Glasur die Farbschichten von Torf imitierte.

Orla betrachtete die beiden Freunde mit gemischten Gefühlen. Sie freute sich für Wilbur, der jemanden brauchte, der nicht über ein halbes Jahrhundert älter war als er, einen Gefährten, mit dem er über Dinge reden konnte, über die er mit ihr nicht sprach, und in dessen Gesellschaft er lernen konnte, dass er nicht der einzige Junge auf der Welt war, der täglich vor neuen Rätseln des Universums stand. Aber sie bedauerte auch, dass sie ihren Enkelsohn mit Conor teilen musste, dass er nicht mehr seine ganze Zeit mit ihr verbringen wollte. In dem Maße, in dem die gemeinsamen Stunden für ihn an Wichtigkeit zu verlieren schienen, gewannen sie für Orla an Bedeutung. Die Nachmittage und Sonntage, an denen Conor nicht auftauchte, wurden für Orla noch kostbarer als zuvor, und wenn sie zusammen eine neue Stadt erbauten oder in ihrem blauen Auto durch die Gegend fuhren, kostete sie jeden Augenblick aus, als könnte es der letzte sein. Nachts blieb sie oft noch Stunden wach, saß an Wilburs Bett und sah ihn an, oder sie lag in dem

Klappbett, auf dessen Anschaffung Wilbur aus Sorge um ihren Rücken bestanden hatte, und horchte auf die Geräusche, die das schlafende Kind von sich gab.

Es kam vor, dass sie am Fenster stand und zum Hügel sah, auf dem die beiden Jungen saßen, und mit den Tränen kämpfte. Dann wandte sie sich ab, machte heiße Schokolade und rief sich in Erinnerung, dass Wilbur erst acht war und es noch mindestens sieben Jahre dauern konnte, bis er mit Conor oder anderen Burschen aus dem Ort um die Häuser ziehen, Mädchen interessant finden und Dummheiten begehen würde.

Es war nicht kalt, die Sonne strengte sich an. Ständig kamen Wolken daher, fette Spielverderber, die aufs Feld rannten und blieben, bis sie ihr albernes Tun leid waren und weiterzogen. Der Wind hatte etwas Fahriges, nestelte in den Büschen und rüttelte ein wenig an der roten Tür, dann legte er sich hin und drückte das Gras auf die Erde. Ein Flugzeug zog einen Schnitt ins Blau, aus dem weiße Füllung quoll. Wilbur und Conor saßen auf ihrem Hügel, die Füße nach England gerichtet. Sie lutschten Bonbons, die ihre Zungen schwärzten, und seit einer Stunde schwiegen sie. Auf Orlas Geheiß hatten sie sich Pappe unter die Hintern gelegt, gegen die Feuchtigkeit, die der Boden barg. Ab und zu verscheuchten sie eine Fliege, schlürften den Lakritzesaft durch die Zähne und blinzelten.

»Wenn man tot ist, was kommt dann?«, fragte Conor irgendwann. Er sah ein paar Schafen nach, schmutzig weißen Punkten, die sich über einen der Hügel bewegten.

Wilbur kniff die Augen zusammen, kratzte sich am einen Bein und dann am andern. Er ließ sich mit seinen Antworten immer viel Zeit. Leute, die ihn nicht kannten, dachten, er habe sie nicht gehört, und wiederholten die Frage. Seine Mutter war im Himmel, das wusste er von Orla. Vor ein paar Wochen hatte sie sich am Küchentisch ganz nahe neben ihn gesetzt und ihm alles erzählt. Dass seine Mutter zu schwach gewesen und gestorben sei, nachdem sie ihm das Leben geschenkt habe, und dass sein Vater so traurig gewesen sei, dass er davongerannt war. Sie hatte ihm ein Buch gezeigt, in dem ein farbiges Bild war, die Zeichnung von einem Baby, das im Bauch der Mutter liegt, eingerollt und mit geschlossenen Augen wie eine winzige nackte Maus.

»Da sind die Meinungen geteilt«, sagte er schließlich, nachdem er sich ein neues Bonbon in den Mund gesteckt hatte. Den Satz lieh er sich vom jungen McSweeney, der in einer weißen Schürze hinter der Fleischtheke stand und seinen Vater damit ärgerte, dass er die Kundschaft in aussichtslose Diskussionen verstrickte. Fragte ihn eine arglose Hausfrau, was er von den Unwettern im Südwesten halte und ob möglicherweise das Ozonloch schuld sei, leitete er die Antwort mit seinem »Da sind die Meinungen geteilt« ein und ließ dann seine grotesken und zeitaufwendigen Ansichten zur Lage der Menschheit folgen, die meistens in der Behauptung gipfelten, die Regierung schütte »Zeug« ins Trinkwasser, das die Leute zu willenlosen Robotern mache. Wilbur hängte seinem »Da sind die Meinungen geteilt« nichts an, er wartete lieber, welche Vermutungen den Fragenden umtrieben.

»Der Pfarrer sagt, wenn man katholisch ist, kommt man in den Himmel«, sagte Conor. »Ins Jenseits, als Engel.«

»Aber nur die Guten, die ohne Sünde«, sagte Wilbur.

»Und die andern?«

»Die nicht. Die landen in der Hölle.«

Die beiden Jungen ließen das Wort auf sich wirken. Hölle. Es bescherte ihnen ein leichtes Schaudern, als wehte kalte Luft durch einen Türspalt. Beide zogen die Beine an, schlangen die Arme darum und legten das Kinn auf die Knie. Ein Traktor tuckerte eine Straße entlang und zog eine Fahne aus blauen Abgasen hinter sich her.

Wilbur ließ seine Beine plötzlich los und starrte Conor entsetzt an. »Denkst du, ich lande in der Hölle?«

Conor drehte den Kopf und legte die Stirn in Falten. »Wie kommste denn *darauf*?«

»Weil ich dich … geschlagen habe!« Wilbur vermied den Ausdruck verprügelt, es war ihm unangenehm genug, den Vorfall überhaupt zu erwähnen. Seit Conor vor drei Wochen an die rote Tür geklopft hatte, war zwischen ihnen kein Wort über den Tag auf dem Schulhof gefallen.

»Blödsinn«, sagte Conor. »Ich leb ja noch. Für die Hölle musste schon einen umbringen.«

Wilbur dachte nach. Der Traktor war zum Fleck geworden, zum winzigen rauchenden Schiff, das durch grüne Wellen fuhr. Hatte er selber aufgehört, auf Conor einzuschlagen, oder hatte ihn ein Lehrer weggezerrt und hochgehoben, bevor …?

»Hey, Will!« Conor stieß Wilbur in die Seite und lachte, zeigte seine schwarze Zunge und den Zahn, dem ein Stück fehlte. »Du kommst nicht in die Hölle, das kannste mir glauben.«

Wilbur sah Conor an. Der nickte, machte den Mund zu und blickte wieder nach vorne. Der Traktor war verschwunden, sein blauer Schweif hatte sich aufgelöst. Hinter den Hügeln, auf denen keine Schafe mehr standen, stiegen Wolken auf. Bald würde es kühler werden, dachte Wilbur, und Orla würde aus dem Haus kommen und nach ihnen rufen. Eine Fliege setzte sich auf seine Hand und rieb sich die Hinterbeine. Licht fing sich in ihren Flügeln, die technische Wunderwerke waren, das hatte er gelesen. Conor legte den Kopf zurück, spuckte das Bonbon in die Luft und fing es mit dem Mund wieder auf. Die Fliege sah Wilbur mit ihren dunkelblau schimmernden Facettenaugen an und schwirrte davon, eine betrunkene Spur in die Luft zeichnend.

»Ich hoffe, mein Alter kommt in die Hölle«, sagte Conor, in die Landschaft blickend, die ihm so vertraut war, dass sie sich manchmal auflöste vor seinen Augen, flach wurde und leer und unendlich weit.

Wilbur hatte den Trick mit dem Spucken auch versucht, aber sein Bonbon landete entweder in seinem Gesicht, den Haaren oder im Gras. Er schob den Ärmel des Pullovers zurück und sah auf die Uhr, obwohl ihn die Zeit nicht interessierte. So hatte er etwas, das Conor nicht hatte, auch wenn er sich ein bisschen dafür schämte. Er überlegte, ob er wollte, dass sein Vater, den er nie gesehen hatte und der tot war, auch in der Hölle schmorte, aber da rief Orla nach ihnen, und ihm war, als könne er die heiße Schokolade riechen und die Musik hören, die in der Küche auf sie warteten.

4

In der Karottensuppe ist weder Basilikum noch Dill, sondern Majoran. Meine Großmutter hat aus dem Sandkasten einen Kräutergarten gemacht, nachdem wir aufgehört hatten, mit den Indianerfiguren zu spielen. Keine Ahnung, warum ich nicht mehr spielen wollte. Vermutlich hatte ich es plötzlich eilig, erwachsen zu werden. Ich gäbe einiges darum, die Zeit zurück- zudrehen und wieder mit Orla Städte in den Sand zu bauen, während uns die Sonne auf die Köpfe scheint. In meinem Koffer im Hotel liegen der Indianer und das weiße Pferd. Ich muss bald raus hier und ihn holen. Nur Orla und ich dürfen die Figuren berühren.

»Da hat aber jemand mächtig Appetit gehabt.« Sie schiebt mir den letzten Löffel Suppe in den Mund und wischt mit der Serviette über meine Lippen. Sie heißt Aimee Ward, so steht es auf dem Namensschild, das an ihrem blauen Sweatshirt steckt und das mir gestern nicht aufgefallen war. Die Taschen ihrer Cargohose sind noch immer vollgestopft mit irgend- welchem Zeug, die Kabel der Ohrstöpsel hängen raus und die schlaffen Finger weißer Gummihandschuhe. Aimee bleibt am Bettrand sitzen, den leeren Teller auf den Knien, und sieht mich an.

»Ich will dir ja nicht zu nahe treten, aber du könntest wirk- lich ein Bad vertragen.« Sie erhebt sich und stellt den Teller auf das Tablett. Dann öffnet sie mit einem Schlüssel eine Klappe an der Wand neben der Tür und dreht einen Schalter, vermutlich die Klimaanlage. Dazu hebt sie das Sweatshirt hoch, weil der Schlüssel an einem Bund vor ihrem Bauch hängt.

Ich muss zugeben, dass ich stinke. Wenn ich die Bettdecke anhebe, weht mir ein süßlich-fauliger Geruch entgegen, streng und beinahe unmenschlich, als würden da unten exotische Tiere ihre Jungen aufziehen.

»Soll ich dir ein Bad einlassen?«, fragt Aimee. Sie verschließt das Türchen, damit ich mich nicht mit Hilfe der Klimaanlage umbringen kann, zieht das Sweatshirt runter und dreht sich um. Sie nimmt das Tablett vom Stuhl, sieht mich an. »Nick einfach, der Rest wird erledigt.«

Ich sehe an die Decke. Meine Kopfhaut juckt, ich kann das ranzige Fett in meinen Haaren riechen. Die Wunde am linken Handgelenk kribbelt unter dem Verband. Ich frage mich, ob der Schnitt genäht werden musste. Habe ich mir gestern eigentlich in die Hose gepisst? Oder war das, wenn überhaupt, vorgestern, vor drei Tagen? Den Aromen nach zu urteilen, die mir entströmen, liege ich hier schon eine Ewigkeit. Ich ekle mich vor mir selber. Ich nicke.

»Einmal Vollbad, wird sofort erledigt.« Aimee lächelt und verlässt das Zimmer.

Ich liege da und bereue es, genickt zu haben. Eine Dusche wäre mir lieber gewesen. Ich hätte um Papier und Stift bitten sollen, stumm natürlich, mit Gesten, oder eine Dusche pantomimisch darstellen, die Finger flatternd über meinem Kopf, langsam rieselnde Tropfen. Ich hätte mir mit imaginärem Duschgel die Achseln einseifen, mit unsichtbarem Shampoo die Haare waschen sollen. Vor meinem verhinderten Ertrinken im Loch der verlorenen Seelen hatte ich nichts gegen Badewannen. Orla steckte mich mindestens dreimal die Woche hinein, und ich fand es überhaupt nicht beängstigend. Ich hatte ein kleines Schiff aus rotem und gelbem Plastik, einen Schlepper, der sich durch die schaumige See zwischen zwei Inseln kämpfte, meinen

Knien. Orla sang Seemannslieder und wusch mir die Haare. Dampf hing in der Luft und legte sich als feine Schicht auf den Spiegel, in die Orla später unsere Namen und ein Herz zeichnete.

Warum erinnere ich mich bloß an diese Dinge und nicht daran, was vor ein paar Tagen passiert ist? Wo bin ich ins Meer gefallen? Bin ich reingesprungen? Wie bin ich dorthin gekommen? Warum träume ich von einem toten Hund? Als ich mich aufsetze, wird mir schwindlig, schwarze Punkte tanzen vor meinen Augen wie Hologramme von dicken Fliegen.

Die Tür geht auf, und meine beiden Kumpels kommen rein, als wären wir zu einem Abend vor dem Fernseher verabredet. Sie tragen weiße Hosen und Poloshirts, ein grünes und ein gelbes, reden aufgekratzt auf mich ein, stellen mich auf die Beine und ziehen mir einen riesigen weißen Bademantel mit Kapuze an. Einer der beiden stülpt eine Plastiktüte über meine linke Hand und umwickelt sie hinter dem Verband mit einem Riemen aus Klett. Ich schwanke ein wenig, komme mir vor wie ein Boxer, der für den Kampf vorbereitet wird und schon in der Garderobe angeschlagen ist. Der andere hebt meine Füße an und schiebt sie in die Gummischlappen, die neben meinem Bett stehen und mich an kleine bunte Boote erinnern, bereit zum Auslaufen. Ich lese die Namensschildchen auf ihrer Brust. Philipp und Robert.

»Und los geht's«, sagt Phil.

»Immer einen Fuß vor den andern«, sagt Rob.

Sie stützen mich auf beiden Seiten, jetzt bin ich Butch Coolidge in *Pulp Fiction*, der zum Ring gebracht wird, angetrieben von Musik und Adrenalin und dem tobenden Publikum, das Blut sehen will. Wir verlassen den Raum, meine Aufbewahrungszelle, und gehen den Flur entlang, beschienen von Neonlicht. Ich spüre die Hände meiner Freunde an den Ellbogen und unter den Achseln, sie führen mich ab, bringen mich sicher ans Ziel. Mein Geruch ist bei mir und bleibt zurück, er umweht mich, hüllt mich ein, eine Aura aus schwerer, öliger Luft.

Ich setze einen Fuß vor den anderen, gehorsam wie einer von McSweeneys Robotern.

Gerade als ich mich darüber freue, den jungen McSweeney nicht vergessen zu haben, geht eine Tür auf, und wir bleiben einen Augenblick stehen, um zu warten, bis das Licht einer Lampe, die einer fliegenden Untertasse gleich von der Decke hängt, den Raum erhellt hat. An einer weiß gefliesten Wand, die mich an Taggarts Tempel erinnert, steht ein Objekt aus Chromstahl, das eine Badewanne sein muss, als solche jedoch nicht sofort erkennbar ist, obwohl sich grünes Wasser darin befindet, auf dem Schauminseln treiben. Schläuche wachsen aus seinem Bauch, der mich und meine Begleiter als verkrümmte Zerrbilder widerspiegelt, in der Seite ist eine Tür mit versenktem Griff eingelassen, und wie zum Beweis, dass es sich bei diesem amputierten Stahlbug tatsächlich um eine Badewanne handelt, liegen auf einem Regal ein Schwamm, ein Rückenschrubber und eine gelbe Gummiente.

»Dann wollen wir mal«, sagt Phil, der kleiner und breiter ist als sein Kollege und auf dessen Kopf die Haare um ein bereits kahles Zentrum herum ausfallen. Er tunkt seine Hand ins Wasser und nickt.

»Hinein ins Vergnügen«, sagt Rob, der Große mit dem dichten Haar, der angenehmen Stimme und einem Gesicht, das die Frage aufwirft, warum es mich hier drin anlächelt statt draußen von einem Plakat, das für Nassrasierer oder Shampoo wirbt.

Phil streift mir den Bademantel ab, Rob die Latschen von den Füßen. Ich lege zwei gewölbte Handflächen über meinen Schritt und schließe die Augen. Dass ich den kleinen Raum mit meinen Ausdünstungen fülle, kann zwar als menschlich gewertet und irgendwie entschuldigt werden, aber es reicht, dass ich in der vergitterten Bodenöffnung verschwinden möchte, aus der ich aufsteigende Sambamusik zu hören glaube. Die Pfleger heben mich hoch, indem sie ihre nackten, gekreuzten Arme so unter mein Gesäß schieben, dass meine Hoden genau in die Lücke dazwischen passen, und ich wünsche mir, auf der Stelle tot zu sein. Ich werde zur Wanne getragen, über deren Rand gehievt und, von aufmunternden Worten begleitet, vorsichtig abgesenkt. Erst jetzt bemerke ich, dass es sich bei diesem Modell um eine Sitzbadewanne handelt, wie sie in Krankenhäusern und Altersheimen üblich sind. Während meine Füße tief unter mir im algengrünen Wasser schimmern, bleibt meine Brust trocken. Die Hand in der Plastiktüte dümpelt neben mir zwischen Schaumschollen, ich lächle dankbar und warte darauf, alleine gelassen zu werden.

»Nicht erschrecken«, sagt Rob.

Ich erschrecke, als mir lauwarmes Wasser über den Kopf fließt und eine Hand auf die Schulter gelegt wird. Ich schnappe nach Luft, ein Reflex.

»Alles in Ordnung?« fragt Phil.

Ich nicke. Das Wasser wird wärmer und über meinen gekrümmten Rücken gelenkt. Ich atme heftig und denke daran, nach einem Trinkhalm zu fragen, einem Schnorchel, lasse es dann aber bleiben und halte stattdessen die Luft an. Meine Haare werden gewaschen, sanft und geübt, als würde auf meinem Schädel eine fragile Skulptur errichtet. Ich spüre, wie die Schorfkruste sich löst und weggeschwemmt wird. Ich hole tief Luft, schließe die Augen und lasse es geschehen.

Ich reite über ein flaches Feld. Dass ich nicht reiten kann, Angst vor Pferden habe, darf ich nicht verraten, sonst falle ich. Das Pferd ist schwarz, obwohl ich mir ein weißes wünschte. Auf dem Feld liegt Schnee, der zu Sand wird, als ich absteige, um das Schiff zu erreichen. Das Schiff hat abgelegt, eine Frau steht am Heck und winkt mit einem Taschentuch. Sie ist jung, ich habe sie auf einer Fotografie gesehen, im Hochzeitskleid steht sie vor einer Kirche. Schwarzer Rauch senkt sich aus dem Schornstein auf sie herab, das Kielwasser ist eine Schleppe, ich winke. Das Pferd ist weiß und liegt im Sand, der zu Schnee wird, es stirbt, es hat mich lange getragen. Ich drehe mich um, und das Schiff ist verschwunden. Wo der Himmel auf das Meer drückt, fließt graue Asche empor, dann ist nichts mehr da, kein Meer und kein Himmel, nur noch Schnee, darin die Form des liegenden Pferdes, ein Abdruck seines Todes, der sich langsam füllt mit fallenden Flocken, Asche, Sternen. Über meinem Kopf fliegt ein Pferd, es hat Flügel und ruft meinen Namen.

Mein Gefühl sagt mir, dass es mitten in der Nacht ist. Ich muss stundenlang geschlafen haben, nachdem ich die leere Wanne durch die Tür verlassen hatte wie einen albernen Sportwagen oder eine Kutsche und zurück in meine Kammer geführt worden war. Jetzt liege ich in einem mit frischen Laken bezogenen Bett, nackt und verschrumpelt und nach Fichtennadeln riechend. Eine Handbreit unter der Raumdecke brennen zwei Lampen, schwache Birnen hinter Milchglasscheiben von der Größe einer Tafel Schokolade. Die Kontrolllämpchen an den Kameras versichern mir rot leuchtend, dass man ein Auge auf mich geworfen hat. Nachtsichtgerät, denke ich, Restlichtverstärker, Infrarot, Thermosensoren. Ich frage mich, was mein Zimmer wohl den Steuerzahler kostet, Leute, die mich nie gesehen haben und denen es egal wäre, wenn ich auf dem Grund des Meeres läge, zwischen Seesternen und Autoreifen, geschaukelt von Ebbe und Flut.

Die Überbleibsel eines Schlafmittels geistern durch mein System. Ich bin durstig, setze mich auf, lasse die Beine baumeln und warte. Ich zähle bis zehn, dann bis zwanzig, schließlich von vorne bis dreißig. Ich stehe auf und gehe zur Tür, taste sie ab, mache die Augen zu und spüre das raue Holz, die Risse, das dunkle Rot, das in meine Fingerspitzen sickert. Ich öffne die Augen, als meine Zehen etwas Weiches berühren, eine weiße Schlange, zusammengerollt vor meinen Füßen. Eine Weile stehe ich da, meine Augen gewöhnen sich an das wenige Licht, dann schiebe ich das Knäuel ein Stück über den Boden, hebe es schließlich auf und halte den Gürtel des Bademantels in den Händen. Ich bleibe stehen, nackt, und zähle still meine

Schätze. Ein Bademantelgürtel. Zwei Gummischlappen. Ein Kissen und eine Decke ohne Bezüge. Ein unzerreißbares Laken. Das kreditkartengroße Heftpflaster an meinem Handgelenk. Meine schadhaften Erinnerungen. Meine defekte Fantasie.

Ich setze mich hin, der Boden ist warm, und drehe den Gürtel in den Händen, binde mir einen Schlips, übe Seemannsknoten. Dann ist er eine Peitsche, ich schlage auf Pferderücken ein, schnalze mit der Zunge. Wells Fargo, Post für Santa Fé. Danach ist der Gürtel eine Angel, die Schlappen sind bunte Fische. Ich knüpfe eine Schlinge, steige aufs Bett und werfe das Lasso, aus den Fischen sind Kühe geworden, Longhorns, ich bin Adam, Hoss, Little Joe, die Bullen sträuben sich, Pa wartet mit dem glühenden Brandeisen.

Die beiden Pfleger, die in mein Zimmer stürzen, kenne ich nicht, sie müssen die Nachtschicht sein. Sie packen mich nicht grob, aber beherzt an beiden Armen, wie es ihre Kollegen getan hatten. Bestimmt lernen sie diese freundliche Überwältigung während der Ausbildung, und ich stelle sie mir vor, wie sie vorsichtig übereinander herfallen und versuchen, nicht zu kichern. Der eine, ein großer Dünner mit langen Haaren, redet auf mich ein in einer Melodie und Sprache, wie ich sie aus einer Dokumentation über Menschen kenne, die unruhige Pferde besänftigen. Der andere, ein Schwarzer, trägt eine dunkle Jacke, die feucht ist und nach Regen riecht. Um seinen Hals schließt sich der Bügel eines Discmankopfhörers, aus den gelben Schaumstoffpolstern scherbelt Musik. Er atmet heftig, und sein leise ausgestoßenes »Bleib cool, Mann« klingt wie ein Mantra, das er für sich selber herunterleiert.

Die beiden halten mich mit sanftem Druck fest, bis der Arzt den Raum betritt. Dass ich noch immer das Lasso in der Hand halte, bemerke ich erst, als er es mir wegnimmt. Ich sitze inzwischen auf dem Bett, flankiert von den beiden Pflegern, die sich ein wenig beruhigt haben. Der Arzt betrachtet den Bademantelgürtel, als überlege er, ob er meine paar Kilo getragen hätte. Dann sieht er mich an, und ich glaube Trauer in seinen Augen zu erkennen, Kummer. Tatsächlich seufzt er, bevor er redet.

»Es tut mir leid«, sagt er. Seine Stimme ist weich, sein Akzent vermag den Patienten die Angst zu nehmen, schlimme Dinge klingen harmloser, wenn sie aus seinem Mund kommen.

Ich bin kein Patient, denke ich, während Vermeer sich für die Sache mit dem Gürtel entschuldigt und dafür, dass ich wegen eines technischen Defekts für wenige Minuten nicht auf den Monitoren zu sehen war. Ich könnte ihm alles erklären. Das mit Little Joe und den Longhorns. Dass mir langweilig war, dass ich mich nicht erhängen wollte. Woran auch, vielleicht am Bettgestell, das in den Boden geschraubt ist? Oder an einer der Kameras, an die ich ohne Stuhl sowieso nicht rangekommen wäre und die so filigran wirken, als würden sie abbrechen unter dem Gewicht eines Kanarienvogels aus Burt Lancasters Zelle?

Als ich endlich den Mund aufmachen und alle Irrtümer mit ein paar wenigen klar formulierten Sätzen beseitigen will, als ich meine vorgetäuschte Stummheit beichten und meine sofortige Abreise anbieten will, höre ich den Arzt etwas sagen, das mich auch weiterhin schweigen lässt.

»… und deshalb werde ich Sie in die Offene Abteilung verlegen.«

Ich sehe ihn an. Er lächelt. Ich und die beiden Pfleger sitzen auf dem Bett wie Brüder, denen der Vater eine Geschichte erzählt hat. Dass ich nackt bin, hatte ich vergessen, und jetzt, da es mir bewusst wird, beginne ich zu weinen. Ich will nicht weinen, aber ich habe plötzlich Mitleid mit mir, weil außer mir alle bekleidet sind. Ich sehne mich nach einer Hose und einem Hemd und heule mit gesenktem Kopf und sehe dabei meinen Penis, der über der Innenseite des Oberschenkels liegt wie eine Eidechse in der Sonne. Vermeer streicht mir über den Kopf und verspricht, dass alles gut wird, und beinahe glaube ich ihm.

In der Offenen Abteilung ließe es sich wahrscheinlich leben, wenn da nicht all diese Typen wären. Diese Wanderer und

Herumhocker und Leser und Spieler und Glotzer mit ihren vom Leben gebeutelten Köpfen, ihrem Murmeln und Schweigen und Quatschen. Sitzen herum und warten, schiefe Töne in einem öden Lied. Reisende ohne Ziel in einem Bahnhof, aus dem die Züge längst abgefahren sind. Einer trägt den Arm in der Schlinge, ein anderer zieht das Bein nach, in einem Sessel döst einer mit Halskrause. Ich wünschte, ich hätte dem Arzt zugehört und wüsste wenigstens, wo ich hier bin, Krankenhaus, Klapsmühle oder Erholungsheim.

Der Bau ist schön, die Innenarchitektur streng und edel. Wo man hinsieht, erstreckt sich Parkett, abgelöst von hellem Teppich. Sonnenlicht fällt durch Glasdächer, in die Wände sind Aquarien eingelassen, bunte Fische schweben darin. Pfleger schlendern umher, immer zu zweit, adrett gekleidete Collegeboys auf dem Campus. Über allem liegt Ruhe und Bedächtigkeit, ein großes Atemholen, aber die Anhäufung sonderbarer Männer macht mich nervös.

Nach dem Mittagessen hat Vermeer mich in das Zimmer geführt wie der Page den Hotelgast. Zuvor war ich eingekleidet worden, sandfarbene Socken, die Hose einen Ton dunkler, blaues T-Shirt und moosgrünes Hemd, weiße Turnschuhe ohne Markenname, alles wie angegossen. Vermeer erläuterte mir kurz das Prinzip der Offenen Abteilung und zeigte mir mein Bett, das Bad, den Schrank, das Regal mit den Büchern und den Heften von *National Geographic* und den Bildbänden über Tiere, das Sonnensystem und die Wunder der Erde.

Dann hat er mir Melvin vorgestellt, meinen Zimmergenossen. Melvin ist etwa Mitte fünfzig, eine Stirnbreit größer als ich und übergewichtig. Sein Händedruck ist warm und feucht, seine Stimme klar wie das Wasser in den Aquarien. Mich stellte Vermeer als Will vor. Den Namen hatte ich ihm nach langem Zögern auf seinen Block gekritzelt. Er hatte das wohl als großen Fortschritt betrachtet und mich gerührt und glücklich angestrahlt.

Danach führte er mich herum. Er zeigte mir den Fernsehraum, wo nur Filme über Tiere, das Sonnensystem und die Wunder der Erde laufen, vermutlich weil Nachrichtensendungen, Talkshows und Spielfilme eine verstörende Wirkung auf Menschen wie mich haben könnten. Wir sahen eine Weile drei Männern an einem Billardtisch zu und tranken grünen Tee, wobei ich meinen auslöffelte und Vermeer Anlass zu einer Notiz gab. Die Männer hatten ein eigenes, bescheuertes Spiel erfunden, bei dem leere Pappbecher, eine Untertasse und gestapelte Kekse wichtige Funktionen hatten.

Nach drei Partien von etwa zwei Minuten Länge, während derer die Männer die Kugeln von Hand über den Filz schoben, behutsam und mit der Konzentration von Uhrmachern, hatte ich keine Regeln ausmachen können, kein System, kein Muster. Ob es das Ziel des Spiels war, die Pappbecher umzustoßen, und ob es dabei eine Reihenfolge einzuhalten galt, blieb mir ein Rätsel. Warum die Männer zufrieden murmelten, wenn ihre Kugel wenige Zentimeter hinter einem Keksstapel zu liegen kam, aber aufstöhnten, wenn sie ihn berührte, erschloss sich mir nicht. Ob es galt, dem Unterteller einen Klang zu entlocken oder über möglichst viele Banden zu der leeren Zigarettenschachtel zurückzufinden, die in einer Ecke des Tisches vor dem Loch lag, war mir schleierhaft, und nichts war mir gleichgültiger. Trotzdem ließ ich die langsam rollende Kugel nicht aus den Augen, eingelullt von einem summenden Geräuschpegel, Vermeers melodischen Sätzen und den Medikamenten, die in meinem Körper schwappten.

Nachdem wir die leeren Teetassen in einen kleinen Fahrstuhl gestellt hatten, sind wir weitergegangen. Es gab noch Schach- und Damespieler, einen schalldichten Raum voller Instrumente und einen Erker mit großem Fenster, durch das man in einen Garten sah, wo ein paar Ziegen und ein vietnamesisches Hängebauchschwein grasten. Am Ende des Rundgangs brachte mich Vermeer zu meinem Zimmer zurück, unterhielt sich kurz mit Melvin und ging dann, nicht ohne mir einen schönen Aufenthalt zu wünschen.

Den hätte ich vielleicht sogar, wenn ich die Zimmertür zumachen, mich mit einem *National Geographic* aufs Bett legen und den Artikel über die Stämme auf Papua-Neuguinea lesen könnte, die sich gegenseitig töten, dabei jedoch, anders als die murmelnden Billardspieler, klaren Regeln folgen. Aber die Türen haben kein Schloss, und offenbar ist es in der Offenen Abteilung üblich, dass die Bewohner, Patienten, Insassen, was auch immer die offizielle Bezeichnung sein mag, sich untereinander besuchen. Glücklicherweise sind die meisten Männer hier nicht sehr kontaktfreudig, aber die paar, die einem längeren Monolog nicht abgeneigt sind, rauben mir schon nach wenigen Stunden den letzten Nerv.

Als Erster kommt Stan, der sich ungefragt auf mein Bett setzt und von der Kunst des Rosenzüchtens schwärmt. Er trägt immer ein Buch bei sich, in das er Rosen gezeichnet hat, wissenschaftlich akribische Illustrationen, umgeben von Textwolken aus winzigen blauen Buchstaben, die Sorten, Namen, Herkunft und so weiter behandeln. Am liebsten redet Stan über das Düngen. Er preist die Vorteile einer Mixtur aus Eier- und Bananenschalen und Kaffeesatz, beschreibt die verblüffende Wirkung von Hühnermist und Pferdedung, und wenn er die Algen-, Asche- und Kalkmischung erwähnt, stottert er vor Aufregung. Stan riecht nach den Pfefferminzpastillen, die er dauernd lutscht, und sein Kopf, klein und gefleckt, erinnert an eine vom Sonnenlicht gesprenkelte Melone. Während er leise und deutlich spricht, bleibt sein Blick auf die Buchseiten geheftet, über die er mit den Fingern streicht. Bevor er geht, schenkt er mir ein Bonbon, klemmt das Buch unter den Arm und hat es plötzlich eilig wegzukommen.

Kaum ist Stan gegangen, poltert Rodrigo ins Zimmer und will mich in die verglaste Raucherzelle am Ende des Flurs schleppen, weil er nikotinsüchtig ist und die Hausordnung das Rauchen in den Zimmern untersagt. Er redet zu laut und meistens in Spanisch, zeigt mir die Tätowierungen auf seinen Unterarmen und hustet in ein Taschentuch, das zerknüllt in seiner behaarten Faust liegt. Er hat Mundgeruch und trägt einen roten Trainingsanzug, und ich hasse ihn. Das einzige Erfreuliche an ihm ist, dass er nach ein paar Minuten verschwindet, hastig und grußlos und eine Zigarette aus der Packung schüttelnd.

Den dritten ungebetenen Besucher heute, Roger, könnte ich vielleicht sogar mögen, wenn er mir draußen über den Weg laufen würde. Er ist um die vierzig, sieht aus wie Michael Caine und verliert kein Wort. Er stellt mir einen Stapel zwischen Pappdeckel gebundener Zeitungsausschnitte vors Bett, wartet, bis ich mir den obersten Band auf die Knie lege und aufschlage, und verlässt mit dem restlichen Stapel das Zimmer.

Elroy und Wayne, die beiden alten Schwarzen, fragen nur, ob ich Schach spielen würde, und als ich verneine, bin ich für sie gestorben. Soll mir recht sein. Die Namen der drei, vier anderen Gestalten, die sich im Verlauf des Nachmittags ins Zimmer verirren, kenne ich nicht, und ich habe nicht das Bedürfnis, sie herauszufinden.

Als es draußen dunkel wird, fließt warmes Licht durch die Flure. Wie auf ein Zeichen bewegen sich die Männer in eine Richtung. Abendessen, sagt Melvin. Ich habe keinen Hunger und bleibe liegen. Eine wundervolle, beängstigende Weile bin ich völlig allein.

Melvin. Melvin Rosenkranz, der seit zehn Monaten hier ist, wie er mir heute Morgen beim Frühstück erzählt hat. Melvin, der im Schlaf Hebräisch spricht und am Tag breiten Südstaatenakzent, der ein schwarzes Käppi trägt, das die Hälfte seiner Glatze bedeckt, der ständig eine Dose Malzbier in der Hand hält und seine Pantoffeln abends in einen Stoffbeutel packt und unters Kopfkissen legt, damit sie am Morgen warm sind. Ich würde ein Einzelzimmer vorziehen, aber die gibt es hier nicht, und außerdem mag ich Melvin irgendwie, denn er quatscht mich nicht voll, verlangt nicht, dass ich anfange zu rauchen, zeigt mir nicht die Bücher, die er gerade liest, und weckt mich nicht auf, um zu fragen, ob ich schlafe. Melvin ist in Ordnung, weil er mich in Ruhe lässt. Weil er trotzdem da ist und sagt, ich soll es aufschreiben, wenn ich irgendetwas brauche oder wissen will. Und weil er nicht schnarcht und sein Bett nicht knarrt, obwohl er so dick ist.

Die erste Nacht mit Melvin Rosenkranz im selben Raum war ziemlich merkwürdig, trotz der Faltwand zwischen unseren Betten. Ich fühlte mich gehemmt und ging auf Zehenspitzen zum Klo, um ihn nicht zu wecken. Als ich dalag und seinen Atem hörte und die ins Dunkel gemurmelten Sätze, die ich erst für ein Gebet hielt, musste ich an meinen Großvater denken, den ich manchmal gehört hatte, nachts, als Kind.

Am Nachmittag fragt mich Melvin, woher ich komme. Er nimmt einen Bildband vom Regal, in dem eine Weltkarte abgebildet ist, und ich zögere absichtlich ein wenig und zeige dann mit dem Finger auf Irland, auf die oberste Spitze der Insel, hinter der nur noch Blau ist. Ein Paddy, sagt Melvin und kichert. Orla hat mir erzählt, ich sei in Amerika zur Welt gekommen, in Philadelphia, Pennsylvania. Aber das braucht Melvin nicht zu wissen. Auch nicht, dass ich mich trotzdem als Ire fühle, nicht als Amerikaner.

Ich zeige ihm den Zettel, auf den ich meine Frage geschrieben habe: WAS IST DAS HIER? Vermeer hatte mir nur gesagt, ich sei zur Beobachtung hier, man würde sich um mich kümmern, bis es mir besser ginge. Selbstverständlich wolle man mich nicht gegen meinen Willen festhalten, sagte er. Zuletzt fragte er, ob ich alles verstanden hätte, und freute sich, als ich nickte. Aber ich weiß noch immer nicht, in was für einem Laden ich eigentlich bin. Ich will Melvins Variante hören.

Er setzt die Brille auf und liest, was auf dem Zettel steht. Dann kichert er wieder und lässt die Brille an der Kordel um den Hals baumeln.

»Nennen wir es Sanatorium für Strauchelnde«, sagt er. »Oder Auffanglager für Untaugliche, Refugium für Lebensmüde, Biotop für Ausgeklinkte, such dir was aus. Du musst es dir als Stadt vorstellen, Will, eine Stadt, untergebracht in einem riesigen Gebäudekomplex. Ich weiß nicht, was du bis jetzt gesehen hast, aber es ist nur ein kleiner Teil davon. Es gibt zum Beispiel eine Krankenstation hier. Da warst du, nicht wahr?« Er deutet auf das Heftpflaster an meinem Handgelenk.

Ich nicke. Wayne und Elroy bleiben an der Tür stehen. Tagsüber, zwischen neun Uhr morgens und sieben Uhr abends, müssen die Zimmertüren offenstehen, so will es die Vorschrift. Elroy hat sein Handtuch über die Schulter gelegt, als wolle er ein Bad nehmen. Ich scheuche sie mit einer Handbewegung fort.

»Die Stadt hat ihr eigenes Energiezentrum, Solar- und Erdwärmeanlagen. Da drüben«, Melvin zeigt zur Wand hinter seinem Bett, »stehen Windturbinen auf einem Feld. In Gewächshäusern wird Gemüse angepflanzt, biologisch. Wer lange genug hier ist und Lust hat, kann da arbeiten. Oder in der Schreinerei. Ist aber alles freiwillig.« Melvin trinkt einen Schluck Malzbier. »Hier wird keiner zu irgendwas gezwungen. Nicht mal dazu, wieder ein funktionierender Teil der Gesellschaft zu werden. Falls er das jemals war.« Sein Kichern klingt, als ob in einer geschlossenen Scheune erfolglos versucht wird, den Motor eines Oldtimers zu starten.

Roger kommt rein und legt einen neuen Band mit Zeitungsausschnitten auf den Boden vor meinem Bett. Ich gebe ihm den von gestern zurück, er presst ihn an die Brust.

»Na, Roger, wie geht es dir heute?«, fragt Melvin und nutzt die Unterbrechung, um sich ein neues Malzbier zu holen. Die Dosen stehen in seinem Schrank, mindestens zwanzig Stück auf Vorrat. Er hat mir gesagt, er wolle sie nicht im Gemeinschaftskühlschrank am Ende des Flurs aufbewahren, obwohl es dort für jeden Bewohner ein abschließbares Fach gibt. Er habe keine Lust, jede Viertelstunde den Gang runterzulatschen, um eine Dose zu holen, außerdem reagiere sein Magen empfindlich auf Kaltes.

»Es muss noch vieles getan werden«, sagt Roger beim Gehen. »Vieles getan werden.« Seine Stimme ist monoton und kaum hörbar, eine Durchsage aus defekten Lautsprechern. Immerhin ist er nicht stumm, wie ich gedacht hatte.

Melvin reißt die Dose auf und setzt sich wieder in den Sessel neben meinem Bett. »Wie du ja weißt, nennt sich unser beschauliches Viertel Offene Abteilung. Hier kommt jeder hin, der das Gröbste hinter sich hat.« Er sieht mich an, wie um zu prüfen, ob das auf mich zutrifft. »Natürlich gibt es Ausnahmen.« Er grinst und zwinkert mir zu, nimmt einen Schluck und unterdrückt ein Rülpsen, klopft sich mit der Faust an die Brust. »Wer in die Stadt kommt, wird zuerst auf der Beobachtungsstation behalten. Oder, wie in deinem Fall, auf der Krankenstation. Aber das Ziel ist, die Männer so schnell wie möglich auf die Halboffene oder Offene zu verlegen. Wer raus will, zurück nach Hause, zu seiner Familie oder wohin auch immer, kann das natürlich auch. Jederzeit. Hier wird keiner gegen seinen Willen festgehalten.« Er nimmt einen langen Schluck und wischt sich mit dem Handrücken über den Mund. »Auch da gibt es Ausnahmen. Zum Beispiel wenn jemand akut gefährdet ist, unberechenbar.«

Ich frage mich, ob Vermeer denkt, ich sei so ein Fall. Eine Gefahr für die Allgemeinheit. Ein unheilbar Lebensmüder, der bei seinem Suizid Unschuldige mit in den Tod reißt, beim Sprung vom Hochhausdach einen Verkehrsunfall verursacht, auf den Schienen liegend einen Zug zum Entgleisen bringt, mit dem Kopf im Backofen eine Gasexplosion in einem Wohnhaus auslöst, seinen Schädel durchlöchert und mit derselben Kugel auch die Nachbarin hinter dem Küchenfenster tötet.

Melvin sieht mich an und lächelt, als könne er meine Gedanken lesen. »Dass du bei uns bist, hat seinen Grund, Will. Doc Vermeer weiß, was er tut.«

Ich nehme den Zettel, kritzle VERMEER und ein Fragezeichen auf die Rückseite und gebe ihn Melvin.

»Doktor Ruud Vermeer. Er ist hier der Chef. Ich glaube, er

arbeitet dreißig Stunden täglich. Er und Doktor Burroughs leiten das Susan und Kate Caldwell Institut für Humanforschung, wie die Stadt offiziell heißt. Burroughs ist die meiste Zeit in der Frauenstadt hinter dem Hügel.« Melvin sieht mein erstauntes Gesicht und lacht. »Tja, auch Frauen versuchen sich umzubringen.«

Ich denke an Rosie O'Sea und nicke.

»Die beiden haben das alles hier entwickelt, das Konzept, die Behandlungsmethoden, die Architektur, die Kleidung, die wir tragen, einfach alles. Sie wollten den staatlichen Nervenheilanstalten etwas entgegenstellen, etwas Humanes, weniger Klinisches. Die Bewohner sollen sich nicht als Insassen fühlen, sondern als das, was sie sind: Menschen, die in den dunkelsten Tagen ihres Lebens Hilfe brauchen.« Melvin lächelt sein Lächeln und trinkt einen Schluck. Vermeer sollte ihn zum Pressesprecher machen.

»He, Melvin!« Ein Typ, der Sam heißt, betritt das Zimmer und hält Melvin ein Blatt Papier und einen Kugelschreiber hin. »Unterschreib hier.« Er sieht mich an. »Du auch.«

Melvin überfliegt den Text auf dem Blatt. »Ich habe nichts gegen die Ziegen.«

»Ich auch nicht. Aber gegen ihr verdammtes Gemeckere. Ich kann nicht schlafen, Mann!« Sam sieht mich noch immer an. Ich kann den Kerl nicht ausstehen.

»Tut mir leid«, sagt Melvin freundlich. Er gibt Sam das Papier und den Kugelschreiber zurück. »Mich stören sie nicht.« Er lächelt und trinkt einen Schluck aus der Dose.

»Was ist mit dir?«, fragt Sam mich. »Magst du Ziegenlärmbelästigung?«

Ich stelle mich blöd und sehe Melvin an.

»Will ist neu hier«, sagt Melvin. »Er muss sich erst einleben.«

Sam starrt mich eine Weile mit einer Mischung aus Feindseligkeit und Verwirrung an, dann verlässt er das Zimmer.

»Sam ist andauernd wegen irgendetwas unzufrieden«, sagt

Melvin, als Sam außer Hörweite ist. »Vor ein paar Wochen hat er eins der Aquarien mit seinem Bettlaken abgedeckt und zu einem Protest aufgerufen. Weißt du, wogegen?«

Ich schüttle den Kopf.

»Gegen die Luftblasen!« Er sieht mich an, als warte er auf einen Kommentar. Dann scheint ihm einzufallen, dass ich nicht rede. »Ihn stören die Blasen aus den Sauerstoffgeräten. Er sagt, sie machen ihn krank.« Melvin kichert kurz, dann sieht er bekümmert vor sich hin. Schließlich trinkt er einen Schluck warmes Malzbier und sieht mich an. »Wo waren wir? ... Ach, Doc Vermeer, genau. Man hat ihn aus Holland geholt, wo er etwas Ähnliches aufgebaut hat. Viel kleiner und bescheidener natürlich. Hier hatte er alle Möglichkeiten, seine Idee im großen Stil umzusetzen. Die Caldwell-Stiftung verfügt über Millionen.« Melvin dreht die Dose in der Hand und betrachtet sie, als nehme er zum ersten Mal den aufgedruckten Namen wahr.

Ich warte, überlege, ob ich eine Frage aufschreiben soll.

Melvin ist noch immer in die Betrachtung der Dose vertieft. Dann sieht er mich an, lächelt. »Du fragst dich bestimmt, wer Susan und Kate Caldwell sind.«

Ich nicke. Ich liege in Hosen und T-Shirt auf dem Bett, das *National Geographic* mit dem Artikel über die Stämme in Neuguinea bedeckt meinen Bauch. Das Titelblatt zeigt den Rumpf eines Killerwals mit offenem Maul, über dem eine fette Robbe schwebt. Es sieht aus, als grüße der Orca grinsend die Robbe, die ihm auf ihrem Flug über die aufgewühlte See mit einer Flosse zuwinkt. Die Szene wirkt wie ein Spiel und nicht wie das blutige Gemetzel, das es ist.

»William Wallace Caldwell ist einer der reichsten Männer Amerikas«, sagt Melvin, dabei fährt er abwesend mit einem Finger über den Dosenrand. »Seine Tochter Susan hat sich mit siebzehn Jahren das Leben genommen. Warum, weiß ich nicht. Geht auch niemanden etwas an. Vielleicht Liebeskummer, vielleicht war sie schwanger oder manisch-depressiv. Jedenfalls war sie die einzige Tochter. Seine Frau Kate fing an zu trinken und fuhr kein Jahr später gegen einen Brückenpfeiler.« Melvin sieht mich an. Die Getränkedose ist ein kleines Tier, dem er tröstend über den Kopf fährt. »Mit seinem Vermögen hat er diese Stiftung gegründet. Dann hat er eine Überdosis Schlaftabletten genommen. Sein Chauffeur fand ihn, und er wurde gerettet. Bill Caldwell ist einer der Männer, die ewig in der Beobachtungsstation bleiben, weil sie es immer wieder versuchen.«

Melvin erhebt sich seufzend. Er nimmt die Kopfbedeckung ab, an deren jüdischen Namen ich mich nicht erinnern kann, kratzt sich und setzt sie wieder auf. Seine Hose ist zu eng, der Reißverschluss steht ein Stück weit offen, ein weißer Keil Unterhose ist zu sehen. Er holt eine neue Dose aus dem Schrank, trinkt die andere leer und wirft sie in seinen eigenen Recyclingeimer.

Ich setze mich auf und hebe das Heftpflaster ein wenig an. Die Haut darunter ist weich und käsig, der Schnitt hellrot, die schwarzen Fäden bilden einen schiefen Gartenzaun.

»Ich mach meinen Rundgang«, sagt Melvin. Er geht jeden Tag mindestens zehnmal durch die ganze Abteilung, plauscht mit den Männern, spielt eine Partie Dame mit Sydney, liest dem Vietnamesen, den alle Ho nennen, Witze aus einem Sammelband vor oder hilft Lefty beim Lösen eines Kreuzworträtsels. »Kommst du mit?«

Ich zeige ihm das Heft, und er nickt. »Bis später dann«, sagt er. Melvins Gang ist watschelnd, und ich muss lächeln, während ich ihm nachblicke.

Am Nachmittag kommt Vermeer. Auf dem Flur muss er erst Sam loswerden, der mit der Ziegenpetition vor seinem Gesicht wedelt, dann betritt er rasch das Zimmer. Den Pfleger, der sich um Sam kümmert, kenne ich, es ist der Typ, der mit seinem Kollegen in mein Zimmer gestürzt kam, als ich mir die Kanüle aus dem Arm gerissen habe. Er legt einen Arm um Sams Schulter und geht mit ihm weg, zwei Kumpels, die sich nach einem harmlosen Streit wieder vertragen und zusammen ein Bier trinken gehen.

Ich frage mich, ob die Pfleger hier ein Vermögen verdienen und ihren Job deshalb so hingebungsvoll erledigen oder ob sie von Natur aus extrem hilfsbereit und fürsorglich sind und gar nicht anders können, als die Besten des Landes zu sein, die Pflege-Elite. Vielleicht werden sie überwacht und gefeuert, wenn sie einen von uns anschnauzen oder sonst wie unfreundlich behandeln. Ich sehe an die Decke und suche nach versteckten Kameras.

»Wilbur Sandberg«, sagt Vermeer. Er sitzt im Sessel, in dem Melvin gesessen hat, und sieht mich an. »Ist das Ihr Name?«

Ich finde nichts, keine Kameras. Ich heiße nicht Wilbur Sandberg, das könnte ich antworten. Mein Name ist Will McDermott. Orla nannte mich manchmal Wilbi und, wenn ich etwas ausgefressen hatte, little filou, wie der französische Arzt, der seltsame Worte in ein kleines Gerät geflüstert hatte.

»Wir haben Ihren Koffer«, sagt Vermeer. Ich sehe ihn an. Er zieht etwas aus der Brusttasche seines Hemdes. »Das Hotel meldete der Polizei Ihr Wegbleiben.« Er hält mir mein Bild hin, eingeklebt in meinen Pass, und ich sehe mich an, fünf Jahre älter. Vermeer faltet ein Blatt Papier auseinander. »Sie haben sich unter dem Namen Conor Finnerty im Hotelregister eingetragen. Erinnern Sie sich daran?«

Ich sehe auf den Flur, wo Stan vor einem Aquarium steht, und obwohl ich mich erinnere, schüttle ich langsam den Kopf. Der Mann mit der Halskrause geht vorbei. Er heißt Larry und hat versucht, sich aufzuknüpfen. Er ist hier, weil der Strick zu dünn oder der Balken morsch war. Er kann nicht sprechen und ernährt sich von Bananenmilch. Er schreibt keine Zettel, hat keine Fragen.

»Wilbur? Erinnern Sie sich?«

Ich würde Vermeer gerne um den Indianer und das Pferd bitten. Ich hätte gerne meinen Koffer bekommen. Darin einrollen würde ich mich und in die Vergangenheit schicken lassen, zurück zu dem Tag, an dem Orla in ihr himmelblaues Auto stieg und losfuhr, um mich zu suchen.

Die Harder
1990

Irgendwann hatten Wilbur und Conor genug ins Land hineingesehen, drehten sich um und blickten aufs Meer. In der Gegend wurden sie die Zwillinge genannt, in der Schule waren sie nicht einmal mehr einen Spottnamen wert. Miss Ferguson erzählte überall stolz, wie intelligent Wilbur sei und welch positiven Einfluss er auf Conor habe. Wenn das Wetter ein Einsehen hatte, saßen die beiden auf dem flachen Hügel neben dem Haus und zählten die Namen der Fische auf, die im Meer schwammen, die Bezeichnungen der Wolken, die vorbeizogen, die Länder, die hinter dem Horizont lagen. Sie wussten, welche Vögel über ihren Köpfen flogen und was für Käfer zu ihren Füßen krochen, erkannten Flugzeuge an ihrer Form und Autos am Motorengeräusch.

Was ausgebreitet vor ihnen lag, war ein kleiner Teil der Welt. Sie machten ihn größer, indem sie den dunklen Rest mit ihrem Wissen erhellten, sich ein Universum schufen aus Fakten und Träumen, aus Daten und aus Sehnsucht. Beide wussten, dass sie wegwollten, Conor lieber heute als morgen, Wilbur in einer unbestimmten Zukunft. Conor hasste das Land, in dem er festsaß und in dem sein Vater die Macht hatte. Wilbur mochte diesen winzigen Flecken, hier war sein Zuhause, hier lebten er und Orla, mit der ihn unermessliche Liebe verband.

Zwang das Wetter sie ins Haus, hörten sie mit Orla am Küchentisch Radio. Conor saß nicht mehr nur stumm lauschend und mit glühenden Ohren da, jetzt sangen er und Orla die

Hitparadensongs mit. Er hatte eine gute, klare Stimme und ließ sich nicht einmal durch Wilbur irritieren, der in jähen Begeisterungsschüben auf der Tischplatte trommelte. Oft lagen sie auch in Wilburs Zimmer auf dem Boden und lasen, spielten zu dritt Monopoly oder ließen sich von Orla Meldungen vorlesen, die sie aus der Zeitung schnitt. Orla hatte sich längst damit abgefunden, Wilbur mit Conor zu teilen, betrachtete es mittlerweile jedoch nicht mehr als Verlust, sondern als Gewinn. Es war eine Freude, die beiden zusammen zu sehen, und auch wenn Conors Haare schwarz waren und sein Körper von träger Kraft strotzte, gefiel Orla die Vorstellung, die Jungen seien Zwillinge.

Conors Vater, Sean Lynch, besaß ein kleines Sägewerk, das Holz an Baufirmen lieferte und Telefonmasten, Zaunpfähle und Gartenzäune herstellte. Conors Mutter Aislin kümmerte sich neben Conor um die dreijährige Fiona und den vierzehnjährigen Kieran, der wegen Sauerstoffmangels die Geburt fast nicht überlebt hatte und geistig und körperlich behindert war. Die Familie wohnte in einem Haus neben dem Werksgelände, und an trockenen Tagen lag der Holzstaub wie gelber Schnee auf den Fenstersimsen. Seit vierzehn Jahren stand das Haus da, und ein Teil der Fassade war noch immer unverputzt, der Rest grau und ohne Anstrich.

An den Lärm der Bandsäge, der Gebläse und der Lastwagen, die auf den Hof fuhren, hatte Aislin sich nach all den Jahren ebenso gewöhnt wie an den Geruch von Holz und Teer und die Abgase der Dieselmotoren, aber damit, in einem unfertigen Haus zu leben, fand sie sich nur schwer ab. Die rohen Bausteine erinnerten sie jeden Tag aufs Neue daran, dass ihr Mann nach Kierans Geburt keinen Sinn mehr darin gesehen hatte, die Arbeiten am Haus zu beenden. Ihr Heim war ein Denkmal für ihr Scheitern, einen gesunden Sohn zur Welt zu bringen, und weder Conors Geburt noch die von Fiona änderten etwas an Seans sturer Verzweiflung.

Um dem missglückten Kind aus dem Weg zu gehen, stand

Sean als Erster auf und verließ als Letzter die große Werkshalle, in der Küche aß er nur dann zu Mittag, wenn seine Frau mit Kieran beim Arzt in Letterkenny oder Dublin war, und lieber benutzte er die verdreckte Toilette hinter dem Geräteschuppen, als dass er riskierte, seinen Ältesten im Haus anzutreffen. Wann immer sich die Gelegenheit bot, bezahlte er für Kieran einen Platz in einem staatlich geführten Camp auf dem Land oder die Teilnahme an einem Kurs, wo Behinderte lernten, Dinge wie Bücherstützen, Holzspielzeug oder Bilderrahmen herzustellen.

Während Kieran irgendwo im County Wicklow nervös lachend auf einem Pony saß oder in einem Backsteingebäude am Rande Dublins einen Pinsel vorsichtig in Leim tunkte, wurde aus Sean Lynch, dem unsichtbaren Mann, ein Vater. Kaum war der Beweis für Gottes Fehlbarkeit weit weg, brach sich seine Liebe Bahn und überschwemmte die Familie wie eine Sintflut ausgetrockneten Boden. Aislin verachtete ihn dafür, nahm sein Auftauchen aus wochenlangem Selbstmitleid und trotziger Schwermut aber dennoch dankbar an, voller Sehnsucht nach seinen unbeholfenen Gesten der Zärtlichkeit.

Für Fiona war der Fremde während dieser sonderbaren Tage eine Märchengestalt, eine verwandelte Kröte, der Weihnachtsmann mitten im Sommer, ein zum Leben erwachter Spielzeugroboter, der in hastiger Sanftheit sprach und Geschenke hervorzauberte, der ihren kleinen Körper drückte und ihre Wangen mit Küssen bedeckte, überhitzt vor Zuneigung und täuschend echt. Zu glauben, dass dieser Mann ihr Vater war, weigerte sie sich dennoch hartnäckig, genau wissend, dass er aus ihrem Leben verschwinden würde, sobald der seltsame Junge zurückkam.

Conor hatte lange versucht, seine Verwirrung nicht in Hass umschlagen zu lassen, aber wenn er seinen Vater im Morgengrauen und nach Einbruch der Dunkelheit im Haus umhergehen hörte wie einen Gast, der niemanden mit seiner traurigen Existenz behelligen will, konnte er nichts gegen seine Gefühle tun. Er wollte die Geschenke nicht, die plötzlich in seinen Schoß fielen, und auch nicht die Berührungen, das Kopftätscheln und Knuffen und Schulterklopfen. Er wollte die Stimme nicht hören, die ihn fragte, wie er sich in der Schule mache und ob er mit zum Angeln wolle am Sonntag. Er hasste seinen Vater. Er hasste ihn, weil dieser große schwere Mann ein Feigling war, weil er sich vor dem Leben duckte wie ein Hund vor Schlägen, weil er ein Schatten war, eine Wolke aus Sägespänen, ein Nichts. Er hasste seinen Vater, und noch mehr seinen Bruder, den Krüppel, der an allem schuld war.

Am frühen Morgen, als Wilbur noch geschlafen hatte, war ein kurzer Regen über das Land gegangen. Jetzt schien die Sonne, und die Erde atmete feucht und warm unter dem Gras. Sauber ausgeschnittene Wolken standen im Himmel, vergessenen Kulissen gleich. Aus den Tümpeln, die sich oft wochenlang in Senken zwischen den Hügeln hielten, stiegen Libellen auf. Weit draußen pflügte ein Trawler durch die See, ein riesiges Netz hinter sich herschleppend, das alles Lebendige ans Licht zerrte, um es zu verwerten oder an die Möwen zu verfüttern, die dem Schiff als glitzernder Körper folgten.

Wilbur hatte gelesen, dass in den Bäuchen dieser schwimmenden Fabriken Katzenhaie ihre Jungen gebaren, bevor sie starben, und dass Arbeiter mit Messern die Arme von Kraken durchtrennten, die im Todeskampf Stahlketten und Gummistiefel umklammerten. Wilbur aß keinen Fisch mehr, seit er im Hafen einen alten Mann beobachtet hatte, der eine zappelnde Makrele am Schwanz hielt und ihr den Kopf zertrümmerte, indem er ihn ein paar Mal auf die Planken schlug. Fish and Chips waren vom Speiseplan gestrichen, und der alte O'Reilly hatte es längst aufgegeben, den Umweg zum McDermott-Haus zu machen.

Wilbur und Conor saßen auf dem Hügel und sahen dem Fangschiff nach, bis es sich in einem Feld aus Licht, zu dem das Meer an den Rändern wurde, auflöste. Conors Haut war gebräunt, er kratzte sich am Knie und kaute auf einem Grashalm.

Verglichen mit seinem Freund war Wilbur bleich, seine Beine steckten in langen Hosen. Beide trugen Sonnenbrillen, die Orla ihnen in Letterkenny gekauft hatte. Die Brillen waren zu groß, ihre Bügel griffen hinter den Ohren ins Leere, und die Gläser verdeckten das halbe Gesicht der Jungen.

»Nicaragua«, sagte Conor.

»Bolivien«, sagte Wilbur.

»Guatemala.«

»Kolumbien.«

»Peru«, sagte Conor.

Beide dachten an das Bild aus dem Leihbuch, das den Titel *Ein Menschenopfer für den Sonnengott* trug und den kolorierten Stich einer Pyramide mit flacher Spitze zeigte, auf dem ein Inka-priester einen Dolch über dem Körper einer jungen, auf einem Altar aus Fels liegenden Frau erhob. Dass die Kultstätte sie an den Steinhaufen erinnerte, den Wilburs Großvater ganz in der Nähe aufschichtete, erwähnten sie mit keinem Wort. Wilbur schämte sich für den alten Narren, und Conor wusste das.

Eine Weile schwiegen die beiden wieder und blickten auf die leere See. Eine Hummel flog an ihnen vorbei, umkreiste sie und steuerte auf die Stechginsterbüsche zu, zwischen deren gelben Blüten es summte von Insekten. Ein paar Schwalben zeichneten sich vor dem Blau des Himmels ab. Sie suchten Futter für ihre Jungen, die in den Nestern an Colm Finnertys Stall warteten. Das Wetter würde bleiben, dachte Wilbur und rieb sich die Nase, die Orla mit Zinksalbe eingeschmiert hatte.

»Ich verrat dir 'n Geheimnis«, sagte Conor. »Aber du darfst es keinem erzählen.« Er sah Wilbur an, gerade lange genug, um dessen Nicken zu sehen.

Ein leichter Wind kam auf, kühlte die Haut und schob die Wolken ein Stück zur Seite. Conor nahm den Grashalm aus dem Mund.

»Fiona ist nicht meine Schwester«, sagte er nach einer Weile. Er sah auf seine Schuhe, die leer vor ihm standen, und wickelte den Halm um einen Finger.

Wilbur wartete. Durch die dunklen Gläser der Sonnenbrille lag ein Schatten auf der Welt, den er für angemessen hielt. Nahm er sie ab, glänzte jeder dumme Gegenstand im Licht, prahlte mit seiner grellen Bedeutungslosigkeit. Einmal war er aufgestanden, um eine leere Flasche außer Sichtweite zu tragen, weil sie für sein Empfinden ungebührlich viel Sonnenlicht bündelte.

»Mein Vater ist nicht ihr Vater.«

»Woher weißt du das?«

»Ich weiß es eben.«

Die Schwalben verschwanden, die Wolken lösten sich auf. Wilbur dachte nach.

»Aber deine Mam hat sie doch auf die Welt gebracht.«

»Ja«, sagte Conor.

»Wenn deine Mam andere Kinder hat, sind das deine Geschwister.«

»Nein. Wenn überhaupt, ist sie meine Halbschwester.«

Wilbur wollte sagen, dass er gerne eine Halbschwester hätte, lieber als gar keine, aber er ließ es bleiben. Er hatte Fiona ein paar Mal gesehen und mochte ihre Einfältigkeit und den Ernst, mit dem sie zu ihren Puppen sprach. Sie erinnerte ihn an sich selber, an den schüchternen Zwerg von früher, der mit der Großmutter im Schutz von Mauern kleine Häuser aus Pappe und Muscheln baute, um darin zu verschwinden. An den Jungen, der einen anderen fast zu Tode prügeln musste, um ihn zum Freund zu gewinnen.

Musik drang plötzlich aus einem offenen Fenster des Hauses. Conor zog seine Schuhe an und erhob sich. Er nahm die Sonnenbrille ab, der schwarze Punkt in seinen Augen wurde kleiner. Orla rief nach ihnen. Conor mochte ihre Stimme und wie sie seinen Namen sang. Er ging durch das kniehohe Gras den Hügel hinunter zum Haus, und Wilbur folgte ihm.

Der Duft des Apfelkuchens füllte die Küche, aber sie trauten sich kaum zu kauen. Orla sah auf eine leere Stelle an der Wand, wo nur für sie Bilder sichtbar wurden. Ihre Hände schmerzten, sie hatte lange gebraucht, um den Teig zu kneten. Sie hatte einen großen Teil ihres Lebens verschwendet, sie wurde alt und lauschte einem jungen Mädchen, das über die Liebe sang, und sie lächelte. Conors Augen waren geschlossen, er bewegte die Lippen, formte die Worte und wob die Melodie mit den Fingern in die Luft.

Wilbur schwankte langsam vor und zurück, kaum merklich, die Hände und Füße still, andächtig. Das war die Sängerin, über die sich alle in der Schule das Maul zerrissen. Irin war sie und hatte sich den Kopf scheren lassen, wo sie doch so hübsch war. Sang davon, dass ihr Freund sie verlassen hat und dass sie traurig ist, ein Vogel ohne Lied. Auf der Straße könnte sie jeden Jungen umarmen, tut es aber nicht, weil es nicht dasselbe wäre. Zum Arzt geht sie, und der sagt ihr, sie solle fröhlich sein. Sie nennt ihn einen Dummkopf und beklagt die Blumen, die eingegangen sind, seit er weg ist.

Wilbur wusste nichts über diese Form von Liebe. Er nahm die Mädchen in der Schule kaum wahr, hielt die meisten für dumm und gemein, falsche Gesichter, aus denen sinnlose Wörter fielen. Erin Muldoon hatte ihn auf dem Pausenhof einmal lange angesehen, da war ihm heiß geworden, und er war ins Schulgebäude gerannt, obwohl das bei schönem Wetter verboten war. Er liebte Orla, aber ihm war klar, dass da noch etwas anderes war, etwas, das mit den Mädchen in der Schule und in der Fantasie zu tun hatte und mit diesem Lied, das Gefühle beschrieb, Qualen, die ihm noch bevorstanden.

Ein sumpfiger Graben, die Steine herausgebrochen wie Zähne aus einem Maul. Spuren im Gras, Pfade. Der letzte Brocken sprang in zwei Teile, ein dumpfes Knacken entfuhr dem Fels. Licht fing sich im Keil, ließ ihn aufblitzen und erlosch. Eamon brauchte immer längere Pausen, setzte sich auf den Stein oder legte sich ins Gras, das seinen müden Körper umfing. Dann sah er in den Himmel und wartete darauf, dass die Schmerzen in den Händen und in den Schultern nachließen und sein Atem flacher ging. Oft wünschte er sich, in der Erde zu versinken, egal, wie eisig sie war unter ihm. Er war schon eingeschlafen, während der Wind das Salz landeinwärts trug und die trockenen Halme neben seinen Ohren rascheln ließ. Im Traum war er immer ein anderer, einer, den er nicht kannte und an den er sich nicht erinnerte, wenn er aufwachte, durchdrungen von Kälte und bleiernem Schmerz. Heute schlief er nicht ein. Brot lag in seinem Mund, bis es weich genug zum Schlucken war.

Irgendwann drehte er sich zur Seite, kroch zum Stein und legte ihn frei. Beim Graben zerriss er Würmer mit den Fingern, Käfer liefen über seine Arme. Den geborgenen Stein teilte er, dann noch einmal. Die Hammerschläge schwammen durch seinen Körper und wurden bald zum langgezogenen metallischen Klang. Wenn er auf den Stein eindrosch, lag er drei Schritte entfernt im Gras, dösend, so wenig spürte er sich. Zeit war Licht, das kam und ging. Begann die Nacht, fand ein letzter Rest in ihm den Weg zum Haus. Dort stand warmes Essen auf dem Herd, lag frische Kleidung auf dem Bett. Im Badezimmer fehlte es nie an Tüchern und Seife. Manchmal stand er vor dem Spiegel und schnitt mit der Schere den Bart kurz, förderte ein halbes Gesicht zutage. War er es, der für all das sorgte? Erledigte er diese Dinge in den Stunden, die ihm zwischen Aufwachen und Einschlafen abhanden kamen? Er wusste es nicht. Und er wusste auch nicht, wer ihm allabendlich das Stück Schokolade aufs Kopfkissen legte, das, wenn er sich recht erinnerte, die Form eines Herzens hatte.

Einer der Arbeiter aus dem Sägewerk fiel von dem Boot, das er in seinem Garten baute, und brach sich dabei den Arm. Ein anderer war zwei Tage zuvor nach Chicago geflogen, um seinen Bruder zu besuchen. Angesichts dieser Notlage bestand Sean Lynch darauf, dass sein Sohn während der Ferien im Betrieb half. Unter dem Beifall der übrigen Männer taufte er ihn mit einer Handvoll Sägemehl und wies ihm dann seinen Platz hinter der Schälmaschine zu, wo Conor lange Borkenstreifen und Abfallholz in offene Blechcontainer füllen musste.

In den ersten Tagen weinte Conor vor Wut, und wenn einer der Arbeiter fragte, was los sei, sagte er, der Holzstaub kratze in seinen Augen. Wenn es regnete, und das tat es in diesem Sommer oft, brauchte Conor diese Ausrede nicht und stapfte leise schluchzend und fluchend durch den Morast aus Schlamm und Sägemehl. Die vollen Container, die auf einem rostigen Gleis liefen, galt es über den ganzen Platz zu schieben und an einer Halde auszukippen.

Conors Mutter war mit Kieran in Dublin, wo der Junge an der Hand operiert werden sollte. »Für Kierans unnütze Hand!«, rief sein Vater manchmal, wenn ein Stapel Bretter auf einen Lastwagen geladen wurde. Fiona war mit ihrer besten Freundin und deren Eltern in Glenbeigh im Südwesten der Insel. »Da ist der Regen wärmer«, hatte Conors Vater geantwortet, als einer der Arbeiter fragte, was am Süden denn besser sei. Die Männer hatten gelacht und ein Lied über die Schönheit Donegals angestimmt.

Das Mittag- und Abendessen musste Conor mit seinem Vater in der Küche einnehmen. Im Kühlschrank und in der Gefriertruhe stapelten sich Schüsseln mit vorgekochtem Essen, und zu Beginn gab sich Conors Vater Mühe, jeden Tag zwei anständige Mahlzeiten auf den Tisch zu bringen. Ernüchtert durch die mürrische Appetitlosigkeit seines Sohnes, ging er jedoch bald dazu über, von O'Reilly Fish and Chips, frittiertes Huhn oder Pizza kommen zu lassen. Hatte Sean in den ersten Tagen noch versucht, während des Essens mit seinem Sohn zu reden, gab er auch das bald auf, und es war keine Woche vorbei, da saßen die beiden schweigend am Tisch und brüteten über ihren vollen Tellern und düsteren Gedanken.

Orla genoss die Zeit, in der sie Wilbur wieder für sich alleine hatte. Zwar vermisste sie Conor manchmal, aber wenn sie mit Wilbur durch die Gegend fuhr und er neben ihr statt mit seinem

Freund auf der Rückbank saß, fühlte sie sich einfach nur glücklich. War sie besonders guter Laune, fuhr sie mit ihm am Morgen nach Dublin, wo sie sich zur Nachmittagsvorstellung in ein Kino setzten. Weil Wilbur sich nichts aus Zeichentrickfilmen machte, gingen sie in Streifen, die für Kinder nicht freigegeben waren. Orla bestach die Kassiererinnen und Platzanweiser mit größeren Beträgen, damit Wilbur eingelassen wurde und sich an der Seite seiner Großmutter Western und Science-Fiction-Filme und alle Folgen der *Indiana-Jones*-Reihe ansehen konnte.

Bei seinem ersten Film, dem Western *Rio Bravo*, der in einer Reprise gezeigt wurde, hatte Wilbur noch lauthals dazwischengerufen, als sei er in Lehardan im Puppentheater. Nachdem sich andere Besucher beschwerten und Orla ihm erklärte, die Schauspieler könnten ihn nicht hören, saß er stumm in seinem Sitz und verfolgte das Geschehen auf der Leinwand mit einem inneren Beben, das ihn beinahe zerriss und auch während der nächsten Vorführungen kaum nachließ.

Zu Beginn hatte Orla noch überlegt, Wilbur die Hand vor die Augen zu halten, wenn ein Cowboy sein Mädchen küsste, aber nach einer Weile fand sie, der Anblick könne dem Jungen kaum schaden. Wichtiger war ihr, ihm zu erklären, dass die Leute, die in den Filmen erschossen, von Pfeilen durchbohrt und von Laserwaffen zerstäubt wurden, nur Schauspieler waren und am Ende der Szene aufstanden und weiterlebten.

An den Freitagen fuhr Orla mit Wilbur nach Letterkenny, wo die beiden den ganzen Nachmittag in der Bibliothek verbrachten. Wilbur suchte sich dann seinen Büchervorrat für die kommende Woche aus, während Orla in sämtlichen Zeitungen nach interessanten Meldungen stöberte. Am Abend dieser Freitage wurde Orla jeweils ein wenig wehmütig, weil am Wochenende, wenn das Sägewerk stillstand, Conor kommen und Wilbur für sich beanspruchen würde.

Der Tag, an dem sie den Hund sahen, war ein Sonntag, und vom Haus her wehte der Duft des Früchtekuchens, den Orla im Ofen hatte. Hoben die Jungen den Kopf, war der reglose Himmel eine Fläche aus Glas, voller Schlieren, die bis nach Belfast reichten. Der Rücken des Hundes ragte schwarz aus dem Gras, als er über den Hügel kam. Es hätte eines von McGonigles Tieren sein können. Der Alte brachte nicht immer alle Welpen an den Mann, und die überzähligen streunten umher, bis ein Schafbauer sie in die Lehre nahm oder erschoss.

Der Hund kam aus dem hohen Gras und trabte zum Weg, der am Ende einer gemähten Wiese in die Straße mündete. Er trug etwas im Maul, einen Fetzen Stoff oder Fell, der am Boden schleifte. Conor stand auf und pfiff durch die Finger. Das Tier blieb stehen, sah in ihre Richtung und lief dann weiter, verschwand zwischen den Hügeln wie die Straße.

»Haste gesehn, was der im Maul hatte?« Conor sah zu den Hügeln, zwischen denen der Hund aufgetaucht war.

»Nö«, sagte Wilbur. Er schnippte vorsichtig eine Ameise von seinem Arm.

»Vielleicht ist irgendwas angeschwemmt worden«, sagte Conor.

Wilbur antwortete nicht. Er ging nicht gerne an den Strand. Das Meer als abstrakte Masse, als weite blaue Fläche faszinierte ihn, auch der Gedanke, dass dahinter Amerika lag. Aber den Geruch fand er eklig, und das monotone Geräusch der anrollenden Wellen machte ihn nervös. Wenn er die farbigen Illustrationen in seinem Tieratlas betrachtete, erfasste ihn ein Schaudern, sogar harmlose Kugelfische kamen ihm vor wie kleine Monster, die nur darauf warteten, dass er seinen Zeh in ihre Welt streckte. Er verstand die Menschen nicht, die darin schwammen, und Taucher hielt er für komplett verrückt, auch wenn er insgeheim ihren Mut bewunderte.

»Ich werd mal nachsehn«, sagte Conor. Er wartete, aber Wilbur zog nur ein gelangweiltes Gesicht. Conor ging in die Richtung, aus der der Hund gekommen war. »Bin gleich zurück!«, rief er.

Wilbur sah Conor nach, und kurz bevor er außer Sicht war,

erhob er sich rasch und folgte ihm. Er rannte über den ersten Hügel und holte Conor schnaufend ein. Das Grinsen im Gesicht seines Freundes sah er nicht.

»Sioux«, sagte Conor.

»Comanchen«, sagte Wilbur.

»Irokesen.«

»Apachen.«

Die Wolldecke drückte das hohe Gras, in dem sie lag, auf den Boden. Erst dachte Wilbur, ein Mensch liege da am Fuß des sanft ansteigenden Hügels, und blieb stehen. Vielleicht war der Hund tollwütig und hatte einen Wanderer angefallen. Conor ging auf die Decke zu, ohne seinen Schritt zu verlangsamen.

Wilbur ging hinter seinem Freund her, beschämt über die eigene Angst. Manchmal war er wütend auf Conor, der sich vor nichts zu fürchten schien, nicht einmal vor Mr. Taggart, dem neuen Turnlehrer, der die Jungen waghalsige Sprünge über ein Gerät machen ließ, das sich Pferd nannte. Bei diesen Übungen war Wilbur entweder schon während des Anlaufs gestrauchelt oder hatte sich beim Aufprall auf den Lederbock so viele blaue Flecken geholt, dass Mr. Taggart ihn stattdessen Runden in der Halle drehen ließ.

»Die ist von einem Schiff«, sagte Conor und breitete die feuchte Decke so aus, dass man die Buchstaben erkennen konnte, die sich in einem dunklen Streifen über die Längsseite zogen. Eine Ecke fehlte, das Stück, das der Hund im Maul getragen hatte.

»MS Pride of Durban«, las Wilbur.

Conor sah sich um. Die Kuppe des Hügels war mit hüfthohem Gras bewachsen, ein Gürtel aus Stechginsterbüschen und Brombeersträuchern legte sich um seine Flanke, und die dem Meer zugewandte Seite war kahl, ein Abbruch aus nackter Erde, den Steine säumten. Conor stellte sich auf den höchsten Punkt und sah zur Bucht hinunter.

»Nichts!«, rief er, blieb noch eine Weile stehen und kam dann herunter.

»Südafrika«, sagte Wilbur, obwohl ihm klar war, dass Conor das wusste.

»Die haben da 'nen Zaun im Meer, damit die Haie nicht die Leute fressen«, sagte Conor. Seit er mit Wilbur befreundet war, las er Unmengen von Büchern, oft noch spätnachts und im Schein einer Taschenlampe, damit seine Eltern nichts merkten. Dabei achtete er auf Titel, die Abenteuer versprachen, Nervenkitzel, noch besser handfestes Gruseln. *Kopfjäger am Ende der Welt*, *Tödliche Safari*, *Flucht aus dem Reich der Kannibalen* hießen die Werke, die ihm Schauergeschichten aus einem Leben boten, das für einmal nicht das eigene war. Er hob die Decke auf und schüttelte sie. Der Stoff roch modrig, Gras und Dreck klebten daran.

Wilbur sah das Loch erst, als in einem Busch davor ein weißer Falter die Flügel ausbreitete und sich von der Brise, die aufgekommen war, hochheben und davontragen ließ, ein blinkender Punkt, der vor einer Wolke verschwand. Grashalme schraffierten die Öffnung, vor der frische Erdklumpen und gelbe Stechginsterblüten lagen. Er stapfte die Steigung hoch und ging in die Knie, um durch die Äste eines Busches ins Dunkel zu blicken. Nie im Leben hätte er sich getraut, die Hand auszustrecken, die Zweige zu trennen und hineinzufassen. Das überließ er Conor.

»Eine Höhle«, sagte Wilbur. In der Erde sah er etwas, das er als Pfotenabdruck deutete.

Conor ließ die Decke fallen und stieg zu Wilbur hoch. Beide starrten in das Loch. Ein Flugzeug summte im Himmel, eine Fliege hinter Milchglas.

»Ein Dachsbau«, sagte Conor leise, als wolle er den Bewohner der Höhle nicht aufschrecken. Während Wilbur zurückwich, ging Conor näher, brach einen Ast entzwei und tastete mit der rechten Hand hinein. Er wünschte, er hätte seine Taschenlampe dabeigehabt, als er den Kopf in die Öffnung schob und ihn Dunkelheit umgab. Zu Wilburs Entsetzen kroch Conor in den Bau und war bald so weit darin verschwunden, dass nicht einmal mehr seine Schuhsohlen herausschauten.

»Ich glaube, Orla hat gerufen«, sagte Wilbur, obwohl er nichts gehört hatte. Er stand da, bereit, jederzeit davonzurennen, sollte Conors Schrei aus dem Loch hallen. Mit der Tatsache, ein Feigling zu sein, hatte er sich ebenso abgefunden wie damit, nicht richtig zu wachsen oder keine Eltern zu haben. Er beruhigte sein schlechtes Gewissen, indem er sich einredete, im Notfall nur davonzulaufen, um Hilfe zu holen.

»Da ist was!«, rief Conor aus der Finsternis, dann ächzte er.

Wilbur ging ein paar Schritte zurück, seine Knie wurden weich. Er verwünschte den Hund, der die Decke aus dem Loch gezerrt hatte, den Falter, der vor der Höhle aufgeflattert war, und sich selber, weil er seine Entdeckung nicht für sich behalten hatte. Über dem Meer hob ein Wind an und strich durch das Gras. Wilbur sah auf seine Uhr, um sich von der Verlässlichkeit der Zeit trösten zu lassen, aber diesmal funktionierte es nicht. An einem Hang wuchsen wilde Margeriten, Orlas Lieblingsblumen, und Wilbur nahm sich vor, sie später für seine Großmutter zu pflücken.

Conors Füße erschienen, die Beine, der Oberkörper, dann die Arme und schließlich die Hände, die einen Griff umfassten und eine Holzkiste ins Freie schleiften. Conor keuchte vor Anstrengung und Aufregung. Wilbur setzte sich ins Gras.

Conor öffnete die Kiste, deren Holz die Jahre nahezu schadlos überstanden hatte. Er hob die Stoßzähne daraus hervor und gab einen davon Wilbur, der das geschwungene Horn aus Elfenbein ungläubig betrachtete. Das Messing war fleckig geworden, aber das Fernrohr ließ sich noch öffnen, und nachdem beide hindurchgesehen hatten, nahm Conor das Taschenmesser in die Hand und ließ eine Klinge aufschnappen. Wilbur fasste es vorsichtig an, obwohl Orla ihm verboten hatte, mit Messern zu hantieren. Im Boden der Kiste war ein Loch, und die Patronen in den Schachteln, die sich in Conors Händen aufzulösen begannen, fühlten sich kalt an.

Wilbur ahnte, was sie noch finden würden, und er wusste, dass es zu spät war, dass sie den Deckel nicht zuklappen, die Kiste ins Loch zurückschieben und weggehen konnten. Er schloss die Augen und dachte an die Filme, die er gesehen hatte, und daran, dass die erschossenen Schauspieler nicht wirklich tot waren, weil in den Waffen keine richtige Munition und das Blut rote Farbe war. Und er dachte an die Zeitungsmeldungen, die er heimlich gelesen hatte, und in denen von Mord und Totschlag die Rede war, an die Bilder von Menschen, die richtig umgebracht worden waren und nicht mehr aufstehen, sich den Staub von den Kleidern wischen und weiterleben würden.

Er öffnete die Augen. Conor hatte das fettige Tuch auseinandergefaltet und starrte auf den Revolver, der darin lag.

Als Orla rief, zuckten Wilbur und Conor zusammen. Die beiden saßen auf dem Hügel neben dem Haus und dachten nach. Sie waren sich einig, niemandem etwas von der Kiste und deren Inhalt zu erzählen, und heimlich wog jeder für sich ab, ob diese Entscheidung richtig war. Natürlich hatten sie auch darüber gerätselt, wem die Kiste gehörte und wer sie im Dachsbau versteckt haben mochte, hatten angefangen zu fantasieren und sich gegenseitig mit Geschichten über Piraten, Spione, Bankräuber und desertierte Soldaten überboten. Conor hatte den Revolver mit beiden Händen festgehalten, hatte die Trommel ausgeschwenkt, durch die leeren Patronenkammern hindurchgesehen und den Abzugshahn gespannt, hatte die Trommel sich drehen lassen und zurückgeklappt, hatte mit dem Lauf in den Himmel gezielt und abgedrückt und dabei den Knall eines Schusses nachgeahmt.

Dann hatte er die Waffe Wilbur gegeben, der die Verzierungen im Metall und die Maserung des Holzes betrachtet und vorsichtig in den Lauf gespäht und sich gefragt hatte, ob daraus jemals eine Kugel abgefeuert worden war, um einen Menschen zu töten. Er hatte Conor diese Frage gestellt und ihm den Revolver zurückgegeben. Conor hatte kurz nachgedacht, mit den Schultern gezuckt, die Waffe sorgfältig in das Tuch und zusätzlich in die Wolldecke gepackt und in die Kiste gelegt. Weil sie nicht wussten, ob der Unbekannte noch lebte und ob er irgendwann kommen und sie holen würde, hatten sie die Kiste in die Höhle zurückgeschoben und den Eingang mit Erdklumpen und Grasbüscheln verstopft.

Orla rief ein zweites Mal, und sie gingen zum Haus, aßen in der Küche warmen Früchtekuchen, tranken Tee und hörten Radio. Danach schlug Orla vor, den Rest des Sonntagnachmittags damit zu verbringen, die seltsamste Baustelle in der ganzen Gegend zu besichtigen.

Der Bau war kein schöner Anblick. Auf einem Feld, etwa eine halbe Meile vom Schulhaus entfernt, stand ein Würfel, dessen steiles, nach Süden abgeschrägtes Dach aus Glasziegeln gerade genug Tageslicht ins Innere ließ, um die fehlenden Fenster wettzumachen. Am höchsten Punkt des Daches thronten zwei Tanks aus schwarzem Kunststoff, die von Weitem wie die Augen eines monströsen Insekts aussahen. Um den Rohbau herum lagen Sand-, Kies- und Erdhaufen und türmten sich Betonblöcke und Bretter. Unter einem Wellblechverschlag lagerten stapelweise weiße Kacheln und in Plastikfolie gewickelte Säcke mit Fliesenkleber und Fugenzement. Der Boden des Grundstücks war verschlammt und von Traktorspuren zerfurcht, Bäume, die Wurzeln freigelegt, standen schief und abgestorben vor einem Zaun, den ein Schild mit der handgemalten Aufschrift SCHWIMMEN HEISST LEBEN! überragte.

Während der Autofahrt hatte Orla den Jungen die Entstehungsgeschichte des Klotzes erzählt und dabei Zeitungsberichte, Dorfklatsch und eigene Erkundigungen vermischt. Fintan Taggart, ein Kind des Ortes, war als junger Mann nach Neuseeland ausgewandert, wo er seinen Lebensunterhalt als Rettungsschwimmer bestritten hatte, bevor er mit imitierter Maori-Kunst zu handeln begann und schließlich Vertreter für Gartenmöbel wurde. Als seine Mutter schwer erkrankte, kam er zurück nach Irland, gerade noch rechtzeitig, um seinen Vater zu beerdigen, der beim Angeln von einem Felsen ins Meer gestürzt und ertrunken war.

Fintan pflegte seine Mutter, die sich bald erholte, und schwor am Grab seines Vaters, etwas gegen den Umstand zu unternehmen, dass in Irland kaum jemand schwimmen konnte. Er wandte sich an Behörden und Politiker, schrieb an Zeitungen und gründete einen Verein mit dem imposanten Namen *Irische Gesellschaft zur Förderung der Schwimmkultur*. Er hielt Vorträge an Schulen und zog durch die Dörfer und sammelte Geld, um das erste Schwimmbad im County Donegal zu bauen und darin Kinder und alle, die es wollten, die Kunst des Nichtertrinkens zu lehren.

Obwohl sie selten in ihren Gewässern badeten und die Notwendigkeit des Schwimmenkönnens nicht immer begreifen wollten, brachten die Leute aus der Gegend dem unermüdlich für sein Projekt werbenden Mann eine gewisse Sympathie entgegen und trugen ihren Teil zur Errichtung des Gebäudes bei, der schon vor Baubeginn als Fintans Kirche der ertrunkenen Seelen lokale Berühmtheit erlangte. Jeden Tag kamen Neugierige, um einen Blick auf den fensterlosen Klotz zu werfen. Die meisten hatten Geld gespendet und wollten sehen, was damit geschah. Einige hatten Verwandte, Freunde oder Bekannte, die ertrunken waren, brachten neue Namen für die Liste, gaben Taggart ihren Segen und bekreuzigten sich beim Verlassen der Baustelle.

Orla hatte eine großzügige Summe gespendet, obwohl sie der fast religiöse Eifer des jungen Mannes, der vor mehreren Monaten an ihrer Tür geklingelt hatte, befremdete. Er hatte ihr eine Broschüre seines Vereins gegeben und bei einer Tasse Kaffee erklärt, was er mit seiner ehrenamtlichen Arbeit erreichen wolle, wobei er die Ausdrücke »ehrenamtlich«, »unbezahlt« und »in Gottes Lohn« so oft wiederholte, dass sie einen schrägen Klang annahmen. Er sprach von zerstörten Familien, tatenlosen Politikern und fehlender Information, nannte die Zahl der in den letzten zehn Jahren Ertrunkenen und zeigte

Baupläne und ein paar Fotos von Wasserleichen. Er sprach hektisch und mit einem halb abgelegten Neuseelandakzent, der Orla auf die Nerven ging. Schließlich gab sie ihm einhundert Pfund und entzog sich nervös lachend seinem Versuch, sie in entfesselter Dankbarkeit zu umarmen. Als sie ihm nachblickte, wie er in der Rauchwolke verschwand, die sein museumsreifes Motorrad ausspuckte, konnte sie sich nicht gegen den Gedanken wehren, gerade gutes Geld in ein Loch geworfen zu haben.

Im Innern des unverputzten Kubus roch es nach brackigem Wasser und Kaffee. Die Hitze war kaum auszuhalten und ging von einem Brennofen aus, der in einer Ecke auf Eisenbahnschwellen stand. Neben dem Ofen türmten sich weiße quadratische Kacheln, an einer Wand hing ein zwei mal drei Meter großer Bogen Packpapier, der mit Namen und Daten vollgeschrieben war. Hinter einigen Namen hingen rote Häkchen wie umgedrehte Spazierstöcke. Auf einem Tisch stand eine elektrische Kochplatte, darauf eine Kanne Kaffee. Der Ofen knackte, entließ seufzend heiße Luft. In einem Blecheimer unter dem Holztisch verströmten leere Suppendosen und Milchtüten einen fauligen Geruch.

Fintan Taggart kauerte in einer rechteckigen Grube und legte Fliese um Fliese in den Leim, der eine winzige Fläche des rohen Betonbodens bedeckte. Die Wände waren ebenfalls unverputzter Beton und ließen jeden Atemzug des Mannes zum lauten Keuchen werden. Auf den Fliesen, die er verlegte, waren Namen, Geburts- und Todesdaten geschrieben, schwarz und mit Pinsel und geschützt von einer gebrannten Schicht aus klarer Glasur. Taggart war weder besonders groß noch muskulös und bis auf eine kurze rote Hose nackt. Seine Haut war von einem hellen Oliv, als bewahre sie einen Rest neuseeländischer Bräune. Er richtete sich auf, wischte sich den Schweiß von der Stirn und sah zu Orla und Conor hoch, die an den Beckenrand traten, während Wilbur in der Nähe der Tür stand, durch die ein Stück Himmel zu sehen war, nicht größer als eine Fliese, und das Motorrad des Turnlehrers, eine neue Kawasaki, rot in der Sonne leuchtend.

Es war die letzte Woche der Sommerferien, und das schöne Wetter machte es Wilbur nicht leicht, an den nahenden Schulbeginn zu denken. Orla hatte ihn nach dem Mittagessen zu Colm gebracht, der auf ihn aufpassen sollte, während sie nach Letterkenny fuhr, um etwas zu besorgen, alleine, weil es ein Geheimnis war. Wilbur hatte darauf gedrängt, mitfahren zu dürfen, aber Orla hatte nur gelächelt und ihn auf den Abend vertröstet.

Nachdem Orla weg war, fuhr Colm mit Wilbur auf dem Traktor in den Ort, wo großer Markttag war. Bauern, Viehhändler, Trödler und Fahrende boten auf einem Parkplatz und einer angrenzenden Wiese ihre Waren an, ein Karussell drehte sich, gegen dessen Musik ein Akkordeonspieler ankämpfte, ein alter, als Pirat verkleideter Mann jonglierte mit Schwertern, in einem eiförmigen Wohnwagen empfing eine Handleserin ihre Kundschaft.

Orla hatte Wilbur etwas Geld gegeben, und als Erstes kaufte er sich eine Portion Eis und eine Baseballkappe mit dem Schriftzug einer Traktorenfirma. Dann ging er neben Colm an den Ständen entlang, aß sein Eis und war enttäuscht von den Dingen, die ihm geboten wurden. Zwei dicke Frauen standen vor mehreren langen Kleiderständern auf Rollen, an denen Blusen, Röcke und Hosen in schreienden Farben hingen. Ein Mann saß hinter Stapeln von Musik- und Videokassetten und betrachtete ratlos einen Ghettoblaster, der den Geist aufgegeben hatte. Wortkarge Männer warteten neben Kisten voller Werkzeug, Ersatzteilen, Kabeln und Drähten, Bolzen und Schrauben und Muttern auf andere wortkarge Männer. Ein Mann und eine Frau aßen an einem Campingtisch zu Mittag und verhandelten zwischen zwei Bissen über den Preis von Teppichen und Gummistiefeln. Ein dösender Mann hockte inmitten von Möbeln, die weder antik noch modern, sondern auf eine tragische Weise zeitlos waren. Lampen wurden aus einem Lieferwagen, Hundewelpen aus einem Kofferraum verkauft. Eine Bauersfrau rief schüchtern das Wort Käse, und zwei kleine Mädchen schienen die Hoffnung verloren zu haben, ihre auf Zeitungen ausgelegten Spielsachen noch loszuwerden.

Wilbur, der mit Orla durch die Kaufhäuser Dublins gestreift war, empfand den Markt als schlechten Witz, erstand dann aber doch eine Kassette mit Sinatra-Songs für Orla, ein winziges Taschenmesser an einem Schlüsselanhänger für Conor und ein mit Glitzersteinen verziertes Feuerzeug für Colm.

Als sie zu der Wiese kamen, dem Revier der Viehhändler mit ihren Lastwagen, Jeeps und Anhängern, sahen sie Conors Mutter, die neben ein paar Pferden stand und mit einem Mann in Stiefeln, Hut und grauem Anzug sprach. Sie gingen zu ihr hin, und sie erzählte ihnen aufgeregt, sie habe gerade ein Pferd für Kieran gekauft. Dabei streichelte sie den Hals des braun und weiß gescheckten Tieres, dessen Stirn ein weißes Karo zierte und das mit einem Strick an einen Lastwagen gebunden war. Colm sah sich fachmännisch das Gebiss und die Hufe der Stute an und befand dann, Aislin habe eine gute Wahl getroffen. Er schlug vor, den Anhänger zu holen, in dem er seine Kühe, Kälber und Schafe transportierte, und Aislin nahm dankbar an.

Während Colm, der froh war, dem traurigen Trubel zu entfliehen, nach Hause fuhr, setzte Aislin Wilbur auf das Karussell und löste fünf Fahrten im Voraus. Wilbur saß im Flugzeug, dessen Körper silbrig funkelte, aber schon nach zwei Runden wurde ihm schwindlig und er wollte nicht mehr. Aislin ging mit ihm über die Wiese, und sie sahen sich die Kühe an, die Bullen und Kälber, warfen einen Blick in die Verschläge mit den Schweinen und Ferkeln und in die Käfige, in denen vor Hitze ermattete Hühner, Enten und Gänse hockten. Schafe dösten in Anhängern oder auf provisorisch eingezäunten Wiesenstücken, ein paar Esel ließen sich geduldig taxieren, und in einem Plastikzuber schwammen Entenküken herum wie Aufziehspielzeug. Ein Bauer setzte einen kleinen weinenden Jungen auf einen Esel, und Aislin erzählte Wilbur, wie glücklich Kieran immer sei, wenn er reiten dürfe.

Weil es noch eine Weile dauern würde, bis Colm mit dem Anhänger kam, und weil Wilbur ein Rest Geld in der Tasche brannte, nahm er allen Mut zusammen und beschloss, die Wahrsagerin zu besuchen. Aislin, die nichts von Kartenlegen, Kristallkugeln und Kaffeesatz hielt, wollte draußen warten und nach Colm Ausschau halten. Wilbur bat sie, nach ihm zu sehen, falls er in zehn Minuten nicht wieder erscheinen würde, und Aislin lachte, bis sie merkte, dass er es ernst meinte.

Das Innere des Wohnwagens war mit dunkelblauer Farbe gestrichen, aus der gelbe Papiersterne leuchteten, die Fenster waren mit Tüchern verhängt, und aus einem Kassettenrekorder drang leise Musik. Es war heiß in diesem Ei, in dem die Frau zusammengekrümmt saß, einem Küken gleich, das nie geschlüpft war. Sie winkte Wilbur heran und bedeutete ihm, vor ihr Platz zu nehmen. Wilbur setzte sich auf den Hocker und legte den Betrag, den draußen ein Schild verkündete, in die mit Sternen aus Goldfolie beklebte Glasschale. Die Frau, die trotz der Hitze in mehrere Lagen bunter Tücher gehüllt war und deren Gesicht ein schwarzer Schleier verbarg, steckte das Geld ein und verlangte dann mit einer knappen Geste nach Wilburs Hand. Wilbur legte beide Hände mit der Innenfläche nach oben auf das rote Kissen und spürte, wie ihm der Schweiß aus den Poren drang. Die Frau beugte sich vor und kniff die Augen zusammen.

Weil sie noch keinen Ton von sich gegeben hatte, fragte Wilbur sich nach einer Weile, ob sie vielleicht eingeschlafen oder in der Hitze ohnmächtig geworden sei. Aber dann entströmte der Frau ein Seufzer, der den Stoff des Schleiers vor ihrem Mund bewegte, und sie hob den Kopf und sah Wilbur an. In ihren Augen hinter dem Vorhang aus schwarzem Stoff glaubte er Kummer zu erkennen. Er wollte fragen, was los sei, brachte aber keinen Ton hervor. Seine Lungen waren gefüllt mit abgestandener Luft. Die Frau griff in ihren Schoß und reichte Wilbur sein Geld.

»Geh«, sagte sie. Ihre Stimme war leise, freundlich, eine Spur Traurigkeit lag in ihr. »Geh«, wiederholte sie ein wenig fordernder, als Wilbur sich nicht rührte. Sie machte eine Handbewegung, als wische sie Krümel von einer Buchseite, und ließ sich in ihren Sessel sinken, zurück in die Dunkelheit.

Wilbur betrachtete seine Handfläche, in der die Geldstücke lagen, erhob sich schließlich und ging hinaus. Geblendet vom Licht, stolperte er auf den Stufen, und die Münzen fielen klimpernd zu Boden und rollten davon, unter geparkte Autos und den Wohnwagen. Wilbur ließ sie liegen. Er rieb sich die Augen, sah gelbe Sterne. Er war so durstig wie nie zuvor in seinem Leben. Aislin stand in einiger Entfernung und winkte Colm zu, der sich durch die Leute schlängelte. In einem Baum saßen Krähen. Ein Luftballon stieg empor, Kinder riefen. Wilbur sah ihm nach, er war blau und bald verschwunden, wie aufgelöst in der Farbe des Himmels.

Als der Traktor auf dem Gelände des Sägewerks hielt, wieherte das Pferd und scharrte unruhig auf dem Bodenblech. Die Maschinen standen still, und Sean und die Männer kamen, um zu sehen, was Colm da brachte. Aislin und Wilbur hatten auf dem Markt einen Sattel und Zaumzeug und unterwegs zwei Säcke Hafer gekauft, jetzt hielten sie neben dem Anhänger, aus dem Colm das Pferd führte.

»Was wird das, wenn's fertig ist?«, wollte Sean wissen. Er sah das Pferd nicht an, nur seine Frau.

»Das ist Kierans Pferd«, sagte Aislin und tätschelte das Fell des Tieres.

Fiona kam mit ihrer Puppe aus dem Haus. Conor, der auf sie aufgepasst hatte, folgte ihr. Wilbur und Conor nickten einander zu.

»Dass es keine Kuh ist, sehe ich auch«, sagte Sean. Einer der Männer, Owen Hegarty, ein einfacher Mann ohne Träume, lachte und hustete. Sean scheuchte die Arbeiter mit einem Blick zurück in die Halle. »Was sollen wir damit?«

»Habe ich doch gesagt, es ist für Kieran«, sagte Aislin.

»Für Kieran? Bist du übergeschnappt? Was soll Kieran mit dem Gaul?«

»Reiten«, sagte Aislin. Sie legte dem Pferd das Zaumzeug an. Colm half ihr dabei.

»Reiten?« Sean lachte auf. »Er kann nicht mal geradeaus gehen! Wie soll er da reiten?«

»Dein Sohn kann sehr wohl reiten«, sagte Aislin ruhig. »Wenn du einmal mitgekommen wärst, wüsstest du es.«

»Kann ich auch auf ihm reiten, Ma?«, fragte Fiona, hielt aber einen sicheren Abstand zu dem Pferd, das sich beruhigt hatte und auf dem Hafer kaute, den Colm ihm in der Handfläche vor das Maul hielt.

»Natürlich, Schatz«, sagte Aislin.

»Conor, geh mit deiner Schwester ins Haus!« Sean zeigte mit gestrecktem Arm auf das Haus. Conor rührte sich nicht vom Fleck und schloss seine Hand fester um die von Fiona.

»Wie heißt es?«, fragte Fiona. Sie ignorierte ihren Vater mit der Respektlosigkeit einer Dreijährigen, die von einem drohenden Streit nichts ahnt.

»Joy«, sagte Aislin.

Fiona, noch immer an der Hand ihres Bruders, ging zu dem Pferd hin und berührte es mit den Fingerspitzen. »Joy«, sagte sie leise, und das Pferd nickte. Als der Motor der Bandsäge ansprang, schnaubte das Tier erschrocken und tänzelte nervös auf der Stelle. Aislin tätschelte seinen Hals und flüsterte ihm beruhigend ins Ohr.

»Conor, ich hab gesagt, du sollst mit deiner Schwester ins Haus gehen!«, brüllte Sean. Er packte Conor an der Schulter und schob ihn vom Pferd weg. Fiona stolperte. In Conors Augen lag blanker Hass. Sein Vater starrte Conor für den Bruchteil einer Sekunde verwirrt an und stieß ihn dann mit der Handfläche hart gegen die Brust. »Jetzt!«

Conor strauchelte rückwärts, ohne seine Schwester loszulassen, und ging ins Haus. Blut rauschte in seinen Ohren, sein Herz hämmerte. Fionas Weinen kam von weit her, obwohl sie an seiner Hand ging. Das Haus war leer und dunkel und kam Conor so fremd vor, dass er im Flur stehenblieb und sich verwirrt umsah, bevor er hinauf in sein Zimmer ging. In der Küche lief das Radio, vor dem Conor und Fiona eben noch gesessen hatten, Werbung plärrte. In seinem Zimmer ließ Conor die Hand seiner weinenden Schwester los, öffnete den Kleiderschrank und kniete sich hin, um die hinter Schuhen und Schachteln verborgenen Winterstiefel hervorzuholen, in denen der Revolver und die Munition lagen. Er schob die Patronen im Dunkel des Schrankes in die Kammern, klappte die Trommel zurück, schob die Waffe unter das Hemd und erhob sich. Er nahm Fiona wieder an der Hand und führte sie ins Badezimmer, strich ihr über den Kopf, ging hinaus und sperrte die Tür zu. Fionas Weinen wurde zum panischen Schreien und vermischte sich, während Conor die Treppe hinunterging, mit der einfältig fröhlichen Musik aus dem Radio.

Das Sonnenlicht ließ ihn in der offenen Tür verharren, er hörte die Stimmen seiner Eltern und die von Colm, darüber lagen der Lärm der Säge und das aufgeregte Wiehern des Pferdes. Er nahm keine Worte wahr, nur diesen Lärm, der ihn traf wie die Hitze, und er umfasste den Griff des Revolvers mit beiden Händen und ging auf seinen Vater zu. Colm sah die Waffe als Erster und rief etwas, öffnete zumindest den Mund. Er hob die Arme, seine Bewegungen waren langsam, verloren sich im Licht, das Conor nichts mehr sehen ließ außer seinen Vater, die dunkle Gestalt, die das Pferd in den Anhänger zerrte und es mit einer Holzlatte auf die Flanke schlug.

Aislin sah den Revolver, begriff erst nicht und starrte Conor an. Dann entfuhr ihr ein Schrei, höher als das wütende Singen des Sägeblatts, das sich durch einen Baumstamm fraß, sie taumelte auf ihren Sohn zu, und wie in völliger Dunkelheit streckte sie die Hände nach ihm aus. Conor hielt den Griff mit beiden Händen fest und hob die Arme, zielte mit dem Lauf auf seinen Vater. Als Sean sich umdrehte, sah Conor ihm ins Gesicht und drückte ab.

Die Stille nach dem Knall war ein Vakuum, das jedes andere Geräusch schluckte, ein schwarzes Loch, in dem eine ganze Welt verschwand. Conor hörte nichts mehr, nicht den Schrei seiner Mutter, nicht Colms Ruf und nicht das Trampeln des Pferdes, das über den Hof zur Straße galoppierte, und auch nicht den langen, seufzenden Atemzug seines Vaters, als er auf die Erde fiel.

Orla war zu Hause und bei Colm gewesen und fuhr jetzt in den Ort. Colm hatte ihr gesagt, dass er mit Wilbur den Markt besuchen würde, und sie nahm an, dass die beiden vor Dempsey's Pub in der Abendsonne saßen und Limonade tranken. Sie konnte es kaum erwarten, Wilbur zu sehen und ihm die Überraschung zu präsentieren. Während sie an der Küste entlangfuhr, sang sie laut den Refrain eines Liedes mit, das sie am Morgen zum ersten Mal gehört hatte. Das Licht über den Hügeln wurde schwach, als ob es von den Wolken aufgesaugt würde wie Jod von Wattebäuschen. Böen kraulten grob das Gras auf den Feldern und fuhren in Baumkronen, die sich blähten. Das Meer war unruhig und von einer Helligkeit, als sei die Oberfläche ein Schwarm aus Fischen, die das letzte Licht auf ihren Rücken trugen. Weit vorne berührte das Tintenblau die Erde, dort regnete es schon.

Orla sah das Pferd nicht, das vor ihren Wagen rannte. Vielleicht hätte sie sich an sein weißes Fell mit den braunen Flecken erinnert, an die helle Mähne, die im Wind flatterte, an die Bewegung des Körpers, die einfror wie manchmal das Bild auf der Leinwand im Dubliner Kino, bevor endlich ein neuer Projektor angeschafft worden war. Wahrscheinlich wäre ihr der Refrain des Liedes, das sie in der Sekunde des Zusammenpralls gesungen hatte, nie mehr aus dem Kopf gegangen, eine endlos kreisende Hymne auf die Willkür des Schicksals, den Zynismus des Zufalls.

Das Autoradio lief noch, als Conor McGonigle mit seinem fünfundzwanzig Jahre alten Lieferwagen an der Unfallstelle hielt. Als junger Bursche war er im Krieg gewesen, hatte mit Deutschland gegen die Engländer gekämpft, war verwundet worden und erst mit dreißig aus amerikanischer Gefangenschaft freigekommen. Keinen einzigen Engländer hatte er getötet, dafür italienische Partisanen, gegen die er nichts hatte. Als er zum ersten Mal tote Frauen gesehen hatte, war er desertiert. Jetzt stand er vor dem himmelblauen Auto und zwang sich, nicht wegzurennen wie damals. Es kostete ihn seine ganze Überwindung, Orlas blutigen Arm zu berühren, um ihren Puls zu fühlen, der unter seinen Fingern schwächer wurde und schließlich erlosch. Orlas Oberkörper lag auf der Kühlerhaube des Nissan, ihre Beine verschwanden im Wagen. In blutigen Strähnen floss ihr Haar vom Kopf, kringelte sich an den Spitzen auf dem warmen Blech. Glassplitter glitzerten im Scheinwerferlicht von McGonigles Lieferwagen. Das Pferd lebte, sein Bauch hob und senkte sich, es schnaubte beim Atmen. Immer wieder warf es den Kopf herum und sah mit aufgerissenen Augen den alten Mann an. Es lag in einer Lache aus schwarzem Blut, das nicht trocknete, weil ständig neues aus einer unsichtbaren Wunde kam.

McGonigle wollte die Musik ausmachen, aber die Türen an Orlas Wagen ließen sich nicht öffnen, und durch die geborstene Windschutzscheibe zu fassen brachte er nicht fertig. Er setzte sich in seinen klapprigen Ford und drückte mit beiden Händen auf die Hupe. Jetzt verschwand alles Licht, und der Regen spülte das Blut davon. Der Wind hörte auf zu wehen. Das Autoradio wurde leiser, das Prasseln der Regentropfen auf dem Blech zum sanften Lärm. McGonigle schloss die Augen und betete. Irgendwann würde jemand kommen, um zu helfen, obwohl es nichts zu helfen gab.

5

Dreimal die Woche ist Gruppensitzung. Dann versammeln sich Vermeer und ein zweiter Arzt, zwei Pfleger und neun Männer im Runden Raum. Der Runde Raum ist eckig, aber wir sitzen mit unseren Stühlen in einem Kreis auf einem bunten runden Teppich. Ich muss mitmachen, obwohl ich nicht rede. Vermeer meint, ich würde irgendwann etwas sagen, wenn ich nur lange genug den anderen zuhöre. Sein Kollege, der Pendergast heißt, redet kaum und macht sich dauernd Notizen. Er ist jünger als Vermeer, vielleicht fünfunddreißig, hat aber eine Glatze, auf der sich ein paar helle Haare gehalten haben. Dafür wächst ihm ein Bart, was aussieht, als trage er den Kopf verkehrt herum auf dem Hals. Er ist klein und füllig und seine Stimme so tief, dass man meinen könnte, er verstelle sie, um erwachsener zu wirken. Er trägt Cordanzüge, hell- und dunkelbraune, dazu Ledersandalen. Melvin sagt, Pendergast schwimme jeden Tag fünfzig Längen. Das Schwimmbecken hier hat olympische Maße, und ein Bademeister passt auf, dass sich keiner von uns darin ertränkt.

Ich kann Pendergast nicht leiden. Nicht nur, weil er freiwillig schwimmt. Es sind seine Gesten. Jede seiner Bewegungen scheint einstudiert. Wie er den Kugelschreiber aus der Innentasche seines Jacketts nimmt. Wie er die Seiten des Schreibblocks umschlägt und den Arm ausstreckt, bevor er etwas aufschreibt. Wie er sich über den Bart streicht und dann über die Krawatte. Die Art, wie er sich zu Vermeer lehnt, um ihm wichtige Beobachtungen ins Ohr zu flüstern. Oder wie er die Beine übereinanderschlägt und dann die Hosenbeine zurechtzupft. Eine steife Choreografie aus Wiederholungen, eine Endlosschleife penibler Bewegungsmuster. Pendergasts Körpersprache ist eine digitale Bandansage, eine maschinelle Mitteilung, deren Sinn nach unzähligem Abspielen ins Absurde kippt.

Eigentlich will keiner der Männer hier sein, aber die Sitzungen sind Pflicht. Das Reden in der Gruppe soll die Männer öffnen, das Thema Suizid frei diskutiert werden, hat Melvin mir erklärt. Vermeer hält es für eine wirkungsvolle Therapie, wenn die Männer ihre Ängste in Worte fassen. Wer fünfmal erscheint, darf einmal aussetzen. Wer dreimal nicht aufkreuzt, wird in die Halboffene Abteilung verlegt. Weil sich keiner den Aufenthalt hier verscherzen will, sitzt jeder pünktlich auf seinem Stuhl.

Die Sitzungen laufen immer ähnlich ab. Vermeer begrüßt alle, stellt die Neuen vor und fordert uns dann auf, loszuwerden, was uns auf dem Magen liegt und unsere Seele bedrückt. Keiner will freiwillig den Mund aufmachen, und so bittet Vermeer meistens Stan, als Erster zu reden. Stan will immer von seinen Düngemitteln erzählen, aber dann fordert Vermeer ihn jedes Mal freundlich auf, von sich zu berichten, von seinem Leben und seinen Problemen, warum er hier ist und ob er seine Frau vermisst. Aber Stan doziert lieber über Kompost und Kuhmist und hält sich ansonsten bedeckt.

Wenn Rodrigo loslegt, klingt es, als ob er den Hergang einer Schlägerei erzählt, jedenfalls fuchtelt er mit den Fäusten und benutzt spanische Ausdrücke, die nach wüsten Flüchen klingen. Vermeer versucht dann immer, ihn zu bremsen, und blättert in einem Wörterbuch, das auf seinen Knien liegt.

Roger erzählt mit leiser, aber fester Stimme von Umweltgiften und Chemiekonzernen, von Grundwasser und Tod. Dabei betet er chemische Substanzen und Firmennamen herunter und bewegt seine Finger, als zupfe er in seinem Schoß Unkraut.

Elroy redet nicht viel, und wenn, dann zählt er emotionslos Gründe auf, die es rechtfertigen, sich umzubringen. Dazu steht er auf wie ein Schüler im Unterricht und legt sich das weiße Handtuch, auf dem er sonst sitzt, über den Kopf. Vermeer versucht geduldig, Elroys Katalog zu widerlegen, aber Elroy zuckt nur mit den Schultern, faltet das Tuch penibel zusammen und setzt sich hin.

Sam streitet sich jedes Mal mit Vermeer, weil er nichts sagen will, bevor nicht die Ziegen aus dem Garten entfernt werden. Erst wenn Vermeer Abhilfe verspricht, wird Sam ein paar Sätze los. Er weist uns alle darauf hin, dass er Selbstmord nicht mehr als Lösung betrachtet und nur noch hier ist, weil er gebraucht wird. Sam arbeitet in der Schreinerei und hält sich für unersetzbar. Er baut gerade zwanzig Sitzbänke für den Park, danach plant er ein Gartenhaus und einen Geräteschuppen. Ich glaube, er würde den Eiffelturm aus Holz nachbauen, um seinen Aufenthalt hier zu rechtfertigen.

Wenn Wayne an der Reihe ist, brabbelt er irgendetwas von einer großen fetten Frau, die ihn in eine Kühltruhe sperrt. Er liebt es, zu demonstrieren, wie er zusammengekrümmt in der Kälte hockt und sich die Ohren reibt, damit sie nicht abfrieren. Manchmal kriecht er unter seinen Stuhl, zittert und ruft, sein Selbstmordversuch sei ein Missverständnis gewesen, ein Unfall. Er habe die Kühltruhe nur reparieren wollen, damit seine Frau endlich Ruhe gebe. Von Melvin weiß ich, dass Wayne alleine lebte, bevor er hier landete. Vor einem Jahr hat er Schlaftabletten genommen und sich in die Kühltruhe gelegt, in der schon seine tote Katze lag. Das Tier war Waynes Kind gewesen und tags zuvor gestorben. Stunden später war Wayne, halb erfroren, von einem Nachbarn entdeckt worden, der regelmäßig Fleisch von ihm stahl. Nach seinen Auftritten setzt Wayne sich wieder hin und verschränkt die Arme vor der Brust, als fröstele ihn vom Erzählen.

Ein Typ, der zwei Tage nach mir hier eingeliefert wurde, macht aus der Möglichkeit, sich Dinge von der lädierten Seele zu reden, eine kleine Show. Er ist ein paar Jahre älter als ich, aber noch keine dreißig, und wenn er redet, denke ich immer, er sei auf Speed oder Koks, obwohl das hier drin vermutlich unmöglich ist. Er stellt sich in die Mitte des Teppichs, da, wo die farbigen Kreise in einem goldgelben Punkt enden, hält eine Rede über den Krieg und dreht sich dabei so, dass er jedem von uns eine Minute lang in die Augen starren kann. Vermeer spricht ihn mit Edward an, aber er selber nennt sich Kanonenfutter Carson. Sam sagt, Carson sei desertiert und spiele den verhinderten Selbstmörder nur, um dem Militärgericht zu entgehen. Wenn das stimmt, ist der Typ ein verdammt guter Schauspieler. Ich weiche seinem Blick jedenfalls immer aus und bin froh, wenn er endlich wieder sitzt und schweigt.

Der achte Mann wechselt ständig, weil Vermeer ein Rotationsprinzip entwickelt hat, bei dem nach jeder Sitzung der Mann links außen die nächste Runde auslassen darf und an seiner Stelle ein anderer dazukommt.

Ich bin jetzt seit sechs Tagen hier, heute ist meine dritte Sitzung. Der Nachgerückte heißt Raymond. Ich habe ihn schon mit einem Buch in der Hand durch die Gänge wandern sehen. Melvin sagt, Raymond sei schon eine Weile hier. Melvin scheint es egal zu sein, dass ich nicht rede oder Fragen stelle. Er hält mich jeden Morgen beim Frühstück auf dem Laufenden, erzählt mir, wer raus und wer neu drin ist, wer in Ordnung sei und wen ich besser meiden soll. Raymond kann dem Treffen nicht viel abgewinnen und nutzt seine Sprechzeit, um sich über das Essen zu beschweren. Seiner Meinung nach gibt es zu viel Gemüse und Huhn und zu wenig rotes Fleisch. Er und Sam sollten einen Verein gründen und den ganzen Tag mit Petitionen rumrennen.

»Danke, Raymond, auch wenn ich heute gerne etwas Persönliches von Ihnen gehört hätte«, sagt Vermeer und macht sich Notizen.

»Das war persönlich«, sagt Raymond. »Bevor ich hier reingesteckt worden bin, habe ich jeden Tag ein Steak gegessen.«

Pendergast rutscht auf seinem Stuhl nach vorne und drückt das Kreuz durch. »Wir haben Sie beim letzten Treffen mit den

Resultaten der Studie bezüglich des Zusammenhangs zwischen dem Verzehr roten Fleisches und aggressiver Verhaltensweise vertraut gemacht, nicht wahr?«

Raymond verdreht die Augen und nickt.

»Und wir möchten Sie noch einmal darauf hinweisen, dass niemand Sie hier ›reingesteckt‹ hat.« Pendergast lässt den Blick durch die Runde schweifen. »Ihr Aufenthalt bei uns basiert einzig und allein auf Ihrem Einverständnis.« Sein Blick streift uns erneut, diesmal in umgekehrter Richtung. Stan und Roger nicken mit gesenkten Köpfen. »Und dem Willen, Ihrem Leben eine neue, positive Richtung zu geben.«

Ein paar der Männer murmeln.

»Außerdem ist Ihnen doch bekannt, dass Sie Beschwerden und Anregungen schriftlich einreichen können, nicht wahr?«

»Ich sag's Ihnen lieber so, Doc, ist persönlicher.« Raymond grinst treuherzig.

Pendergast lehnt sich zu Vermeer und flüstert ihm ins Ohr.

Vermeer nickt und wendet sich an Raymond. »Das ist zwar nicht der übliche Weg, aber ich werde sehen, was ich für Sie tun kann.« Er blättert die Seite seines Blocks um und sieht dann Stan an. »Stanley, haben Sie noch etwas auf dem Herzen, das Sie uns erzählen möchten?«

Stan rutscht auf seinem Stuhl herum und blinzelt heftig, als hätte er etwas in den Augen. Er war heute schon dran, als Erster, wie immer. Er hat von einem Dünger aus Knochenmehl erzählt und ist jetzt verwirrt, dass Vermeer ihn noch einmal anspricht. Er nimmt die Brille ab, betrachtet sie und legt die Bügel um. Dann steckt er sie in die Brusttasche des Hemdes. Sam ächzt laut, aber Stan lässt sich nicht beirren, holt die Brille wieder hervor, klappt sie auf, wischt die Gläser sauber und setzt sie schließlich auf.

»Ich hatte einen Garten«, sagt Stan ruhig. Rodrigo und Raymond stöhnen laut auf.

»Oh, Mann, ich glaub's nicht!«, ruft Wayne.

»Bitte«, sagt Vermeer und wartet, bis alle ruhig sind. Dann

richtet er sich an Stan, der die Brille wieder abgenommen und eingesteckt hat. »Stanley, Sie haben uns doch schon von Ihrem Garten erzählt.«

»Bloß drei Millionen Mal«, sagt Wayne.

»Vielleicht möchten Sie uns heute einmal erzählen, weshalb Sie hier bei uns sind und nicht zu Hause bei Ihrer Frau.«

Pendergast blättert in seinen Akten, lehnt sich dann zu Vermeer hinüber und murmelt ihm ins Ohr.

»Genau, Stanley, erzähl uns das doch mal!«, sagt Sam gerade laut genug, um gehört zu werden.

»Und davon, wie du dich ausknipsen wolltest!«, ruft Rodrigo.

Einer der Pfleger, bestimmt ein ehemaliger Verteidiger im College-Football, macht einen Schritt aus der Ecke, in der er seit Sitzungsbeginn steht und darauf wartet, dass einer der Männer ausrastet und auf einen von uns oder einen Arzt losgeht.

»Bitte«, sagt Vermeer etwas lauter, »wir haben Regeln aufgestellt, an die wir uns halten.« Er ignoriert Sams Lachen und dass Wayne mit dem Tuch über dem Kopf unter den Stuhl kriecht und lächelt Stan aufmunternd an. »Also, Stanley, Sie sind verheiratet, nicht wahr?«

Stan setzt die Brille erneut auf, dann nickt er. »Meine Frau heißt Norma«, sagt er nach einer Weile. »Sie schreibt mir einmal im Monat.« Er verstummt und sieht in die Runde, als habe er vergessen, was er sagen wollte. Er nimmt die Brille ab und betrachtet sie.

Vermeer wartet. Stan reibt die Gläser und setzt die Brille auf, sieht ins Leere. Wayne streckt sich, atmet lautstark aus. Rodrigo murmelt vor sich hin.

»Freuen Sie sich über die Briefe Ihrer Frau, Stanley?«, fragt Vermeer schließlich.

Stan scheint zu überlegen. Kann auch sein, dass er die Frage nicht gehört hat. Seine Hände ruhen gefaltet in seinem Schoß. Alle sehen ihn an, auch Wayne, der auf dem Boden liegt.

»War an dem Brief von heute etwas Besonderes, Stanley?«, fragt Vermeer.

Stan sieht Vermeer an. Sein rechter Zeigefinger kratzt hastig die linke Handfläche. Sein bleiches Gesicht ist starr, er sieht aus wie ein Schüler, der die entscheidende Prüfungsfrage nicht beantworten kann.

Vermeer lächelt, er will Stan nicht in Verlegenheit bringen, obwohl er genau das tut. »Heute ist Ihr Hochzeitstag, Stanley, nicht wahr?«, sagt Vermeer. »Fünfundzwanzig Jahre, so lange sind Sie mit Norma verheiratet.«

Stan sieht Vermeer an, als habe ihn dieser eines Verbrechens überführt. Wenn er die Stelle an der Hand weiter so kratzt, blutet sie gleich.

»Fünfundzwanzig Jahre«, sagt Sam, »alle Achtung, Stan!« Raymond klatscht ein paar Mal in die Hände.

»Warum feierst du nicht mit ihr, Mann?«, ruft Rodrigo. »Geh nach Hause, trink was und besorg's ihr!« Er, Raymond und Sam lachen, Wayne setzt sich kichernd auf seinen Stuhl.

»Rodrigo, ich muss Sie wirklich bitten«, sagt Vermeer. »Wenn Sie sich zu Wort melden, sollten Sie unsere Regeln einhalten. Unflätigkeiten hatten wir aus diesem Raum verbannt.«

»Ist doch wahr«, sagt Rodrigo und dann etwas auf Spanisch.

»In einem Punkt hat Rodrigo vielleicht recht«, sagt Vermeer, nachdem Wayne endlich aufgehört hat zu kichern. »Sie sollten sich überlegen, mit Ihrer Frau zu feiern, Stanley.«

Stan nimmt die Brille ab, sieht sie lange an, reibt die Gläser am Pullover sauber, legt die Bügel um und steckt die Brille in die Brusttasche. Pendergast setzt den Punkt ans Ende eines Satzes und streicht sich über Bart und Krawatte.

Stan weint. Ich sehe die Tränen und wende den Blick ab. Die anderen fühlen sich auch plötzlich unbehaglich, keiner schaut ihn jetzt mehr an, nicht einmal Wayne. Pendergast räuspert sich. Stan zieht die Brille aus der Tasche und setzt sie auf. Dann weiß er nicht, wohin mit seinen Händen. Ich stehe auf und verlasse den Raum. Nach mir kommen Roger und Elroy auf den Flur, dann Sam, Wayne und Carson, schließlich Raymond und Rodrigo mit dem zweiten Pfleger. Ich drehe mich um und sehe, wie Vermeer vor Stan kauert und auf ihn einredet, dann fällt die Tür zu.

Am späten Nachmittag sitze ich im Park und lese die Reportage über den Stamm in Papua-Neuguinea zu Ende. Aber ich kann mich nicht auf den Text konzentrieren und lege das Heft immer wieder weg und sehe Ho zu, der in einer Ecke der Wiese einen selbstgebauten Drachen steigen lässt. Obwohl es fast windstill ist, steht der gelbe Kubus aus Balsaholz und Papier hoch über den Bäumen, die das fußballfeldgroße Rasenstück an drei Seiten einfassen. Wenn doch etwas Wind aufkommt, trägt er den Geruch der Ziegen herüber. Elroy, Lefty und ein alter Mann, den ich nicht kenne, spielen Frisbee. Elroy kann weder werfen noch fangen. Er hebt die Scheibe auf, rennt auf Lefty zu und wirft sie mit beiden Händen wie einen Teller. Zwei Wärter schlendern umher. Sie vermeiden es, so auszusehen, als passten sie auf uns auf.

Ich nehme mir vor, Vermeer zu fragen, wo mein Koffer ist. Vielleicht würde mir der Anblick meiner Habseligkeiten helfen, mich an die Zeit zu erinnern, die zwischen meinem letzten Tag im Hotel und meiner Ankunft hier vergangen ist. Daran, dass ich mich am Empfang mit Conor Finnerty eingetragen habe, erinnere ich mich noch, auch an die alten Männer, an die schäbige Lobby, den launischen Kerl hinter der Theke und den griechischen Nachtportier. Ich sehe das pornografische Foto vor mir, das in der Hotelbibel lag. Die Frau ist schön, ihr Lidschatten blau wie die Tapete im Hintergrund.

Sam und Rodrigo tragen eine Bank aus dem Gebäude, wo die Schreinerei liegt, auf die Wiese und stellen sie unter eine Baumgruppe. Sam betrachtet die Bank, umkreist sie, geht in die Hocke und entfernt sich ein paar Schritte, um sie erneut zu studieren. Dann geht er zurück. Rodrigo zündet sich eine Zigarette an und legt sich auf die Bank. Beide sehen mich, beachten mich aber nicht. Soll mir recht sein. Ich sitze auf dem Hotelbett und habe etwas vor, weiß aber nicht, was. Ich erhebe mich und gehe über den Kiesweg zur Tür, öffne sie und trete auf den lichtlosen Flur, Ziegengeruch umweht mich, den Fahrstuhl benutze ich nie, nehme die Treppe und stehe in der Lobby, Gras unter den Füßen, blicke in den Himmel, wo der gelbe Drachen fliegt, und weiß nicht, wohin ich soll. Ich schließe die Augen und warte, und irgendwann bewege ich mich, fahre davon, in einem Wagen oder Bus. Aber wohin? Ans Meer, aus dem man mich später herausziehen wird? Je länger ich versuche, den Verlauf der fehlenden Stunden zu rekonstruieren, umso leerer wird mein Kopf.

»Alles in Ordnung?«

Das Fahrzeug setzt seine Reise ohne mich fort. Ich öffne die Augen. Aimee lächelt mich an. Die Narbe auf ihrer Wange ist hautfarben, ein winziger Smileymund.

»Wer meditiert, lebt länger«, sagt sie. »Hab ich gelesen.« Sie sieht mich leicht besorgt an.

Ich lächle, mein Nicken bezieht sich auf ihre Frage, ob alles in Ordnung sei. Nicht dass ich bereue, stumm zu sein, aber jetzt würde ich sie gerne fragen, wo sie die ganze Zeit gewesen sei, ob sie nur auf der Krankenstation arbeite und ob sie in einem der Häuser wohne, in denen die Ärzte und das Pflegepersonal untergebracht sind.

»Diese Woche hab ich in der Offenen Dienst«, sagt sie, als habe sie meine Gedanken gelesen. »Man hat dich zu Melvin gesteckt, stimmt's?«

Ich nicke. Ich würde mich gerne mit ihr auf eine Bank setzen und unterhalten. Sie hat eine schöne Stimme, und wenn sie lächelt, fühle ich mich gut. Sie trägt keinen Lidschatten, nur etwas Lippenstift und Wimperntusche. Ich stelle mir vor, wie es gewesen sein könnte, wenn wir uns draußen begegnet wären. Möglich, dass sie mir in der Nähe des Hotels über den Weg gelaufen wäre. Vielleicht hätte es geregnet, und die Zeitung über ihrem Kopf wäre völlig durchgeweicht gewesen. Ich hätte ihr meinen Schirm angeboten. Erst hätte sie mich für einen Verrückten gehalten, für einen der Irren, von denen es in der

Gegend wimmelt. Oder sie hätte gedacht, ich wolle sie anmachen. Dann hätte ich irgendetwas Harmloses gesagt, etwas Nettes, vielleicht sogar Geistreiches, Witziges. Sie hätte gelacht, na ja, gelächelt. Der Regen wäre heftiger geworden, sie hätte ihren Argwohn abgelegt und mit einer Hand nach dem Schirmgriff gefasst. Oder sie hätte sich bei mir untergehakt, jegliche Bedenken verwerfend. Ein kalter Wind hätte uns in ein Café getrieben, wo alte Leute aus der Nachbarschaft sitzen, Karten spielen und über die Launen ihrer Haustiere reden. Wir hätten Milchkaffee getrunken, ihr Haar wäre feucht gewesen. Die Kellnerin hätte sie Kindchen genannt und uns warmen Apfelkuchen aufgeschwatzt. Der Regen wäre gegen die Scheiben geprasselt, die Welt auf diesen Ort geschrumpft. Sie hätte mir erzählt, dass sie Aimee heiße, als Pflegerin arbeite und drei Blocks entfernt wohne. Dann hätte sie mich aufgefordert, von mir zu erzählen, und ich hätte auf die Straße hinausgeschaut und nicht gewusst, wo ich beginnen soll.

»... wenn ich dich Will nenne. So heißt du doch, oder? Will.«

Ich sehe sie an. Ihre Haare sind nicht mehr feucht, der Streifen aus Milchschaum über ihrer Lippe ist verschwunden. Ich habe nicht gehört, was sie gesagt hat. Sie lacht, schüttelt den Kopf. Vermutlich bin ich rot angelaufen. Dann nimmt sie meine Hand. »Komm mit«, sagt sie und zieht mich über die Wiese. Das Gras unter meinen Füßen ist weich, verfärbte Blätter liegen herum, in den Büschen scharren Vögel, schwarze Amseln. Wir gehen durch einen kleinen Wald, ich sehe Eichhörnchen, bestimmt von Vermeer hier angesiedelt.

In der Hütte riecht es nach Harz, die Scheiben sind schmutzig und die Bodenbretter auch. Aimee zieht die Tür zu. In den Ecken schaukeln Spinnweben im Luftzug, staubgepudert. Fliegen liegen darin wie in zu großen Hängematten. Aimee streift das Sweatshirt über den Kopf und gibt es mir. Dann öffnet sie den Verschluss des Büstenhalters und nimmt ihn ab. Dabei sieht sie mich unentwegt an. Ich senke den Blick und starre auf ihre Brüste, weil ich ihr nicht ins Gesicht sehen kann. Sie nimmt meine Hand und legt sie auf ihre Brust. Ich bewege meine Finger nicht, vergesse zu atmen. Ihre Haut ist warm, meine Hand kalt. Schwarze Flecken tanzen vor meinen Augen, ich schließe sie, atme ein. Aimee sagt etwas, leise.

Ich weiß nicht, wie lange ich dastehe in meiner Dunkelheit. Ich versuche, an etwas zu denken, das mir weiterhilft, aber es fällt mir nichts ein. Meine Augen öffnen sich, ich sehe meine Schuhspitzen. Dann drehe ich mich um, reiße die Tür auf und stürze aus der Hütte, renne zwischen den Stämmen hindurch und über die Wiese, wo Elroy, Lefty und der Alte noch immer Frisbee spielen. Sam und Rodrigo tragen die Bank zurück in die Tischlerei. Elroy ruft mir etwas nach, aber ich verstehe ihn nicht.

Im Winter vor meinem zwanzigsten Geburtstag bin ich zu einer Prostituierten gegangen. Ich hatte noch nie mit einer Frau geschlafen und war überzeugt, abnormal zu sein. Drei Tage nach Weihnachten habe ich Geld eingesteckt und mich von einem Taxifahrer in eine der Straßen bringen lassen. Vor Aufregung beinahe ohnmächtig, ließ ich mich von der ersten Frau, die mich ansprach, mitschleppen. Sie hatte eine Wohnung in einem schäbigen Mietshaus, dessen sämtliche Bewohner sich im Treppenhaus aufhielten, als wir hereinkamen. Die Männer grüßten mich und rissen dreckige Witze, einer schlug mir auf die Schulter. Die Frauen grinsten und schätzten mich auf vierzehn. Im Schlafzimmer der Prostituierten roch es nach der fetten Dogge, die erst vom Bett gescheucht werden musste. Auf einer Kommode stand ein Weihnachtsbaum aus Plastik, an den Wänden hingen Tierbilder neben Fotos aus Herrenmagazinen. Der Hund lag auf dem Teppich und sah mich an. Die Prostituierte, von der ich nicht einmal den Namen wusste, sagte, er werde mich zerfleischen, wenn ich sie angreifen würde. Ich versicherte ihr, dass ich nichts dergleichen vorhatte. Sie wollte das Geld im Voraus, und ich gab es ihr. Dann zog sie sich aus. Auf der Straße hatte ich vor lauter Panik nicht bemerkt, wie alt sie war. Sie muss Mitte vierzig gewesen sein, mindestens. Jedenfalls hatte ihr Körper nichts mit den Fotos an den Wänden gemein. Als sie bis auf die schwarzen Strümpfe und die Stöckelschuhe nackt war, riss sie die Tagesdecke vom Bett und legte sich hin. Mir war die Situation peinlich, und ich sah den Hund an, der seinerseits nicht die Augen von mir nahm. Sie wollte wissen, ob ich vorhätte, die ganze Zeit nur dazustehen. Ich zuckte die Schultern und zwang mich, sie anzusehen. Draußen heulte eine Sirene, im Innenhof brüllten sich Männer an. Sie sagte, ich sei wohl ein Spanner, und ich nickte. Sie knetete mechanisch ihre Brüste und forderte mich auf, endlich die Hose auszuziehen. Sie zog die Beine an und spreizte sie, und ihr Stöhnen klang, als plage sie Rheuma. Ich stammelte eine Entschuldigung und rannte aus der Wohnung und die Treppen hinunter. Die Männer grölten und meinten, ich sei ja von der ganz schnellen Truppe. Auf der Straße konnte ich endlich den Rotwein auskotzen, mit dem ich mir Mut angetrunken hatte. Eine alte Frau in einer orangefarbenen Daunenjacke beschimpfte mich als Taugenichts, und ich gab ihr recht.

Daran denke ich, zwei Stunden nachdem meine Hand auf Aimees Brust lag, zwei Jahre nach meinem kläglichen Scheitern. Die erste nackte Brust in meinem Leben, die ich berührt habe und die einer Frau gehört, die ich mochte, die ich gemocht hätte, wenn sie mich nicht in dieses Gartenhaus gezogen hätte. Jetzt hasse ich sie dafür, dass sie diesen Moment mit Spinnweben und Vogeldreck ausgeschmückt hat, mit Staub und blinden Scheiben. Dafür, dass sie mich überrumpelt hat, dass ich zum Trottel wurde, zum erstarrten Vollidioten, gelähmt vor Verlangen und Entsetzen. Sie ist nicht besser als die Doggenfrau, die mich mit einer versifften Tagesdecke und erschöpftem Ächzen vertrieben hatte.

Wenn Sex so flüchtig und in solchen Kulissen stattfindet, werde ich auch die nächsten zwanzig Jahre der unerfahrene Wichser bleiben, der ich bin. Dann verzichte ich auf die körperlichen Freuden und therapeutischen Effekte, die der Beischlaf mit sich bringt und die man mir in Fernsehsendungen und Illustrierten unablässig verspricht. Dann scheiße ich auf Wärme und Berührungen, Herzgleichschlag und Seelenverschmelzung, auf Liebe, Geborgenheit, Glück und Ewigkeit und den ganzen Müll.

Ich liege auf meinem Bett, das Kissen über dem Gesicht. Melvin ist taktvoll genug, mich in Ruhe zu lassen. Wenn er eine Dose Malzbier öffnet, klingt das Zischen wie das Niesen eines kleinen Tieres. Malzbier hat keinen Alkohol, der ist hier drin so verboten wie trübe Gedanken und Rasierklingen. Für einen Drink würde ich alles geben, mein Leben, meinen Koffer, meine Erinnerung.

Mortal Thoughts

1991

Nach Orlas Tod lebte Wilbur bei Colm. Wenige Tage nach der Beerdigung war Eamon von zwei Sanitätern aus dem Haus geholt worden. Er hatte sich nicht mehr um sich kümmern können, geschweige denn um seinen Enkel. Nachdem Orla nicht mehr für ihn kochte, hatte er einfach aufgehört zu essen und blieb tagelang im Bett, die Hände und Knie steif von der Gicht. Man brachte ihn in ein staatliches Pflegeheim in Milford, wo er endgültig aus der Welt dämmerte.

Colm kümmerte sich um Wilbur, so gut es ging. Als die Sommerferien vorbei waren, weckte er ihn viel zu früh. Wie an jedem der vergangenen Morgen hatte er Porridge gekocht und Tee, und Wilbur aß ein paar Löffel des zähen Breis, um Colm nicht zu enttäuschen. Dann fuhr Colm den Jungen mit dem Traktor zur Bushaltestelle. Wilbur wollte nicht zur Schule, wollte in seinem neuen Zuhause bleiben, im Stall bei den Kühen sitzen oder in seinem Zimmer und die Tage vergehen lassen. Aber er wusste, dass das nicht möglich war, und bestieg den Bus wie ein Astronaut die Rakete, die ihn Milliarden Lichtjahre von der Heimat forttrug.

Auf dem Schulhof starrten ihn alle an. Er war der Junge, dessen Großmutter auf so schreckliche Weise umgekommen war, und er war der Freund von Conor Lynch, dem Verrückten, der auf seinen Vater geschossen hatte. Erin Muldoon löste sich aus der Herde der Tuschelnden und fragte ihn, wie es ihm gehe. Aber Wilbur schwieg und war froh, als die Glocke läutete.

Miss Ferguson gab sich Mühe, ihn wie die anderen Kinder zu behandeln, aber während des gesamten Unterrichts rief sie ihn nie zur Tafel, ließ ihn keine Fragen beantworten und vermied es sogar, ihn anzusehen.

Wilbur war das recht. Seit Orla tot war, sprach er kaum noch, höchstens ein paar Worte mit Colm. Es gab nichts mehr zu reden, fand er. Er war elf Jahre alt, und das Leben schien ihm nicht mehr der Mühe wert zu sein. Nachts lag er im Bett und wünschte sich, einzuschlafen und nicht mehr aufzuwachen. Er beschloss, nun doch an Gott zu glauben, und fing an zu beten. Leise flehte er darum, zu Orla gelassen zu werden. Und zu seiner Mutter. Er stellte sich vor, wie er die beiden Frauen im Himmel wiedersah, wie sie zusammen Radio hörten und sangen und kuriose Meldungen aus der Zeitung suchten. Er forderte Gott auf, ihn im Schlaf sterben zu lassen, an einem Herzversagen, einem Schlag, der ihn nachts aus dem Leben holte.

Wenn er am Morgen aufwachte, verwünschte er Gott, der ihn verschont hatte, und am Abend entschuldigte er sich bei ihm und bat ihn erneut um den Tod. In der Zeitung hatte er von Menschen gelesen, die sich selber umbrachten, indem sie von Brücken sprangen, sich auf ein Bahngleis legten, Schlaftabletten schluckten, sich erschossen, aufhängten, die Pulsadern aufschnitten, den Kopf in den Gasofen steckten. Das schien alles sehr kompliziert zu sein und außerdem einen Mut zu erfordern, für den seine Verzweiflung noch immer nicht groß genug war. Als damals Rosie O'Sea im Meer ertrunken war, ging das Gerücht um, sie habe Selbstmord begangen. Glaubte man den Erwachsenen, war das ein noch größeres Vergehen als das von Marie Kavanagh, die sich mit fünfzehn von einem Herumtreiber schwängern ließ. Aus dem Religionsunterricht wusste Wilbur, dass es eine Sünde war, sich das Leben zu nehmen. Pfarrer Fowley, den Wilbur für einen langweiligen Schwätzer hielt, meinte, nur Gott dürfe Menschen umbringen, das gehöre zu seinen unangenehmen Pflichten wie das Zusammenbrauen von Stürmen oder das Versenken von Schiffen. Niemand starb einfach so, ohne Gottes Zutun. Darauf beharrte Wilbur, wenn er nachts die immergleichen Sätze flüsterte, dieselben Forderungen stellte.

Am Tag nach dem Unfall hatte Colm Wilburs Bett aus dem Haus geholt und in den Raum neben seinem Schlafzimmer gestellt. Der Raum hatte zwei Fenster und einen Holzfußboden. Auf Regalen an den Wänden standen Tierfiguren aus Ton, die Colm selber formte. In den Wintermonaten, wenn es auf der Farm weniger zu tun gab, entstand jede Woche eine neue Figur. Mehr als zweihundert Stück reihten sich auf den Holzbrettern, die frühen Elefanten plump und unförmig, die neueren Giraffen grazil und mit beinahe wissenschaftlichem Ehrgeiz bemalt. Vor einem der Fenster stand ein Tisch, an dem Colm den Tieren unter einer Lupe das Fell auftrug. Kleine Pinsel ragten aus Gläsern, in einem Teller lag Sandpapier. Ein aufgeschlagenes Buch zeigte Zebras, ein Umschlagbild einen Leoparden. Links und rechts des Arbeitstisches, in türlosen Schränken, stapelten sich Bildbände und Zeitschriften.

Vor ein paar Wochen hätte Wilbur nichts lieber getan, als in den Büchern zu blättern und die Figuren einzeln vom Regal zu nehmen und zu betrachten. Jetzt nahm er sie kaum wahr. Nach der Schule setzte er sich zu Colm in die Küche, zwang sich, den Teller leer zu essen und Colms gut gemeinte Fragen zu beantworten. Die Hausaufgaben erledigte er rasch und so beiläufig wie Geschirrabtrocknen oder Zähneputzen. Sein Verstand schien unabhängig von seinen Gefühlen zu funktionieren, wie ein getrennter Kreislauf, angetrieben von einer Energie, die sich aus Abgestumpftheit und Resignation speiste. Das wurde Colm bewusst, wenn er beim Kartenspiel, das er in der Hoffnung auf einen heilenden Effekt allabendlich anordnete, regelmäßig verlor oder wenn er Wilbur aufs Geratewohl testete, indem er Fragen aus dem Lexikon abschrieb und ihn nach der Hauptstadt von Mali oder dem Namen eines römischen Kaisers fragte. Er sah, wie Orlas Tod Wilbur die Lebensfreude, jegliche Neugier, Unvernunft und Fahrlässigkeit genommen hatte, alles, was einen Jungen ausmachte. Was blieb, war eine Hülle, der schmale, federleichte Körper, der sich weiterhin bewegte, und der Kopf, in dem gerade für so viele Gedanken Platz war, wie man zur Lösung einer Rechenaufgabe oder zum Abrufen eines historischen Ereignisses brauchte.

Colm ahnte nichts von Wilburs Wunsch zu sterben, und selbst wenn er die Gebete aus dem Nebenzimmer gehört hätte, hätte er nicht gewusst, wie er das Kind trösten sollte. Es gab keinen Trost. Nicht für den Jungen, und auch nicht für Colm, der sich plötzlich als alter Mann fühlte. Nichts von dem, was jetzt noch geschehen mochte, würde von Bedeutung sein. Den Monaten und Jahren, die vor ihm lagen, fehlte alle Wärme und jeder Funke Hoffnung, kein Tag ohne Orla würde mehr ein guter werden.

Bei Regen und Sturm, wenn niemand ihn hören konnte, stand Colm auf einem Hügel und schrie hinaus, wie sehr er Orla liebte und vermisste. Er sank in die nasse Erde und weinte und verspottete sich für seine Schüchternheit, rief ohne zu stammeln in den Wind, wie schön Orla sei, pries lauthals die Zartheit ihrer Hände, schwärmte heulend von ihren Lippen und dem Glanz ihrer Augen. Wie leicht und fehlerfrei die Sätze aus ihm herauskamen, jetzt, da Orla sie nicht mehr hören konnte. Und wie schwer sie nun auf ihm lagen, jahrelang zurechtgeschobene Worte, angehäufte Komplimente, das ganze Gewicht nie erfolgter Annäherung.

Etwa drei Wochen nach dem Unfall fuhr ein Polizeifahrzeug auf Colms Hof. Der Beamte aus Portsalon hob einen Karton mit einem Fernseher vom Rücksitz und erklärte, das Gerät habe sich im Kofferraum von Orlas Wagen befunden. Im Glauben, eine gute Nachricht zu überbringen, betonte der Polizist, es handle sich um ein teures Modell aus Japan, von der Qualität des Farbbildes habe man sich auf dem Posten überzeugt. Colm bedankte sich, trug die Kiste ins Haus und stellte sie im Wohnzimmer auf einen der beiden Sessel, die kaum benutzt wurden.

Er hielt nicht viel vom um sich greifenden Fortschritt, ihm genügte, dass sein Traktor fuhr und im Haus Licht brannte. Im Kino war er nie gewesen, und was er alle paar Monate bei einem Pubbesuch im Fernsehen sah, bestätigte ihm nur, dass die Menschheit verrückt geworden war. Er dachte daran, das Gerät in Orlas Haus hinüberzutragen, das jetzt Wilbur gehörte, ließ es dann aber bleiben.

Zweimal in der Woche überwand er sich und ging in das leere Haus, um nach dem Rechten zu sehen. Wenn ihn die Trostlosigkeit der verlassenen Räume nicht schon vorher vertrieb, saß er eine Weile am Küchentisch, drehte eine von Orlas Haarspangen in den Händen und lauschte der Musik, die leise aus dem Radio drang. An manchen Tagen wurden aus den Minuten Stunden, und wenn er schließlich aus seinem versunkenen Zustand auftauchte, lief er verstört ins Freie, werkelte planlos auf einem Feld, fütterte die Tiere und kochte dann das Abendessen, vor dem er und Wilbur später sitzen würden, abwesend und ratlos und unendlich erschöpft vor Sehnsucht.

Wilbur wollte nicht wissen, was mit Conor geschah. Auf der Heimfahrt von der Beerdigung hatte Colm ihm erzählt, man habe den Jungen nach Donegal gebracht. Sean Lynch lag im Koma auf der Intensivstation eines Krankenhauses in Dublin. Die Kugel hatte seinen Schädel durchschlagen und steckte in seinem Hirn fest. Sie zu entfernen war unmöglich, also ließ man sie drin. Sean wurde im künstlichen Koma gehalten, Maschinen überwachten seinen Schlaf. Anfangs saßen Aislin und Fiona jeden Tag an seinem Bett, nach einer Weile besuchte Aislin ihren Mann noch zweimal wöchentlich und allein. Sie hielt seine Hand und berichtete ihm von zu Hause, dass die Männer das Sägewerk weiterführten und das alte Abzugsgebläse repariert hatten. Sie erzählte ihm von Kieran, der in der Behindertenwerkstatt Schränke baute, große Möbel aus Massivholz, statt zierliche Bilderrahmen. Sie brachte Fotos mit und Zeichnungen von Fiona, später kam sie mit leeren Händen. Conor erwähnte sie nicht, auch wenn sie sah, dass ihr Mann auf keines ihrer Worte reagierte. Der Junge war von Donegal nach Sligo gebracht worden, wo Experten in seiner Psyche kramten. Fürs Gefängnis war er zu jung, und man wollte ihn auf geistige und seelische Defekte hin untersuchen, bevor er der Obhut einer staatlichen Institution übergeben würde.

Aislin fuhr dreimal in der Woche nach Sligo, um ihren Sohn für jeweils eine Stunde zu sehen. Am Anfang hatte sie noch geweint und musste vom Personal aus dem Besuchsraum geführt werden, weil sie ohne ihr Kind nicht gehen wollte. Jetzt riss sie sich zusammen und redete mit ihm, brachte ihm Bücher und Tüten mit Lakritzebonbons und verbarg ihr Erschrecken darüber, dass er keine Reue zeigte. Conor tröstete seine Mutter, versprach ihr, alles würde gut ausgehen. Aislin glaubte ihm und fühlte sich schuldig, weil sie sich eine gute Zukunft nur mit ihren Kindern vorstellen konnte, ohne Sean.

Colm wälzte sich jede Nacht stundenlang in seinem Bett. Nickte er aber endlich ein, konnte ihn bis zum Morgengrauen nichts wecken. Deshalb geisterte Wilbur, wenn er keinen Schlaf fand, ungestört durch das Haus, öffnete Türen und Schränke und hörte in der Küche Radio. Nur einmal war er nachts zum Haus gegangen, hatte durch die rote Tür den Innenhof betreten und dann im Mondlicht fröstelnd das Kräuterbeet betrachtet, das früher sein Sandkasten gewesen und jetzt völlig überwuchert war. Er hatte durch ein Fenster in die Küche gestarrt, auf den Tisch, wo noch immer zwei Tassen und ein Krug standen, und auf die Stereoanlage, deren rotes Auge zurückstarrte. Weder Colm noch ihm war es je eingefallen, im verlassenen Haus den Strom abzuschalten. Nicht einmal den Kühlschrank hatten sie ausgeräumt, und Wilbur stellte sich vor, wie die Lebensmittel darin verrotteten und zu einer grauen Masse aus Schimmelpilzen wurden. Er malte sich aus, wie Ratten ins Haus kamen, an den Leitungen nagten und Kurzschlüsse verursachten und wie das Haus dann endgültig still wäre. Vielleicht deckte irgendwann ein Sturm das Dach ab und ließ die Wände einstürzen. Pflanzen würden alles überwuchern. Das Haus würde sich auflösen und schließlich in der Erde versinken wie die Kirche seines Großvaters. Der Gedanke ließ Wilbur erschauern, und er rannte zurück zu Colms Hof.

Den Fernseher fand Wilbur ein paar Tage nachdem ihn der Polizist abgeliefert hatte. Er ging selten ins Wohnzimmer, weil darin nichts war außer alten Möbeln und dem Geruch nach kalter Asche, die im offenen, lange nicht mehr benutzten Kamin lag. Die Bücher, die in einem Regal standen, interessierten ihn nicht, weil er aufgehört hatte zu lesen. Er fand, die Entdeckung fremder Welten sei sinnlos, wenn einem schon die eigene zu viel war. Als er das Tuch von der Kiste nahm, entfuhr ihm ein Laut des Erstaunens, und er machte die Tür zu, obwohl er wusste, dass Colm schlief wie ein Toter. Er nahm den Apparat aus dem Karton, kniete sich vor ihn hin und sah ihn eine Weile an, berührte ihn und erschrak ein wenig, als sich sein Gesicht im Bildschirm spiegelte. Dann las er die Bedienungsanleitung, schloss das Gerät an und stellte die Zimmerantenne darauf.

Bevor er das Deckenlicht löschte und die Einschalttaste drückte, horchte er auf Geräusche von oben. Alles war still, kein Wind wehte. Nicht einmal das Holz der Dielen knackte, als Wilbur sich hinsetzte und langsam den Finger ausstreckte, um dem Gerät Leben einzuhauchen wie Gott dem ersten Menschen. Ein Knistern ging durch das erwachende Gehäuse, die schwarze, gewölbte Scheibe öffnete sich zu einem flirrenden Bild, durch das Wellen flossen. Unter einem dumpfen Brummen lag zuerst Musik, dann sprachen Menschen, die als zitternde, von farbigen Flocken umwehte Gestalten in der Dunkelheit des Wohnzimmers leuchteten. Eine Weile saß Wilbur da und betrachtete gebannt das Stück Welt, das sich vor ihm auftat. Er schob die Antenne hin und her, bis das Bild klar wurde und das Brummen verschwand. Drei Kanäle gab das Gerät her, auf einem wurde Gälisch gesprochen. Wilbur versank in den Bildern und Tönen, vergaß die Zeit und auch, dass er eigentlich im Bett liegen und Gott um seinen baldigen Tod bitten sollte.

Sein Leben schien wie ausgeblendet, überstrahlt von der elektrischen Kiste, die gleißend vor ihm schwebte. Es war, als würde er aufhören zu existieren neben diesen Menschen, die durch ein großartiges, unerklärliches Wunder den Raum in Besitz nahmen. Alles außerhalb dieses Kastens, dieses Zimmers, war unwichtig geworden, löste sich auf im Gestöber der bunten Lichtpartikel, die Wilburs Haut bedeckten und seine Pupillen flackern ließen. Er sprang zwischen den Sendern hin und her und ließ die Hand sinken, als der Bildschirm einen Mann zeigte, den er vor drei Jahren in den Schaukästen eines Dubliner Kinos gesehen hatte. Wilbur setzte sich hin und sah sich den ersten Film seines Lebens im Fernsehen an, den ersten, bei dem Orla nicht neben ihm saß.

Im Herbst beschlossen die Behörden, man könne Wilbur nicht länger in Colms Obhut lassen. Der alte Mann, sein Leben lang Junggeselle und nur an Feiertagen in der Kirche anzutreffen, sei wohl kaum in der Lage, sich angemessen um ein Kind zu kümmern. Colm versuchte alles, um die beiden Beamten, die eines Sonntags unangemeldet zu einem Kontrollbesuch erschienen waren, von seinen erzieherischen und haushälterischen Fähigkeiten zu überzeugen, aber es half nichts. Auch Wilburs Flehen und sein darauffolgender Wutausbruch, der einem der Männer vom Sozialamt eine geplatzte Lippe bescherte, konnten an dem Beschluss nichts ändern.

Es wurde eine Pflegefamilie gefunden, noch bevor die Herbstferien begannen. Wilbur weigerte sich, aber Colm erklärte ihm, warum er gegen die behördliche Verfügung nichts tun konnte. Zum ersten Mal musste Wilbur Koffer packen. Colm hatte ihm zwei alte aus braunem Leder vom Dachboden geholt und dann geholfen, sie mit den Dingen zu füllen, die Wilbur brauchen würde. Am Tag, als Wilbur abgeholt wurde, hob Colm den Jungen hoch und umarmte ihn lange. Dann schenkte er ihm eine

Giraffe aus Ton und versprach, ihn jede Woche zu besuchen. Er trug die Koffer zum Auto der Beamten und schloss die Tür, nachdem Wilbur eingestiegen war. Wilbur fühlte sich von Colm verraten und wusste, dass es nicht so war. Trotzdem drehte er sich erst um, als der Wagen den Hof weit hinter sich gelassen hatte. Er sah den alten Mann auf dem Vorplatz stehen, klein und schmal im Licht, das aus einem riesigen Himmel fiel, und er hob die Hand und winkte und wusste nicht, ob Colm es sah.

Die Beamtin, die auf dem Beifahrersitz saß, drehte sich ab und zu um und stellte Wilbur Fragen. Sie lächelte und versuchte nett zu sein, aber Wilbur sagte keinen Ton. Irgendwann gab die Frau auf und sah auf die Straße, die sie nach Portsalon brachte. Wilbur steckte sich den Finger in den Hals und würgte das Essen samt Nachtisch hervor, das Colm für ihn zubereitet hatte. Der Fahrer fluchte und hielt an, und die Frau suchte in ihrer Handtasche nach Papiertaschentüchern. Wilbur musste aussteigen. Sie standen auf einem Hügel, zwischen Felsen grasten ein paar Schafe. Wilbur blickte über das Meer, dann über das Land. Weit weg sah er Colms Hof, dahinter das Haus und die Mauer mit der roten Tür.

Während der Mann und die Frau das Erbrochene aufwischten, ging Wilbur die Straße hinunter auf die Häuser zu. Er wollte bei Colm bleiben, wollte jeden Morgen dessen klebriges Porridge essen und am Abend Karten spielen. Er wollte keine fremden Leute, die ihm Familie und fürsorgliche Eltern vorgaukelten. Er wollte kein besseres, schöneres Leben, wie es ihm die Beamtin versprach. Er wollte nachts in seinem Bett liegen und den Allmächtigen darum bitten, ihn zu sich zu holen. Dazu brauchte er diesen Trott, diese stummen Rituale, die er mit Colm einstudiert hatte. Gott würde irgendwann ein Einsehen haben und Wilburs Gebete erhören. Umgab Wilbur erst einmal amtlich verordnete Liebe, wäre Gott bestimmt nicht mehr bereit, dieses junge Leben zu beenden.

Wilbur hatte den Wagen schon weit hinter sich gelassen, als der Beamte angerannt kam und ihn zurückholte. Als er wegrennen wollte, packte ihn der Mann, und Wilbur merkte, wie die Tongiraffe in seiner Jackentasche zerbrach. Während der restlichen Fahrt redete niemand. Um den Geruch zu vertreiben, waren alle Fenster geöffnet, und Wilbur musste an die Ausflüge mit Orla denken. Erst überkam ihn der Drang zu weinen, aber dann begann er stattdessen zu singen. Laut und falsch sang er *Mistletoe and Wine* von Cliff Richard und hörte erst auf, als der Wagen vor dem Haus der Conways hielt.

Pauline Conway war eine dreiundfünfzigjährige Frau, die unter der Last, Gutes zu tun, müde und verbittert geworden war. Neben drei eigenen Töchtern und zwei Söhnen, die das Haus spätestens mit achtzehn verlassen hatten, waren im Lauf der Jahre vier Waisenkinder durch die Conway'sche Erziehungsmaschinerie geschleust worden. Wilbur war die Nummer fünf. Pauline und ihr Mann Henry führten ihren neuen Schützling durch das Haus, zeigten ihm den Garten und auch die Garage, in der ein blitzender silberner Wagen stand. Pauline redete in einem fort und zählte dabei all die Dinge auf, die Wilbur zu unterlassen hatte. Ihr Verbotskatalog war bereits länger als der von Miss Ferguson, als sie Wilburs Zimmer betraten. Pauline schob Wilbur in den Raum, und Henry legte ihm eine Hand auf die Schulter.

»Das ist dein Reich«, sagte Pauline und fügte gleich hinzu, Wilbur dürfe ohne Erlaubnis weder das Fenster öffnen noch an der Heizung drehen oder Bilder aufhängen.

Wilbur sah aus dem Fenster auf die Äste eines Baumes, die sich im leichten Wind bewegten. Er hatte sich im Auto vorgenommen, kein Wort mehr zu reden, und nicht vor, daran etwas zu ändern. Pauline und Henry, die sich mit verschreckten Kindern auskannten, waren überzeugt, dass ihr neuer Ziehsohn seine Schüchternheit schon bald ablegen würde. Als Pauline ihn aufforderte, den Schrank zu öffnen, blieb Wilbur in der Mitte des Zimmers stehen und rührte sich nicht. Schließlich machte Pauline die Schranktüren selber auf und tat beim Anblick von Bergen alter Spielsachen überrascht. Auch Henry mimte den Erstaunten und holte einen Bagger aus gelbem Plastik von einem Regal, führte Wilbur die beweglichen Teile vor und meinte, er würde am liebsten selber in den Garten gehen und damit in der Erde buddeln. Pauline lachte, dann holten die beiden Wilburs Koffer hoch.

Wilbur setzte sich auf das Bett. Neben dem Kissen lag ein Teddy, der an einigen Stellen kahl war und dessen Knopfaugen lose an Fäden hingen. Wilbur sah an die Wände, ließ den Blick über die gerahmten Bilder gleiten, Drucke, die Segelschiffe und Landschaften zeigten, folgte mit den Augen den Blumenranken der Tapete, betrachtete eine Weile das Muster des Bettvorlegers, schloss die Augen und ließ sich nach hinten kippen. Als Pauline und Henry die Koffer brachten, gab er vor zu schlafen. Er merkte, wie Pauline ihm die Schuhe auszog und dass die Vorhänge geschlossen wurden.

Als es still war im Zimmer und er nur noch den eigenen Atem hörte, war Wilburs Gefühl der Einsamkeit so groß, dass er alle Kraft aufbringen musste, um nicht zu weinen. Er dachte an den Mann im Film, der so viele schreckliche Dinge erlebt und trotzdem nicht geweint hatte, und im Halbdunkel dieses fremden Zimmers beschloss er, genauso zu werden wie dieser Mann. Dann stand er auf, öffnete den Schrank, holte alles Spielzeug daraus hervor und warf es aus dem Fenster.

Wenn Pauline und das Wetter es erlaubten, schlenderte Wilbur durch die Nachbarschaft. Er hatte sein Schweigen nach zwei Tagen aufgegeben, beschränkte sich jedoch meist auf die Beantwortung von Fragen. Er grüßte jeden höflich, der ihm begegnete, wie seine Pflegemutter es ihm eingeschärft hatte, aber hinter dem Rücken der Leute murmelte er verächtlich und wünschte, sie würden tot umfallen. Viel zu entdecken gab es in der Gegend nicht, und weil er den Kindern, die sowieso nichts mit ihm zu tun haben wollten, aus dem Weg ging, war er ganz auf sich alleine gestellt. Er vermisste Orla, und auch Colm fehlte ihm, aber der Rest der Menschheit konnte ihm gestohlen bleiben.

Es waren Herbstferien, und die Tage dehnten sich ins Endlose, obwohl Pauline dafür sorgte, dass Wilbur täglich für die Schule lernte und Arbeiten erledigte, die sie und Henry als unangenehm empfanden. So war Wilbur fürs Rasenmähen, Unkrautjäten und Laubrechen zuständig und musste einmal in der Woche den Wagen waschen und die Garage ausfegen. Die übrige Zeit gehörte ihm, und er konnte mit ihr anfangen, was er wollte, solange er keine Dummheiten anstellte, sich nicht schmutzig machte und nicht zu spät zu den Mahlzeiten erschien.

Am dritten Ferientag entdeckte Wilbur einen leerstehenden Schuppen, der zu einem Haus am Rand des Dorfes gehörte. Der Schuppen war aus Holz und von einem Ring aus Pappeln umgeben, und wenn es regnete, schlugen die Tropfen so laut auf das Blechdach, dass Wilbur seine eigene Stimme nicht mehr hörte. Zuerst hatte Wilbur sich nur vor Regenschauern in die Hütte geflüchtet, jetzt stellte er zwischen den schiefen Bretterwänden Szenen des Bruce-Willis-Films nach, duckte sich unter Salven aus Maschinengewehren, schoss Magazine leer und rief im Regengetrommel Sätze, die sich ihm eingeprägt hatten, weil ein Mann sie sagte, der nichts zu verlieren hatte.

Der Schuppen wurde zum Hochhausturm, eine leere Kiste zum bodenlosen Fahrstuhlschacht, aus dem Flammenpilze wuchsen. Draußen kreisten Hubschrauber, deren Lichtbündel in den Raum drangen und die Splitter der geborstenen Fensterscheiben aufblitzen ließen. Explosionen sandten Druckwellen aus und warfen Wilbur zu Boden, beißender Rauch machte ihn blind. Eine Wunde am Oberarm verband er mit einem Stück Tuch, das er aus Paulines Putzschrank genommen hatte. Er ging barfuß, wie sein Held, und das Blut war Ketchup. Er hatte die Handlung im Kopf, und wenn er keuchend in einer Ecke saß und in sein Funkgerät sprach, eine Schachtel für extralange Streichhölzer, mit Sand gefüllt und Klebeband umwickelt, ließ er seine Stimme tief und abgebrüht klingen. Aus einer zerknitterten Packung schüttelte er auf Zigarettenlänge gebrochene Äste, steckte sich einen zwischen die Lippen und zündete ihn mit einem leeren Wegwerffeuerzeug an. Er verzog das Gesicht vor Schmerzen, die ein normaler Mensch nicht ausgehalten hätte, klaubte Glasscherben aus seinen Fußsohlen und benutzte Worte wie Scheiße und Hurensöhne. Dann prüfte er das Magazin seiner Waffe und robbte los, um noch mehr Feinde zu töten.

Bevor Wilbur nach Hause ging, wusch er sich die Füße in einem Tümpel neben dem Schuppen. Mit einem Handtuch trocknete er sich ab, zog Strümpfe und Schuhe an, legte das Handtuch über eine Kiste im Schuppen und schlüpfte durch die Lücke im Zaun. Er schlich sich in die Garage, zog die schmutzigen Kleider aus und stopfte sie in einen Karton, der oben auf einem Schrank lag und aus dem er eine saubere Hose und ein frisches Hemd holte. Weil er vor dem Abendessen immer baden musste, bekam Pauline seine dreckigen Fingernägel und Haare nie zu Gesicht, und nur einmal fragte sie ihn, eher verärgert als besorgt, wie er zu einer kleinen Schramme an der Backe gekommen sei.

Um seine Pflegeeltern nicht misstrauisch werden zu lassen, erzählte er ihnen von Vogelbeobachtungen im Wald, von der Pracht eines Ameisenhügels und der Artenvielfalt in einem Tümpel. Und obwohl Pauline meinte, es sei ihr lieber, wenn Wilbur sein Wissen aus Büchern erwerben würde, statt Feldforschung zu betreiben, fanden sie und ihr Mann sein naturwissenschaftliches Interesse lobenswert. Henry erzählte dann immer, wie er als Junge Gesteinsproben gesammelt und archiviert hatte. Er beschloss, das sei auch etwas für Wilbur, und Wilbur versprach, sich nach dem Studium der Ameisen und Frösche der Geologie zu widmen.

Nach dem Essen musste Wilbur das Geschirr abtrocknen und durfte dann auf sein Zimmer. Dort nahm er das Heft aus dem Versteck hinter dem Schrank und fuhr damit fort, die Handlung des Films aufzuschreiben. Obwohl er nicht gut darin war, zeichnete er das brennende Hochhaus zwischen den Text, einen Hubschrauber, Bruce Willis' Waffe, einen Feuerball, eine Handgranate. Die Buntstifte, mit denen er malte, waren alles, was von dem Spielzeug, das Wilbur am ersten Tag aus dem Fenster geworfen hatte, übrig geblieben war. Den Rest hatte er unter Paulines strengem Blick vom Rasen aufsammeln und in den Kofferraum des Wagens laden müssen. Dann waren beide nach Letterkenny gefahren und hatten die Sachen im dortigen Oxfam-Laden abgegeben. Pauline war während der Hinfahrt eingeschnappt gewesen, hatte Wilbur Undankbarkeit vorgeworfen und ihm das Elend der armen Kinder veranschaulicht, die bald mit den Plastikautos und Baukästen spielen würden.

Auf dem Nachhauseweg hatte sie ihm eine Predigt über den Wert von Dingen gehalten und gemeint, gerade Wilbur solle für alles, was ihm geboten werde, dankbar sein. Wilbur, der seinen zweiten Tag des Schweigens durchhielt, starrte nach vorne und stellte sich vor, wie er ins Lenkrad griff und der Wagen von der Straße abkam, wie der silberne Toyota sich mehrmals überschlug und auf dem eingedrückten Dach liegenblieb. Er sah sich blutend aus dem Wrack klettern und sich auf den Boden werfen, während das Auto explodierte. Er sah, wie er über die Wiese hinkte und einen Wagen anhielt, den Fahrer mit der Waffe zum Aussteigen zwang, sich ans Steuer setzte und davonraste, wie er Polizeisperren durchbrach, seinen Verfolgern die Reifen zerschoss, das Fluchtfahrzeug mit leerem Tank in einem Wald stehen ließ und auf einen Güterzug aufsprang, der ihn wegbrachte, weit weg von hier, irgendwohin, wo niemand ihn kannte.

Dann waren sie zu Hause, und Wilbur fand die Buntstifte im Garten verstreut, zwischen Grashalmen und verborgen unter den gelben Blättern einer Buche.

Um Punkt halb acht kam Pauline in Wilburs Zimmer und ließ ihn wissen, dass es Zeit fürs Bett war. Da hatte Wilbur das Heft längst wieder versteckt, saß an seinem Schreibtisch und las in einem Buch mit dem Titel *Schätze der Kiesgrube*, das Henry ihm geschenkt hatte. Jedenfalls tat er so, als würde er lesen, und war jeweils froh, wenn Pauline ihn zum Zähneputzen aufforderte. Nachdem er im Bett lag, kam Pauline noch einmal zu ihm, küsste ihn auf die Stirn und löschte das Licht. Wilbur hätte es vorgezogen, nicht geküsst zu werden, aber Pauline fand wohl, sie vermittle ihm damit das Gefühl, richtig zur Familie zu gehören. Gegen acht Uhr öffnete Henry die Tür und wünschte Wilbur eine gute Nacht. Oft erzählte er ihm noch irgendeine Geschichte, meistens etwas mäßig Aufregendes aus seiner Jugend, aber dann rief Pauline von unten, und Henry beeilte sich, ihr im Wohnzimmer Gesellschaft zu leisten.

Henry und Pauline saßen jeden Abend vor dem Fernseher, es sei denn, sie hatten Verpflichtungen in der Gemeinde. Am ersten Freitag jedes Monats fand die Sitzung der *St. John's Community* statt, eines Vereins, dessen Mitglieder sich die Verschönerung des Ortes zum Ziel gesetzt hatten, und an jedem zweiten Montag traf man sich im *Portsalon Seniors Circle*, der sich um alte alleinstehende Menschen kümmerte. Im einen Verein war Pauline Präsidentin, im anderen Henry Protokollführer. Nahm Pauline an einer Sitzung teil, blieb Henry zu Hause, und wenn er seine gemeinnützigen Aufgaben erfüllte, wachte Pauline über den Pflegesohn. Nicht einmal den Sonntag hatte Wilbur für sich, denn der gehörte der Kirche. Er wurde dazu angehalten, die Texte der gängigsten Lieder auswendig zu lernen und seine Singstimme zu trainieren. Wenn er sein abendliches Bad nahm, musste er so laut singen, dass Pauline ihn in der Küche hören konnte. Dabei gab er sich keine große Mühe, die Töne zu treffen, und als er auch nach mehreren Wochen des Übens noch immer falsch sang, meinte Pauline, er solle sich in der Kirche ein wenig zurückhalten.

Nach dem Gottesdienst kamen meistens Gäste zum Mittagessen, das Pauline schon am Samstag vorbereitet hatte. Waren alte Leute unter den Besuchern, musste Wilbur ihnen zu Kaffee und Kuchen etwas vorlesen, mit Bleistift markierte Stellen aus der Bibel oder erbauliche Kurzgeschichten eines schottischen Landpfarrers und Laienschriftstellers, in denen es um opferbereite Missionare, selbstlose Nonnen und kluge Hirtenhunde ging. Nach jeder dieser Lesungen wurden Wilburs Vortragskunst, seine klare Aussprache und helle Stimme gelobt, und Pauline ließ sich voller Eifer darüber aus, wie wichtig es sei, täglich ein gutes Buch zur Hand zu nehmen, gerade in einer von der Unkultur des Fernsehens geprägten Zeit.

Obwohl es Wilbur bei solchen Gelegenheiten drängte, etwas zu sagen, schwieg er. In den ersten Tagen nach seiner Ankunft hatte er sich allabendlich die Treppe hinuntergeschlichen, um durch den Türspalt ins Wohnzimmer zu spähen und zu sehen, was seine Pflegeeltern bis spätnachts wach hielt, und er wusste, dass es nicht die Lektüre von Büchern war. Die Satellitenschüssel, an der Rückseite des Daches angebracht und von der Straße her nicht zu sehen, speiste das Fernsehgerät der Conways mit englischen Seifenopern und amerikanischen Krankenhausserien, einem wüsten Reigen aus Trennungen, Krebsleiden, Bankrotten, wundersamen Heilungen, häuslicher Gewalt, Geständnissen auf der Intensivstation, ungewollten Schwangerschaften und verschollenen Zwillingsbrüdern.

Wilbur sah sich diese düsteren, von gelegentlichen Leuchtfeuern vermeintlicher Glücksmomente erhellten Sagen menschlichen Zusammenlebens ein paar Tage lang an, dann blieb er nachts lieber in seinem Zimmer und übte mit tiefer Stimme markante Sprüche seines zähen Helden. Manchmal, wenn er an das Fernsehgerät dachte, das ihm gehörte und das er bei Colm hatte zurücklassen müssen, wurde er wütend. Sein Leben hätte um einiges weniger langweilig sein können, wenn man ihn nicht hierher verfrachtet hätte. Jede Nacht hätte er, vom schlafenden Colm unbemerkt, ins Wohnzimmer gehen können, um sich Filme anzusehen, die nur zu später Stunde gezeigt wurden, weil die Leute darin fluchten und andere Leute erschossen und sich küssten.

Wilbur empfand es als unerträgliche Verschwendung, dass

seine Pflegeeltern sich einen solchen Mist ansahen, und wenn er tagsüber mal alleine war, weil Pauline für ein paar Minuten wegmusste, warf er mit Steinen nach der Schüssel. Er schaffte es sogar, sie so zu treffen, dass ein Mechaniker kommen und ein Teil ersetzen musste. Alle fragten sich, wie der Schaden entstanden war, und als der Mann Dellen in der Schüssel entdeckte und ein paar Steine in der Dachtraufe fand, wurde Wilbur zur Rede gestellt. Erst stritt er alles ab, doch unter dem Druck des Verhörs, das Pauline perfekt beherrschte, gestand er schließlich und rechtfertigte seine Tat damit, dass Pfarrer Fowley das Fernsehen ein Werk Satans genannt hatte. Damit war Wilbur in den Augen der Conways zwar ein fehlgeleiteter Jugendlicher, der die metaphorisch gemeinte Aussage eines Geistlichen zu wörtlich genommen hatte und Nachsicht verdiente, aber einer Strafe entging er dennoch nicht. Sein aus pädagogischen Gründen bereits kümmerliches Taschengeld wurde bis zur Tilgung der Reparaturkosten gestrichen, und er musste die Regenrinnen reinigen. Henry fand zwar, die Arbeit auf der Leiter sei für einen kleinen Jungen zu gefährlich, aber wie immer setzte Pauline sich durch.

Während Wilbur in fünf Metern Höhe auf den Sprossen der Leiter stand und verrottetes Laub aus der Rinne schaufelte, dachte er daran, sich fallen zu lassen. Er malte sich aus, wie er auf dem Rasen aufschlagen und sich beide Beine brechen und wie Pauline beim Anblick seiner zerschmetterten Glieder das Bewusstsein verlieren würde. Der Gedanke gefiel Wilbur und half ihm, die Arbeit hinter sich zu bringen. Er gefiel ihm aber nicht gut genug, um den Sprung von der Leiter tatsächlich zu wagen.

Wie er es versprochen hatte, besuchte Colm Wilbur nach einer Woche. Er war dünn geworden, und Wilbur sah, wie jedes Lächeln ihn Kraft kostete. Colm hatte eine seiner Tonfiguren dabei, ein Nashorn, das er Wilbur schenkte. Wilbur zeigte ihm sein Zimmer, danach saßen sie im Garten, sahen in den Himmel und fachsimpelten über die Wolken und den Wind und ob es bald regnen würde. Als es dann tatsächlich regnete, machte Pauline ihnen Tee, und nach zwei Stunden verabschiedete sich Colm und ging. Wilbur hätte ihn gerne gebeten, das nächste Mal den Fernseher mitzubringen, heimlich natürlich, damit Pauline nichts merkte, aber er wusste, wie albern sein Wunsch war.

Am Gartentor umarmte Colm ihn und machte sich dann auf zur Bushaltestelle. Der Regen hatte aufgehört, aber es war kalt geworden und dunkel unter den tiefen Wolken. Wilbur sah dem alten Mann in seinem schwarzen Sonntagsanzug nach, und plötzlich durchströmte ihn ein banges, schmerzliches Gefühl, dessen Ursache er nicht benennen konnte. Er wollte Colm nacheilen und seine Hand nehmen und mit ihm den Weg bis zur Kreuzung gehen, aber dann rief Pauline ihn hinein, weil er vor dem Abendessen seine Hausaufgaben machen musste. Wilbur gehorchte widerwillig, rannte in sein Zimmer hoch und beobachtete durch ein Fenster, wie Colm auf der schwarzen, vom Regen glänzenden Straße immer kleiner wurde und schließlich hinter einer Kuppe verschwand.

Nach dem Abendessen schrieb Wilbur Colm einen Brief, in dem er sich für das Nashorn bedankte und ihm sagte, dass er ihn vermisste. Weil ihm danach nichts mehr einfiel, schrieb er den Text von *Mistletoe and Wine* darunter und nahm sich vor, Colm beim nächsten Besuch die Melodie des Liedes beizubringen. Dann zeichnete er etwas, das ein Nashorn sein sollte, steckte den Brief in einen Umschlag und legte ihn in das Versteck.

In dieser Nacht lag Wilbur lange wach, und wenn er sich anstrengte, konnte er von unten die Musik der Seifenopern und die Stimmen der Schauspieler hören. Er überlegte, wie es wohl war, so zu tun, als sei man jemand anderes. Er fand Gefallen an der Idee, sein Leben sei eine Inszenierung und er eine Figur, die es nicht wirklich gab. In so einem Spiel konnte er verletzt werden, ohne Schaden zu nehmen, genauso wie Orla es ihm im

Kino erklärt hatte. Das Schicksal mochte Kugeln und Pfeile auf ihn abschießen, doch er war unverwundbar. Er verspürte weder Freude noch Ungeduld, wenn er sich den weiteren Verlauf seines Lebens vorstellte, aber sterben wollte er auch nicht mehr. Der Mann im Film nahm in jeder Sekunde den Tod in Kauf, versuchte jedoch mit allen Mitteln, ihn zu verhindern. Es war nicht die Liebe zum Leben, die ihn auf den Beinen hielt, es war die Verachtung für den Tod. Man musste die eigene Existenz als Kräftemessen begreifen, als Wettkampf des Menschen gegen eine höhere Gewalt, die alles daransetzte, einen zu vernichten.

Die Frage, die Wilbur sich stellen musste, lautete, ob er weich und feige sein wollte wie sein Vater oder zäh und gnadenlos wie der Mann im Film. Die Antwort war so klar, dass Wilbur in dieser Nacht Gott nicht mehr bat, ihn umzubringen. Er hörte überhaupt auf zu beten und murmelte stattdessen Sätze ins Dunkel, die seine Angst in Mut verwandelten und seine Verzweiflung in sture Kraft. Er wollte stark werden und hart und wünschte sich, irgendwann nichts mehr fühlen zu müssen.

An einem Sonntag, wenige Tage vor Ende der Herbstferien, stahl Wilbur einem alten Mann, der von Pauline und Henry zum Essen eingeladen war, fünf Zigaretten aus der Packung. Er hatte dem Mann und den beiden Frauen, alle drei Bewohner eines Seniorenheims, eben einige Passagen aus der Bibel vorgelesen und nutzte die Gelegenheit, als die Gesellschaft in den Garten ging, um unter Henrys Anleitung Krocket zu spielen. Während die betagten Leute angestrengt unbeholfen versuchten, die Kugeln zu treffen, nahm Wilbur die Zigaretten an sich und versteckte sie in seinem Zimmer hinter dem Schrank. Danach stand er eine Weile am Fenster und sah dem Treiben auf der Wiese unter sich zu. Mr. Walsh hustete stark, und Wilbur bildete sich ein, ihm durch den Diebstahl einen Gefallen erwiesen zu haben.

Als es zu regnen begann, eilten alle ins Haus, und Wilbur wartete darauf, gerufen zu werden, weil das Fehlen der Zigaretten entdeckt worden war. Aber als Pauline ihn holte, war es nur, weil er dem Besuch ein weiteres Kapitel aus den Erinnerungen des Pfarrers aus den Highlands vorlesen sollte. Während er die Geschichte von armen, gottesfürchtigen Bauern und der Errichtung einer Kapelle erzählte, musste er an seinen Großvater Eamon und dessen Kirche denken und daran, dass dieser verrückte Greis in einem Heim dem Tod entgegendämmerte. Am Ende des Kapitels klatschten die alten Damen begeistert, und Mr. Walsh drückte Wilbur fünfzig Cent in die Hand.

Mit dem Geld kaufte Wilbur am nächsten Tag in Brennan's Laden eine Schachtel Streichhölzer, ging in den Schuppen und rauchte die erste Zigarette seines Lebens. Jedenfalls glaubte er das, denn davon, dass man den Rauch in die Lungen ziehen musste, wusste er nichts. Der Tabak brannte auf der Zunge und der Qualm in den Augen, und Wilbur verzog das Gesicht wie der Mann im Film. Grimassenschneiden gehörte zum Rauchen wie das Ausspucken von Krümeln und das beiläufige Wegschnippen der Asche. Rauchen war kein Vergnügen, es war ein Ritual, ein Zeichen dafür, dass man hartgesotten war, ein richtiger Kerl, so sah Wilbur die Sache. Wenn er ehrlich war, fand er es sogar ziemlich eklig, aber er war überzeugt davon, dass es ein wichtiger Bestandteil im Leben eines Mannes war, und die Tatsache, dass es gemeinhin als Laster galt, bestätigte seine Theorie nur.

Schon die nächste Zigarette würde wie selbstverständlich zwischen seinen Lippen stecken und ihm keine Übelkeit mehr verursachen. Irgendwann würde man ihn nur noch rauchend antreffen, eingehüllt in blaue Schwaden, hinter denen seine Augen kalt blitzten.

Nachdem er die Kippe auf dem Lehmboden ausgedrückt hatte, spielte Wilbur mit den Streichhölzern, legte sie zu Figuren und Buchstaben und zählte sie. Weil ihm das bald zu langweilig wurde, zündete er eines an und dann noch eins. Er ließ sie abbrennen, machte die Spitzen von Daumen und Zeigefinger mit Spucke nass und hielt die Streichhölzer am verkohlten Kopf, bis sie in einer letzten winzigen Rauchsäule erloschen. Dann zündete er Strohhalme an, die herumlagen, danach kleine Holzstücke. Schließlich entfachte er ein Feuer aus Stroh und Reisig und dürren Latten, die sich in einer Ecke stapelten. Die Flammen loderten, von Wilbur aufgeregt kontrolliert, und eine Säule aus sauberem Rauch stieg schnell und fast gerade unter das Giebeldach.

Erst als Wilbur Laub und Placken von Moos ins Feuer legte, breitete sich Qualm aus, der rasch den Schuppen füllte. Wilbur stocherte hektisch mit einem Schaufelstiel in dem brennenden Haufen und zertrat mit den Schuhen glühende und züngelnde Holzstücke, die er aus dem Brandherd geschoben hatte. Dabei hustete er und rieb sich die tränenden Augen, unterließ es jedoch, die Tür des Schuppens zu öffnen, um seine Anwesenheit nicht zu verraten. Als er das Feuer gelöscht hatte und nur noch ein kokelnder Fleck vor ihm lag, pinkelte er darauf, keuchte die abflauende Panik aus der Brust und kicherte über das Zischen und den süßlich riechenden Dampf, der aus der Glut emporstieg.

Den Mann, der in der offenen Tür stand, sah Wilbur erst, als er, vom plötzlichen Licht überrascht, den Kopf hob. Obwohl er nicht fertig war, zog Wilbur eilig die Hose hoch und knöpfte sie zu. Der Mann war alt und bärtig und trug einen Mantel, dessen Farbe im abziehenden Rauch von fahlgrau zu braun wechselte, und er stützte sich auf einen Stock. Die Zeit, während der sie sich anstarrten, geriet Wilbur zur Ewigkeit, und er war beinahe erleichtert, als der Mann endlich den Mund aufmachte.

»Wer bist du?«, rief der Alte, und er klang eher neugierig als verärgert. Er stand in der Türöffnung wie eingerahmt. Licht fiel in seinen Rücken und ließ seine Gestalt an den Rändern strahlen. Er erinnerte Wilbur an ein Gemälde im Wohnzimmer der Conways, das Moses zeigte, der einen krummen Stock in der Hand hält, während sein Gewand im Wind weht. Was nicht zu diesem biblischen Bild passte, war die Hornbrille mit den dicken Gläsern.

Wilbur antwortete nicht. Er wollte stumm bleiben. Darin hatte er Übung.

Der Mann wiederholte seine Frage und zerrte Wilbur, als dieser schwieg, an der Hand aus dem Schuppen und über eine ungemähte Wiese. Das Gras war feucht vom letzten Regen, und Wilbur bemerkte, dass der Alte nur Pantoffeln an den nackten Füßen trug. Nachdem sie einen Kiesplatz überquert hatten, erreichten sie das Haus, einen zweistöckigen Bau, an dem sich Efeu bis zum Dach emporrankte. Der Alte ließ Wilbur erst los, nachdem er ihn im Wohnzimmer in einen Sessel gedrückt hatte, dann setzte er sich ihm gegenüber in einen zweiten, größeren Sessel, stützte die Hände auf den Gehstock und starrte seinen Gefangenen nachdenklich an.

»Ich kenne dich«, sagte er und schien Wilburs Namen in dessen Augen lesen zu wollen.

Wilbur senkte den Blick und hoffte, seine nassen Schuhe würden auf dem Teppich ordentliche Flecken hinterlassen. Eine Katze kam aus einem Nebenraum und strich ihm um die Beine, bis der Mann sie zu sich rief und hochhob. Wilbur überlegte, aufzuspringen und davonzurennen, aber der Mann saß keine zwei Meter vor ihm und würde ihn bestimmt packen, sobald er sich bewegte. Er stellte sich vor, er wäre der Held des Films und der Alte der Anführer der Verbrecher. Er war verletzt und seinem Feind in die Hände gefallen. Jetzt ging es darum, ruhig zu bleiben und den richtigen Moment abzuwarten, den Augenblick der Flucht oder des Angriffs. Wilbur entspannte sich, setzte die Miene auf, die er im Schuppen geübt und vor dem Badezimmerspiegel perfektioniert hatte. Er legte sich einen Satz zurecht, der abgebrüht klang, furchtlos und kalt. Er hatte Zeit. Zumindest bis fünf, wenn er im Haus der Conways den Tisch decken musste.

Der Mann streichelte, nachdenklich ins Leere blickend, die Katze, und Wilbur hob den Kopf und sah ihn an. Er schätzte ihn auf über siebzig, das war mindestens so alt wie Mr. Walsh, eher älter. Die Vorstellung, einen schwächlichen Greis anzugreifen, um zu fliehen, missfiel Wilbur. Er wollte Feinde, die ihm ebenbürtig waren, unzimperlich und verschlagen wie er selber.

»Jetzt hab ich's!«, rief der Mann plötzlich und schlug sich mit der flachen Hand auf den Schenkel. Die Katze sprang von seinem Schoß, blieb einen Moment verwirrt neben dem Sessel stehen und rannte dann aus dem Zimmer. »Du bist der Neue der Conways!«

Wilbur sagte nichts. Er war erschrocken wie die Katze und hasste sich dafür. Jetzt nahm er alle Kraft zusammen und starrte dem Mann ins Gesicht. Er hätte sich gerne eine Zigarette angezündet, um seine Gelassenheit zu unterstreichen. Aber die Streichhölzer lagen im Schuppen, und er konnte seinen Bewacher schlecht um Feuer bitten.

»Nein, so was auch«, sagte der Alte. Er grinste und trommelte mit den Fingern auf der Lehne des Sessels, dessen braunes Leder faltig und brüchig war und Wilbur an die kahle Haut eines sehr alten, in der Sonne verendeten Tieres denken ließ. Der Mann lächelte vor sich hin und nickte.

Wilbur sah sich im Zimmer um. Neben einem offenen Kamin lagen Torfstücke in geflochtenen Körben. Ölbilder zeigten lichtsatte Landschaften, durch die Wilbur gerne gegangen wäre. Unter einem der Bilder stand eine Kommode, darauf ein Plattenspieler, ein klobiges Modell mit riesigen Schaltern und Knöpfen und dennoch der einzige moderne Gegenstand im Raum. In Regalen standen Bücher, die meisten davon dicker als die Bibel, aus der Wilbur vorlesen musste. Auf einem kleinen Tisch lagen Zeitungen, beschriebene Blätter, Zettel, Brillen und noch mehr Bücher. Es war düster in dem Raum, alles in ihm schien in einer anderen, früheren Zeit zu ruhen. Die Möbel wirkten schwer und unverrückbar, die Vasen dünn und durchlässig, als würden sie bei einer Berührung zerfallen. Von der Decke hing ein Leuchter, dessen Schirm eine gläserne weiße Blume war. Längliche Glühbirnen ragten aus ihrer Mitte, Blütenstempeln gleich. Auf dem runden Tisch neben dem Sessel des Mannes stand eine

Bronzefigur, ein Pferd im Galopp, Mähne und Schweif fliegend, eingefroren in einer Sekunde des Glücks, der Sekunde vor dem Tod. Wilbur sah weg, schloss für einen Moment die Augen. Als er sie öffnete, trieb die Sonne etwas Helligkeit durch die Wolken und ließ in einer Ecke des Raumes den Bauch eines Instruments schimmern.

»Ein Cello«, sagte der Alte.

Wilbur senkte den Blick, drehte die Schuhspitzen einander zu.

»Ich konnte mal darauf spielen. Früher, als ich noch meine Schuhe binden konnte.« Der Mann lachte. Es klang wie ein leises Husten.

Eine Weile saßen sie da und hörten auf das Ticken der Uhr, deren Pendel hinter einem runden Fenster schwang. Es war warm in dem Zimmer, obwohl im Kamin kein Feuer brannte. All die Gegenstände, die es füllten, schienen Wärme abzugeben. Wilbur hatte Durst, er wollte weg. Aber er blieb sitzen. Der Sessel umschloss ihn, er versank langsam in ihm.

»Magst du Musik?«, fragte der Alte. Er stand auf, ging zu der Kommode, nahm eine Schallplatte daraus hervor und legte sie auf den Teller des Plattenspielers. Als er das Gerät einschaltete, gaben die Lautsprecher, die in den Regalen zwischen Büchern standen, ein Knacken von sich, dann brummten sie träge wartend. Wenig später erklang eine Musik, deren erste langgezogene Töne in Wilburs Bauch strömten, sich ausbreiteten und langsam aufstiegen, sachte an seinen Schläfen rieben und dann in seinem Kopf kreisten, ein Schwarm leuchtender Käfer in tiefdunkler Umlaufbahn, ein sanftes Scheuern von Flügeln, Wärme erzeugend, ein endloses Rollen, Summen, ein Licht in der Finsternis des Schädels. Wilbur bewegte sich nicht, atmete nicht. Die Musik machte das für ihn, übernahm seinen Körper. Wilbur wurde schwer, er versank, und trotzdem flog er. Die Augen geschlossen, schwebte er über sich, über der Welt, hellwach und in tiefem, aufgewühltem Schlaf.

Als die Klänge verebbten und die Nadel in der Auslaufrille

kratzte, wusste Wilbur nicht, wie viel Zeit vergangen war. Er blinzelte ins Dämmerlicht und sah, dass er alleine war. Er wartete und horchte, stand schließlich auf und spähte in die angrenzende Küche, dann hob er den Tonarm von der Platte und stand eine Weile da. Er berührte das Sitzpolster des zweiten Sessels, es war kühl. Er wollte rufen, aber dann tat er es nicht und verließ das Haus.

Auf dem Vorplatz sah er zu den Fenstern hoch, doch nirgendwo brannte Licht, hinter keinem Vorhang bewegte sich etwas. Ein dichter Nieselregen strich ihm über das Gesicht, und Wilbur drehte sich um und rannte zum Haus der Conways.

Die Schule fing wieder an und damit das Getuschel über Wilbur. Alle auf dem Pausenhof wussten, dass er bei den Conways lebte. Wieder war es Erin Muldoon, die ihn ansprach, während die übrigen Schüler nur verhohlen glotzten. Sie fragte, ob Wilbur an einem Sonntagnachmittag zu ihr kommen wolle, aber er sagte, das ginge nicht, weil er den alten Leuten aus der Bibel vorlese. Erin versuchte es mit einem Samstag und dann mit irgendeinem Tag der Woche, gab aber auf, als Wilbur für jeden eine Verpflichtung hersagte. Sie presste die Lippen zusammen, drehte sich um und ging zu ihren Freundinnen, in deren Mitte sie verschwand wie ein Fisch zwischen wogendem Tang. Lachen und Gemurmel stiegen aus diesem Wald, und Wilbur setzte sich abseits der anderen Kinder auf eine Mauer und versuchte, die Klänge, nach denen er sich sehnte, in seinem Kopf zum Schwingen zu bringen. Wenn er die Augen schloss, gelang es ihm manchmal, dann wurde er wieder schwer und schwebte, bis die Glocke schrillte oder ein Kieselstein seinen Kopf traf und grölendes Lachen die Musik verdrängte.

Dem Unterricht folgte Wilbur wie im Traum. Sein Gehirn war ein Schwamm, der alles aufsog, was er las oder hörte. Er wusste, dass er etwas Besonderes war, und er nahm es hin. Das half ihm, den Neid und Spott der Mitschüler zu ertragen. Man schubste ihn herum und versteckte seine Bücher, flüsterte ihm auf dem Flur Beleidigungen ins Ohr und stellte ihm ein Bein. Von Sean Finn und Niall McCoy fing er ab und zu eine Kopfnuss ein oder einen versteckten Tritt ans Schienbein. Er gewöhnte sich daran. Auch an die Blicke und das Kichern der Mädchen, an die Art, wie sie sich von ihm abwandten und eine gewölbte Hand vor den Mund hoben, um über ihn zu tuscheln. Welche Gerüchte sie verbreiteten, wusste er nicht, und es war ihm gleichgültig. Hin und wieder warf ihm Sean Finn ein paar Brocken davon zu in der Hoffnung, Wilbur würde ihn einen Lügner nennen und damit ein paar Ohrfeigen und Magenhiebe rechtfertigen, aber sein Lieblingsopfer stellte sich taub.

Weil die Tätlichkeiten gegen Wilbur im Geschiebe auf den Fluren und in dem Gedränge auf dem Pausenhof verborgen blieben und Wilbur sich nie beschwerte, hatten die Lehrer keinen Grund, etwas zu unternehmen. Miss Ferguson sah zwar, dass Wilbur oft drangsaliert wurde, aber sie wollte ihn nicht noch mehr zum Außenseiter machen, indem sie ihn übermäßig schützte. Sie verbarg so gut es ging ihre Zuneigung zu ihm, die hauptsächlich auf der Bewunderung seiner außergewöhnlichen Intelligenz beruhte, wusste aber auch, dass es diese Intelligenz war, mit der der Junge den Hass seiner Mitschüler auf sich zog. So sah sie sich vor die schwierige Aufgabe gestellt, Wilbur im Unterricht zu fordern, ihn aber gleichzeitig nicht zu sehr aus der Menge der meist mittelmäßig begabten Kinder herausragen zu lassen.

Wilbur Sandberg würde die Grundschule in Portsalon zu Ende machen, das stand für seine Lehrerin fest. Mit zwölf würde er die Schule in Letterkenny besuchen, wie die übrigen seiner Klasse, die versetzt wurden. Welchen Weg er danach einschlagen sollte, lag nicht in ihrer Zuständigkeit. Es gab Schulen für Hochbegabte, aber ob Wilbur sich an einem Ort wohlfühlen würde, wo kopflastige Sonderlinge, weltfremde Streber und egozentrische Genies zur geistigen Elite geschmiedet wurden, bezweifelte sie. Sie betrachtete es als ihre Pflicht, ihm so viel Wissen mitzugeben, wie es der vorgegebene Unterrichtsplan erlaubte, aber mehr konnte sie nicht tun, obwohl ihr der Junge ans Herz gewachsen war.

Vielleicht hätte sie etwas gegen Sean Finn und Niall McCoy unternommen, wenn ihr der Sportlehrer von den blauen Flecken an Wilburs Schienbeinen erzählt hätte. Aber Fintan Taggart sah weder in Blutergüssen noch Kratzern oder Fleischwunden etwas Schlimmes. Im Gegenteil. Für ihn waren sie Beweise körperlicher Aktivität, unvermeidbare Folgen eisernen Trainings und unzimperlichen Einsatzes, er betrachtete sie als Auszeichnungen, die man trug wie Orden.

Eigentlich hätte Wilbur seinen Sportlehrer bewundern sollen. Fintan Taggart war ein harter Kerl. Er fuhr ein Rennrad und rannte im kalten Regen Berge hoch, an denen Spaziergänger außer Atem gerieten. Er konnte fluchen und mit einer dunklen Stimme brüllen, und Fotos bewiesen, dass er auf haushohen Wellen geritten war und Ziegelsteine mit der bloßen Hand entzweischlug. Die Jungen, die so werden wollten wie Taggart und auf dem besten Weg dazu waren, verehrten ihn. Wilbur hasste ihn. Fintan Taggart war der erste Mensch, den er töten wollte.

Dabei hatte Wilbur nichts gegen Sport. Unvoreingenommen betrachtet, schien er eine praktikable Möglichkeit, den Körper zu formen. In seinem Fall hätte das geheißen, Muskeln zu bilden und das mickrige Gewicht aufzustocken. Bis Taggart in Portsalon aufkreuzte, war es Miss Ferguson gewesen, die ihrer Klasse ein wenig Bewegung verschaffte. Dazu war man entweder auf den Pausenhof oder in die Turnhalle gegangen, eine bessere Scheune aus Wellblech, deren Wände und Dach bei starkem Wind schepperten. Darin trabten die Kinder im Kreis oder machten Freiübungen, begleitet vom Tamburin, auf das die Lehrerin mehr oder weniger rhythmisch schlug. Bei den harmlosen Ballspielen konnte es zu keinen Körperkontakten und folglich zu keinen Grobheiten kommen. Miss Ferguson legte viel Wert auf die therapeutische Wirkung eines Spiels, Härte und Kampf waren ihr ein Greuel.

Ihr Favorit war ein Spiel, das sie Klingelball nannte. Dabei saßen die Schüler mit verbundenen Augen auf dem Boden und warfen sich einen mit Glöckchen gefüllten Ball zu. Es gab keine Mannschaften, Ziel war es, den Ball in einen Blecheimer zu befördern, den Miss Ferguson immer wieder verschob. Wilbur mochte an dem Spiel vor allem den Umstand, dass niemand ihn sehen konnte, denn in Turnzeug gab er eine noch dünnere und unfertigere Figur ab als in Straßenkleidung. Und das Klingelgeräusch des Balls gefiel ihm. Er stellte sich einen verirrten Vogel vor, der zwitschernd durch ihre Reihen flatterte und dem man in sein Nest helfen musste.

Das Ende der Turnstunde warf ihn jeweils schnell in die Realität zurück. Im Umkleideraum lachten die Jungs sich schief über seine bleichen Beinchen und Ärmchen und den handtuchschmalen Brustkorb, der hohl klang, wenn man dagegenstieß. Sie nannten ihn Alien und taten, als fürchteten sie sich vor ihm, nur um ihm gleich darauf einen schmerzhaften Knuff zu verpassen. Viele der Jungs waren Bauernsöhne, von der Arbeit auf dem Hof kräftig und derb. Ihre Haut war dunkel, und wenn sie prahlerisch und drohend die Arme anwinkelten, wuchsen kleine Muskelberge, die alle anfassen mussten. Neben diesen Kolossen fühlte Wilbur sich tatsächlich wie ein Außerirdischer. An Turntagen lag er abends im Bett und dachte sich eine Geschichte aus, in der er den Absturz eines UFOs überlebt hatte und jetzt unter den Menschen auf einem fremden Planeten ausharren musste. Man hatte wissenschaftliche Experimente mit ihm angestellt, doch war ihm die Flucht aus dem Labor gelungen. Er lag in der Dunkelheit, bewegte die Finger vor dem Gesicht und glaubte, sich an die Schläuche zu erinnern, die an ihn angeschlossen gewesen waren, und an die enge, gläserne Hülle des Raumschiffs.

Die Lehrerschaft hatte sich erfreut gezeigt, als Fintan Taggart anbot, den Sportunterricht an der Schule zu übernehmen. Miss Ferguson war die Einzige gewesen, die Bedenken äußerte und meinte, sie würde die Spiele mit ihren Kindern vermissen. Dass der braungebrannte Mann, der zur Beerdigung seines Vaters aus Neuseeland angereist war, über keinerlei pädagogische Kenntnisse verfügte, störte weder die Verantwortlichen an der Schule noch die zuständigen Behörden. Fintan Taggart, zweiunddreißig Jahre alt, strahlte vor Gesundheit und Tatendrang, er war höflich, ehrgeizig und ein guter Christ, und nicht zuletzt war er ein Junge aus dem Ort. Einer der Lehrer hegte anfangs Zweifel an der Autorität des Sunnyboys, doch am jährlichen Schulsporttag bewies Taggart nicht nur unermüdlichen Einsatzwillen und Übersicht, sondern auch eine sichere und notfalls strenge Hand im Umgang mit den Kindern.

Dass er innerhalb eines Jahres und mit eigenen Händen eine Schwimmhalle erbaut hatte, die eine Bereicherung des Sportunterrichts darstellen und dem Ort zudem eine gewisse Popularität bescheren würde, war ein weiterer Grund für die Behörden, ihm eine Lizenz als Lehrer zu erteilen. Sein Vorhaben, den Kindern aus der Gegend das Schwimmen beizubringen, sah das Gremium als Geschenk des Himmels, bei einer Sitzung wurde Taggart gar zum Gesandten Gottes.

Das Gebäude, in dem sich das Schwimmbecken befand, stand auf einer Wiese, auf der Taggarts Vater früher eine Handvoll Schafe weiden ließ. Der Tag der Einweihung war gleichzeitig der Tag, an dem Fintan Taggart offiziell als Lehrkraft der Schule von Portsalon bestätigt wurde. Drei Wochen nach den Herbstferien drängten sich Leute aus den umliegenden Orten, Lokalpolitiker, Lehrer, Geistliche und ein paar Reporter und Fotografen in dem Würfel, den graues, durch das Plexiglasdach fallendes Licht erhellte und in dem es nach Chlor und Farbe roch. Die Schüler, unter ihnen Wilbur, hatten auf der Wiese vor dem Gebäude Lieder gesungen und standen dann in der Kälte und warteten auf das Ende der Zeremonie. Drinnen sprangen ein paar Kinder, die bereits schwimmen konnten, vom Einmeterbrett und kletterten unter dem Applaus der Anwesenden aus dem Becken.

Taggart, in einem neuen Adidas-Trainingsanzug, hielt eine Rede und pries das Wasser als lebenspendendes Element, warnte aber auch vor dessen tödlicher Kraft. Er erntete beifälliges Murmeln von Eltern, als er die Unersetzbarkeit von Kindern betonte, ließ die Kirchenmänner ernst nicken, indem er den Schöpfer dafür pries, dem Menschen die Fähigkeit des Schwimmens verliehen zu haben, und den Journalisten lieferte er selbstgefällige Anekdoten und plakative Botschaften zur Ausschmückung ihrer Artikel. EIN MANN WILL LEBEN RETTEN, JEDE FLIESE EIN SCHICKSAL, EIN BECKEN VOLLER HOFFNUNG lauteten die Überschriften der Artikel, die wenig später in den Lokalblättern erschienen und Fintan Taggart als Mann mit einer Mission darstellten, als Retter, als Messias.

In allen Zeitungsberichten wurde noch einmal das tragische Schicksal des Jungen aus Portsalon heraufbeschworen, für den der Schwimmunterricht zu spät kam. Liam O'Donnell, einer aus Conor Lynchs ehemaligem Gefolge, der Mitläufer, der Wilbur damals täglich mit Daumen und Zeigefinger die Haut am Oberarm verdreht hatte, dass sie sich blau verfärbte, war bei einem Bootsausflug mit seinen Brüdern ertrunken. Die Klasse war zu seinem Begräbnis gegangen und hatte am Grab gesungen, Wilbur so laut und falsch, dass Miss Ferguson ihn mit einem strengen Blick zum Verstummen brachte.

Fintan Taggarts Ziel war es, den Kindern die Angst vor dem Ertrinken zu nehmen. Bei Wilbur löste er durch seinen Schwimmunterricht eine den Jungen bis in die Träume verfolgende Panik vor Wasser aus. Bevor Taggarts Tempel errichtet war, hatte Wilbur nichts gegen ein heißes Bad gehabt. Als Orla noch lebte, gab es für ihn kaum etwas Schöneres, als von Schaum umhüllt in der Wanne zu sitzen und Orlas Summen zu lauschen. Seit er bei den Conways war, gehörte das Baden zur täglichen Pflicht, und Wilbur begann nach einer Weile, das von Dampfschwaden erfüllte Badezimmer als den einzigen Ort im Haus zu schätzen, wo seine Pflegemutter ihn aus Gründen der Schicklichkeit alleine ließ. Erst in dem Becken, an dessen Boden die Namen der Ertrunkenen durch einen Film aus milchigem Wasser schimmerten, entwickelte Wilbur Todesangst.

Unter dem Brüllen des Lehrers und dem Johlen der Mitschüler schaufelte er mit den Armen und schlug mit den Beinen, ein mickriges Hündchen, der schwächste Welpe aus dem Wurf, den man ertränkte.

Als Wilbur eines Tages, zu müde zum Kämpfen, an den Grund des Loches sank, fühlte er die tiefere, kühlere Schicht des Todes an seiner Haut. Sein Trudeln und Strampeln über dem Grund dauerte nur einen schrecklichen Gedanken lang, dann lag er, von einem Zaun aus Beinen umgeben, am Rand des Beckens. Taggart holte ihn keuchend vor Anstrengung und Angst aus der Bewusstlosigkeit und befreite ihn vom Schwimmunterricht. Den Conways erklärte er, Wilbur reagiere allergisch auf das Chlor.

Um Wilburs Furcht vor dem Wasser zu bestrafen, trug Taggart ihm die Reinigung des Beckens auf. Alle zwei Wochen musste Wilbur die Fliesen mit Seifenlauge abschrubben und die Filterkörbe leeren. Taggart, der auch in der Freizeit in seinem roten Trainingsanzug herumlief, saß derweil im nahen Pub oder neben dem Ofen, in dem die Fliesen gebrannt worden waren und der jetzt als Heizung diente. Wilbur rutschte auf den Knien im glitschigen Film, der sich auf dem Beckenboden abgelagert hatte, und überlegte, wie einfach es gewesen wäre zu sterben. Dann tauchte Taggart am Rand auf und trieb ihn zu schnellerem Arbeiten an, und Wilbur dachte an den Mann im Film und daran, wie leicht es sein mochte, jemanden zu töten.

Es war der letzte warme Herbsttag des Jahres, als Wilbur vor dem Haus des alten Mannes stand, die Hände in den Taschen und auf den Mut wartend, der nötig war, um anzuklopfen. Im Erdgeschoss brannte hinter den Vorhängen Licht, und manchmal glaubte Wilbur Schritte zu hören, das Schließen einer Tür oder das Knacken von Holz. Aus dem Schornstein trieb Rauch, der die Farbe der Torfbarren hatte, die im Kamin verbrannten. Ein leichter Wind zerzauste Wolken, unter denen Linien schwarzer Vögel zogen, weg aus diesem Land an einen Ort, wo es keinen

Winter gab. Wilbur sah ihnen nach, und als die Tiere ins trübe Blau des Horizonts eintauchten und sich darin auflösten, hob Wilbur die Hand und klopfte an. Nach einer Weile öffnete der Alte und trat zur Seite, als habe er Wilbur erwartet.

6

Ich will weg. Ich habe alles hier drin satt. Die offenen Türen. Die Fische. Die Sitzungen im Runden Zimmer, das eckig ist. Die Männer, ihr Schwanken zwischen Erleichterung, am Leben zu sein, und dem Wunsch zu sterben. Die Pfleger, diese perfekten Paarläufer auf dem meterdicken Eis ihrer Hingabe. Das viele Licht. Der Blick durch das Sicherheitsglas auf eine Landschaft, die so hingebaut wirkt wie das Gebäude, in dem ich ausharre, ohne zu wissen, worauf ich warte. Vermeer, der glücklich ist, wenn ich ein Wort oder einen Satz auf einen Zettel schreibe. Pendergast, der Pendergast ist. Ich will mich nicht mehr beim Essen beobachten lassen. Ich kann Elroys Blicke nicht länger ertragen, wenn er mir zusieht, wie ich mit einem Trinkhalm Tee oder Kakao zu mir nehme. Es ist anstrengend, nicht zu reden, den Mund zu halten, wenn ich jemanden anschreien möchte.

Vor ein paar Tagen wäre ich beim Mittagessen beinahe auf Wayne losgegangen, weil er wohl hoffte, ich würde endlich einen Laut von mir geben, wenn er mich lange genug provozierte. Er nannte mich einen Irren und warf mit Erbsen nach mir, und Melvin und Rodrigo mussten mich zurückhalten, damit ich ihm nicht an die Kehle sprang. Dabei waren es nicht Waynes Beschimpfungen oder die Erbsen gewesen, die mich ausklinken ließen. Es ist die Tatsache, dass ich seit einem Monat und zwei Tagen in der Stadt der Selbstmörder bin und nichts dafür tue, sie demnächst zu verlassen. Bis gestern habe ich sogar vermieden, über meine Situation nachzudenken, und wenn ich mich doch einmal fragte, was zum Teufel ich hier eigentlich wollte, redete ich mir ein, Ruhe zu brauchen, Zeit, um mich zu erholen. Meist stand ich vor dem Badezimmerspiegel, wenn ich mir diese unangenehme Frage stellte, deshalb habe ich vor einigen Tagen aufgehört, mich beim Zähneputzen anzusehen. Hätte ich einen richtigen Bartwuchs und nicht dieses flaumige, schüttere Gestrüpp, ich würde ihn sprießen lassen, nur um meinem Anblick zu entgehen.

Ich bin es leid, Vermeer zu verarschen. Er ist ein netter Kerl und schreibt seitenweise Berichte über mich, in denen er nach Hinweisen für meine Stummheit sucht. Er will mich ergründen, mich entschlüsseln. Dabei ist alles in Ordnung mit mir. Jedenfalls bin ich kein Selbstmordkandidat. Davon gibt es hier drin genug. Letzte Woche hat Stan sich mit den Scherben eines Blumentopfs die Pulsadern aufgeschnitten. Rodrigo hat ihn gerade noch rechtzeitig gefunden. Jetzt liegt Stan auf der Krankenstation. Um ihn soll Vermeer sich kümmern, nicht um mich. Mag sein, dass ich lebensuntauglich bin. Aber noch viel weniger tauge ich zum Sterben.

Nachdem ich Aimee ein paar Mal ausgewichen bin, lässt sie mich in Ruhe. Am Tag nach der Sache im Gartenhaus wollte sie mit mir reden, aber ich habe sie einfach stehen lassen. Wenn wir uns auf den Fluren begegnet sind, habe ich den Blick gesenkt und bin rasch an ihr vorbeigegangen. Einmal hielt sie mich fest, sagte, es täte ihr leid und ich solle ihr zuhören. Ich habe mich losgemacht und bin raus in den Garten. Jetzt ist sie nicht mehr in der Offenen Abteilung. Melvin sagt, sie arbeite im Büro, das sei Teil des Praktikums. Er hat mich angesehen und gesagt, er könne bei ihr ein gutes Wort für mich einlegen, und hat dabei gezwinkert. Er wollte bloß nett und witzig sein, aber ich bin aufgestanden und aus dem Zimmer gegangen.

Melvins Metamorphose vom Fremden zum guten Onkel geht mir ein bisschen zu schnell. Meinen richtigen Onkel habe ich nie gesehen. Brendan heißt er und lebt, soviel ich weiß, in Limerick. Deirdre, Orlas Schwester, hat es nach der Scheidung

nach Spanien verschlagen, vielleicht auch schon wieder wo-
andershin. Sie ist zu Orlas Beerdigung gekommen und hat die
ganze Zeit geweint und mich lange umarmt und gesagt, ich soll
mit ihr kommen und bei ihnen leben. Aber ich bin bei Colm
geblieben. Was mich betrifft, habe ich keine Verwandten mehr,
jedenfalls keine, mit denen ich etwas zu tun haben will, und
die Stadt der Selbstmörder ist so ziemlich der letzte Ort auf der
Welt, wo ich mir so etwas wie eine Ersatzfamilie suchen werde.

Es wird Zeit, dass ich von hier verschwinde. Ich bin nicht mehr
und nicht weniger ein Fall für den Psychiater als die meisten
Menschen, denen ich begegnet bin, draußen und hier drin.
Für mein Alter besitze ich eine umfangreiche Sammlung von
Macken. Ich bin komplex, nicht verrückt. Niemand soll sich
anmaßen, in mir lesen zu wollen wie in einem Buch. Ich bin
kleingedruckt, mein Titel verschwindet unter dem Staub einer
verlassenen Bibliothek. Mein Leben hat einen starken Hang
zum Tragischen, nicht ich. Ich wünsche mir Einklang, flach
verlaufende Bahnen, Stille. Ich ziehe die Ereignislosigkeit dem
Toben des Schicksals bei weitem vor. Mein Idealzustand wäre,
in Ruhe gelassen zu werden.

Ich stehe im Badezimmer und sehe in den Spiegel. Mit Melvins
Rasierschaum bedecke ich meine Wangen, das Kinn und den
Hals. Der Wegwerfrasierer legt Schneisen im Gesicht frei, ein
Schneepflug in trostloser Landschaft. Ich wasche mich, ziehe
saubere Sachen an. Dann mache ich mich auf die Suche nach
Vermeer.

Ich sitze da und versuche entspannt auszusehen. Die beiden
Pfleger, die mit mir auf Vermeer warten, sind die, die mich
damals gebadet haben, Rob und Phil. Ich überlege, ob ich ein
wenig mit ihnen plauschen soll, aber vermutlich sind sie an
Konversation mit Patienten nicht interessiert. Außerdem verlasse ich vielleicht noch heute die Stadt und will keine Freund-

schaften mehr schließen. Rob, der Gutaussehende, blättert in seinem Taschenkalender und kritzelt dann mit einem winzigen Stift kurze Sätze hinein. Mit den Füßen wippt er zu einer Melodie, die nur er hört. Phil, dem die Gene früh den Hinterkopf gerodet haben, isst ein Sandwich und grinst kurz, wenn unsere Blicke sich treffen. Er scheint noch immer überrascht von der Tatsache, dass ich wieder rede. Vor etwa zehn Minuten hat er Vermeer per Mobiltelefon benachrichtigt. Dabei hat er sich ein paar Schritte von mir entfernt und geflüstert.

Wir sitzen im Flur vor Vermeers Büro. Vermeer hat in der Halboffenen zu tun. Die Nachricht vom Ende meiner Stummheit wird ihn bestimmt bald hier sein lassen. Im Geist gehe ich Sätze durch, mit denen ich den Arzt begrüßen werde. Dazu übe ich eine Miene, ein zerknirschtes Lächeln, zusammengepresste Lippen unter hochgezogenen Augenbrauen. Phil sieht mich ab und zu verstohlen an. Wahrscheinlich denkt er, ich sei irre, zwar nicht mehr stumm, aber trotzdem durchgeknallt. Er hat sein Sandwich gegessen und geht zum Getränkeautomat, um sich eine Dose Sprite zu ziehen. Er fragt mich, ob ich Durst habe, und hebt den Arm mit der Dose, als wolle er sie gleich in meine Richtung werfen.

Ich schüttle den Kopf, lächle. »Nein«, sage ich dann, als mir einfällt, dass ich wieder rede. »Vielen Dank«, füge ich hinzu, um zu beweisen, wie umgänglich ich sein kann.

Phil setzt sich, reißt die Dose auf und trinkt. Um mich nicht mehr ansehen zu müssen, holt er ein gefaltetes Heft aus der Gesäßtasche und liest darin.

Rob steckt seinen Taschenkalender ein. Ich überlege, ob er vielleicht etwas über mich eingetragen hat. Er steht auf und macht zu meinem Erstaunen Dehnungsübungen. Als sei es hier und jetzt das Normalste der Welt, streckt er sich, stemmt sich gegen die Wand, geht in die Knie, greift nach der Decke, eine einstudierte Abfolge, begleitet von regelmäßigen Atemstößen. Mit siebzehn wünschte ich mir nichts sehnlicher als einen anderen Körper. Damals hätte ich mit dem Teufel einen Pakt geschlossen, um größer zu sein und kräftiger. Einmal schlug ich auf mein Spiegelbild ein, bis die Knöchel bluteten. Vor Wut und Schmerz heulend, saß ich auf dem Boden und verfluchte mein Schicksal. Ich verfluchte sogar meine Mutter, die mich viel zu früh geboren hatte, aber dann fühlte ich mich nur noch elender und weinte und bat meine Mutter um Verzeihung. Mit Krafttraining habe ich es auch mal versucht, habe Gewichte gehoben und mehr Eier gegessen, als ich verdauen konnte. Wirklich geholfen hat die Schinderei nichts. Ich hatte zwar etwas mehr Kraft als vorher, aber ich legte weder an Gewicht noch an Muskeln messbar zu. Ein Arzt sagte mir, das mit den Muskelpaketen sei Veranlagung, die einen hätten sie, die anderen nicht. Ich habe sie nicht.

Ich bin seither noch ein paar Zentimeter gewachsen, bin jetzt eins zweiundsechzig, ohne Schuhe. Das ist drei Zentimeter kleiner als Roman Polanski, aber acht Zentimeter größer als Danny De Vito. Ich wachse jedes Jahr etwa einen halben Zentimeter, mal mehr, mal weniger. Rein theoretisch könnte ich in vierzig Jahren fast einen Meter achtzig messen. Aber dann bin ich alt und fange schon wieder an zu schrumpfen, also was soll's. Der Winter ist meine Lieblingsjahreszeit, da kann ich in Moonboots mit dicken Sohlen rumlaufen und fünf Schichten Klamotten übereinander tragen, in denen ich nicht mehr aussehe, als könnte ein Lufthauch mich wegblasen.

Ich bin schläfrig, die Nacht war unruhig, zerstückelt von Träumen. In einem entfernten Flur brummt eine Poliermaschine. Rob macht Tai Chi, womit er mich kaum noch verblüfft. Er steht auf einem Bein und hält die Arme, als würde er einen unsichtbaren Bogen spannen. Er gehört zu den anderen. Er hat die Veranlagung zum perfekten Körperbau, zum maßlosen Glücklichsein. Schön für ihn, mein Kontingent an Neid ist aufgebraucht. Ich schließe die Augen.

Als Vermeer kommt, schrecke ich hoch und habe meine Sätze vergessen und auch den Gesichtsausdruck. Er sieht mich an, streckt mir die Hand entgegen und lächelt.

»Hallo, Will«, sagt er.

Ich ergreife seine Hand und lächle zurück, bin aber nicht sicher, ob es mir gelingt. Vermeer wartet, dann sieht er zu den beiden Pflegern. Rob sagt, ich hätte eben noch gesprochen, und Phil nickt. Vermeer legt mir die Hand auf die Schulter, öffnet die Tür und lässt mich in sein Büro eintreten. Er wechselt ein paar Worte mit Phil und Rob und schließt dann die Tür.

»Bitte, setzen Sie sich«, sagt er und wartet, bis ich in dem Sessel vor dem Schreibtisch Platz genommen habe. Dann setzt er sich ebenfalls, faltet die Hände auf der Tischplatte und sieht mich an.

Ich weiß, dass ich etwas sagen soll. Der Tisch, L-förmig und aus Stahl und dunklem Holz, ist überladen mit Aktenstößen, einem Notebook, Zetteln, Büchern, Heften, einer Schale mit Stiften, Büroklammern und anderem Kram, einem Bilderrahmen, dem Telefon und einem Stück Seil, das kunstvoll zu einer Henkersschlaufe geknotet ist. Als das Telefon klingelt, zucke ich zusammen. Vermeer sagt, er sei nicht zu sprechen. Das verleiht meinem Hiersein noch mehr Bedeutung, und als Vermeer aufgelegt hat, öffne ich den Mund.

»Ich möchte weg«, sage ich.

Ein Lächeln streicht über Vermeers Gesicht. Eine Weile sitzt er da, die Hände noch immer gefaltet. Ich frage mich, ob sich mit dem Strick jemand erhängt hat. Und falls ja, warum er auf Vermeers Tisch liegt, neben dem Telefon und einem Bild, das vermutlich seine Familie zeigt.

»Sie können sich nicht vorstellen, wie sehr mich das mit Freude erfüllt«, sagt Vermeer schließlich. »Ich meine damit sowohl die Tatsache, dass Sie wieder sprechen, als auch Ihren Wunsch, uns zu verlassen.«

Ich nicke. Ich denke daran, nach meinem Koffer zu fragen, überlasse es dann aber Vermeer, meine Abreise zu organisieren.

Es ist später Nachmittag, ich würde gerne noch eine Nacht hierbleiben und morgen ausgeruht los.

»Sie haben mein Vertrauen in Ihren Lebensmut nicht enttäuscht«, sagt Vermeer. »Die Entscheidung, Sie trotz Gefährdung in die Offene Abteilung zu verlegen, war unter meinen Kollegen nicht unumstritten, müssen Sie wissen.« Er lächelt mich an, dann klappt er sein Notebook auf. Ein Flaum aus blauem Licht legt sich auf seine Haut und wird weiß. Der Strick sieht neu aus, unbenutzt, und er ist kurz, misst vielleicht vierzig Zentimeter. Ziemlich unwahrscheinlich, dass er um den Hals eines Selbstmörders gelegen hat. Trotzdem würde ich gerne wissen, ob es sich dabei um ein makabres Souvenir handelt, das Erinnerungsstück an einen besonderen Fall. Oder ob das Seil dazu da ist, ihn jeden Tag daran zu erinnern, mit welcher Art von Männern er es hier drin zu tun hat. Vermeer tippt etwas in das Notebook. Dass er den Strick für sich bereithält, schließe ich aus. Ob er ihn ab und zu umhängt, nur um zu sehen, wie es sich anfühlt? Und ob er dabei auf seinen Stuhl steigt?

»Ich kann mir vorstellen, dass Sie unsere Einrichtung so schnell wie möglich verlassen wollen«, sagt Vermeer und klappt das Notebook zu. Er lächelt wieder und faltet die Hände. »Trotzdem bitte ich Sie, noch eine Woche zu bleiben.«

Ich sehe ihn an. Die Bitte überrascht mich, ich stelle mir Engpässe bei der Aufnahme neuer Insassen vor, Abweisungen aufgrund von Überbelegung, Dutzende gescheiterter Selbstmörder, die auf ein freies Bett warten, einen Platz im Runden Zimmer, eine Nische zum Überleben.

»Am nächsten Freitag besucht uns eine Delegation aus Washington«, sagt Vermeer. »Vertreter eines Ausschusses, der über die Vergabe und die Verlängerung von Lizenzen für privat geführte Kliniken bestimmt. Es wird eine Besichtigung geben, Tischlerei, Schwimmbad, der Garten, vielleicht einen Spaziergang im Park. Am Schluss stelle ich mir ein Gespräch vor, die Leute des Ausschusses und zwei, drei Männer, die hier neue Kraft gefunden haben, neue Hoffnung.« Er sieht mich an, wartet. Seine rechte Hand liegt auf dem Strick. Ich stelle mir vor, wie er sich daran aufhängt, nachdem ich seine Bitte abgeschlagen und das Büro verlassen habe. Aber dann sehe ich, dass es keine Möglichkeit gibt, das Seil an der Decke zu befestigen.

»Ich weiß nicht«, sage ich. Eine Nacht wollte ich sowieso noch bleiben. Aber eine ganze Woche?

»Ich verstehe Ihre Vorbehalte«, sagt Vermeer. Er steht auf, den Strick lässt er liegen. »Erlauben Sie mir eine Frage. Was gedenken Sie draußen zu tun? Ich meine, was haben Sie für Pläne?«

Pläne, denke ich, Pläne habe ich keine. Mein Leben lang hatte ich noch keinen Plan. Ich habe Dinge getan, manche mit weitreichenden Folgen, aber keine meiner Handlungen war ausgedacht oder vorbereitet. Ich folge Impulsen, lasse mich treiben, reagiere. Ich bin ein Nichtschwimmer in einem zähen Fluss. Ich halte mich wahllos an Dingen fest, um nicht unterzugehen.

»Lassen Sie mich Ihnen einen Vorschlag unterbreiten«, sagt Vermeer. Er stützt die Hände auf den Tisch und sieht mich an. »Wenn Sie bleiben, werden wir Ihnen beim Neustart ein wenig unter die Arme greifen. Sagen wir, mit zweitausend Dollar.«

Vermeer weiß, dass ich pleite bin. Der Typ im Hotel hat ihm bestimmt erzählt, wie ich meine letzten Scheine hervorgekramt habe, um für das Zimmer zu bezahlen. Zweitausend Dollar würden mich eine ganze Weile über Wasser halten.

»Einverstanden?«, fragt Vermeer und streckt mir die Hand entgegen. Er lächelt. Er war nett zu mir. Er ist glücklich, weil er glaubt, mir das Leben gerettet zu haben. Ich schulde ihm etwas. Ich ergreife seine Hand.

»Unter einer Bedingung«, höre ich mich sagen. Der Satz ist mir rausgerutscht, ich wollte ihn nur denken, nicht aussprechen. Ich ziehe die Hand zurück und lege sie neben die andere in den Schoß.

»Ja?« Vermeers Lächeln ist durch nichts zu vertreiben. Er setzt sich hin und nimmt einen Stift in die Hand, als wolle er sich meine Forderung aufschreiben.

»Ich möchte das Bild sehen«, sage ich. Dabei deute ich mit einer Kopfbewegung auf den Rahmen neben dem Notebook.

Vermeer scheint völlig überrascht zu sein. Er sieht den Rahmen an, als würde ihm dessen Gegenwart zum ersten Mal seit langer Zeit wieder bewusst. Er legt den Stift hin und nimmt ihn in die Hand, betrachtet ihn. Dann gibt er ihn mir.

Ich drehe den Rahmen aus dunklem, glänzendem Holz um. Er ist leer.

Irgendwie werde ich die Woche hinter mich bringen. Vielleicht ist es sogar ganz gut, wenn ich die Stadt nicht überstürzt verlasse. Drei Tage ist es her, seit ich in Vermeers Büro saß. Die Idee, meine Zukunft zu planen, zumindest die ersten Wochen, erscheint mir vernünftig. Mit dem Geld könnte ich einiges anstellen. Ich könnte mir ein Auto kaufen, ein gebrauchtes. Ich könnte mich in ein Flugzeug setzen und irgendwohin fliegen. Oder einen Laden mieten. Ich wollte schon immer Dinge an Leute verkaufen. Schrauben, zum Beispiel. Ich könnte einen Laden eröffnen, wo man jede Schraube kaufen kann, die es gibt. Ich hätte Schubladen an den Wänden, jede Schublade wäre beschriftet, durchnummeriert. Alles wäre geordnet und hätte seinen Platz. Ich würde Arbeitskleidung tragen, einen blauen Kittel, graue Hosen. Der Laden hätte einen Namen wie *Schraub-O-rama* oder *Wilburs Welt der Schrauben*.

Ich könnte auch einen Laden für Nichtschwimmer aufmachen und Rettungsringe, Schwimmwesten und aufblasbare Inseln verkaufen. Und Bücher, in denen Worte wie Wasser oder Schwimmen nicht vorkommen. Und Reisen in Länder, die nicht ans Meer stoßen. In die Schweiz, zum Beispiel, oder nach Ungarn. Oder in die Wüste.

Wayne kommt ins Zimmer und fragt, ob ich Japanisch spreche. Obwohl ich verneine, hält er mir eine Gebrauchsanweisung hin. Ich sage ihm, er soll sich verziehen. Er nennt mich einen eingebildeten Arsch und geht. Ich werde doch keinen Laden eröffnen. Ich hätte es mit Leuten wie Wayne und Elroy zu tun, und das geht nicht. Wayne würde nach einer Schraube verlangen, die es nicht gibt, nicht mal in Japan, und ich würde sämtliche Kataloge durchgehen und ein paar Anrufe machen und ihm dann sagen, dass es diese Schraube nicht gibt, und Wayne würde mich beschimpfen und *Schraub-O-rama* einen Saftladen nennen. Elroy säße den ganzen Tag da und sähe mir zu. Er würde am ersten Tag eine Schraube kaufen und damit das Recht, für den Rest seines Lebens in meinem Laden zu sitzen. Typen wie er würden kommen und nach Fantasieschrauben fragen. Sie würden Schrauben aus uralten Maschinen bringen und wollen, dass ich ihnen drei davon besorge. Alte Damen würden nach Nägeln fragen, um ihre Vogelhäuschen zu reparieren, und ich müsste ihnen erklären, dass ich nur Schrauben führe.

Am liebsten wäre mir, wenn ich in meinem Laden sitzen und die kleinen Schubladen auf- und zumachen könnte, um die Schrauben darin zu betrachten, ohne von irgendjemandem gestört zu werden. Ein Laden ohne Kunden in einer Straße ohne Menschen, das wäre ideal. Ich würde die Rollos herunterlassen, Musik hören und im Licht runder Lampen Bestellformulare ausfüllen. Vielleicht würde ich anfangen, Zigarren zu rauchen. Ab und zu käme eine Lieferung neuer Schrauben, die es einzusortieren gälte. Natürlich würde der Laden nach kurzer Zeit Pleite machen, und ich würde vor dem Nichts stehen.

Ich könnte mit den zweitausend Dollar auch einen Privatdetektiv engagieren, der in meiner angeschlagenen Erinnerung kramt.

The Player

1992

Der alte Mann hieß Matthew Fitzgerald. Er war einundsiebzig Jahre alt und Engländer. Bis er zweiundsechzig war, lebte er in Norwich, wo er an der University of East Anglia Cello unterrichtete. Als er den Beruf aus gesundheitlichen Gründen aufgeben musste, unternahm er eine Reise durch Irland und fand das Haus, das er jetzt bewohnte. Das feuchtkalte Klima im Nordwesten der Insel war zwar Gift für sein Rheuma, dafür schien die frische Luft seinen Lungen gut zu bekommen. Matthew Fitzgerald rauchte, seit er vierzehn war, und er gab sich nicht der Illusion einer Genesung oder gar wundersamen Heilung hin. Aber er schwor auf die lindernde Wirkung der Brise, die ihm während Spaziergängen vom Meer entgegenwehte und die seinen Husten fast zum Verschwinden gebracht hatte, obwohl er sich noch immer hin und wieder eine filterlose Zigarette gönnte.

Er war ein großgewachsener Mann mit kräftigen Händen, denen man den zarten Umgang mit Bogen und Saiten nicht zutraute. Sein Haar war dunkel und drahtig, und das Alter bestrafte ihn weder mit lichten Stellen noch gänzlichem Ergrauen. Essen war ihm lästig, weshalb er nie dick gewesen war und jetzt von Jahr zu Jahr dünner wurde. Sein einziges Gebrechen war eine Sehschwäche, die ihn bei Kriegsausbruch von dem Dienst an der Waffe befreit und ihm möglicherweise das Leben gerettet hatte. Überall im Haus lagen Brillen, deren Gläser dick wie Glasbausteine waren und ohne die er seine Umgebung als düstere, konturenlose Höhle wahrnahm. Eine Zeitlang hatte er kleine Brillen mit runden Gläsern und Gestellen aus Draht getragen, die nichts wogen und in seinem bärtigen Gesicht verschwanden. Jetzt bevorzugte er die massiven Modelle aus Horn oder Kunststoff, schwarze und braune Fassungen, gemasert und glänzend und nicht zu verbiegen, nur zu brechen. Als Kind hatte er sie gehasst, jetzt liebte er ihr Gewicht und den leichten Widerstand der Scharniere, wenn er die Bügel auf- oder zuklappte.

Er war verheiratet gewesen, länger als ein Leben lag das zurück. Cynthia Moss arbeitete beim städtischen Bauamt, wo sie, unter anderem, für die Bewilligungen zum Fällen von Bäumen zuständig war. Matthew hatte das Haus seiner Eltern geerbt, die jung gestorben waren, sie mit Mitte vierzig an Tuberkulose, er ein Jahr darauf an gebrochenem Herzen, noch keine fünfzig. Matthew wollte eine Fichte beseitigen lassen, die bei Wind vor seinem Schlafzimmerfenster schwankte und im Winter unter der Last des Schnees zusammenzubrechen drohte. Aber jetzt, nur wenige Jahre nach dem Krieg, waren Bäume in den Städten selten, und die wenigen verbliebenen standen unter behördlichem Schutz.

Nach einem verbissen geführten Papierkrieg stürmte Matthew eines Tages ins Büro seiner Brieffeindin, bereit, sie mit dem Ast, der am Morgen seinen Kopf nur um Haaresbreite verfehlt hatte, zu erschlagen, als ihn die Liebe, oder das, was er dafür hielt, wie ein Stromstoß traf. Von diesem Tag an stand er allabendlich vor ihrem Büro und flehte um ein gemeinsames Abendessen, einen unverfänglichen Lunch, eine harmlose Tasse Kaffee. Er schwor, den Baum in Ruhe zu lassen, schickte ihr Blumen und schrieb eine Sonate für sie. Er wollte auf dem Flur vor ihrem Büro Cello spielen und wurde des Hauses verwiesen. Er trug ihr ein selbstverfasstes Gedicht am Telefon vor, bis sie nicht mehr auflegte.

Irgendwann gewährte sie ihm ein Abendessen. Er führte sie ins beste Lokal der Stadt und gab dem Kellner Tage zuvor Geld, damit der ihn als Herrn Professor und Stammgast begrüßte.

Von da an durfte er sie immer samstags einladen. Cynthia schätzte gutes Essen und teuren Wein, und wenn sie einen besonders raffinierten Nachtisch verschlang, erlaubte sie sich sogar die Blöße eines Lächelns. Bald hatte Matthew die Ehre, seine Liebe zwei- oder dreimal pro Woche durch ihren Magen gehen zu lassen. Mit jedem Pfund, das sie an Gewicht zulegte, bröckelte ihr Widerstand gegen Matthews Avancen, und eines Nachts ging sie, leicht benommen von einem sündhaft teuren Pommard, mit ihm nach Hause.

Begleitet vom Ächzen der Fichte, deren Äste das Mondlicht verwischten, legte Matthew sich neben Cynthia und durchbrach ihre letzte Schranke, rang schwitzend und keuchend um ein bisschen Lust und sank schließlich über ihr zusammen, einen Schrei ausstoßend, in dem Triumph und Selbstverachtung schwangen und eine Verzweiflung, die ihn frösteln ließ und bis zum Morgen wachhielt.

Eine Weile sahen sie sich nicht, und Matthew war froh darüber und hoffte, Cynthia fühle genauso. Er dachte daran, sie ein letztes Mal zum Essen einzuladen und ihr zu sagen, warum er die Beziehung, wenn es denn überhaupt eine war, beenden wollte. Aber er brachte es nicht fertig, sie anzurufen. Er besaß eine Fotografie von ihr, und manchmal nahm er sie hervor und sah sie an. Er hatte die Aufnahme gemacht, sie zeigte Cynthia vor der Fichte stehend, die Arme hinter den Rücken gelegt, das Kinn erhoben. Ihr Blick ging an der Kamera vorbei, nicht schüchtern, sondern kühl und eine Spur hochmütig. Zwei Wochen später warf Matthew das Bild weg und fällte den Baum.

Im Monat darauf teilte Cynthia ihm telefonisch mit, sie sei schwanger. Matthew war am Boden zerstört. Er dachte daran, Cynthia seine Ersparnisse und das Haus zu überlassen und nach Frankreich zu gehen, wo ein ehemaliger Studienfreund ein Weingut betrieb. Dann dachte er an das Kind und daran, dass es ohne Vater aufwachsen würde. Er versuchte sich einzureden, dass er es besuchen würde, aber er wusste, dass es nicht dasselbe wäre. Also blieb er.

Cynthia war konservativ, aber verglichen mit ihren Eltern, die er bald kennenlernte, erschien sie Matthew wie die Verkörperung von Rebellion und Fortschritt. Als sie heirateten, war er einunddreißig, sie fünf Jahre jünger. Er war ein Virtuose auf dem Cello, aber er reiste nicht gerne, und so unterrichtete er, seit er zwanzig war, statt mit Symphonieorchestern durch die Welt zu ziehen. Sie besaß einen Ehrgeiz, der sich aus einem absurden Gefühl der Minderwertigkeit nährte. Wo ihr Intelligenz und Fantasie fehlten, behalf sie sich mit Verbissenheit. Sie glaubte an sozialen Aufstieg, beruflicher Erfolg war ihre Religion. Wenn der selbstauferlegte Druck zu groß und sie schwach wurde, was selten geschah, kam die Frau zum Vorschein, von der Matthew manchmal glaubte, er könne sie sehen, gut gepolstert hinter Disziplin und Stolz. Dann weinte sie ein bisschen und erzählte ihm von ihren Träumen, in denen tropische Wälder vorkamen, breite Ströme und ein Floß, dessen Stämme sie selber gefällt hatte. Dann wurde sie weich, und er tröstete sich mit dem Gedanken, sie vielleicht doch zu lieben, nicht so, wie seine Eltern sich geliebt hatten, aber immerhin genug, um mit ihr zu leben. Ihre Eltern reisten zur Hochzeit aus Manchester an, wo sie eine Kohlehandlung führten, übernachteten einmal im Hotel und schenkten dem Paar eine Waschmaschine.

Als der Junge zur Welt kam, wurde Matthew daran erinnert, was Glück war. Seine Fähigkeit zu lieben, die durch das Leben an Cynthias Seite verkümmert war, wuchs zu einem überwältigenden Gefühl, das ihn alle Bitterkeit und Reue vergessen ließ. Während Cynthia eine Weiterbildung zur Forstökonomin machte und abends und an den Wochenenden lernte, wie Wälder am gewinnträchtigsten bewirtschaftet wurden, gab Matthew seinen Beruf fast völlig auf und kümmerte sich um seinen Sohn. Er war ein hingebungsvoller Vater, obwohl er sich bis zu Williams Geburt nie ernsthaft überlegt hatte, ob er einer werden wolle, und falls ja, ob ihm die Aufgabe liegen würde. Er dachte, er würde das Unterrichten vermissen, die Studenten, seinen

Raum in der Universität, den ganzen Betrieb, aber das war nicht der Fall.

Er spielte William auf dem Cello vor und entlockte dem Instrument Geräusche, derer er sich früher geschämt hätte, nur um den Jungen zum Glucksen zu bringen. Sie gingen spazieren, sahen sich im Zoo die seltsamsten Tiere an und lagen nebeneinander auf den Wiesen von Parks und formten die Wolken nach ihren Wünschen. Sie kauerten in Bächen und wendeten jeden Stein, um darunter Welten zu entdecken. Ein Teich wurde zum Ozean, den sie auf Papierschiffen überquerten, bei Regen saßen sie am Küchentisch und bauten aus Fundstücken eine Maschine, die Glück herstellte.

Als William vier Jahre alt war, zog die Familie nach London, wo Cynthia eine Stelle beim Umweltministerium erhalten hatte. Jetzt sah Matthew seine Frau überhaupt nicht mehr, und William blickte seinen Vater ratlos an, wenn der das Wort Mutter benutzte. Ein halbes Jahr später einigten sich Matthew und Cynthia darauf, eine Weile getrennt zu leben. Matthew und William fuhren zurück nach Norwich und wohnten von nun an mit einer alten Dame, der sie das Haus vermietet hatten, unter einem Dach. Eigentlich hatte Miss Baldwin vorgehabt, einen alleinstehenden Herrn als Wohngenossen zu finden, aber die neue Situation gefiel ihr noch besser. Sie war vierundsiebzig und blühte in der Gesellschaft der beiden Männer noch einmal richtig auf. Obwohl sie nie verheiratet gewesen war, liebte sie Kinder über alles. Wenn sie an zwei Nachmittagen in der Woche, an denen Matthew Unterricht gab, auf William aufpasste, wollte sie den Jungen am Abend gar nicht mehr hergeben.

Irgendwann war es zur Gewohnheit geworden, dass die drei gemeinsam aßen, im Park spazierten und sich im Radio Konzerte und Liveberichte von Fußballspielen anhörten. Miss Baldwin war Anhängerin des FC Norwich City, und bald saß das Trio bei jedem Heimspiel im Stadion. Im Gegenzug brachte Matthew ihr die Welt der klassischen Musik näher, spielte ihr auf dem Cello vor, schenkte ihr Schallplatten und lud sie zu Konzerten ein. Es war ihm egal, was die Nachbarn von ihm dachten, und wenn er Agnes einmal pro Woche zum Essen ausführte, sollten die Leute eben denken, sie sei seine Mutter. An diesen Abenden engagierte er eine Babysitterin für William, eine junge Frau, der er das Cellospiel beibrachte und die dem Jungen Kostüme schneiderte, Peter Pan, Prinz Eisenherz, Buffalo Bill.

Alle zwei Monate setzten sich Matthew und William in den Zug und fuhren nach London, um ein paar Stunden mit einer Frau zu verbringen, die auf dem Papier Matthews Gattin und biologisch gesehen Williams Mutter war. Alles in Cynthias Leben fand zwischen Tür und Angel statt, zwischen Lunch und Dinner, einem Meeting und dem nächsten. Sie überhäufte ihren Sohn mit Geschenken, lauter Dingen, mit denen der Junge nichts anzufangen wusste, und zeigte ihm Prospekte von Privatschulen, als deren Schüler sie ihn bereits sah. William versprach, die Unterlagen zu studieren und eine Liste mit seinen Favoriten anzulegen. Zu Hause in Norwich landeten die Hochglanzbroschüren im Abfall, denn der Junge hatte sich längst für eine Karriere als Profifußballer oder Höhlenforscher entschieden. Matthew wollte nicht mit seiner Frau streiten und sagte ihr deshalb nicht, für wie unsinnig er es hielt, einen Fünfjährigen mit der Planung seiner Zukunft zu behelligen.

In den Londoner Nächten arbeitete Cynthia an Matthew etwas ab, das sie als ihre Pflicht betrachtete und dessen technische Ausführung sie in Büchern nachgeschlagen hatte, als handle es sich dabei um Anleitungen zur Bepflanzung von Steilhängen oder den Schutz von Jungwuchs vor Wildverbiss. Zum Geschlechtsverkehr im eigentlichen Sinn kam es dabei nicht, denn Cynthia wollte kein zweites Mal das Risiko eingehen, schwanger zu werden. Hatte Matthew zu Beginn noch voller Staunen und in einer Mischung aus gestauter Lust und Masochismus auf die neu erworbenen Fertigkeiten seiner Frau reagiert, so wehrte er sich schon bald gegen die immer hastiger und unsinnlicher ausgeführten Zuwendungen, indem er sich einfach umdrehte und tat, als schlafe er. Cynthia schien ein wenig enttäuscht zu sein, aber auch erlöst. Jedenfalls ließ sie ihn in Ruhe, und beim nächsten Besuch schlief sie in ihrem Bürozimmer.

Es war während eines dieser Kurzaufenthalte in London, als die Welt aufhörte, sich zu drehen. William war sechs Jahre alt und der hellste Stern in Matthews Universum. Er hatte die schwachen Augen seines Vaters geerbt, aber auch dessen kräftigen Körperbau und die dunkelbraunen Locken. Der Junge konnte einfache Stücke auf dem Cello spielen, freihändig Fahrrad fahren und einen flachen Stein ein Dutzend Mal über das Wasser hüpfen lassen. Er wusste, wie eine Amsel sang und wie eine Meise, kannte alle Spieler des FC Norwich City, zeichnete Pferde, die als solche zu erkennen waren, und mähte den Rasen vor dem Haus zwei Minuten und elf Sekunden schneller als sein Vater.

Sie besichtigten eine Privatschule im Westen der Stadt, Cynthia hatte darauf bestanden. Es war Ferienzeit, und mehrere Eltern kamen mit ihren Kindern, um sich die leerstehenden, deshalb aber nicht minder imposanten Gebäude zeigen zu lassen. Eine Frau in einem dunkelgrauen Kleid führte sie durch Schlafsäle und Turnhallen, Unterrichtsräume und endlose Flure. Sie sahen in eine Kapelle, eine Küche und eine düstere Bibliothek. Matthew hielt seinen Sohn die ganze Zeit an der Hand, während Cynthia die grau gekleidete Frau mit Fragen überhäufte.

Am nächsten Morgen hatte William Kopfschmerzen und leichtes Fieber, das in der Nacht höher wurde. Im ersten Tageslicht eilte Matthew los, um bei einer Notfallapotheke Medikamente zu besorgen, und als er zurückkam, saß Cynthia schluchzend auf Williams Bett und versuchte den apathischen Jungen anzukleiden. Das Sekretariat der Privatschule hatte angerufen und ihr mitgeteilt, vier Kinder, die am Besichtigungstermin teilgenommen hatten, lägen mit Hirnhautentzündung im Krankenhaus.

Ein Ambulanzwagen und ein Taxi wurden losgeschickt, um Matthew und Cynthia und ihren Sohn zur Klinik zu fahren, wo über einen ganzen Flügel Quarantäne verhängt worden war. Am Nachmittag des folgenden Tages starb ein zwölfjähriges Mädchen, am Abend William. Der Ruck, mit dem die Erde zum Stillstand kam, war so heftig, dass der Boden unter Matthews Füßen wegrutschte.

William wurde auf dem Friedhof beerdigt, der nur wenige Minuten vom Haus entfernt lag und in dessen Steinmauern Eidechsen lebten. An Sommertagen hatten er und sein Vater oft stundenlang vor diesen Mauern gesessen und den Tieren zugesehen, wie sie sich sonnten und Insekten jagten, grün schimmernde Leiber, die in den Ritzen verschwanden, wenn William die Hand nach ihnen ausstreckte. Cynthia hatte bei ihrem Arbeitgeber eine Freistellung auf unbestimmte Zeit beantragt und lebte wieder bei ihrem Mann. Agnes Baldwin fand ein Zimmer ein paar Häuser entfernt und wurde im örtlichen Tierheim tätig, um nicht gänzlich in Schmerz und Trauer zu versinken.

Matthew war drei Monate krankgeschrieben, eine Cellistin aus Polen übernahm seine Unterrichtsstunden. Er ging jeden Tag zu Willliams Grab, weinte, bis er keine Tränen mehr hatte, und verdöste ganze Nachmittage in einem verdunkelten Zimmer. Nachts trank er, bis wieder Tränen flossen, ging am nächsten Morgen zum Grab und taumelte zurück in eine endlose Wiederholung verlorener Tage.

Für Cynthia war die Entscheidung, bei ihrem Mann zu bleiben, eine weitere Pflicht, eine Aufgabe, der sie sich stellen musste. Im Krankenhaus war sie bei der Nachricht vom Tod ihres Kindes zusammengebrochen. Drei Tage lang lag sie in Dunkelheit, dämmerte dahin, gehüllt in eine Stille, die in ihr gewohnt hatte. Es war, als sei all die Härte, von der sie sich jahrelang hatte tragen lassen, zu Staub verfallen, als sei sie ein Baum gewesen, den ein Blitz innerhalb eines Atemzugs zerstören konnte. Am vierten Tag stand sie auf, um zu trauern, am fünften nahm sie ihr Leben wieder in die Hand. Was zu tun war, erledigte sie, organisierte das Begräbnis, die Todesanzeige, die Trauerkarten, die Übernachtung ihrer Eltern. Sie fuhr mit Matthew zurück nach Norwich und kümmerte sich um ihn, wie es die Krankenschwestern in London getan hatten. Wenn er weinte, versuchte sie ihn zu trösten, zitierte den Bestattungsunternehmer und sagte Worte wie Tapferkeit und Zuversicht und Mut. Am meisten benutzte sie das Wort Stärke, obwohl sie sah, dass Matthew davon nichts mehr besaß. Zwei Wochen nach der Beerdigung lag Matthew noch immer Nachmittage lang in einem der Zimmer, und sein Anblick tat ihr weh, aber nach einem Monat empfand sie statt Mitleid Ungeduld, dann leise Abscheu, weil er so schwach war und sie an ihre eigene Verletzbarkeit erinnerte.

Aus dem Baumstrunk wuchs ein Trieb, an dessen Ende eine Knospe saß. Matthew entdeckte ihn, als er durch den Garten ging, dessen Rasen braun und verfilzt über die Platten des Gehwegs wucherte. Er war für nichts empfänglich, weder für die Appelle seiner Frau noch für die rührenden Versuche von Agnes, ihn zu einem Besuch im Stadion zu überreden, und schon gar nicht für ein plumpes Symbol, das aus den Überresten eines Baumes spross. Sein Kündigungsschreiben lag auf dem Tisch neben der Haustür, drei Sätze, eine fahrige Unterschrift. Er wollte nicht zurück an die Universität, konnte sich nicht dem Mitgefühl seiner Kollegen aussetzen, nicht dem Trost seiner Schülerinnen. Das Cello würde keinen Ton mehr hervorbringen, keinen Laut, der sein Herz zu berühren vermochte.

Cynthia würde bald gehen, seiner Trauer überdrüssig. Sie würde sich neu in ihr Leben einspuren, deren ausgeleuchtete Bahn sie nur für drei Tage und Nächte verlassen hatte, und würde weitermachen, jetzt erst recht. Er wusste, sie würde die Scheidung wollen. Sie war für klare Verhältnisse, das Kind, um dessentwillen man geheiratet hatte, gab es nicht mehr und damit auch keinen Grund, ein Zusammensein vorzutäuschen. Es war ihm egal. Er richtete sich darauf ein, das Haus zu verkaufen und ihr die Hälfte des Gewinns zu geben. Mit dem Geld würde er eine Weile über die Runden kommen, er stellte sich nichts vor, die Zukunft war ein geschlossenes Fenster, hinter dem die Nacht zu keinem Ende kam. Im Schlaf, der Erschöpfung war und ein heilloser Rausch, fielen Gedanken aus dem Dunkel auf ihn herab, aber keiner davon war klar genug, um den Tod zu wünschen, und keiner taugte dazu, leben zu wollen.

Ein Vierteljahr nach Williams Tod ging Cynthia zurück nach London. Sie wollte kein Geld, nur die Scheidung. Sie schrieb Matthew einen Brief, dessen Ton zwischen Aufmunterung und Anklage pendelte und der, die Scheidung vorwegnehmend, mit Cynthia Moss unterschrieben war. Es wurde Sommer, und Matthew saß ganze Tage vor der Steinmauer des Friedhofs und sah den Eidechsen zu. Irgendwann setzte sich eine auf seinen Schuh und sah zu ihm hoch. Er hielt ihr die offene Hand hin, und sie setzte sich darauf. Am Himmel erschienen ab und zu Wolken, die der Frühling dort vergessen hatte, dann duckte sich das Tier in die Wärme von Matthews Handfläche und wartete, bis die Sonne es erneut traf. Leute gingen auf den Wegen hinter ihm, Matthew konnte das Weinen einer Frau hören. Der Gärtner war mit einer Schubkarre, aus der eine farbige Schleife hing, auf dem Weg zum Komposthaufen. Auf der anderen Seite der Mauer wehte aus einem offenen Auto ein Lied, nichts Trauriges. Ein Kind rief etwas, im schmutzigen Himmelblau spannte sich eine Schnur, an deren Ende ein Flugzeug hing.

Matthew weinte, aber er wusste, dass es aufhören würde. Heute würde er nach Hause gehen und Licht ins Zimmer lassen. Er würde den Umschlag mit der Kündigung wegwerfen, das Cello aus dem Kasten nehmen und darauf spielen. Die Töne würden zuerst wehtun, aber er würde nicht aufhören zu spielen. Er würde versuchen weiterzuleben. Er schob die Eidechse sanft von seiner Handfläche, stand auf und ging nach Hause.

Eine Woche später bat er Agnes, wieder bei ihm einzuziehen, was die alte Dame mit Freuden tat. Die polnische Cellistin schloss sich einem vagabundierenden Streichensemble an, das in Kurorten spielte, und Cynthia ging nach Kanada, wo sie Konzerne beriet, wie man am gewinnbringendsten Wälder abholzte. In den ersten Wochen nach ihrer Abreise rief sie Matthew regelmäßig an, um zu fragen, wie es ihm ging, dann meldete sie sich noch einmal im Monat und schließlich gar nicht mehr. Matthew und Agnes besuchten wieder Konzerte und Fußballspiele, und aus einem Abendessen im Restaurant pro Woche wurden zwei und manchmal drei. Am Wochenende gingen die beiden mit Hunden aus dem Tierheim spazieren, und eines der Tiere, einen Boxer mit nur einem Auge, nahmen sie zu sich.

Als die Stadt den Friedhof vergrößern und dabei die alten Steinmauern abreißen wollte, gründeten sie ein Komitee. Sie sammelten Unterschriften, aber die Leute hatten andere Sorgen. Zwei Wochen bevor die Bulldozer kamen, gingen Matthew und Agnes und eine Handvoll Mitglieder des Tierschutzvereins mit Netzen und Eimern los und fingen so viele Eidechsen, wie es die Flinkheit der Tiere und die Zeit erlaubten. Agnes hatte Mehlwürmer als Köder besorgt und Matthew Fallen aus Abflussrohren gebaut. Drei Tage vor dem Abriss waren die Fallen leer, und Matthew hatte das Gefühl, das Bestmögliche getan zu haben. Er, Agnes und Stuart Doyle, ein fünfundsiebzigjähriger ehemaliger Feuerwehrmann, dem das Leben im Altersheim zu wenig bot, fuhren in Stuarts Auto zu einer ehemaligen Kiesgrube und setzten die Eidechsen aus. Bis in den Abend saßen sie auf warmen Felsen und tranken Wein. Agnes und Stuart hielten sich an der Hand, und Matthew lächelte vor sich hin. Von diesem Tag an erwachte er nicht mehr jede Nacht, aufgeschreckt durch einen Traum, in dem sein Sohn starb.

Wochen vergingen und Monate, und schließlich verschwanden die Albträume ganz. Stuart zog bei ihnen ein, er war der alleinstehende Herr, auf den Agnes gewartet hatte. Wenn sie am Abend Karten spielten, stellte Matthew sich vor, die beiden seien seine Eltern, und obwohl ihn die Sehnsucht nach William nie loslassen würde, obwohl das Tierheim vor dem Ruin und die Welt am Rand des nächsten Krieges stand, fühlte er etwas in sich, das er als Glück wiedererkannte.

Wilbur wurde nicht Matthews Sohn, auch nicht sein Enkel. Er nahm keinen Platz ein, füllte keine Lücke aus. Er war ein Junge, der vorbeikam, ein Besucher, der das Cellospiel lernte. Nicht die Sehnsucht nach einem toten Kind linderte er, sondern den Schmerz des Alleinseins. Er liebte das Cello, das kleiner war als das von Matthew, geeignet für seine winzigen Hände und kurzen Finger, die nach den ersten Stunden voller Blasen waren. Beim Spielen legte er manchmal die Wange an das Instrument und ließ das Summen, das jetzt greifbar schien, in seinen Kopf strömen. Matthew wies ihn nicht zurecht, er lächelte und spürte die Schwingungen an der eigenen Haut. Wilbur war eine Batterie, die sich durch die Töne des Cellos speiste, und je voller und energiegeladener er wurde, desto leuchtender geriet sein Spiel. Der Umgang mit dem Instrument kam ihm nicht wie Lernen vor, vielmehr schien es ihm, als würde er sich an Fähigkeiten erinnern, die er einmal besessen hatte. Es war, als löse jede Tonfolge eine neue Schicht des Erinnerns, unter der eine längst beherrschte Fertigkeit lag, als sei jeder Griff und jeder Zug des Bogens die Seite eines Buches, in dem er zurückblätterte.

Wenn er spielte, war er sich nicht bewusst, dass er eine Abfolge von Bewegungen ausführte, die ein Ziel verfolgten, weil er das Ziel erst erkannte, wenn es sich als gefundener Klang im Raum ausbreitete. Er holte einfach Töne aus dem Holzbauch heraus und spielte sie so lange falsch, bis sie es nicht mehr waren. Dabei entstand eine endlose, monotone Melodie, deren Schieflage sich derart langsam dem gesuchten Ton entgegenneigte, dass jemand, der nur eine Weile zuhörte, keinen Fortschritt hätte erkennen können. Matthew fühlte sich an sein altes Radio erinnert, dessen Skalenregler er oft minutenlang drehte, bis er die klaren Signale eines Senders fand. Das Cello war

Wilburs Radio, auf dem er Töne suchte und Klänge fand und auf Bruchstücke stieß, Akkorde, die sich zu Melodien formten und irgendwann zu Musik.

Manchmal saßen Matthew und Wilbur einen ganzen Nachmittag lang da und hörten Schallplatten, oft dieselbe immer und immer wieder. Oder Wilbur lernte Notenlesen. Matthew erklärte ihm eines Tages das Grundprinzip, danach blieb dem alten Mann nur noch Staunen. War Wilburs Gehirn in der Schule ein Schwamm, der sich wie von selbst mit Wissen vollsog, dann war es jetzt ein riesiger Planet, der fiebrig glühend kreiste und jede Information anzog und seiner Masse einverleibte.

In seinem Zimmer schrieb Wilbur Sonaten ab, ganze Symphonien. Vor dem Einschlafen summte er das am Tag Gehörte, nach dem Aufwachen pfiff er, was er später spielen würde. Pauline fand, ihr Pflegesohn übertreibe es mit der Begeisterung für Musik ein wenig, aber sie kannte Matthew Fitzgerald, und obwohl er kein Katholik, ja nicht einmal Protestant war, teilte sie die Ansicht der Leute im Ort, er sei ein anständiger Mann.

Als Wilbur immer öfter bis zum Abend verschwunden war, hatte sie ihn zur Rede gestellt, und Wilbur hatte ihr von den Cellolektionen erzählt. Wenig später waren Pauline und Henry zu Gast bei Matthew und überzeugten sich davon, dass der alte Mann dem Jungen beibrachte, ein Instrument zu spielen. Es gab Tee und Gebäck, und Wilbur setzte ein paar Töne aneinander, die entfernt an eine Melodie erinnerten. Matthew trug seinen besten Anzug und versprach den Conways beim Abschied, bis Weihnachten könne Wilbur auf dem Cello *Stille Nacht* spielen. Pauline war von dieser Aussicht begeistert und malte sich bereits aus, wie der dank ihres Einflusses wohlgeratene Ziehsohn beim Gottesdienst die Gemeinde in Beifallsstürme ausbrechen ließ.

Henry meinte, der magere Junge solle sich neben der Musik auch dem Sport widmen und Gaelic Football oder Hurling spielen, aber damit fand er weder bei Wilbur noch seiner Frau Gehör. Wilbur hasste jede Form von Sport oder sogenannten

Spielen, bei denen es um Körperkraft und deren brutalen Einsatz ging, und seit Fintan Taggart sein Turnlehrer war, hatte sich sein Widerwille noch verstärkt. Pauline teilte Wilburs Abscheu gegenüber roher, als Wettkampf getarnter Gewalt, doch stieß sie sich vielmehr an der Tatsache, dass die muskulösen, verschwitzten Leiber der Burschen bei den jungen Zuschauerinnen unzüchtige Gedanken auslösten. Zudem gefiel ihr die Vorstellung, Wilbur im Bekanntenkreis bald als Hausmusikanten ankündigen zu können, ausnehmend gut, und sie wollte nicht, dass dieser zukünftigen Attraktion ein zum Cellospiel benötigter Finger gebrochen wurde.

Ein halbes Jahr später spielte Wilbur in der Kirche *Stille Nacht*, wie Matthew Fitzgerald es versprochen hatte, und alle Anwesenden waren sich darin einig, dass Gott mit diesem talentierten Jungen Großes vorhatte.

7

Zwei Tage vor dem Besuch der Delegation hat Vermeer mich
zu sich gebeten. Er ist mit mir den Ablauf des Treffens durch-
gegangen und hat mich auf Fragen vorbereitet, die aller Wahrscheinlichkeit nach von den Abgeordneten gestellt werden. Er
bat mich, ehrlich zu sein und nicht etwa einen Lobgesang auf
die Offene Abteilung oder gar die gesamte Institution anzustim-
men. Die Männer und Frauen des Ausschusses seien Experten
und würden sofort erkennen, wenn ihnen etwas vorgemacht
würde. Ich hörte Vermeer zu und gab ein paar Probeantworten
auf Probefragen. Er meinte, ich solle keine wissenschaftlichen
Ausdrücke verwenden und nicht erwähnen, dass es mir gelungen war, einen Spiegel zu zertrümmern und mich in den
Besitz eines Bademantelgürtels zu bringen.

Ich versprach es ihm, nachdem ich den Gedanken, ihm alles
zu gestehen, verworfen hatte. Vermeer war beinahe rührend in
seinem Stolz auf uns beide. Auf mich, weil ich bald den Schritt
zurück in die Gesellschaft schaffen würde, auf sich selbst, weil
er mir den Raum und die Ruhe gegeben hatte, um diesen Schritt
vorzubereiten. Ich wollte ihn nicht enttäuschen, also schwieg
ich. Vermeer bedankte sich und gab mir einen Scheck über
eintausend Dollar, die Hälfte der vereinbarten Summe meines
Startkapitals für draußen. Er verstand es als Vorschuss und Ver-
trauensbeweis, vermutlich auch als Motivationshilfe. Ich nahm
den Scheck, wir schüttelten uns die Hände, und ich ging zurück
in mein Zimmer.

Ich habe Aimee einen Brief geschrieben. Ich werde sie nicht wiedersehen und will nicht, dass sie glaubt, ich würde sie hassen. Ich habe sie ein paar Tage lang gehasst, aber das ist vorbei. Die Worte kommen nicht von alleine, an jedem Satz sitze ich eine Ewigkeit. Ich schreibe nicht, dass ich sie liebe, das wäre falsch. Falsch, weil ich nicht weiß, ob es stimmt, und weil es nichts bringen würde. Ich haue morgen hier ab und habe nicht vor, noch einmal vorbeizuschauen. Der Brief besteht aus durchgestrichenen Wörtern, aus Umformulierungen und Präzisierungen. Er sagt etwas, das ich loswerden will, ohne mich schutzlos zu machen. Er ist nicht kalt und nicht gefühlsduselig, weder leidenschaftlich noch ganz ohne Regung. Er ist sachlich, ein nüchterner Abschied.

Ich schreibe die Sätze in sauberer Schrift auf ein neues Blatt, falte es zusammen und stecke es in einen Umschlag, auf den ich ihren Namen setze. Den Umschlag lege ich unter mein Kopfkissen. Es gibt eine Regel hier drin, die besagt, dass dein Kopfkissen tabu ist, und was darunter ist, ebenfalls. Zumindest hat Melvin mir das erzählt, aber vielleicht hat er das auch bloß getan, damit ich seine Pantoffeln in Ruhe lasse.

Den Rest des Morgens sehe ich Melvin und Sydney beim Damespielen zu. Melvin erzählt, Stan sei von der Krankenstation in die Beobachtungsstation verlegt worden. Ich bitte ihn, Grüße von mir auszurichten. Melvin sieht mich an. Vielleicht weiß er, dass ich gehe. Er lächelt und nickt und stellt seine Steine neu auf. Sydney gewinnt jede Partie, aber das scheint Melvin nicht zu stören. Die Mütze auf seinem Kopf heißt Kippah oder auch Schabbes, ich habe im Lexikon nachgeschlagen.

Am Nachmittag gehe ich noch einmal durch die ganze Abteilung. Ich erzähle keinem, dass ich morgen verschwinden werde, aber ich schaue bei allen rein und halte einen kurzen Schwatz, sofern es der Zustand der Männer erlaubt. Rodrigo, zum Beispiel, ist heute noch schlechter gelaunt als üblich. Er wirft mir irgendetwas Spanisches an den Kopf und verzieht sich in die Raucherkabine. Ho freut sich über das Interesse, das ich für sein Dorf aus Streichholzhäusern vortäusche. Roger drückt mir einen weiteren Ordner in die Hand, und ich verspreche, ihn zu lesen. Ich spiele eine Runde Billard, oder was immer es ist, mit Raymond und Elroy. Sie erzählen mir, dass Edward Kanonenfutter Carson nicht mehr hier ist. Seine Eltern haben ihn am Morgen abgeholt. Ich lasse die Kugel an einem Keksstapel vorbeirollen und treffe die Untertasse, was mich zum Sieger der Partie macht. Zwei Neue werden mir vorgestellt, Lester und Fred, beide um die fünfzig, schüchtern und wortkarg. Sie wissen, dass wir wissen, weshalb sie hier sind. Es ist ihnen peinlich, und sie stehen da wie Schuljungen, die beim Onanieren erwischt wurden.

Ich frage mich, wo all diese Männer herkommen, ob sie im ganzen Land eingesammelt und hierher verfrachtet werden, und warum es ihnen nicht gelungen ist, sich umzubringen, oder ob sie es darauf angelegt haben, gefunden und gerettet zu werden. Lester und Fred sahen jedenfalls ziemlich unversehrt aus und nicht wie Typen, die den Mumm haben, sich vor eine Lokomotive zu werfen oder eine Kugel in den Kopf zu jagen. Vielleicht haben sie an ihrem Geburtstag Tabletten geschluckt oder auf einem öffentlichen Parkplatz die Abgase ihrer Autos eingeatmet, oder sie standen auf dem Fenstersims ihres Büros im siebzehnten Stock und warteten auf den Psychologen, der sie zum Weiterleben überreden würde. Vielleicht wollten sie sich tatsächlich das Leben nehmen und hatten Glück. Oder Pech.

Elroy schlägt eine weitere Partie Dadaistenpool vor, aber Sam kommt über den Flur und reißt mich aus diesem Stelldichein der Verlorenen und beinahe Wiedergefundenen und zieht mich am Arm fort. Obwohl ich nicht unglücklich bin über seine Fluchthilfe, will ich wissen, was los ist. Er sagt, jetzt, wo ich wieder alle Tassen im Schrank habe, könne ich endlich seine Petition gegen die verdammten Ziegen unterschreiben. Außerdem müsse ich ihm in der Tischlerei helfen.

»Die erste Bank ist fertig«, sagt er. »Und du darfst helfen, sie rauszutragen.« Er lässt meinen Arm los, und wir gehen nebeneinander die Treppe hinunter.

Erst will ich fragen, warum er ausgerechnet mir diese Ehre zuteil werden lässt, aber dann ist es mir egal. Ich bin auf Abschiedstour, also verbringe ich ein paar Minuten mit Sam und tue ihm einen Gefallen. Wir betreten die Halle, in der es nach Holz und Harz und Lösungsmitteln riecht. Lefty und der alte Mann, dessen Namen ich noch immer nicht kenne, sitzen auf der fertigen Bank und essen Brote. Als sie Sam sehen, stehen sie auf und wischen hastig ein paar Krümel von der Sitzfläche. Ein großer hagerer Mann mit krummem Rücken, Melvin zufolge ein Abtrünniger von Amischen aus Ohio, der die Tischlerei leitet, sägt im hinteren Teil der Halle Holz auf einer Maschine. Zwei Pfleger spielen an einem Tisch beim Eingang Schach und überzeugen sich gelegentlich davon, dass sich keiner der Männer mit einem scharfen oder spitzen Werkzeug das Leben zu nehmen versucht. An einer Schnur hängt ein Käfig von einem Stahlträger, in dem ein gelber Kanarienvogel sitzt, der sich erst auf den zweiten Blick als ausgestopft entpuppt.

Ich folge Sam zu einer Werkbank und unterschreibe die Petition mit Wilbur McDermott. Das Blatt ist fleckig und zerknittert, meine Unterschrift die vierte. Sam führt mich zu der Bank und wartet auf mein Urteil. Wir stehen da wie zwei Galeriebesucher vor einer Skulptur. Die Bank ist aus schwarzem Gusseisen und grün lasiertem Holz. Vier Leute haben auf ihr Platz. Ich könnte mich darauf ausstrecken, ein normal gewachsener Mann müsste dabei die Füße auf die Armlehne legen. Die Maserung ist durch die Lasur zu erkennen, das gefällt mir.

»Die Eisenteile sind vom Schrottplatz«, sagt Sam.

Ich nicke. Vermutlich erwartet er, dass ich Interesse für diese Teile zeige, also gehe ich in die Hocke und sehe sie mir genauer an. Die Füße sind Tierpfoten nachempfunden, von denen Ranken mit Blüten und Blättern emporwachsen.

»Schön«, sage ich. Mehr fällt mir zu einer Gartenbank nicht ein.

Eine Weile stehen wir noch da, dann tragen Sam und ich die Bank nach draußen und stellen sie auf der Wiese unter ein paar Bäume. Sam ist erst zufrieden, nachdem wir sie dreimal verschoben haben. Lefty und der Alte kommen mit ihren Broten und sehen sich ihr Werk zufrieden kauend an. Der Alte stellt sich mir als Mitch vor. Er hat weißes Haar und so blaue Augen, dass ich den Blick senke, als wäre die Farbe ein Makel, eine Entstellung. Er gibt mir die Hand, an der Mayonnaise klebt. Lefty schlägt vor, ein paar Steinplatten unter die Bank zu legen, aber Sam will davon nichts wissen. Er poliert die Bank mit einem Tuch und klatscht in die Hände, worauf ein paar Vögel aus den Bäumen flattern.

Zu viert stehen wir da und betrachten stumm die Bank. Als der Leiter der Tischlerei nach Sam ruft, gehen die drei zurück. Ich sage ihnen, ich wolle noch eine Weile hier draußen bleiben, und setze mich hin. Ich überlege, ob ich Sam hinterherrufen soll, die Bank sei bequem, aber dann lasse ich es. Der Himmel ist leergeräumt. Ein unregelmäßiges Muster aus farblosen Schlieren krümmt sich über mir, eine schmutzige Glaskuppel. Zu meinen Füßen laufen Käfer, polierte schwarze Knöpfe, die durch die Grashalme kollern. Ich frage mich, ob ich das alles hier vermissen werde, und weiß die Antwort nicht. Vermeer hat mir Ratschläge gegeben, wie ich mein Leben in den Griff kriege, gut gemeinte Tipps, etwas mit mir anzufangen. Ich habe geduldig zugehört und ihm Floskeln über Jugend und offene Türen verziehen, habe genickt und mir sogar die Broschüre eingesteckt, die er mir gab. Darin steht, wie man es anstellt, draußen wieder Fuß zu fassen und mit seinen Problemen umzugehen. Auf der letzten Seite sind ein paar Psychologen, Therapeuten und Einrichtungen aufgelistet, an die man sich wenden kann, sollte man trotz Broschüre nicht weiterwissen.

Ich lege mich auf die Bank. Ich denke daran, wie ich morgen mit meinem Koffer hier rausgehe, und mir fällt ein, dass ich keine Ahnung habe, wo ich eigentlich bin. Melvin hat mal einen Ort namens Liberty erwähnt, irgendwo nordwestlich von

New York, aber für mich klang das wie ein Kaff in Namibia. Das Hotel war in Brooklyn, das weiß ich noch. Wenn ich mir vorstelle, dorthin zurückzugehen, wird mir ziemlich flau. Aber ich bilde mir ein, die Absteige würde mir helfen, mich daran zu erinnern, was ich am Meer verloren hatte. Ich weiß, dass einem Dinge wieder einfallen, wenn man bestimmte Orte von früher aufsucht. Man betritt eine Stadt, ein Haus, einen Raum, und die Erinnerung blendet einen. Man schließt die Augen und sieht Bilder, es ist wie die Flashbacks in Filmen, kurze Szenen, die auf der Leinwand des Unterbewusstseins leuchten.

Ich weiß, wovon ich rede, mein Leben ist ein Flickenteppich aus Erinnerungsfetzen. Alles, was ich bisher getan habe, hatte mit meiner Vergangenheit zu tun. Ich habe sie gesucht, habe sie verdrängt, habe darin gelebt und sie verleugnet, habe mich mit ihr getröstet und versöhnt und habe sie verflucht. Manchmal kommt es mir vor, als würde ich für jeden Schritt, den ich nach vorne mache, zwei zurückgehen. Ich bin zwanzig Jahre alt. Ich wurde mit Mängeln ausgeliefert. Ich bin ein Wunderkind.

Ich bin ein Leuchtturm, mein Licht streift über das Land und über das Meer. Möwen kreisen unter den Wolken. Im fernen Reich des Ozeans ziehen Fische und ahnen nichts von der Sonne. Ich sitze neben Conor und nenne ihre Namen. Pottwal. Narwal. Buckelwal. Conor sagt Barrakuda und Bonito und Manta. Der Wind riecht nach Lakritze. Unsere dumme Sehnsucht schleppt ein Schiff den Horizont entlang. Chile, Feuerland, Tahiti. Es wird dunkel, Orla ruft nach mir. Der Revolver fühlt sich kalt an in meiner Hand, in meinem Mund.

Ich wache auf, ein kühler Wind streicht über mich hinweg. Ich spüre das Holz unter mir, die rechte Hand, zwischen Hinterkopf und Bank geraten, ist taub. Hat mich die Stille geweckt? Ich setze mich auf. Der Himmel ist keine Kuppel mehr, er ist eine Zimmerdecke, darin blühen Wolken, Ornamente wie Wasserflecken. Aus der Sicht der Käfer bin ich ein Riese. Ich trete aus dem Schatten der Baumgruppe, gehe ein paar Schritte und schüttle den Arm und die Hand, die daran hängt. Ich kopiere Rons Übungen, aber es ist unpassend und lächerlich, also höre ich auf. Die Stille war die Stille vor dem Regen, jetzt geht ein feiner Schauer nieder, er trommelt leise in den Blättern. Der Rasen knistert, die Erde ist Brausepulver. Ich gehe durch den Birkenwald, den Gedanken, ins Trockene zu fliehen, habe ich verworfen. Der Grund ist weich, in Vertiefungen schmatzen meine Schuhe. Aus dem Nieselregen wird ein heftiger Niederschlag, schwere Tropfen klatschen durch die Äste der Birken, Blätter kreiseln zu Boden. Der Lärm gefällt mir, er übertönt meine Gedanken. Ich ziehe das Hemd über den Kopf und gehe gebückt durch das Prasseln und Klopfen.

Das Gartenhaus ist so plötzlich da, dass ich beinahe mit dem Kopf dagegenstoße. Der Himmel ist ein Meer, das zur Erde stürzt, der Boden tanzt unter dem Aufprall. Ich öffne die Tür und hebe den Kopf, und es ist wie ein Traum, eine Wiederholung, ein schlechter Witz, einmal zu oft erzählt. Sie steht da, und die Hand des Mannes liegt auf ihrer Brust, es ist Lester oder Fred oder irgendein Neuer, ich weiß es nicht. Das Bild ist eine Inszenierung, der Regen fällt in Wirklichkeit aus Eimern, ich triefe um der Dramatik willen. Aimee sieht mich an. Langsam sinkt die Hand des Mannes, es ist das Zeichen für den Regen, mich in Grund und Boden zu schwemmen. Ich trage den Brief nicht bei mir, und trotzdem zerfließt die Schrift, aus Linien werden Flecken, und zuletzt ist das Blatt blau und gewellt und lesbar wie ein See, Wasserworte. Lester oder Fred sagt etwas, das im Rauschen und Hämmern untergeht. Aimee schlüpft in den Pullover, den sie die ganze Zeit in der Hand gehalten hat, und nimmt dem Mann den Büstenhalter aus der Hand. Lester oder Fred steht so dumm da wie ich. Aimee streicht sich eine Strähne aus der Stirn. Wasser läuft mir über das Gesicht. Ich denke an meinen Trinkhalm, eine Sekunde nur, dann drehe ich mich um und gehe.

Es ist ganz einfach, die Stadt der Selbstmörder zu verlassen. Man braucht keinen Plan, keine Entlassungspapiere, keinen

Stempel. Ich gehe durch den Park zur Gärtnerei, wo alle in den Gewächshäusern auf das Ende des Regens warten. Ich klettere auf einen Lastwagen und setze mich zwischen die Kisten mit Tomaten. Ich sehe in den Himmel, der mir ins Gesicht schlägt, ich zittere, es ist kalt. Dann fahren wir los. Ich lege mich hin, damit der Wind mich nicht trifft. Wir schwimmen auf der Straße, einem schwarzen Fluss. Der Himmel ist so tief, dass meine Mutter mir die Hand reichen könnte. Der Lastwagen schaukelt, und ich schließe die Augen.

Liebe Aimee. Ich habe diesen Brief unter mein Kopfkissen gelegt und hoffe, dass er Dich erreicht. Wenn Du ihn liest, bin ich weg. Ich werde versuchen, draußen zurechtzukommen. Wird schon irgendwie klappen. Ich möchte, dass Du weißt, dass ich Dir nicht böse bin. Eine Zeitlang war ich es, aber das ist jetzt vorbei. Ich weiß nicht, was Du von mir wolltest; jedenfalls war es nicht das, was ich von Dir wollte. Dass ich mich hier drin erholen konnte (wovon genau, werde ich versuchen herauszufinden), verdanke ich trotz allem auch Dir. Ich bilde mir ein, mir wünschen zu müssen, wir hätten uns unter anderen Umständen kennengelernt, im Central Park oder auf einem Flohmarkt, irgendwo, nur nicht hier. Aber dann wird mir bewusst, dass Du außerhalb dieser Einrichtung vermutlich keinerlei Notiz von mir genommen hättest. Hier drin war ich Dein Patient, Dein Job. Ich war Dir zugeteilt, Du hattest gar keine andere Wahl, als mich wahrzunehmen. Dass Dein Interesse an mir anderer als beruflicher Natur sein könnte, kann ich mir nicht vorstellen. Warum Du meine Hand auf Deine nackte Brust gelegt hast, wird mir für immer ein Rätsel sein. Ich hätte Dich gerne noch gefragt, wie Du zu Deiner Narbe gekommen bist, den liegenden Halbmond auf Deiner Wange. Auch das werde ich wohl nie erfahren. Ich hoffe, Du wirst irgendwann diese Stadt verlassen. Sie ist kein Ort, an dem man lange bleiben sollte. Alles Gute, Will.

North

1994

Als Wilbur zum ersten Mal vom Moorhead-Stipendium für junge Musiker hörte, wusste er nicht, was er davon halten sollte. Matthew zeigte ihm ein Dossier mit Zeitungsausschnitten, einer Broschüre und Bewerbungsformularen. Sie saßen am Tisch, im Hintergrund lief Dvořáks Konzert für Cello und Orchester in h-Moll, und es gab Tee und Kekse, die Pauline Conway gebacken hatte. Die Broschüre war edel, auf ihrem Umschlag prangte ein Wappen, ein Schild mit vier trompetenähnlichen Instrumenten, zu beiden Seiten gehalten von sich aufbäumenden Einhörnern, darunter stand in schattierten Großbuchstaben MOORHEAD FOUNDATION und das Gründungsjahr, 1911. Die erste Seite zeigte den Gründer der Stiftung, Geofrey T. Moorhead, einen ernst in die Kamera blickenden Mann mit Schnurrbart und Stehkragen, der umständlich eine Geige samt Bogen und ein Notenheft in den Händen hält. Auf den nächsten Seiten waren die Mitglieder des Auswahlgremiums abgebildet, Männer und Frauen in fortgeschrittenem Alter, Musiker, Komponisten, Dirigenten. Eine berühmte Opernsängerin war dabei, die zu Beginn ihrer Laufbahn Moorhead-Stipendiatin gewesen war und in einem kurzen Text ihre Dankbarkeit für die großzügige Förderung zum Ausdruck brachte.

Matthew ließ Wilbur in Ruhe alles lesen. Er wusste, dass der Junge eine Begabung hatte, wie man ihr nur selten begegnete. Mit vierzehn spielte er, wie außerordentlich talentierte Achtzehnjährige spielten, mit zwanzig würde er gestandene

Cellisten wie Anfänger aussehen lassen. Wilbur lernte nicht Cello spielen, das Instrument war ein lebendiges Wesen, ein Zwillingsgeschöpf, das dem Jungen mit Klängen in Fleisch und Blut überging, ihn mit Tönen besetzte, zurückeroberte. Es füllte Räume in ihm und ließ ihn von innen leuchten.

Matthew wusste von Wilburs Mutter und Orla, aber er konnte nur ahnen, was diese Ereignisse mit dem Jungen gemacht hatten. Er selber war erwachsen gewesen, als seine Eltern starben, und ein Mann, als ihm das Kind genommen wurde. Er hatte gelitten und war darüber hinweggekommen. Er hatte im Kreis von Agnes und Stuart und einem Haufen herrenloser Hunde mit dem Schicksal einen wackligen Frieden geschlossen und seither auf neue Schläge gewartet, die jedoch ausgeblieben waren. Der Schmerz war noch da, aber im Lauf der Zeit zu einem melancholischen Fantasieren und wehmütigen Heraufbeschwören von Bildern eines erwachsenen William geraten, zu stummen Zwiegesprächen und entrückten Nachmittagen über Fotos und Kinderzeichnungen. Matthew war nicht wunschlos glücklich, aber weit entfernt von Hoffnungslosigkeit. Er lebte, er hörte Musik und las Bücher, und er hatte Wilbur, auch wenn er den Jungen nur als Leihgabe des Himmels betrachtete.

Er hatte sich vorgenommen, seinen Freund ein Stück weit zu begleiten und ihn dann gehen zu lassen. Dass der Abschied möglicherweise näher rücken würde, wenn er in Wilbur den Ehrgeiz weckte, ein Moorhead-Stipendium zu erhalten, war ihm bewusst. Es fiel ihm schwer, sich an die Zeit vor Wilburs Auftauchen zu erinnern, und die Vorstellung, die kommenden Jahre ohne ihn verbringen zu müssen, löste Bestürzung bei ihm aus und Angst vor erneuter Einsamkeit. Trotzdem zeigte er Wilbur die Unterlagen. Die Gewissheit, dass Wilburs Talent der Welt gehörte, bewegte ihn dazu. Das und Stolz und grenzenlose Liebe.

Wilbur und das Cello waren jetzt seit fast zwei Jahren ein Paar. Er liebte dieses Instrument, und wenn er spielte, verschwand er in dessen hölzernem Bauch. Die Griffe, die Fingerbewegungen am Brett, der Druck auf die Saiten, die Züge des Bogens, alles hatte sich in den vergangenen Monaten wie von selbst ergeben. Alles hatte sich zusammengefügt, die Teile ergaben jetzt ein Bild, in dem er sich erkannte, ein verborgenes Lächeln im Gesicht. Zu bestimmen, wie gut er war, fiel ihm schwer. Er hatte die Schallplatten, verglich sein Spiel mit dem Gehörten und verließ sich auf Matthews Urteil. Den Ansprüchen einer Jury zu genügen erschien ihm dennoch äußerst unwahrscheinlich. Trotzdem füllte er die Fragebögen aus, überzeugt, nicht angenommen zu werden, und im Glauben, Matthew Fitzgerald etwas schuldig zu sein.

Matthew steckte die Formulare in einen Umschlag und legte sie auf die Kommode neben der Haustür. Wenn Pauline die nächste Dose mit Keksen brachte, würde er sie bitten, die Papiere als gesetzliche Vertretung zu unterschreiben. Er wusste, wie hochgesteckt ihre Ziele mit Wilbur waren, und zweifelte keine Sekunde an ihrem Einverständnis.

Als Wilbur später aus dem Gedächtnis Passagen des Dvořák-Konzerts spielte, traten Matthew Tränen in die Augen. Wilbur setzte den Bogen ab und fragte besorgt, ob etwas nicht stimme. Matthew sagte, er solle weiterspielen, es sei nur die Rührung über die Musik, die ihn erfasst habe. Dass er jetzt schon um Wilbur weinte, wollte er dem Jungen nicht sagen. Er saß in seinen Sessel versunken da und hörte zu, die Augen geschlossen. Im Garten verlor sich das Licht des Tages, ein leichter Wind begleitete Wilburs Spiel mit Blätterrauschen und dem leisen Knarren der Schuppentür. Matthews Kopf leerte sich, um überschwemmt zu werden mit Klängen. Er griff danach, versuchte sie festzuhalten. Dass seine Hände sich im Fell der Katze verkrallten, merkte er erst, als das Tier fauchend von seinem Schoß sprang und aus dem Zimmer rannte.

Obwohl Wilbur ihre Existenz leugnete, gab es außerhalb des Hauses, in dem er mit Matthew und dem Cello die Zeit vergaß, noch immer eine Welt. Es gab Pauline und Henry Conway und sein offizielles Zuhause, es gab die Sonntage des Vorlesens und die neue Schule in Letterkenny. Und noch immer gab es die Mitschüler, die bis auf wenige mit ihm versetzt worden waren und die Wilbur seit dem Weihnachtskonzert noch mehr als Außenseiter behandelten. Sein Erfolg in der Kirche verstärkte den Neid der übrigen Kinder, und obwohl er eine gewisse Immunität entwickelt hatte, war für ihn jeder Schultag eine Qual.

Nur Erin Muldoon behandelte ihn nicht wie einen Aussätzigen. In den Pausen setzte sie sich sogar ab und zu neben ihn und stellte ihm Fragen. Sie wollte wissen, was genau er beim alten Fitzgerald mache, wie er sich als Waisenkind fühle, ob er noch wachsen würde und wie es gewesen sei, als Conor auf seinen Vater schoss. Weil Wilbur keine oder nur äußerst knappe Antworten gab, redete Erin die meiste Zeit selber. Sie erzählte von ihrer großen Schwester, von einem Auto, das sie sich einmal kaufen würde, von Filmen, die sie gesehen, und den Jungs, die sie geküsst hatte.

Wilbur interessierte sich nicht für Erins Geschwätz, aber wenn er alleine auf der Mauer saß und sie über den riesigen, mit Basketballkörben und Sitzbänken ausgestatteten Pausenhof beobachtete, stellte er sich vor, wie es wohl wäre, von ihr geküsst zu werden. Erin Muldoon war nach Sharon Brennan das schönste Mädchen an der Schule, jedenfalls in ihrer Altersklasse. Das war auch der Grund, weshalb es sie nicht kümmerte, was die anderen von ihr dachten, wenn sie mit Wilbur redete. Die Jungs waren verrückt nach ihr und wussten, dass Wilbur keine Konkurrenz darstellte. Und die Mädchen, alle darum bemüht, etwas von ihrem Glanz abzubekommen, ließen ihr Wilbur als Laune durchgehen, als exzentrische Pausenbeschäftigung, mit der sie sich amüsierte, natürlich auf Wilburs Kosten.

Wilbur mochte seine neuen Lehrer nicht, weder den dicken, nuschelnden Mr. O'Riordan noch den eitlen Mr. Loughrey, der sich durch Wilburs Intelligenz herausgefordert fühlte und seinem Musterschüler in jeder Unterrichtsstunde so viele Fragen stellte, bis dieser endlich, und meist absichtlich, eine falsche Antwort gab. Sympathien hegte Wilbur nur für Miss Cullen, die junge Englischlehrerin, die dünn und bleich wie er selber war und vor der Klasse so gehemmt, dass sie kaum je den Blick aus den Büchern hob, geschweige denn die Stimme, wenn sie etwas vorlas. Fintan Taggart war weit weg, an seiner Stelle versuchte jetzt Pat Harrahill, aus dem kleinsten und schmalsten Jungen der Schule einen kräftigen Kerl zu machen. Dabei schikanierte der achtfache Vater Wilbur nicht, sondern behandelte ihn wie den Lieblingssohn, den es auf Vordermann zu bringen galt. Seine ruppige Fürsorge und seine aufmunternden Worte änderten jedoch nichts an der Tatsache, dass Wilbur zu klein und schwach für Mannschaftsspiele war und nie freiwillig in ein Team gewählt wurde. Auch ein eigens für das Sorgenkind ausgearbeiteter Aufbauplan fruchtete wenig, und als Wilbur nach einem halben Schuljahr beim Völkerball am Kopf getroffen wurde und ohnmächtig niedersank, sah Pat die Vergeblichkeit seiner Bemühungen ein und befreite Wilbur vom regulären Sportunterricht.

Weil Sport auf dem Unterrichtsplan stand, musste Wilbur, zusammen mit dem halbblinden Ewan Swann und Jack O'Rourke, der einen Klumpfuß hatte, unter der Anleitung von Harrahills schwangerer Frau Caitlin zwei Stunden pro Woche ein leichtes Gymnastikprogramm in der alten Turnhalle absolvieren. Sie erfanden Spiele wie Medizinballrodeo, Mattenkullern und Bankrobben, und Wilbur bastelte einen Klingelball. Wenn das Wetter schön war, gingen sie einfach spazieren, manchmal hüpften sie in der Halle herum und stießen Tierlaute aus. Die Mitschüler nannten sie das Krüppel-Trio, aber Wilbur kümmerten ihre Anfeindungen schon lange nicht mehr. Eine Stunde mit der lauten, fröhlichen Caitlin, die regelmäßig Süßigkeiten mitbrachte und auf einem Kassettengerät Rockmusik abspielte, war tausendmal besser als eine Sekunde in Taggarts verfluchtem Tempel.

Miss Fergusons Stolz auf ihren ehemaligen Schüler Wilbur Sandberg blieb auch nach dessen Fortgang ungemindert. In der Kirche war sie nach seinem musikalischen Vortrag aufgesprungen und hatte so hingerissen applaudiert, dass einige der Anwesenden fanden, ihr Verhalten sei dem Anlass nicht ganz angemessen. Dabei hatte sie sich sogar zurückgehalten und dem Verlangen, nach vorne zu stürmen und Wilbur abzuküssen, nicht nachgegeben. Ihrer Schwester, die in England lebte, erzählte sie am Telefon seit Monaten nur noch von dem kleinen Wunderknaben, der seine überragende Intelligenz nun auch noch mit anbetungswürdigem Cellospiel krönte. Nach dem Unterricht hatte sie Wilbur einmal gebeten, Fotos von ihm machen zu dürfen, damit das Objekt ihrer Hymnen auch in Liverpool ein Gesicht erhielt. Es war ein offenes Geheimnis, dass sie Wilbur Sandberg vergötterte und vermisste, und niemanden in Portsalon hätte es verwundert, wenn sie eines Tages eine selbstgefertigte Büste des Jungen auf ihr Pult gestellt hätte.

In den Wochen, bevor sie ihren Liebling an die neue Schule verlor, behielt sie ihn nach dem Unterricht öfters zurück, um ihm zu versichern, wie sehr sie seinen Fleiß und seine Begabung bewunderte und wie sehr sie sich wünschte, noch mehr Schüler wie ihn zu haben. Sie meinte, Wilbur solle sich die täglichen Gemeinheiten der Klassenkameraden nicht zu Herzen nehmen, und prophezeite ihm eine Zukunft, die glorreicher sei als die aller Nichtsnutze der Portsalon National School zusammen. Dann sah sie nach, ob die anderen Kinder das Schulgelände verlassen hatten, und schickte Wilbur, wenn die Luft rein war, nach Hause. Oft stand sie noch am Fenster, obwohl sie den Jungen längst nicht mehr sehen konnte, und weinte still vor sich hin.

Jemand rief aus dem Heim an, in dem Eamon untergebracht war. Es gehe ihm jeden Tag schlechter, wer ihn noch lebendig sehen wolle, verliere besser keine Zeit. Pauline meinte, es sei Wilburs Pflicht, seinen Großvater ein letztes Mal zu besuchen. Möglicherweise habe er nach seinem Enkelsohn gefragt, und wenn ihm dieser letzte Wunsch nicht erfüllt werde, finde er im Jenseits keine Ruhe, während Wilbur sich im Diesseits ewig Vorwürfe machen werde. Henry sah die Sache pragmatischer und erklärte Wilbur, es sei im Hinblick auf ein Testament nicht ratsam, Eamon McDermott auf dem Totenbett zu verstimmen. Aber Wilbur wollte diesen alten verrückten Mann nicht sehen, so nah am Tod schon gar nicht. Er brachte vor, üben zu müssen wegen des Moorhead-Stipendiums, eine baldige Einladung zum Vorspielen sei nicht auszuschließen.

Er bat Matthew um Hilfe, aber auch der konnte nichts für ihn tun, und so saß Wilbur eine Woche später auf dem Rücksitz des polierten Wagens und hörte während der ganzen Fahrt Pauline und Henry zu, die sich nicht einigen konnten, welches der einfachste Weg nach Milford sei. Weil Pauline sich stets durchsetzte und Henry keinen Orientierungssinn besaß, verfuhren sie sich auf den zwanzig Kilometern dreimal.

Als sie ankamen, goss es in Strömen aus einem bleigrauen Himmel. Das Heim, ein dreigeschossiges Hauptgebäude und zwei flache Nebentrakte, stand etwas entfernt von zahllosen identischen Einfamilienhäusern auf einem riesigen Feld am Ortsrand. Während Henry umständlich einparkte, steckte Wilbur sich den Finger in den Hals, aber er hatte nichts gefrühstückt, und so blieb auch der letzte Versuch, sich vor dem Wiedersehen zu drücken, erfolglos. Pauline strich ihm die Haare glatt und nahm ihn unter den Schirm, während Henry, den Mantel über den Kopf gezogen, zum Eingang rannte.

Eine Angestellte führte sie zu Eamons Zimmer. Auf Paulines Frage, ob Mr. McDermott nach seinem Enkelsohn verlangt habe, antwortete die Frau, er spreche schon seit Monaten kein Wort mehr. Wilbur wollte das zum Anlass nehmen umzukehren, aber Henry bestand darauf, den weiten Weg nicht umsonst gefahren zu sein. Die Frau klopfte an Eamons Tür und trat ein. Henry schob Wilbur vor sich her, Pauline hielt sich im Rücken ihres Mannes.

Im Zimmer roch es nach dem Mittagessen, das hier um elf serviert wurde, und Wilbur bildete sich ein, einen Hauch von Urin wahrzunehmen. Als die Frau Eamon mit lauter Stimme den Besuch verkündete, zuckte Pauline zusammen, aber der alte Mann bewegte keinen Muskel. Er saß vor dem einzigen Fenster des Raumes, schien jedoch nicht hinauszusehen. Eamon McDermott war mager geworden, kleiner, weniger. Wilbur erkannte seinen Großvater kaum noch. Der Mann, der einmal sein Feind gewesen war, hatte keine Ähnlichkeit mehr mit dem Riesen, dessen Schatten damals einen ganzen Raum verdunkelte.

Eamons Körper steckte in einem bordeauxroten Hausmantel. Aus den Hosenbeinen ragten nackte Füße, aus den Hemdärmeln fleckige Hände, die Finger starr gekrümmt. Vergilbtes Haar wuchs aus seinem Schädel, die Ohren waren welk, die Augen trüb und halb verdeckt unter hängenden, faltigen Lidern. Sein Atem war ein leises Ächzen, hörbar nur in der kurzen Stille, die entstanden war, nachdem die Frau das Zimmer verlassen hatte.

Henry redete verlegen und hastig auf Eamon ein, stellte sich und Pauline vor, nahm sogar die Hand des Alten und schüttelte sie vorsichtig, als könnten die Finger zerbrechen, die knotig unter der Haut verlaufenden Sehnen reißen. Pauline legte ihm eine Dose auf den Schoß und ließ nicht unerwähnt, dass sie die Kekse selber gebacken hatte. Eine Weile warteten beide auf eine Reaktion, aber Eamon starrte nur vor sich hin. Schließlich schlug Henry vor, Wilbur eine Weile mit seinem Großvater alleine zu lassen. Bevor Wilbur widersprechen konnte, eilten Henry und Pauline aus dem Zimmer.

Wilbur stand da und sah den alten Mann an. Er fühlte sich mit ihm nicht verwandt. Aber noch weniger fühlte er sich den Conways zugehörig, und so blieb er im Zimmer und wartete, dass die Zeit verging, die Pauline ihm einberaumt hatte. Er ging zur Kommode, die neben dem Bett stand, und nahm, als

Eamon ihm keine Beachtung schenkte, die darauf liegende Armbanduhr in die Hand. Es war eine schwere mechanische *Citizen* mit Leuchtziffern, Datumsanzeige und Mondphasenkalender. Das Glas war stumpf, aber ohne Kratzer, und das braune Lederband rissig und an der Innenseite schwarz und glänzend. Wilbur dachte an die Uhr, die Orla ihm in Dublin gekauft hatte und die ihm während des Schwimmunterrichts in Taggarts Tempel gestohlen worden war, vielleicht von Fintan Taggart selber. Wochenlang hatte er es geschafft, sein Handgelenk mit der fehlenden Uhr vor ihr zu verbergen, aber dann hatte Orla es eines Tages doch bemerkt. Weil er weder mit Taggart noch seinen Mitschülern Schwierigkeiten wollte, erzählte er ihr, er habe die Uhr verloren. Orla glaubte ihm und kaufte ihm Tage später in Letterkenny eine neue. Er trug sie seit dem Begräbnis nicht mehr, nach Orlas Tod war ihm das Festhalten von Zeit gleichgültig geworden.

Daran dachte er, während er Eamons Uhr in der Hand hielt. Daran und an Deirdre, die bei der Beerdigung ihrer Schwester so heftig geweint hatte, dass Mr. Brennan sie zu einer Bank geleiten musste, wo sie sich hinsetzte. Colm hatte einen schwarzen Anzug getragen, in dem er verloren aussah und fremd. Miss Ferguson war unter den Trauergästen gewesen, auch der alte McSweeney und Trevor O'Reilly erwiesen ihrer ehemaligen Kundin die letzte Ehre. Ein starker Wind hatte an den Mänteln gezerrt und die Soutane des Pfarrers aufgebläht. Der Regen war erst in der Nacht gekommen, als Wilbur im Bett lag und für sich die Frage des Pfarrers beantwortete, warum der Herr ausgerechnet Orla zu sich genommen habe. Weil Gott ein böser alter Mann ist, hatte Wilbur geflüstert, deshalb war Orla tot und nicht dieser verrückte Alte.

Wilbur spielte mit dem Gedanken, die Uhr einzustecken, stellte sich vor, wie er sie mit einem Stein zertrümmerte, aber dann legte er sie wieder hin.

Eamon saß da und rührte sich nicht. Was für eine Verschwendung, dachte Wilbur, ein schlagendes Herz, sich füllende und leerende Lungen, all das Blut, das durch einen nutzlosen Körper floss.

»Ich hasse dich«, sagte er zu dem alten Mann. Eine Weile stand er hinter ihm und wartete, ob sein Großvater eine Regung zeigen würde. Manchmal bewegten sich die dünnen Finger, oder das sirrende Atemgeräusch wurde lauter, dann war er wieder eine bloße Hülle, getragen von einem brüchigen Skelett und matt erleuchtet von einem einzelnen Funken Leben.

Als es an der Tür klopfte, erschrak Wilbur. Für eine Sekunde hatte er geglaubt, das Geräusch komme aus Eamon. Eine Frau mit einem Stapel Wäsche betrat das Zimmer. Sie war jung und dünn und hatte das Haar straff nach hinten gekämmt und zu einem Knoten geballt, wie es alte Frauen taten.

»Ich bringe die Wäsche«, sagte die Frau. Ein winziger Stein blitzte an ihrem Nasenflügel auf. Sie ging zum Schrank, öffnete ihn und legte Hemden, Hosen und Unterwäsche auf Regale. Der Ärmel ihres Kittels rutschte zurück und entblößte eine Tätowierung an ihrem Handgelenk, eine grüne Eidechse.

Wilbur hatte kurz genickt und stand nun verlegen da. Er öffnete die Blechdose und nahm einen Keks heraus, den er dem alten Mann zwischen die Finger schob.

»Du bist der Enkel, stimmt's?«, fragte die Frau. »Wilbur.« Sie lachte über Wilburs erstauntes Gesicht, bückte sich und zog eine Pappkiste aus dem Schrank hervor. »Das solltest du dir ansehen.« Sie nahm den Deckel ab und schob die Kiste ein Stück in Wilburs Richtung.

Wilbur zögerte, dann ging er in die Hocke und nahm eine zerlesene Bibel und mehrere Ausgaben einer Zeitschrift mit dem Titel The Messenger in die Hand. Das Exemplar, das Wilbur durchblätterte, war aus den sechziger Jahren und das Papier so spröde, dass es brach.

»Das ist bloß religiöser Kram«, sagte die Frau. »Die Hefte weiter unten sind interessanter.«

Wilbur nahm einen Stapel Zeitschriften aus der Kiste und legte ihn auf den Boden, dann holte er eins der Wachstuch-

hefte hervor und schlug es auf. Linierte Seiten waren mit handschriftlichen Eintragungen gefüllt, jedem Abschnitt war ein
Datum zugeordnet. Wilbur sah die Frau an.

»Tagebuch«, sagte die Frau. Sie bot Wilbur einen Kaugummi
an, aber der schüttelte den Kopf. »Du kommst auch drin vor.«
Sie steckte sich einen Streifen in den Mund und begann, die
Bettwäsche abzuziehen.

Wilbur setzte sich hin und las. Das Heft war aus dem Jahr
1972. Eamon schrieb in unzusammenhängenden Sätzen über
alles Mögliche, Zeitungsmeldungen, Stürme, Kopfschmerzen,
Träume, Erinnerungen. Zwischen einigen Absätzen waren
Kritzeleien, Zeichen, Symbole. Ein paar davon sahen aus wie
Skizzen, ungelenke Zeichnungen, die nichts darstellten und
doch winzigen komplizierten Plänen glichen. Für Wilbur ergab
keiner der Einträge irgendeinen Sinn. Er legte das Heft weg und
nahm ein anderes hervor. Hier enthielten die Seiten kaum noch
Worte, geschweige denn ganze Sätze. Zeichnungen überwogen,
kindliches Gekritzel, zwischen denen sich Buchstaben verloren.
Wilbur erschrak, als er seinen Namen entdeckte.

»Das zweitletzte Heft ist das seltsamste«, sagte die Frau. »Das
schwarze.« Sie hatte das Bett frisch bezogen, nahm die alte
Wäsche vom Boden und ging zur Tür. »Sei ihm nicht böse. In
seinem Kopf ist ein Trümmerhaufen.« Sie öffnete die Tür. »Ich
sag deinen Eltern, du seist noch eine Weile beschäftigt, okay?«

Wilbur nickte. Die Frau lächelte und verließ das Zimmer.
Wilbur nahm das schwarze Heft vom Stapel und schlug es auf.

Eine Stunde später fuhren sie zurück nach Portsalon. Die Straße
tauchte aus der Landschaft auf wie ein Tau aus schmutzigem
Wasser. Der Regen schlug auf das Blech des Wagens und
strömte über die Windschutzscheibe, er floss durch Wilburs
Spiegelbild und rauschte unter ihnen hindurch. Henry fuhr so
langsam, dass ein Traktor sie überholte. Ab und zu hielt er an
und wartete, aber es wurde nicht besser. Wenn eine Böe das
Auto erfasste, duckte er sich und murmelte leise, als wolle er

die Elemente beschwichtigen. Am Rückspiegel pendelten ein Rosenkranz und ein silbernes Kreuz.

Pauline ließ sich vom Wetter die gute Laune nicht verderben. Sie war stolz auf Wilbur, der seinem Großvater so lange Gesellschaft geleistet hatte. Jetzt habe der alte Mann seinen Seelenfrieden gefunden, sagte sie. Jetzt konnte er in Ruhe sterben, dachte sie. Ihr Haar war beim Gang zum Auto zerzaust worden, der Wind hatte ihr fast den Schirm aus der Hand gerissen. Sie richtete ihre Frisur im Spiegel und lächelte Wilbur zu.

Wilbur presste die Lippen zusammen und hob die Mundwinkel ein wenig. Die vier Hefte, die er sich unter den Pullover geschoben hatte, ließen ihn mit geradem Rücken sitzen. Er gähnte laut, damit er für den Rest der Fahrt die Augen schließen konnte. Er legte den Kopf ans Polster und verdrängte die Vorstellung, in einem U-Boot durch ein dunkles Meer zu gleiten.

Colm Finnerty wurde krank. Die Frauen des Ortes sagten, er leide an der Schwermut, bald würde er das Trinken beginnen. Die Wahrheit war, dass Colm von einer Müdigkeit ergriffen wurde, die ihm an manchen Tagen alle Kraft aus dem Körper nahm. Dann lag er da und hörte die Tiere im Stall, schlug sich mit den Fäusten auf die tauben Beine und humpelte Stunden später zum Vieh, um es zu füttern und auf die Weide zu lassen. Der Arzt kam und untersuchte ihn, und es war nicht Schwermut, die er feststellte, sondern beginnender Muskelschwund.

Nur Wochen später hatte Colm seinen Hof verlassen und war plötzlich einer der Senioren, um die sich Pauline und Henry ehrenamtlich kümmerten. Das Vieh und der Traktor wurden verkauft, nach einem Testament wollte man Colm noch nicht fragen. Henry und zwei weitere Männer des Vereins fuhren in einem Lieferwagen hinaus, um die paar Habseligkeiten, die man Colm zugestand, ins Heim zu schaffen. Wilbur hatte darauf bestanden, beim Umzug zu helfen, und obwohl Pauline dagegen war, nahm Henry ihn mit. Der Lieferwagen war mit

DEMPSEY BUTCHERS beschriftet, und Wilbur wurde während der Fahrt so elend, dass der Fahrer zweimal anhalten musste.

Als sie leise wie Diebe das Haus betraten und wortlos durch die Räume streiften, fühlte Wilbur sich noch schrecklicher. Er folgte den Männern, unfähig, etwas zu tun, und sah ihnen zu, wie sie Schranktüren öffneten, Schubladen aufzogen und Gegenstände in die Hand nahmen und abwogen, ob sich ihre Aufbewahrung lohne, wie sie Möbel und Matratzen in den Hof trugen und ein Feuer machten, Bilder abhängten und Teppiche aufrollten und Vorhänge herunternahmen. Während die Männer ihr Unbehagen bald abgelegt hatten und angesichts der Fülle an angesammelten Dingen immer unzimperlicher wurden, kam Wilbur sich schuldig vor, wie ein Mittäter bei der Zerstörung von etwas, dessen Wert übersehen oder missachtet wird. Ein Teil von Colms Leben war zu Plunder geworden, zu lästigem Ballast, der bald als Asche über den leeren Hof wehen würde. Er stellte sich Colm vor, wie er in seinem neuen Zimmer saß und darauf wartete, keine Angst mehr zu haben vor den vier Wänden und dem Geruch nach Reinigungsmitteln und den fremden Geräuschen. Wie er Dinge aus dem Koffer nahm, sie ansah und zurücklegte, statt sie in den Einbauschrank zu räumen. Und wie er sich aufraffte und ans Fenster trat, um auf das gemähte Stück Rasen zu starren, wo keine Kälber Bocksprünge machten und keine Schafe grasten und den Kopf hoben, wenn er mit sanfter Stimme nach ihnen rief.

Während das Feuer loderte, ging Wilbur durch die Scheune und überzeugte sich davon, dass kein Tier darin vergessen worden war. Er nahm eine Handvoll Stroh und steckte es in die Hosentasche. Danach ging er ins Haus, und obwohl Henry meinte, es würde zu lange dauern, wickelte er jede Tonfigur in Zeitungspapier und verstaute sie ebenso in Kisten wie die Bücher.

Stunden später fand er in der Kommode neben dem Bett einen Artikel aus dem *Donegal Democrat*, der Orlas Streit mit der Erziehungsbehörde zum Inhalt hatte. Ein Schwarzweißfoto zeigte Orla vor der Schule stehend. Sie hatte eine Hand erhoben und war im Begriff, sich abzuwenden, was den vom Reporter beabsichtigten Effekt erzielte, sie unfreundlich und schuldbewusst aussehen zu lassen. Die Artikelüberschrift lautete: SELBSTERNANNTE LEHRERIN GIBT NICHT NACH, und unter dem Bild stand: »Starrköpfig bis in die letzte Instanz: Orla McDermott«.

Wilbur saß auf dem Bettgestell und las den Artikel zweimal hintereinander. Dass er weinte, merkte er erst, als Henry ins Zimmer trat und fragte, was passiert sei. Henry sah den Zeitungsausschnitt, seufzte und setzte sich neben Wilbur. Zuerst wusste er nicht, was er sagen sollte, zupfte Staubflusen von den Ärmeln seiner Strickjacke und sammelte sie in der Faust. Er überlegte lange, wie er den Jungen trösten könnte, dann sagte er, er habe Orla nicht persönlich gekannt, aber sie sei bestimmt eine außergewöhnliche Frau gewesen, auch wenn sie es bei ihrem Feldzug gegen die öffentliche Schule vielleicht ein wenig übertrieben habe. Er klopfte Wilbur auf die Schulter, erst zaghaft, dann fester, und schließlich erhob er sich, meinte, es gebe noch viel zu tun, und verließ das Zimmer.

Wilbur wischte sich mit dem Ärmel über das Gesicht. Er saß da und stellte sich vor, wie er mit Colm auf dem Hof leben würde, wie er, statt zur Schule zu gehen, den alten Mann pflegen, für ihn kochen und ihm aus Büchern vorlesen würde. Er malte sich aus, wie er seinen Freund im Wohnzimmer einquartierte, von wo aus man auf eine der Weiden sehen konnte, wie er lernte, Traktor zu fahren und Kühe zu melken und Zäune zu flicken. Die Augen geschlossen, sah er sich mit Colm in der Sonne sitzen und Schafe zählen, sah die Jahre vergehen und hatte eine Ahnung davon, wie es sein könnte, wenn er in weiter Zukunft neben Colm liegen und ihn so fest umarmen und festhalten würde, dass der ihn mit in den Himmel nähme wie ein Schiff einen blinden Passagier.

In einem Nebenzimmer ließ einer der Männer etwas fallen, das zerbrach. Wilbur schreckte aus seinem Traum hoch, holte ein paar Mal tief Luft, faltete den Artikel zusammen und legte ihn zu den anderen Dingen, die er für Colm vor dem Feuer bewahrte.

Sie brachten Colm einen Sessel, eine kleine Kommode, zwei gerahmte Bilder und die Kisten mit den Büchern und den Tonfiguren. Die Leiterin des Altersheims, eine dünne Frau um die vierzig, die freundlich, aber ständig leicht überfordert wirkte, hielt es für keine gute Idee, die Tiere auf sämtlichen verfügbaren Flächen aufzustellen, aber nachdem Colm versprochen hatte, sie eigenhändig abzustauben, gab sie nach. Während die Männer mit dem Lieferwagen nach Hause fuhren, halfen Henry und Wilbur beim Auspacken von Colms Sachen.

Danach gingen sie zu dritt in den Garten und fütterten die Goldfische, die in einem künstlichen Teich ihre Kreise zogen. Der Verputz des Hauses und der Himmel hatten dieselbe Farbe, ein Blau, das sich nicht entscheiden konnte, zu leuchten oder zu erlöschen. Wilbur und Henry rochen nach dem Rauch des Feuers, das längst Asche war. Von sehr weit her bellte ein Hund. Colm ging in die Hocke, und sein Spiegelbild verschwamm im dunklen Wasser.

Beim Abendessen erzählte Henry seiner Frau, wie erstaunt, ja erschrocken Colm gewesen sei, als sie den Fernseher aus der Kiste gehoben hatten. Erst habe er sich gegen Wilburs Geschenk gewehrt, aber dann hätten sie das Gerät angeschlossen und eingeschaltet, und als, wie zum Beweis für die Gutartigkeit des Kastens, eine Natursendung auf dem Bildschirm erschienen sei, habe Colm sich brav in seinen Sessel gesetzt und staunend verfolgt, wie die Tiere aus seinen Büchern plötzlich laufen lernten.

Pauline, von der Geschichte mehr überrascht als gerührt, meinte, so eine gottgefällige Tat habe sie Wilbur nicht zugetraut. Dann gab es Torte zum Nachtisch, und Pauline bot Wilbur aus einer großzügigen Laune heraus an, später mit ihnen *Fair City* anzusehen. Henry schien seinen Ohren nicht zu trauen und sah Pauline an, als habe sie dem Jungen gerade einen Flug zum Mars in Aussicht gestellt und nicht eine halbe Stunde irischer Soap. Zur Überraschung beider verzichtete Wilbur auf das zweifelhafte Vergnügen und ging nach oben, um in der Stille seines Zimmers ein kurzes Stück für Cello zu schreiben.

Etwas stach Wilbur ins Bein, und er zog einen Strohhalm aus der Hosentasche. Der Rest lag in einer kleinen Schachtel in einer Schublade von Colms Kommode. Während Wilbur die Noten einer Melodie hinschrieb, die zwischen Traurigkeit und Hoffnung schwankte, stellte er sich Colm vor, wie er die Schachtel hervorholte und seine Nase hineinsteckte und sich an ein Leben erinnerte, das zu Ende war, während der Fernseher keine Tiere mehr zeigte, sondern die Raserei der Welt.

Eamon McDermott war im Schlaf gestorben, aus dem er schon seit Wochen nicht mehr wirklich aufgewacht war. Er wurde in einem Leichenwagen mit bestickten Vorhängen von Milford hergebracht und neben seiner Frau begraben. Miss Ferguson, die aus der Güte ihres Herzens glaubte, Wilbur auch diesmal beistehen zu müssen, hatte Colm Finnerty mit dem Taxi im Heim abgeholt und war mit ihm zum Friedhof gefahren. Es war ein kühler, aber schöner Tag, die geschlossenen Schirme hingen den Leuten an den Armen wie Kokons schwarzer Schmetterlinge, und in einem nahen Baum lärmten ein paar Vögel so laut, dass einer der Sargträger sie mit Steinwürfen vertrieb. Der junge Pfarrer redete, als habe er Eamon gekannt, erwähnte aber mit keinem Wort die Kirche oder den Wahnsinn, wie es die Leute aus der Gegend taten, wenn vom alten McDermott die Rede war. Dafür fasste er das Leben des Verstorbenen in ein paar Sätzen zusammen, aus denen Gold leuchtete und Mut und die Liebe zu der Frau, neben der er jetzt zur ewigen Ruhe gebettet wurde.

Wilbur warf eine Schaufel Erde auf den Sarg und verstand nicht, warum Pauline weinte. Henry hatte ihm während der Grabrede die Hand auf die Schulter gelegt, jetzt stand er mit gefalteten Händen da und starrte in die Grube, als sei sie für ihn ausgehoben worden. Colm saß im Rollstuhl, und sein Blick lag während der gesamten Zeremonie auf Orlas Grabstein. Obwohl sie eine Woche nach Wilburs Auftauchen in ihrem Leben an nichts weniger denken wollte als an den Tod, hatte sie ihr Testament geschrieben und sich ein Mädchen gewünscht, das einen toten Vogel in den Händen hält und in einem Beet aus Heidekraut sitzt. Eamons Stein war roh und eckig und wuchtig, ein dunkler Klotz neben ihr, ein Symbol seiner letzten Jahre.

Ein paar Tage nach der Beerdigung kam ein Anwalt zu den Conways. Am Abend erklärte Henry Wilbur, was in den Dokumenten stand. Eamon McDermott habe kein Testament hinterlassen, wodurch das von Orla rechtskräftig sei. Das Haus und alles Land darum herum gehöre Wilbur. Auf verschiedenen Konten befinde sich Geld, das ein Notar treuhänderisch verwalte. Sobald Wilbur achtzehn sei, könne er das Erbe antreten, dürfe das Haus bewohnen oder verkaufen und mit dem Geld machen, was er wolle. Mit achtzehn würde er frei sein, dachte Wilbur und wunderte sich, als Pauline schluchzend in die Küche eilte.

Wenn Wilbur nicht in der Schule oder bei Matthew war, verbrachte er seine freie Zeit bei Colm, ging mit ihm in den Garten oder las ihm aus Büchern vor, die er in der Bibliothek holte. An manchen Tagen konnte Colm keinen Schritt gehen, dann schob Wilbur ihn im Rollstuhl durch die Flure des Heims und hinaus an die Luft. Colm vergaß vieles, aber wenn er sich erinnerte, hörte er nicht auf zu reden. Er wusste noch alle Namen seiner Kühe und die der alten Schafe, und er erzählte von den Schwalben, die jedes Jahr zurückkamen, um unter dem Scheunendach ihre Jungen großzuziehen, und von dem Fuchs, der regelmäßig vorbeischaute, obwohl Colm schon seit Jahren keine Hühner mehr gehabt hatte. Immer wieder erzählte er davon, und jedes Mal tat Wilbur, als habe er noch nie davon gehört. Er brachte Colm von Paulines Keksen mit, und wenn er genug Taschengeld gespart hatte, kaufte er ihm bei Brennan's eine Zigarre, die er für ihn hinter dem Geräteschuppen des Heims anzündete und deren Rauch er einatmete, bis ihm schwindlig wurde.

Eines Tages saßen sie neben dem Teich, Colm im Rollstuhl und Wilbur im Gras. Der Himmel war bedeckt, und sie waren die Einzigen im Garten, weil ein fahriger Wind Regen bringen würde. Colm zupfte das Weiche aus einem Stück Brot, rollte es zwischen den Fingern und ließ die Kügelchen ins Wasser fallen. Die Fische, deren Farbe nicht Gold, sondern ein blasses Orange war, hatten an Gewicht zugelegt und kamen sich im kleinen Teich bereits in die Quere. Als das Brot aufgebraucht war, holte Colm einen Schlüssel aus der Hosentasche und hielt ihn Wilbur hin.

»Was ist das?«, fragte Wilbur.

»Der Schlüssel zu deinem Haus«, sagte Colm.

Jetzt erkannte Wilbur den Schlüssel, Orla hatte ihn oft auf dem Küchentisch liegenlassen. Er nahm ihn in die Hand.

»Orla hat ihn mir gegeben«, sagte Colm. »Lange bevor sie …« Er wischte Brotkrümel von der Wolldecke, die auf seinen Beinen lag, und blickte ins Wasser, das vom Kampf der Fische trübe geworden war. »Damit ich ins Haus konnte. Wenn sie unterwegs war mit dir. Falls etwas gewesen wäre, mit deinem Großvater.«

Wilbur betrachtete den Schlüssel, wog ihn in der Handfläche. Er kam ihm schwer vor, schwerer als der Schlüssel der Conways, der ihm vor ein paar Wochen übergeben worden war, als Beweis des Vertrauens, wie Pauline ihm ernst und feierlich verkündet hatte.

»Es ist dein Haus«, sagte Colm. »Du sollst da reindürfen, wann du willst. Und nicht, wann die es erlauben.«

Wilbur nickte. Er steckte den Schlüssel in die Hosentasche, holte die Zigarre daraus hervor und schob Colm hinter den Geräteschuppen. Dort gab er ihm Feuer und las aus einem Buch vor, das die Freundschaft zwischen einem Pygmäen und einem Elefanten erzählte. Er hatte sich von Anfang an einen

Spaß daraus gemacht, den Pygmäen Wilbur und den Elefanten Colm zu nennen, und Colm kicherte noch immer jedes Mal darüber. Der Regen kam nicht, aber sie blieben bis zum Abend alleine im Garten. Das Licht hob die Hügel aus dem Land, glitt an ihren Rücken ins Verborgene und verging. Colm sah in den Himmel, wo die Wolken zeichneten, was Wilbur erzählte. In der Dämmerung war es kühl geworden, doch er fror nicht.

Es gab Tage, an denen Wilbur aufwachte und sich verloren fühlte. Er lag in seinem Bett und starrte an die Innenseite seiner Lider, auf der Blitze zerstoben. Aus der Küche stieg der Geruch von Kaffee und Toastbrot hoch, und er begrub das Gesicht unter dem Kissen. Wurde sein Name gerufen, kam er ihm fremd vor. Er saß mit Pauline und Henry am Frühstückstisch, aber er war nicht bei ihnen. Er ließ sich vom Bus zur Schule fahren und hörte den Lehrern zu, ohne sie zu verstehen. An diesen Tagen ging er nicht zu Matthew, weil er die warmen Töne des Cellos und die tiefe, zärtliche Stimme des alten Mannes nicht ertragen hätte. Colm musste ohne ihn auskommen, denn Wilbur fehlte die Gelassenheit, aus Büchern zu lesen oder die fetten Goldfische zu füttern.

In dieser Stimmung ging Wilbur allem aus dem Weg, er vergrub die Fäuste in den Taschen und trat gegen Abfalleimer und Blumentöpfe. Wer ihn grüßte, bekam einen finsteren Blick zur Antwort und fragte sich, ob das wirklich der Junge mit dem Cello sei. An solchen Tagen war Wilbur traurig, einsam und hoffnungslos, aber vor allen Dingen war er wütend.

Der einzige Ort, an dem Wilbur diesen Gemütszustand ertrug, ohne Dinge zu beschädigen oder Leute zu beleidigen, war ein Laden in Portsalon, der sich *Ari's Mega Video Store* nannte. Entgegen seinem pompösen Namen, der auch tagsüber aus einem summenden, mit farbigen Glühbirnen gefüllten Blechkasten über dem Eingang blinkte, war der Laden winzig. Sein Besitzer, ein Finne, der seit zwanzig Jahren mit der einzigen Tochter des ranghöchsten Polizisten im Ort verheiratet war, spielte den ganzen Tag mit seinen Kindern in der Wohnung über dem Laden und kam nur herunter, wenn ein Kunde die Türglocke zum Läuten brachte. Ari Tikkanen war einen Meter dreiundneunzig groß, hatte lange rotblonde Haare und einen wuchernden Bart. Seine Stimme war laut und tief, und wenn er lachte, bekamen es manche Leute mit der Angst zu tun.

Obwohl das Geschäft immer schlechter lief, war er stets bester Laune, bot den wenigen Kunden eine Tasse Tee an, empfahl ihnen cineastische Leckerbissen und verdiente ein bisschen Geld mit Schund und Kitsch. Er schwärmte polternd von russischen und japanischen Regisseuren, deren Namen kein Mensch in Portsalon auch nur aussprechen konnte, und wenn er in Fahrt war, erzählte er ganze Filminhalte auf Finnisch.

»Ach, der Verehrer von Tod und Zerstörung!«, begrüßte er Wilbur jeweils fröhlich, schwenkte Kassettenhüllen, auf deren Einbänden farbige Explosionen blühten, und rief die Werbetexte wie ein mittelalterlicher Moritatensänger in die Leere des mit Plakaten und Szenenfotos tapezierten Raumes, Orgien aus Gewalt versprechend. Dann führte er seinen Kunden in eine der drei schrankgroßen und mit schwarz gestrichenen Eierkartons isolierten Kabinen und schob die Kassette in den Rekorder. »Und du bist sicher, dass du in Blut waten willst, statt in den Traumfeldern kirgisischer Avantgardisten zu wandeln?«, fragte er grinsend und wissend, dass Wilbur wie immer ernst nicken würde, drückte die Starttaste und schloss die Tür hinter sich.

In diesen engen Kammern war es, wo Wilbur die dunklen Seiten seiner Seele ausleuchtete. Er hatte es mit Kinderfilmen und Komödien versucht, mit Familiendramen und Science Fiction. Ari hatte ihm koreanische Meisterwerke aufgenötigt und sein Herz mit Kubrick und Kurosawa gewinnen wollen. Eine Weile sah Wilbur sich nur Dokumentarfilme an, dann arbeitete er sich systematisch durch die Fantasy-Regale. Alles ließ ihn kalt und langweilte ihn, weil es entweder zu nah an der Realität war oder zu weit von ihr entfernt. Für Ari wurde Wilbur im Laufe der Zeit vom scheinbar abgestumpften Kind, das ihm sein Taschengeld brachte, zum Patienten, den es mit Hilfe der Filmkunst zu kurieren galt. Er sah, dass Wilbur das ihm Gebotene nicht einfach oberflächlich verurteilte, sondern die Filme auf sachliche und angesichts seines Alters erstaunlich intellektuelle Weise für Zeitverschwendung erklärte.

Dabei sagte Wilbur selten, die Filme seien schlecht. Er konnte nur nichts anfangen mit Drachenjägern und Weltraumrittern, mit singenden Katzen, tanzenden Matrosen und fliegenden Torten. Er fühlte nicht den Liebeskummer des wortkargen Amerikaners in Marokko oder den Trennungsschmerz der Südstaatenschönheit, es kümmerte ihn wenig, ob Herzen gebrochen oder Galaxien zerstört wurden, und bei den Komödien wusste er nie recht, wo man ihn zum Lachen bringen wollte und wo die Geschichte Mitleid mit den Figuren verlangte.

Als das Angebot der Filme für Jugendliche unter sechzehn erschöpft war, fragte Wilbur, ob er sich einen Kriegsfilm ansehen dürfe, und Ari erlaubte es ihm. Wilbur war seit Tagen sein einziger Kunde, und er wusste, dass dem Jungen ein Film wie *Die Kanonen von Navarone* kaum bleibende seelische Schäden zufügen würde.

Danach sah Wilbur sich alle Kriegsfilme aus Aris umfangreicher Sammlung an, und als es davon keine mehr gab, holte Ari ein paar Krimis aus einer Kiste unter der Treppe hervor, französische Schwarzweißwerke mit Jean Gabin und Lino Ventura, später dann amerikanische Streifen mit James Cagney, Edward G. Robinson und Humphrey Bogart. Wochen später war auch dieser Vorrat erschöpft, und Ari zögerte, den Jungen mit noch mehr Barbarei zu füttern. Wann immer er sich mit Wilbur bei einer Tasse Tee unterhielt, hörte er genau hin, und auch nach zahllosen Filmen, die der Staat mit allen rechtlichen Mitteln von Jugendlichen fernzuhalten versuchte, konnte er bei dem Jungen keine Veränderungen feststellen, die auf eine Verrohung des Charakters deuteten. Er hatte als Kindergärtner heimlich Horror- und Vampirfilme verschlungen und sah keinen Grund, weshalb er seinem vierzehnjährigen Kunden

Filme wie *Dirty Harry*, *The French Connection* oder *Taxi Driver* vorenthalten sollte.

Tatsächlich fühlte Wilbur sich bereit. Nur noch vage erinnerte er sich an die Zeit, als er neben Orla im Kino saß und mit den Leinwandhelden fieberte und von Gewehrkugeln, Indianerpfeilen und Laserstrahlen durchlöchert wurde, bis das Tageslicht seine Wunden und heimliche Angst verschwinden ließ und er an der Hand seiner Großmutter in die Wirklichkeit trat. Schon früh hatte er gelernt, Filme als flimmernde Märchenbücher zu sehen, als kolossale Gutenachtgeschichten, die dazu da waren, ihn von der Realität und der Dunkelheit abzulenken. Irgendwann hatte er die mit Blut und Tränen geschmierte Mechanik dieser Bilderreigen durchschaut und ließ sich von ihnen nur noch unterhalten, nicht mehr täuschen. Er hatte es geliebt, Orlas Hand in seiner zu spüren, den Geschmack der Bonbons auf der Zunge und die verlässliche Helligkeit nach der Vorstellung, aber diese Zeit war lange vorbei.

Das Einzige, was ihn jetzt noch erreichte, war schiere Gewalt. Männer, deren Leben schreckliche Wendungen nahmen, die in ausweglose Situationen gerieten und zornig oder skrupellos genug waren, um sich ihren Weg freizuschießen. Diese tragischen, brutalen und verzweifelten Gestalten waren es, die ihn berührten und aufwühlten und ihm für die Dauer eines Films vormachten, wie man seine Existenz veränderte, auch wenn man sie dabei vernichtete.

Der Nachschub aus dem Kassettenlager schien unerschöpflich. Jedes Mal wenn Wilbur den Laden betrat, hatte Ari einen neuen Film für ihn. Es machte ihm Spaß, für den kleinen Kenner Reihen zusammenzustellen, ihn mit den Arbeiten eines Regisseurs vertraut zu machen und ihm in chronologischer Folge sämtliche Werke mit Clint Eastwood, Charles Bronson oder Robert De Niro vorzuführen. Oft setzte er sich mit dem Jungen und einer Tasse Tee hin und hielt eine leidenschaftliche Einführung in den Film, mit dem er Wilbur gleich beglücken würde, las aus Fachzeitschriften und Büchern vor, öffnete Sammelordner voller Standbilder, Werbezettel und Autogrammkarten in Klarsichtmappen und entrollte Originalplakate, die nach vergangener, unwirklicher Zeit rochen.

Ari's Mega Video Store war Wilburs Zweitwelt, ein Paralleluniversum, durch das er in seiner Kapsel aus Fantasie und Verzweiflung glitt, geblendet von Zelluloidgewittern und betäubt vom Donnerhall ferner Explosionen. In dieser Galaxie aus Gesetzlosigkeit und niedrigster Gesinnung zerstieb sein trotz aller Schrecken behütetes Leben zu einer nebligen Erinnerung, und alles, was ihm widerfahren war, trat für eine Weile zurück, und was noch auf ihn lauern mochte, verlor an Bedrohlichkeit.

Eines Tages saß Wilbur in seiner dunklen, schallgedämpften Box und sah endlich *Die Hard* von Anfang an und ohne Werbeunterbrechungen, und er ließ es geschehen, dass er den Fernseher vergaß und die Eierkartons und die spielenden Kinder über seinem Kopf, dass die Stunden mit Matthew, die Besuche bei Colm und die für immer in ihm aufgehobenen Jahre mit Orla neben einem gewaltigen Feuerschein verblassten und er sich in John McClane verwandelte, der in einem flammenden Hochhaus barfuß über Scherben ging und Leute erschoss.

Es wurde Herbst, bis Wilbur bereit war, zum Haus zu gehen. Er saß auf dem Sofa in Matthew Fitzgeralds Wohnzimmer und spielte ihm etwas vor, das er komponiert hatte. Nach dem letzten Ton fragte er Matthew, ob sie zusammen nach Fanad Head fahren könnten. Matthew hatte einen 61er Triumph *Herald*, den Agnes ihm geschenkt hatte, als ihre Augen und Nerven zu schwach für den Verkehr in Norwich geworden waren. Das Auto, das Matthew mehr als Erinnerungsstück denn als Fortbewegungsmittel nach Irland mitgenommen hatte, stand etwa fünfhundert Meter weit vom Haus entfernt in einer Scheune, die ihm ein Nachbar als Garage vermietete. Weil Matthew sein Heim kaum verließ und sich Lebensmittel, Briketts und sogar Bücher liefern ließ, stand der Wagen die meiste Zeit des

Jahres unter einer Plane zwischen vermoderten Heuballen und Traktorteilen.

Matthew wusste von dem Haus an der Küste und fragte nicht nach Wilburs Gründen, warum er gerade heute dorthin fahren wollte. Das Wetter war gut, seit zwei Tagen hatte es nicht geregnet, und es sah aus, als würde es noch eine Weile so bleiben. Er zog seine klobigen Lederschuhe an, einen Pullover und den leichten Mantel und setzte den Hut auf, den er damals, kaum aus dem Bauch der Fähre gerollt und von Irland mit heftigem Regen empfangen, in einem Souvenirladen außerhalb von Rosslare gekauft hatte.

Der Triumph sprang nach einigen Versuchen an und füllte den Schuppen mit blauschwarzen Abgaswolken. Der Rückwärtsgang knirschte und der erste schleifte, dann rumpelte das caramelfarbene Gefährt über den Feldweg und hörte erst auf der Landstraße auf zu husten und spucken. Matthew fragte, ob er das Radio anmachen solle, aber Wilbur war es lieber, wenn es ausblieb. Autos mit wehenden Fahnen kamen ihnen entgegen, einige Fahrer hupten. Matthew fragte, wer wohl wen worin besiegt hatte, aber natürlich wusste Wilbur es auch nicht. Krähen saßen ruhig in den seit Wochen kahlen Bäumen und warteten darauf, dass ein Kaninchen oder eine Katze vor ein Auto lief. Auf einem Feld brannten abgeholzte Bäume, der Rauch wuchs in der Windstille als gerade Säule in den Himmel. Kinder rannten um das Feuer, ihr Indianergeschrei drang durch den Lärm des Motors.

Als sie in der Nähe des Hauses hielten, schaltete Matthew die Zündung aus. Er löste den Sicherheitsgurt, blieb aber sitzen. Der Wagen knackte und knisterte. Eine Weile sahen sie auf das abgeerntete Feld, das vor ihnen lag. Am Horizont lagen ein paar Wolken auf den Hügeln. Matthew nahm die Brille ab, wischte mit den Gläsern über den Pullover und setzte sie wieder auf. Wilbur starrte auf die eigenen Hände, den Kopf tief zwischen die Schultern gezogen.

»Geh nur«, sagte Matthew schließlich und nickte Wilbur zu.

Wilbur zögerte, dann stieg er aus. Er sah den Hof von Colm, winzig stand er zwischen den Wiesen, wie eingesunken ins unbewirtschaftete Land. Vom Meer wehte ein leichter Wind und trug den Geruch von Tang herüber. Keine einzige Möwe flog, kein Schiff unterbrach die Linie des Horizonts. Als Wilbur den Weg hinunterging, wünschte er sich, er hätte Matthew gebeten mitzukommen. Er hielt den Schlüssel in der Hosentasche mit der Faust umklammert, wie er früher den Indianer auf dem Pferd umklammert hatte.

Als das Haus vor ihm auftauchte, blieb er stehen. Sein Herz krampfte sich zusammen. Sein Atem ging wie an dem Tag, als Colm ihm sagte, Orla würde nicht kommen, um ihn abzuholen. Der Schlüssel schnitt ins Fleisch, und er drückte noch heftiger. Es schien ihm, als stünde er ewig da, unfähig, sich zu rühren. Jahre vergingen. Das Gras auf dem Erdhügel war hoch, der schmale Pfad zugewachsen. Für einen Augenblick sah er sich neben Conor sitzen. Alaska. Kapstadt. Madagaskar. Aus dem offenen Küchenfenster drang leise Radiomusik. Schiffe fuhren, Flugzeuge blitzten auf. Er stand am Rand der Welt, am Ende seines früheren Lebens. Er fühlte sich alt, alt genug, um zu sterben, aber er wollte nicht mehr sterben. Irgendwo hinter ihm saß Matthew in einem Auto, das nicht himmelblau war, und wartete auf ihn.

»Orla«, flüsterte Wilbur, dann ging er auf das Haus zu, langsam und ohne den Boden unter sich zu spüren.

Die Farbe des Verputzes kam ihm unbestimmt vor, irgendwo zwischen weiß und grau, das Rot der Tür in der Mauer dumpf und abweisend, aber vielleicht lag das am Licht, das aus einem bedeckten Himmel fallend kaum den Boden erreichte. Er ging zur Tür und sah, dass große Stücke des Anstrichs abblätterten. Placken roter Farbe lagen im Gras, zerfielen zwischen seinen Fingern. Die Tür war verschlossen, und so ging er zur Vorderseite des Hauses, wo in einer Ecke hergewehte Blätter lagen, trockenes Gras, Papier und Käfer, deren zerbrochene Panzer er zuerst für Scherben aus schwarzem Glas hielt. Sand und Erde bedeckten die Steinplatten, auf den Fenstersimsen lag Staub. Wilbur nahm den Schlüssel hervor, der in seiner Hand glühte. Er zitterte. Als er ruhiger atmete, konnte er das Meer hören. Er steckte den Schlüssel ins Schloss, sperrte die Tür auf und betrat das Haus.

Die Stille in den Zimmern war anders als die, die er in Colms Haus erlebt hatte. Diese Stille war etwas, das die Räume ausfüllte, sie war eine Masse, ein Geräusch. Sie hatte ein Gewicht, war schwer und lag auf den Dingen. Er konnte sich in ihr nur langsam bewegen, sie bot Widerstand und erschwerte das Atmen. Er erkannte nichts mehr, sah Gegenstände zum ersten Mal und ahnte, dass sie ihm einst vertraut waren. In der Küche öffnete er das Fenster. Er setzte sich an den Tisch und schloss die Augen, atmete langsam.

Nach einer Weile stand er auf und ging in das Zimmer, das seines gewesen war, aber er ertrug die Leere nicht lange und geriet ins Wohnzimmer, das ihm schon fremd gewesen war, als er noch hier lebte. Ein Sofa, zwei Sessel und ein Tisch füllten den Raum, in einem Regal standen ein paar Bücher, Vasen und Porzellanfiguren. Ölbilder zeigten die Landschaft, die vor den Fenstern lag, über einer Kommode hing ein Fotokalender. SEPTEMBER stand unter der Farbaufnahme einer von Wolkenschatten fleckigen Ebene, durch die ein weißes Pferd galoppierte.

Dann stand er plötzlich im Schlafzimmer, die Tür musste offen gewesen sein. Das war der Raum, in dem sein Großvater gehaust hatte, bis man ihn ins Heim gebracht hatte. Wilbur konnte sich nicht erinnern, jemals hier drin gewesen zu sein. Das Bett erschien ihm riesig, die Decke darauf wie ein Haufen Schnee, der in der Kälte des Raumes nicht schmolz. Die Türen des Schrankes standen offen, an einer Stange hingen leere Kleiderbügel und eine Hülle aus durchsichtigem Plastik. Ein Hemd und mehrere Socken lagen in den Regalen, ganz unten ein Paar Schuhe aus braunem Leder und eine Bibel. Auf dem Brett über dem Kopfende des Bettes hatte die Urne mit der Asche seiner Mutter gestanden, ein Kreis im Staub erinnerte an die Stelle. Die Urne lag auf Orlas Bauch, von beiden Händen beschützt, wie Orla es sich gewünscht hatte.

Wilbur ging ins Badezimmer, wo er im Halbdunkel sein Gesicht im Spiegel sah und sich abwandte. Über der Heizung hing ein weißes Handtuch, schmutzig, eine Seife lag auf dem Waschbecken. Die Glasregale waren leer, Ringe zeigten, wo Flaschen und Töpfe gestanden hatten. Eine Rasierklinge klebte auf dem Rand der Badewanne, beim Anblick der grauen Haare im Abfluss wurde Wilbur übel. Er rannte in die Küche, öffnete die Tür zum Innenhof und stolperte hinaus. Die Helligkeit blendete ihn, obwohl sie zu schwach war, um den Dingen einen Schatten zu geben. Der Holztisch, an dem er mit Orla gesessen hatte, stand schief da, die Fläche war zerfurcht und von einer silbernen Patina überzogen. Die Metallgelenke der Stühle waren rostig, die Bretter des Kräutergartens, der einmal der Sandkasten gewesen war, verrotteten.

Wilbur setzte sich auf den Boden und weinte. Er kippte nach hinten. Auf dem Rücken liegend, schrie er erschöpft, erstickt, das Elend seines Lebens kehrte in ihn zurück. Die Erde drehte sich langsam unter dem Himmel weg, das Licht fiel wie Nebel und füllte das Viereck, in dem Wilbur lag. Er rollte sich zur Seite und schluchzte, er flüsterte ihren Namen, er betete, er bettelte, er schloss die Augen und öffnete sie und sah, dass sie nicht da war, nicht kommen würde, nie mehr.

Der Boden war ausgekühlt. Er stand auf und trat gegen die Tür, aber das Glas zersprang nicht. Er sah sich darin und schlug mit den Fäusten darauf ein, dann ging er durch die Räume und schrie ihren Namen. Im Schlafzimmer zerrte er das Bettzeug herunter und schleifte es hinaus, er hob einen Stuhl über den Kopf und zerschmetterte ihn, dann den zweiten. Er trat die morschen Bretter los und warf sie auf den Haufen. Er holte

Zeitungen aus der Küche, riss schmutzige Geschirrtücher von den Haken, fand Streichhölzer und zündete alles an, erschrak, wie hoch die Flammen bald schlugen, und holte trotzdem mehr. Er holte das Hemd und die Schuhe und die Bibel und warf alles ins Feuer.

Er weinte und fiel hin, schürfte sich die Handflächen auf. Die Hitze warf sich gegen seinen Körper, es war nicht Kälte, die ihn zittern ließ. Er zerrte die Matratze vom Bett und zog sie über den Boden und wuchtete sie in die Flammen. Asche stob um ihn herum, an den Rändern glühende Papierfetzen wirbelten hoch, segelten über die Mauer. Aus der Matratze stieg schwarzer Rauch. Eine Weile stand er schlotternd da, seine Augen brannten, Tränen liefen ihm über die Wangen.

Dann ging er zurück ins Schlafzimmer und sah die Briefe. Fünf Umschläge lagen auf der Spanplatte, die den Bettrost bedeckte. Er griff nach ihnen, musste sie ablösen. Eamons Schweiß, durch die Matratze gesickert, sein Gewicht und die Jahre hatten sie ans Holz gepresst. Sie waren an Orla adressiert. Wilbur trug sie hinaus, betrachtete die geschwungene Schrift, die Marken. Das Feuer pumpte Rauch in den tiefen Himmel. Wilbur las. Irgendwann rief von weit her Matthew, aus einer anderen Welt, einer anderen Zeit.

Sie hatten das Feuer gemeinsam gelöscht. Matthew hatte mit einer Schaufel Stücke aus dem schwelenden Haufen gezerrt, Wilbur brachte in einem Eimer Wasser aus der Küche. Sie redeten nicht. Die Asche wurde schwarzer Brei, ein Schlacken- meer, aus dem verkohlte Holzstücke und eine Ecke der Mat- ratze ragten, sinkenden Schiffen gleich. Eine Stunde später saß Wilbur neben Matthew im Auto. Matthew erwähnte das Feuer nicht. Er merkte, wie aufgewühlt Wilbur war, und fragte ihn, wie es gewesen sei, durch das leere Haus zu gehen, ob er etwas gefunden habe, eine Erinnerung an Orla. Er bedrängte den Jungen nicht und ließ ihm Zeit mit den Antworten, die sto- ckend kamen.

Sie fuhren eine andere Strecke zurück, einen Umweg. Matthew fand zunehmend Gefallen am Lenken des Autos, und er hatte es nicht eilig. Die schmale Straße wand sich durch kleine Wälder, deren Bäume in einem Meer aus farbigen Blättern standen, und vorbei an Dörfern aus vier, fünf Häusern. Kein Auto kam ihnen entgegen, keine Fahnen wehten. Auf einer Brücke stand ein alter Mann und winkte ihnen zu. Sein Hund saß auf der gewölbten Steinmauer und sah in den Fluss. Als Matthew hupte, zuckte Wilbur zusammen. Er holte eine Fotografie aus der Tasche, die Orla vor einem Restaurant in Sligo zeigte. Deirdre hatte sie gemacht, daran erinnerte sich Wilbur. Er war den ganzen Tag mit Süßigkeiten gefüttert worden und hatte sich auf dem Heimweg übergeben. Das erzählte er und hoffte, Matthew würde aufhören zu fragen. Er wollte nicht über die Briefe reden. Er konnte nicht. Er sah aus dem Fenster und dachte an einen Ort, der unendlich weit weg lag.

Zwei Monate später kam ein Brief der Moorhead-Stiftung. Wilbur wurde nach Cork eingeladen, wo er vorspielen sollte. Matthew begleitete ihn. Sie nahmen die Bahn, der Triumph wäre zu unzuverlässig gewesen, die Fahrt zu anstrengend. Fast einhundert Jugendliche reisten aus dem ganzen Land an, um eine Jury von ihrem Talent zu überzeugen und sich für die Endausscheidung ein halbes Jahr später in Göteborg zu qualifizieren. Wilbur sah sich gegen vier Cellisten antreten, alle älter als er. Ein siebzehnjähriger Junge aus Waterford, eine Neunzehnjährige aus Ennis und Wilbur mussten am Abend noch einmal spielen. Einer der fünf Experten fand Wilburs Vortrag zu eigen, zu unorthodox, eine Kollegin gab zu bedenken, er sei noch sehr jung, womit sie unerfahren meinte. Wilbur gewann trotzdem. Im Hotel weinte Matthew und trank mehr, als gut für ihn war.

Am nächsten Tag gab es eine kleine Feier mit den Auserwählten und ihren Eltern, den Mitgliedern der Jury und Vertretern der Stiftung. Reporter waren da und machten Fotos von strahlenden Pianisten und glücklichen Geigerinnen. Ein Mädchen ließ sich mit verweinten Augen und ihrer Querflöte ablichten, ein Junge trug den ganzen Abend seine Trompete unter dem Arm. Es wurden Reden gehalten, ein Streichquartett spielte, und in den Gesichtern der jungen Gewinner leuchteten Stolz und Erleichterung und der Wille, der wartenden Welt noch mehr zu beweisen. Wilbur lächelte, wenn man ihn darum bat, und gab kurze Interviews. Er stand eine halbe Stunde mit einem angetrunkenen Professor durch, der behauptete, Wilbur sei er selber vor fünfzig Jahren. Die Frau eines Jurymitglieds meinte, er sei ein hübscher Junge und solle sich bei ihr melden. Sie roch nach Parfüm und steckte ihm eine Visitenkarte in die Brusttasche des Jacketts, das Pauline für diesen Anlass gekauft hatte. Matthew traf ein paar alte Bekannte und knüpfte neue Kontakte, an die er sich Minuten später nicht mehr erinnerte. Trotz des Katers vom Vortag schien er sich gut zu amüsieren, behauptete vor dem Zubettgehen jedoch, das Geschwätz der alten Männer sei unerträglich gewesen, sein eigenes mit eingeschlossen. Er sagte Wilbur noch einmal, wie stolz und glücklich er sei, dann schlief er ein.

Wilbur lag die halbe Nacht wach und blätterte in der Broschüre, die alle Endrundenteilnehmer erhalten hatten. Göteborg, las er immer wieder. Aus einem Ort etwa dreihundert Kilometer nördlich davon waren die Briefe seines Vaters gekommen.

8

Ich habe zurückgefunden. Ich sitze im Hotel in einem Zimmer, das noch kleiner und schäbiger ist als das, das ich vorher hatte. Der Typ am Empfang hat mich gleich erkannt, als ich vor fünf Tagen in die Lobby trat. Er sagte, man habe nach mir gesucht, und wenn ich wegen meines Koffers hier sei, solle ich mich an die Polizei wenden. Ich sagte ihm, das sei mir alles bekannt, erzählte etwas von einem Unfall und Missverständnissen und einem leichten Fall von Gedächtnisverlust und dass jetzt alles geregelt sei. Er glaubte mir nicht, und ich nahm es ihm nicht übel. Ich habe ihm Vermeers Scheck gezeigt und gesagt, meine Ausweise seien verloren gegangen, was ja auch irgendwie stimmte. Sobald ich die neuen bekäme, würde ich den Scheck einlösen und für mein Zimmer bezahlen. Auch das hat er mir nicht abgenommen. Er meinte, wenn ich ein Zimmer wolle, müsse ich dafür arbeiten. Eine Stunde später war ich der neue Mann für alle Fälle, der Arsch, der die Müllcontainer in den Hof schiebt und Hundescheiße vom Gehsteig schippt, der Glühbirnen auswechselt und im Keller gegen den Heizkessel tritt, der Wäschesäcke schleppt und Fenster putzt und Böden saugt. Ich bin der neue Hausmeister, der erste Weiße und der erste, der eine Leiter braucht, um an die Lampen im Flur zu kommen.

Meine Tage sind auf eine unordentliche Weise geregelt. Ich stehe um sieben auf und mache einen Rundgang durch die drei Stockwerke des Hotels. Mit einem Eimer gehe ich durch die Flure und das Treppenhaus und sammle den Müll ein,

Zeitungen, Pappbecher, zerrissene Wettscheine und Briefe von Anwaltsfirmen und Sozialbehörden. Um acht esse ich auf dem Zimmer einen Doughnut und trinke zwei Tassen Tee. Gegen halb neun, neun wische ich vor dem Eingang und unterhalte mich dabei mit Winston, der auf einem Klappstuhl vor seinem Trödelladen sitzt. Eigentlich tauschen wir nur jeden Morgen ein paar Floskeln aus, bevor Winston über das Wetter fachsimpelt. Er ist um die sechzig und hält sich für einen Profi, wenn es um Prognosen geht. Gestern prophezeite er einen warmen Tag, und als es am Nachmittag saukalt wurde, saß er im Hemd vor seinem Laden, nur um recht zu behalten.

Den Rest des Tages verbringe ich mit Putzen und kleinen Reparaturen. Ich habe zwei linke Hände und kann eine Rohr- nicht von einer Kneifzange unterscheiden, aber ich scheine damit durchzukommen. Randolph erwartet von mir nicht, dass ich eine Fensterscheibe ersetze oder eine Toilettenspülung in Ordnung bringe, für so etwas lässt er richtige Handwerker kommen. Ich bin für die einfachen Dinge zuständig, schraube eine neue Sicherung ein, fülle ein Loch in der Wand mit Spachtelmasse aus der Tube, streiche einen Geländerpfosten und ziehe die lose Schraube einer Türnummer an. Und ich wische mitten in der Nacht Erbrochenes auf und krieche in einen Lüftungsschacht, um eine tote Taube rauszuholen. Diese Tätigkeiten sind auch der Grund, weshalb ich den Job überhaupt bekommen habe.

Bevor ich aufgetaucht bin, hat Randolph die kleinen, nicht allzu widerwärtigen Arbeiten selber erledigt. Ab und zu hat er einen Typ von der Straße oder einen der Stammgäste angeheuert, aber die alten Männer waren auf Dauer zu unzuverlässig und ungelenkig. Jetzt hat er mich. Das kleinste Zimmer und fünfzig Dollar die Woche sind zwar reine Ausbeutung, aber besser als gar nichts. Vom Nachtportier weiß ich, dass der Besitzer seine Kindheit in diesem Hotel verbracht hat, als seine Eltern es führten und die Zimmer noch edler und die Gäste respektabler waren. Der Mann sei schwerreich und behalte das Hotel aus sentimentalen Gründen, so wie andere Leute ein altes

Puppenhaus auf dem Dachboden aufbewahren und langsam vergammeln lassen.

Am Abend sitze ich in meinem Zimmer und lese die Zeitungen, die ich in der Lobby aufgesammelt habe. Dabei fasse ich die Seiten nur an der oberen Ecke an, weil die alten Männer beim Umblättern ihre Finger mit Spucke befeuchten. Im Laden der Heilsarmee habe ich eine Hose und einen Mantel gekauft. Beides trage ich jetzt, weil es kühl ist im Zimmer. Meine Haare sind noch feucht vom Duschen, und ich nehme mir vor, Winston morgen zu fragen, ob sich in all dem Ramsch, den er verkauft, vielleicht auch ein gebrauchter Föhn verbirgt.

Im Zimmer neben mir hustet Dobbs, ein ehemaliger Militärpilot, der vor dreißig Jahren bei einem Übungsflug mit seinem Hubschrauber samt Copiloten und zwei Bordschützen in eine Kürbisplantage in Alabama gestürzt ist und seither von einer mickrigen Rente lebt. Mindestens einmal am Tag klopft er an meine Tür, dann lasse ich ihn herein oder gehe zu ihm rüber und höre mir eine seiner Geschichten an. Dobbs hat ein steifes Bein, nur noch einen halben rechten Daumen, und mit seinem Kopf ist vermutlich auch nicht mehr alles zum Besten bestellt. Doch er ist freundlich und redselig und in einer tiefen Traurigkeit gefangen, die er lächelnd erträgt.

Gestern habe ich ihm eine Tafel Schokolade mitgebracht, um ihn aufzuheitern. Er hat sich so gefreut, dass er schwor, die Schokolade nicht anzurühren, sondern sie auf der Kommode neben seine gerahmten Fotos zu stellen, aber ich habe ihn gedrängt, davon zu essen. Dann haben wir zusammen die ganze Tafel verdrückt, und er hat das Papier auf dem Tisch glattgestrichen und mit Reißzwecken an die Wand geheftet. Während wir die billige Schokolade aßen, hat Dobbs mir noch einmal erzählt, wie die reifen Kürbisse gegen das Cockpitfenster prasselten und schwarze Landarbeiter aus einer Hütte rannten, als der Hubschrauber zur Seite kippte und die Heckrotoren die Erde aufwarfen. Er hat die plötzliche Stille beschrieben und das Blau des Himmels hinter dem verdreckten Glas, aber nicht das Blut, nicht den Körper des toten Bordschützen, nicht sein Gesicht. An der Stelle, an der Dobbs sich aus dem Sicherheitsgurt löst, klinkt er sich auch aus der Geschichte. Dann sitzt er da und sieht an mir vorbei, und in seinem abgedunkelten Schädel flackern die Bilder, die er nicht in Worte fassen kann.

Nach einer Weile geht ein Schlag durch ihn hindurch, sein Kopf wackelt auf dem dünnen Hals, der Blick sucht die eigenen Hände. Er erhebt sich und verfällt in Geschäftigkeit, kocht Tee oder faltet ein Handtuch zusammen, lächelnd, als sei ihm seine Seelenqual peinlich. Dabei redet er atemlos von Spaziergängen im Park, von Büchern und Tauben. Den Tauben, die er füttert und die ich Randolphs Anweisungen zufolge vergiften soll.

Ich lege mich auf das Bett und breite den Mantel über mir aus. Meine Haare sind trocken. Ich hätte gerne meinen Koffer bei mir, meine paar Dinge, die ich schon so lange mit mir herumgeschleppt habe. Die Aufnahme von Orla in Sligo, die beiden Fotos meiner Mutter, den reitenden Indianer, Colms Nashorn, die Briefe. Ich frage mich, was Vermeer damit macht. Ohne meinen Pass bin ich aufgeschmissen. Ich kann weder den Scheck einlösen noch das Land verlassen. Im *National Geographic* habe ich einen Artikel über einen Ort in Mexiko gelesen, in dessen Bucht Wale ihre Jungen zur Welt bringen. Touristen fahren da hin, um sich die Tiere anzusehen. Dort würde ich bestimmt einen Job finden. Das Leben wäre billig, ich könnte eine Weile bleiben und warten, bis etwas passiert, das mich vertreibt. Dann würde ich noch tiefer in den Süden fahren. Guatemala. Honduras. Ich könnte hinunter bis nach Chile, bis es nicht mehr weitergeht. Aber ohne Pass kann ich nicht weg.

Ich habe mir schon überlegt, in die Stadt der Selbstmörder zurückzugehen, um meine Sachen abzuholen, aber dann denke ich an Vermeer, den ich im Stich gelassen habe, und vergesse es. Die Vorstellung, vielleicht Aimee zu begegnen, ist ein weiterer Grund, nicht zu gehen, ganz zu schweigen von Elroy und den anderen Nervensägen. Nachts vermisse ich manchmal Melvins Gemurmel, aber am Morgen bin ich immer froh, mir das Gequatsche im Speisesaal nicht anhören zu müssen. Irgendwann in den nächsten Tagen werde ich schriftlich darum bitten, dass man mir meine Sachen ins Hotel schickt. Ich werde Vermeer ein paar Zeilen schreiben und den Scheck beilegen, den ich ohne Ausweis sowieso nicht einlösen kann. Eintausend Dollar gegen eine Handvoll Erinnerungen in einem schäbigen Koffer. Ein fairer Tausch, finde ich.

Weil ich nicht schlafen kann, weil mir kalt ist und ich nur in Träumen versinke, aus denen ich nach kurzer Zeit aufschrecke, gehe ich hinunter in die Lobby. Leonidas sitzt hinter der Theke und schreibt. Er ist der Nachtportier. Er ist etwa halb so alt wie Randolph, um die dreißig, sieht aber jünger aus. Er trinkt und raucht nicht, und er rennt jeden Tag fünf Meilen, bei jedem Wetter. Sein Job lässt ihm viele Freiheiten, und wenn er sich nicht gerade mit einem der Dauermieter herumschlägt oder einen neuen Gast abfertigt, schreibt er Briefe an seine Familie in Griechenland. Und Theaterstücke, Tragödien. Er hat mir drei davon vorgelesen. In den Stücken geht es vor allem um Liebe und Verrat und Tod. Leonidas hat mich gefragt, warum kein Theater an seinen Stücken interessiert sei. Ich habe ihm gesagt, das sei vielleicht so, weil in seinen Stücken ziemlich viel gestorben werde. Er meinte, im richtigen Leben würde doch auch dauernd jemand sterben. Wer, wenn nicht ich, musste ihm da recht geben?

Heute schreibt er nur Briefe. Er will ein Foto von mir machen, und ich stelle mich vor die Wand, an der die Hausordnung und ein Feuerlöscher hängen. Leonidas' Mutter will von allen Menschen, mit denen ihr Sohn privat und beruflich zu tun hat, Fotos. Sie sieht sich die Bilder an und teilt ihrem Sohn dann mit, ob er den Leuten trauen kann oder sie meiden soll. Leonidas hat eine Digitalkamera und ein Notebook, mit dem er die Bilder über das Internet verschickt. Er erwähnt nichts vom

Auswahlverfahren seiner Mutter, das weiß ich von Enrique, einem Stammgast, der durchgefallen ist und von Leonidas seither höflich, aber zurückhaltend behandelt wird.

Enrique und Alfred sitzen in den abgewetzten Möbeln unter dem Kronleuchter und spielen Domino. Enrique ist Exilkubaner und ohne seine Brille blind, Alfred ein Vertreter für Klimageräte, der hier ein Zimmer nimmt, wenn er in New York zu tun hat, was die meiste Zeit des Jahres der Fall ist. Enrique ist Mitte fünfzig, Alfred vielleicht zehn Jahre älter, und beide trinken wie die Fische. Gestern wollten sie mich losschicken, um ein paar Flaschen Wein zu besorgen, und als ich ihnen sagte, ich sei hier das Mädchen für vieles, aber nicht alles, und außerdem verbiete die Hausordnung Alkoholkonsum, waren sie eingeschnappt.

Ich mag das Klicken, das entsteht, wenn Alfred mit den Steinen spielt, und setze mich neben Spencer auf das Sofa. Spencer ist weit über siebzig und hat, seit ich hier bin, noch kein Wort geredet, weder mit mir noch sonst jemandem. Dabei ist er nicht unhöflich, auch jetzt nickt er mir freundlich zu. Er trägt einen hellen Anzug, einen Panamahut mit schwarzem Stoffband und schwarze Schuhe, die immer poliert sind. Leonidas sagt, Spencer sei früher reich gewesen und rede nicht mit jedem. Ich kann Spencer gut leiden, vor allem, weil er keine Kippen auf den Boden schmeißt und mich nie darum bitten würde, mir seine verstopfte Toilette anzusehen.

Manchmal stelle ich mir vor, so alt wie Spencer zu sein. Wir schreiben das Jahr 2050, und das Hotel ist noch heruntergekommener als jetzt, eine Insel in der Zeit. Ich habe das Leben bald hinter mir und verbringe meine restlichen Tage damit, meine drei Hemden und die beiden Anzüge, einen hellen und einen dunklen, zwischen der Reinigung hin- und herzutragen, meine zwei Paar Schuhe zu polieren und die Museen der Stadt zu besuchen. Ich habe ein paar Gebrechen und für jedes eine Tablette in einem praktischen Wochenspender. Jeden Morgen um halb neun trinke ich in meinem Stammlokal ein Kännchen Tee und lese die Zeitung. Die Kellnerin, etwas jünger als ich und noch immer eine Schönheit, mag mich und bringt mir manchmal ein zweites Croissant, auf Kosten des Hauses. Am Nachmittag widme ich mich meinem Hobby, Philatelie oder Numismatik, vielleicht male ich Aquarelle. Die Wände meines Zimmers sind mit Büchern gefüllt, die alten Griechen, die Russen, dicke Bände, die ich beidhändig aus den Regalen stemmen muss. Ich besitze einen Hut, einen breitkrempigen argentinischen. Die Leute fragen sich, woher ich komme, und erfinden Biografien für mich. Ich sterbe im Schlaf, traumlos. Zu meiner Beerdigung kommt niemand. Die Kellnerin erfährt erst Wochen später von meinem Tod und vertraut einer Freundin an, mich heimlich geliebt zu haben.

Spencer sieht durch ein Fenster auf die Straße hinaus, wo nichts ist, und seine Verlorenheit und Genügsamkeit haben etwas Tröstliches. Seine gefalteten Hände ruhen in Kinnhöhe auf dem Knauf seines Gehstocks, seine Wimpern zittern wie Insektenfühler, und wenn er einatmet, klagt etwas in ihm leise über die Anstrengung. Bevor er sich erhebt, nickt er mir zu, dann geht er zur Treppe und steigt langsam Stufe um Stufe hoch in den dritten Stock, wo am Ende des Flurs sein Zimmer liegt und nichts und niemand ihn erwartet. Ich bleibe noch eine Weile sitzen. Enrique und Alfred machen sich lustig über mich, weil ich nicht trinke, sind aber heimlich froh, dass ich den angebotenen Schluck Wein ablehne. Leonidas klebt Umschläge zu, ein ganzer Stapel liegt auf der Theke. Ich beneide ihn um all seine Verwandten, die wollen, dass er zurückkommt. Ich wünsche ihm eine gute Nacht und gehe nach oben, langsam und ohne Erwartung, genau wie Spencer.

Ich sauge den Teppich in der Lobby, und Randolph liest in seinem Sportfischermagazin, als mir jemand auf die Schulter tippt. Ich denke, es ist Mazursky oder Elwood, einer der beiden Stammgäste, die dauernd ankommen und mir ins Ohr brüllen, in ihrem Zimmer tropfe der Wasserhahn oder das Fenster sei undicht. Ich habe ihre ewigen Reklamationen satt und drehe mich so abrupt um, dass Aimee vor mir zurückweicht. Erst als sie mein Gesicht sieht, lacht sie, nur kurz, dann wird sie ernst. Wenn ich es nicht besser wüsste, würde ich sagen, sie ist verlegen. Ich schalte den Staubsauger aus, der infernalische Lärm verstummt.

»Ich wusste, ich finde dich hier«, sagt sie. Der Mantel, den sie trägt, ist dick und riecht nach Rauch und dem leichten Regen, der seit dem späten Morgen über der Stadt niedergeht, obwohl Winston für den ganzen Tag trockenes Wetter vorhergesagt hat. Ich wette, er sitzt ohne Regenjacke oder Schirm auf seinem Stuhl vor dem Laden und trotzt dem Nieseln und der Kälte.

»Ziemliches Mistwetter, was?«, sagt Aimee, reibt sich die Hände und winkt dann in Randolphs Richtung. Randolph nickt ihr kurz zu. Enrique, Alfred und Mazursky haben ihre Zeitungen und Rätselhefte und Versandkataloge zur Seite gelegt und bringen ihre Kleidung in Ordnung. Alfred kämmt sich in Sekundenschnelle das schüttere Haar und nimmt die Brille ab.

»Arbeitest du hier?« Aimee wirft einen Blick auf den vorsintflutlichen Staubsauger, der mit seiner Eiform und dem runden Sichtfenster an ein Raumschiff aus *Flash Gordon* erinnert.

Ich nicke. Mir fällt ein, dass ich noch nie ein Wort zu Aimee gesagt habe. Bestimmt hat ihr jemand erzählt, dass ich wieder spreche. Spencer kommt die Treppe herunter und bleibt vor Randolphs Theke stehen. Er trägt einen Wintermantel und hat statt des Stocks einen Regenschirm in der Hand. Randolph dreht sich auf dem Barhocker um, obwohl er weiß, dass Spencers Fach leer ist, schüttelt den Kopf und liest weiter. Spencer nickt, als habe er nichts anderes erwartet, setzt den Schlechtwetterhut auf, ein dunkelgraues Modell mit geschwungener Krempe, und durchquert die Lobby. Dabei grüßt er Aimee und mich mit einem Nicken, schlägt den Mantelkragen hoch und verschwindet hinter dem schweren Vorhang, der zwischen Eingangshalle und Tür hängt und die kalte Luft zurückhält.

»Netter Ort«, sagt Aimee. Ich zucke mit den Schultern. Enrique schneidet Grimassen in meine Richtung, und ich sehe woanders hin. »Hast du ein bisschen Zeit?«, fragt Aimee. »Auf dem Weg hierher hab ich ein Lokal gesehen.« Sie wartet. »Ich spendier dir einen Drink.«

Alfred kann nicht anders, als ein leises Johlen von sich zu geben. »Ich hätte Zeit«, ruft er. Enrique findet das ungemein komisch. Mazursky kichert vor sich hin. Als ich ihm einen wütenden Blick zuwerfe, verstummt er und baut einen Paravent aus seiner Zeitung.

»Kann auch ein Kaffee sein«, sagt Aimee. Ein graublauer Schal ist um ihren Hals gewickelt, an den Füßen trägt sie klobige schwarze Schnürstiefel. »Komm schon, mach's mir nicht so schwer, Will.« Sie lächelt ein wenig, und jetzt bin ich fast sicher, dass sie verlegen ist.

»Komm schon, Will«, sagt Alfred, und Enrique wiehert drauflos.

»Muss erst Randolph fragen«, sage ich und gehe zur Theke. Den Staubsauger ziehe ich hinter mir her, seine kleinen Räder quietschen. Randolph sieht nicht einmal von seinem Magazin hoch und sagt, ich solle abhauen.

Das Lokal liegt zwei Blocks vom Hotel entfernt. Ich bin schon daran vorbeigegangen, Kneipen sind nicht mein Fall. Der Raum ist lang und schmal. Links stehen die Theke, Regale und Kühlschränke, rechts die Tische, durch schulterhohe Wände voneinander abgetrennt. Ganz hinten bei der Tür, wo es zu den Toiletten geht, hängt eine Dartscheibe. Ein altes Ehepaar, beide in Jeanshosen, -hemden und -jacken gekleidet, spielen gegeneinander. Sie erledigen ihre Würfe, als sei es eine Arbeit. Die Frau ist klein und zierlich, und nur dank ihrer aufgetürmten blonden Haare wirkt sie neben ihrem Mann nicht wie ein Kind.

»Danke für den Brief«, sagt Aimee. Sie lächelt und berührt ebenso flüchtig meine Fingerspitzen. Ich ziehe die Hand zurück und bereue in der gleichen Sekunde, es so jäh getan zu haben.

Aimees Handschuhe liegen auf dem Tisch, auch der Schal und eine Wollmütze, die sie auf dem Weg hierher aufgesetzt hat. Ich frage mich, ob sie selber strickt oder ob sie die Sachen von ihrer Mutter bekommen hat, vielleicht von ihrer Großmutter. Die Kellnerin bringt meinen Tee und Aimees Milchkaffee. Sie hält eine Tasse in jeder Hand und bewegt sich beinahe grotesk langsam zu unserem Tisch, um nichts zu verschütten. Aimee lächelt ihr zu, aber sie bemerkt es nicht, weil sie bereits wieder auf dem Weg zur Theke ist, um den Zuckerstreuer zu holen. Das Etui mit dem Trinkhalm steckt in meiner Hosentasche, aber ich lasse es dort.

»Es tut mir leid«, sagt Aimee. »Die Sache im Gartenhaus.«

Ich fülle den Löffel mit Tee und verbrenne mir die Zunge daran. Alles in diesem Raum ist alt und aus dunklem Holz. Das Licht ist gelb, über der Theke farbig, wo es aus den Neonschildern der Bierfirmen strömt und, vom Spiegel zurückgeworfen, über den Tresen und die Barhocker und ein Stück des Bodens fließt. Die Stille ist ungewöhnlich. Ein Kühlaggregat summt, Musik kommt von irgendwoher, so leise, dass ich nicht einmal die Sprache verstehe. Die Kellnerin stellt den Zucker auf den Tisch und geht zu dem Dart spielenden Paar.

»Den Brief habe ich dir geschrieben, bevor …« Ich rede nicht weiter. Weil der Zucker vor mir steht, kippe ich zwei Löffel in meine Tasse.

Eine Gruppe Leute betritt das Lokal, alte Männer und Frauen, die sich in der Nähe des Eingangs an einen Tisch setzen. Als sie ihre Hüte, Schals, Ohrenwärmer, Umhängetaschen, Mäntel und Handschuhe ablegen, kommen sie mir vor wie müde Jäger, die aus der Wildnis heimkehren. Wenn sie reden, tun sie das leise und in Sätzen aus weniger als fünf Wörtern.

»Ich weiß«, sagt Aimee. Sie tut Zucker in ihren Kaffee, drei Löffel voll, und rührt um. »Ich möchte es dir erklären.«

»Nicht nötig«, sage ich und mache eine Handbewegung. Dabei stoße ich gegen die Tasse, und Tee schwappt über den Rand.

»Die Männer dort sind alle so traurig. Wenn sie mich berühren, denken sie vielleicht an etwas anderes als daran, sich umzubringen.«

»Ich wollte mich nicht umbringen«, sage ich.

Aimee umschließt die Tasse mit beiden Händen, aber sie trinkt nicht. Das Ehepaar in Denim verlässt Hand in Hand das Lokal.

»Ich möchte nicht, dass du denkst ...« Aimee hebt den Kopf und sieht mich an. Ich senke den Blick, es ist wie ein dummes Spiel. Drei Männer kommen herein, Müllmänner oder Straßenkehrer, vielleicht auch Bauarbeiter. In ihren leuchtend orangefarbenen Overalls mit den weißen fluoreszierenden Streifen sehen sie nützlich aus, wichtig, ihr Anblick weckt Vertrauen in ein funktionierendes System. Sie setzen sich an einen Tisch, und endlich erfüllt ein wenig Lärm den Raum. Vielleicht sind es Feuerwehrleute, denke ich, und sie haben gerade jemanden gerettet. Ich stelle mir vor, ihre Uniform zu tragen und einer von ihnen zu sein. Ich würde Wasser in gelöschte Häuser verwandeln, in dankbar weinende Familien und Hunde mit versengtem Fell, die mir das Gesicht ablecken.

»Ich schreibe einen Artikel über das Institut«, sagt Aimee. Dabei zupft sie Wollknoten vom Schal und lässt sie auf die Tischplatte fallen. Stücke von Teeblättern liegen auf dem Grund meiner Tasse, darüber, im braunen Wasser, schwebt mein Auge.

Ich sehe Aimee an. Jetzt ist sie es, die den Blick senkt. Sie presst die Wollflusen zu einer Kugel. Die Männer reden und lachen und husten. Einer kommt an den Tisch, und seine Stimme lässt mich zusammenzucken. Vermutlich gibt es keine Uniform in meiner Größe, keinen Helm. Aimee schiebt den Zuckerstreuer an den Tischrand. Der Mann nimmt ihn, bedankt sich und geht zurück zu den anderen.

»Hast du gehört, was ich gesagt habe?«

»Du bist Journalistin«, sage ich. Dampf steigt aus meiner Tasse, trüge ich eine Brille, würden sich die Gläser beschlagen.

»Nein. Jedenfalls noch nicht. Vielleicht, wenn ich diesen Artikel geschrieben habe, ich weiß nicht.« Sie legt die Wollkugel in die Untertasse und trinkt einen Schluck Kaffee. Ein schmaler Streifen Milchschaum klebt an ihrer Oberlippe, bis sie ihn mit der Zungenspitze wegwischt. »Da drin nehmen Männer sich das Leben, weil Vermeer neue Behandlungsmethoden an ihnen testet. Ärzte bekommen Geld, damit sie falsche Totenscheine ausstellen.« Aimee macht eine Pause. Bestimmt erwartet sie, dass ich den Kopf hebe und sie erstaunt ansehe. Aber ich halte den Blick gesenkt. »James Foster schluckt Glasscherben und verblutet, stirbt aber offiziell an Darmkrebs. Edward Holbrook stülpt sich einen Plastikbeutel über den Kopf und erstickt, der Arzt macht ein Lungenversagen daraus. Roger Willett trinkt Chlor, und seiner Familie wird gesagt, es sei ein Herzinfarkt gewesen.«

»Roger mit den Zeitungsausschnitten?« Ich sehe Aimee an.

»Vor fünf Tagen«, sagt sie leise. »Er hat sich zur Arbeit im Schwimmbad gemeldet, nur um an das Gift ranzukommen.«

Ich bringe keinen Ton hervor. Roger hat sich umgebracht. Er und seine Familie gehörten zu den Bewohnern eines kleinen Ortes in Tennessee, deren Leben durch einen Chemiekonzern zerstört worden waren. Ihr elfjähriger Sohn starb an Leukämie, wenige Wochen nachdem ein Gericht den Betroffenen Wiedergutmachungsgeld zugesprochen hatte. Die Firma schloss die Niederlassung in Tennessee und ließ in dem Ort drei Todesopfer und mehr als zweihundert entlassene Arbeiter zurück. Ein paar Verantwortliche gingen für kurze Zeit ins Gefängnis. Roger benutzte das Geld, um die Umweltverbrechen anderer Firmen aufzudecken. Seine Frau nahm ihren Anteil und ließ sich von ihm scheiden. Roger verkaufte das Haus, reiste durch das Land und half beim Aufbau von Bürgerinitiativen, die gegen fahrlässig handelnde Konzerne prozessierten und meistens verloren. Er hielt Reden vor zwanzig und zweihundert Leuten und schrieb Artikel, er gab Lokalzeitungen Interviews und saß in winzigen Radiostudios, er bezahlte Rechtsanwälte und wohnte in billigen Motels, er vergaß zu schlafen und zu essen und begann zu trinken. Zwei Jahre lang schaffte er es, keine Zeit zum Trauern um seinen Sohn zu haben. Als das Geld und das Interesse der Medien an seiner Mission versiegt waren, hängte er sich mit seinem Gürtel an ein Wasserrohr in der Waschküche eines Motels. Er war bewusstlos, als die Halterungen des Rohrs aus der Decke brachen. Das *Journey's End Motel* lag am Ortsrand von Bloomington, New York. Von dort war es nicht sehr weit bis zu Vermeers luxuriösem Auffanglager.

Das alles habe ich aus den Artikeln, die Roger mir stumm vor die Füße gestellt hatte, den Rest von Melvin.

»Der Artikel ist fast fertig«, sagt Aimee. »Ich dachte, vielleicht liest du ihn mal. Wir könnten darüber reden, und du sagst mir, ob noch was fehlt.«

»Ich glaube nicht«, sage ich nach einer Weile. Ich habe nicht darüber nachgedacht, was Aimee gesagt hat. Ich habe mich gefragt, ob Roger jetzt bei seinem Sohn ist. Ob es tatsächlich einen Himmel gibt, wo alle einander wiedersehen. Und ob meine Mutter und Orla da oben auf mich warten, egal, wie lange es dauert. Als Kind lag ich nächtelang wach und stellte mir diese Fragen. Ob es ein Jenseits gibt, oder ob das bloß eine Erfindung der Kirche ist, ein falsches Versprechen, eine Lüge, damit wir das Diesseits ertragen. Aimee redet, ihre Stimme ist weit weg, und ich frage mich, ob Roger im Paradies ist oder einfach nur tot, zurück im Nichts, erlöst von allem Schmerz.

»Was Vermeer und die Ärzte da tun, ist illegal«, sagt Aimee. Sie spricht lauter, weil sie weiß, dass ich ihr nicht zuhören will. »Pingpong statt Psychopharmaka klingt schön, aber es ist unverantwortlich. Wir reden hier nicht von Männern mit kleinen Nervenzusammenbrüchen. Ihr habt versucht, euch umzubringen, Herrgott!«

Ich will ihr noch einmal sagen, dass ich mich nicht umbringen wollte, lasse es dann aber bleiben. Plötzlich bin ich sehr müde. »Man hat sich gut um mich gekümmert. Ich habe Medikamente bekommen.«

»Auf der Krankenstation, ja. Schlaftabletten. Beruhigungspillen.«

»Ich konnte mich erholen.«

Die alten Leute bezahlen, verwandeln sich zurück in die Gruppe glückloser Jäger und gehen. Jemand dreht die Musik lauter, die Töne eines Klaviers vermischen sich mit dem gelben Licht. Aimee streift sich eine Haarsträhne hinter das Ohr. Eine Weile scheint es, als höre sie der Musik zu. Ich trinke meinen Tee, der inzwischen lauwarm ist.

»Es wäre schön, wenn du mir helfen würdest«, sagt Aimee leise.

»Ich habe nichts gegen Vermeer«, sage ich ruhig. »Dafür, dass er mich nicht mit irgendwelchem antidepressiven Mist vollgestopft hat, bin ich ihm sogar dankbar.«

»Du hast einen Spiegel zertrümmert, um dir die Pulsadern aufzuschlitzen, verdammt noch mal!« Aimee sagt das so laut, dass die drei Männer und die Kellnerin zu uns herübersehen.

Ich stehe auf und gehe. Mir ist ein wenig schwindlig, vielleicht weil ich heute noch nichts gegessen habe. Auf dem Weg zum Hotel werde ich Brot und Schokolade kaufen. Aimee ruft mir nicht nach und folgt mir nicht.

Heute habe ich fast die Hälfte meines Wochenlohns für einen gebrauchten Föhn und einen kleinen Elektroofen ausgegeben. Weil Winston mich mag, hat er noch einen tragbaren Schwarzweißfernseher und einen Bambusstab in die Kiste getan. Der Bambusstab ersetzt die Fernbedienung. Mit ihm drücke ich die Programmtaste und verschiebe den Lautstärkeregler. Das Gerät hat die Größe und technische Raffinesse eines Toasters. Das Bild ist entweder zu hell oder zu dunkel, und zittrige Linien wabern von oben nach unten, was aussieht, als würden Schlieren von Flüssigkeit über den Bildschirm laufen. Der Ton ist in Ordnung, und die meiste Zeit liege ich mit geschlossenen Augen da und höre einfach nur zu. Vom Ofen geht ein seltsamer, metallischer Geruch aus, aber er schafft es immerhin, den winzigen Raum zu erwärmen.

Später sehe ich mir *Twelve Monkeys* an. Ich kenne den Film

schon, aber in Schwarzweiß und Postkartengröße ist es ein neues Erlebnis. Flimmernd und ohne den Trost der Farben wirken die Bilder noch düsterer, die Geschichte verliert selbst den letzten Funken Hoffnung. Ich liege auf dem Bauch, meine Nase berührt beinahe den warmen Bildschirm. Ich krieche unter die Erde zu den Überlebenden, ich folge Bruce Willis in die Vergangenheit, ich bin James Cole, der im falschen Jahr landet, neunzehnhundertneunzig, dem Jahr, in dem Orla starb.

Ich liege auf den Steinen, dem Turm im Meer aus Gras. Über mir sind Sterne. Mein Großvater kniet neben mir. Das Messer in seiner Hand schimmert im Licht des Mondes. Er hat Gott gerufen, aber die Stille um uns ist nicht nur die meines Traums. Er wollte uns erlösen, alles Unrecht sühnen, jetzt verliert sich sein Blick im Leuchten der Klinge. Ich spüre mich nicht. Ich bin ein Name in einem alten Heft, eine Skizze, ich liege zwischen den Zeilen, umgeben von Wörtern ohne Sinn. Mein Körper ist ein zittriger Kreis, meine Haut aus Tinte. Das Papier schluckt mich, es weht mich davon, an den Rändern glühend. Mein Großvater weint, und ich will meine Hand auf seine legen, aber ich bin schon fort. Der Wind treibt mich aufs Meer, im Wasser bekomme ich einen Leib und sinke schwer zum Grund. Die Fische rufen meinen Namen.

»Wilbur.«

Das Wasser ist getränkt von Helligkeit, Mondlicht trägt mich. Ich muss atmen, in meinen Lungen kreist singend ein Rest verdorbener Luft. Meine Arme rudern, unter meinen Füßen ist nichts, nicht einmal das Muster aus schwarzen Namen. Fische schwimmen durch mich hindurch.

»Wilbur?«

Mein Kopf stößt durch die Oberfläche in die Dunkelheit. Klopfen dringt an mein Ohr. Ich öffne den Mund und schlucke warmen Sauerstoff. Ich huste, richte mich auf und starre keuchend auf die Wand vor mir. Langsam heben sich die Dinge aus dem Dunkel, der Schrank, der Stuhl.

»Wilbur, bitte mach auf.« Wieder das Klopfen.

Ich stehe auf, es ist ein halber Schritt zur Tür. Aimee steht auf dem Flur, breit und schwarz in ihrem Mantel. Wir sehen uns an, das Spiel ist zu Ende.

»Eine Katze«, sagt Aimee nach einer Weile. Hinter ihrem Kopf brennt ein Licht, ihre Haare leuchten. Sie riecht nach Regen und U-Bahn und Dieselwolken.

»Was?« Meine Stimme ist leise, ich räuspere mich.

»Die Narbe. Ich habe mit der Katze des Nachbarn gespielt.«

Ich nicke, dann erst begreife ich. Der rosafarbene Halbmond auf ihrer Wange. Aus einem der Zimmer dringt Musik, jemand flucht. Der Fahrstuhl setzt sich in Bewegung, und ich spüre den Ruck durch die nackten Fußsohlen.

»Lässt du mich rein?«

Ich trete zur Seite, und sie kommt zu mir ins Zimmer. Ihr Haar streift mich beinahe. Erst jetzt sehe ich, dass sie in der Hand meinen Koffer trägt.

Die Hard With A Vengeance
1995

Aus den Zimmern des Hotels drang Beethoven, Ravel und Satie, aus einigen Pink Floyd und Charlie Parker, und in einem war es still. Wilbur lag auf dem Bett und studierte die Karte, die er am Nachmittag gekauft hatte. Seit drei Tagen war er jetzt zusammen mit vierundachtzig jungen Musikern in Göteborg, und es erschien ihm wie eine Ewigkeit. Er hatte vor einer Jury Cello gespielt, an Ausflügen und einer Fernsehsendung teilgenommen, hatte für Gruppenfotos posiert und mit Menschen geredet, die ihm eine wundervolle Zukunft voraussagten. Ständig hatten Leute der Stiftung an seine Zimmertür geklopft und ihn zu Empfängen in Botschaften und Besichtigungen von Sehenswürdigkeiten geschleppt, und mehrmals täglich rief entweder Matthew oder Pauline an, um sich alles erzählen zu lassen.

Heute hatte Wilbur endlich Gelegenheit gehabt, sich frei zu bewegen. Nach dem Mittagessen hatte er sich aus dem Hotel geschlichen, eine Reisetasche und einen Schlafsack gekauft und war am Bahnhof gewesen, um die Abfahrtszeiten von Zügen zu notieren. Der Ort, aus dem sein Vater die Briefe geschrieben hatte, hieß Nora und lag etwa zweihundertfünfzig Kilometer nordöstlich von Göteborg. Die Angestellte auf dem Postamt, der Wilbur die Briefumschläge zeigte, behauptete, es gäbe mindestens fünf Orte mit diesem Namen in Schweden, aber dank des Stempels konnte sie ihm den richtigen nennen.

Wilbur nahm das Geld, das Matthew ihm mitgegeben hatte, hervor und zählte es ein weiteres Mal. Wenn er es vernünftig einteilte, würde es für zwei Wochen reichen. Er fuhr mit dem Finger die Strecke ab, dann faltete er die Karte zusammen, erhob sich und betrachtete Matthews Schalenkoffer. Zwischen weißen Hemden, schwarzen Socken und dezent farbigen Krawatten lagen Notenhefte und Schokoriegel und ein dünnes, in schlechter Qualität gedrucktes Buch über Bruce Willis. Ari hatte ihm das Buch geschenkt, zusammen mit einer signierten Fotografie von Jane Russell, die als Lesezeichen zwischen den Seiten steckte. Wilbur verstaute die Karte und das Buch in der Reisetasche und sah auf die Uhr. In einer Stunde war das Abendessen mit den Veranstaltern und Sponsoren. Der Bürgermeister von Göteborg würde eine Rede halten, und nach dem Dessert käme der große Augenblick, wo der Präsident der Moorhead-Stiftung die diesjährigen Gewinner der *Young European Musicians Awards* bekanntgab.

Matthew rief an und wünschte ihm zum tausendsten Mal viel Glück. Pauline erinnerte ihn daran, eine Postkarte zu schicken. Beide schrieben die Tatsache, dass Wilbur kaum etwas sagte, seiner Nervosität angesichts der bevorstehenden Preisverleihung zu. Die Vorhänge waren geschlossen, und der Fernseher, der ohne Ton lief, war die einzige Lichtquelle im Zimmer. Wilbur öffnete noch einmal die Segeltuchtasche und verstaute zwei Flaschen Wasser und einen Beutel Erdnüsse aus der Minibar darin. Schließlich zog er den dunklen Anzug an und ging hinunter in die Lobby, um mit den anderen auf die Wagen zu warten, die sie in die Festhalle brachten.

Der Zug fuhr an einem See entlang, in dessen Wasser sich Wolken spiegelten. Ein einsames Segelboot verlor sich im Blau, zwischen Bäumen leuchteten farbige Zelte. Wilbur bemühte sich, diese Dinge zu sehen, um nicht an die Folgen seiner Reise zu denken. Bestimmt suchte man nach ihm. Er hatte das Hotel am Morgen früh durch einen Hinterausgang verlassen, war zu Fuß zum Bahnhof gegangen und hatte den Regionalexpress nach Örebro bestiegen. Zwischen unausgeschlafenen Pendlern sitzend, hielt Wilbur den Rucksack umklammert und stellte sich vor, wie sein Hotelzimmer nach Hinweisen auf sein Verschwinden untersucht wurde. Er sah Vertreter der Stiftung in Matthews Koffer wühlen, während der Hoteldirektor telefonierte und dabei ratlos das Cello betrachtete.

Bald würde man Pauline anrufen und die Polizei verständigen. Eines der vielen Fotos, die ihn geduldig lächelnd im dunklen Anzug zeigten, würde vervielfältigt und an Passanten auf der Straße verteilt. Die Leute würden einen kurzen Blick auf sein Gesicht werfen, seine Augen, die um Haaresbreite an ihnen vorbeisahen, und dann den Kopf schütteln. Vermutlich würde Pauline Matthew anrufen. Bei diesem Gedanken zog sich Wilburs leerer Bauch zusammen, und er musste sich zwingen, beim nächsten Halt nicht auszusteigen und den nächsten Zug zurück nach Göteborg zu nehmen.

Einige Reisende lasen Zeitung, und obwohl Wilbur wusste, dass es Unsinn war, fürchtete er, auf jeder Seite sein Bild zu entdecken, wie er auch in jedem Bahnhof Polizisten erwartete, die nach ihm suchten. Schloss er die Augen, geriet seine von Angst und Schuld genährte Fantasie völlig außer Kontrolle, und er sah Hubschrauber und Bluthunde, Straßensperren und endlose Ketten von Uniformierten, die Waldstücke durchkämmten. Er sah Pauline und Henry in einem Flugzeug nach Schweden sitzen und, im dunklen Wohnzimmer, Matthew, der vor Sorge krank wurde und vergaß, die Katze zu füttern. Dann öffnete er die Augen, und bunte Häuser und Scheunen, Kühe und Autos stürzten an ihm vorbei in eine Vergangenheit, in die er nicht mehr zurückkehren konnte, um ungeschehen zu machen, was er getan hatte.

In Örebro kaufte Wilbur sich eine Sonnenbrille und eine Baseballkappe ohne Aufdruck. Um noch weniger nach dem Jungen auszusehen, dessen Bild vielleicht schon bald in Postämtern und Bahnhofshallen hing, schnitt er sich mit einer billigen

Schere auf dem Klo eines Schnellrestaurants die Haare. Mitten in dieser Prozedur fing er an zu weinen und wünschte sich nichts sehnlicher, als mit Colm am Goldfischteich zu sitzen. Es dauerte eine Weile, bis er sich beruhigt hatte, dann wusch er sich das Gesicht und ging zurück auf die Straße, wo er in den Menschenströmen durch die Stadt trieb. Weil er dachte, sich stärken zu müssen, aß er einen der mitgebrachten Schokoriegel und trank eine Flasche Wasser, aber danach fühlte er sich nur noch elender.

Aus Angst, wieder weinen zu müssen, legte er sich im Folkets Park auf die Wiese und zog die Kappe ins Gesicht. Um ihn herum redeten Außerirdische, die Luft und das Gras rochen anders als in Irland, und sogar die Käfer und Mücken hatten etwas Bedrohliches. Vor dem Weihnachtskonzert hatte Matthew ihm beigebracht, wie man atmete, um das flaue Gefühl im Magen loszuwerden, und jetzt lag Wilbur auf dem Rücken und versuchte sich daran zu erinnern. So verging eine Stunde und mehr.

Irgendwann schob er die Mütze aus den Augen und sah in den Himmel, wo absurd große Wolkengebilde vorüberglitten, langsam, ohne ihre Form zu verändern. Unter einem Baum pickte eine Amsel im Gras, und ihr vertrauter Anblick hatte etwas Beruhigendes. Wilbur holte das Buch, das Ari ihm geschenkt hatte, aus der Reisetasche und las darin. Es trug den Titel *Bruce Willis Goes To The Bad* und war die unautorisierte Biografie aus der Feder eines Filmstudenten der Penn State University namens Lester J. Ormond. Auf den ersten hundertzwanzig Seiten des auf billigem Papier gedruckten Buches beschrieb der Autor, ein Freund gedrechselter Formulierungen, den Werdegang des Schauspielers, ohne es dabei mit Fakten oder der Wahrheit besonders genau zu nehmen. So diagnostizierte er bei Willis eine Phase sexueller Verwirrung, ausgelöst durch ein homoerotisches Erlebnis in der Pubertät, und beschrieb einen nirgendwo sonst dokumentierten Badeunfall, bei dem der damals

Einundzwanzigjährige beinahe ertrank und eine Schädigung des Gehirns infolge Sauerstoffmangels erlitt. Diese Spätfolgen machte der Autor dafür verantwortlich, dass aus dem netten und zurückhaltenden Jungschauspieler der unberechenbare und in einem Panzer aus Selbstüberschätzung auftretende Macho wurde, der die Rolle des Privatdetektivs David Addison in der Fernsehserie *Moonlighting* erhielt, weil er in zerfetzten Kleidern und mit Irokesenschnitt zum Casting erschienen war und dreitausend Mitbewerber wie blutleere Schwächlinge hatte aussehen lassen.

Eine Anwaltskanzlei, die mit nichts anderem Geld verdient, als ihre prominente Klientel vor rufschädigenden Elementen wie Ormond zu schützen, erreichte eine einstweilige Verfügung gegen das in einer Auflage von fünfhundert Stück erschienene Buch und schließlich dessen Einstampfung. Bevor das Urteil rechtskräftig war, hatte Ari drei Exemplare erworben und seiner umfangreichen Sammlung einverleibt, zu deren größten Kostbarkeiten ein von Jodie Foster während der Dreharbeiten zu *Taxi Driver* mit Colaflecken geweihtes Drehbuch, eine zerknitterte A4-Seite mit handschriftlichen Notizen von Stanley Kubrick zu *2001 – A Space Odyssey* und ein silbernes Feuerzeug von Orson Welles gehörten.

Die nächsten zweihundert Seiten widmete Lester J. Ormond den Filmen von Bruce Willis, und da er offensichtlich mit Spekulationen und Verleumdungen weniger Probleme hatte als mit der Verletzung von Urheberrechten, waren im Buch keine Fotos abgedruckt, sondern Gemälde einer Künstlerin namens Tracy Sorrentino, die Filmszenen in Öl festhielten und stilistisch an schlechte Kopien von Werken Francis Bacons erinnerten.

Wilbur liebte das Buch. In den wildesten Passagen las es sich wie ein absurder Roman, und wo Ormond seinen heftigen und zwiespältigen Gefühlen gegenüber Willis freien Lauf ließ, wie ein fiebriger, irrer und von Beleidigungen durchsetzter Liebesbrief. Als wahres Kunstwerk betrachtete Wilbur den Teil über die Filme, in dem der Verfasser ein stilistisches Chaos

aus sachlicher Betrachtung, poetischer Überhöhung und un-
flätiger Kritik anrichtete, durch das immer wieder, gebadet in
Pathos und Kitsch, verschlüsselte Sätze der Verehrung leuchteten. Zu *Die Hard* schrieb er: »In Bruce Willis' Gesicht liegt,
verborgen unter Härte und Desillusioniertheit, die Andeutung
eines Lächelns, das selbst in der Gegenwart des Todes Liebe und
Hoffnung ausstrahlt. Liebe gegenüber seiner Familie, für die zu
sterben er bereit ist, das Herz vielleicht schwer vor Wehmut,
aber frei von jeder Furcht. Hoffnung hegend für die Zeit nach
dem Töten, die in seinem abgeklärten Traum keine bessere sein
wird, sondern eine von ängstlichem Singen durchwirkte Stille,
in der das Glück eine Flamme im Wind ist. Dieses Lächeln,
tausendfach gespiegelt im Regen glühender Trümmer, ist das
eines von der perversen Fantasie Hollywoods zur Unsterb-
lichkeit verdammten Mannes, der weiß, dass jedes Haus der
Geborgenheit nur ein fragiles Gebilde und dazu bestimmt ist,
im Feuersturm zu vergehen, dass das Böse nie ruht und er
immer wieder wird töten müssen, ein Verfechter des Guten und
Edlen auf einer von blutigen Ozeanen umspülten Insel namens
Amerika.«

Als die Wiesen und Bänke sich zur Mittagszeit füllten und
Wilbur einen uniformierten Museumswächter für einen Polizisten auf der Suche nach ihm hielt, stand er auf und verließ
den Park. Die Lektüre des Buches hatte ihn ruhiger gemacht,
und während des Gehens erinnerte er sich an seinen Plan.
Schlaflos im Hotelbett liegend und mit dem Ballast zu vieler
Filme im Kopf, hatte er die fixe Idee entwickelt, seine Spuren
verwischen zu müssen. Er hoffte, es würde seiner Reise etwas
von ihrem Schrecken nehmen, wenn ihr eine Art Drehbuch
zugrunde läge mit einer Handlung, die ihn zur Figur machte.
Ginge er als John McClane durch die fremde Stadt, vermochten ihn die Gefühle von Angst, Reue und Unentschlossenheit
vielleicht nicht mehr zu lähmen, denn in seinem Kopf schriebe
er fortlaufend eine Geschichte, in der ihm außer Kratzern und

gelegentlichen Streifschüssen nichts passierte, eine Geschichte, die er beenden könnte, wenn sie aus dem Ruder liefe. Er hatte Matthews Telefonnummer und die der Conways auf drei Zettel geschrieben, von denen einer in seiner Hosentasche steckte, einer im Innenfach der Reisetasche lag und einer, zusammen mit den Geldscheinen in Haushaltsfolie gewickelt, in seinem rechten Schuh, und beide Nummern hatte er auswendig gelernt. Zwischen seiner Wäsche befanden sich zwei Briefe, in denen er Matthew und Pauline und Henry die Beweggründe für seine Reise nach Nora darlegte und die er abschicken wollte, sobald er Lennard Sandberg gefunden hatte.

Dass Bruce Willis keine Telefonnummern für Notfälle bei sich trug und John McClane keinen Plan B hatte, der eine reumütige Rückkehr nach Hause vorsah, war Wilbur klar. Aber bestimmt war weder der eine noch der andere mit fünfzehn auf der Suche nach dem Vater alleine durch Schweden gereist. Und keiner der beiden hatte eine Karriere als Cellist aufs Spiel gesetzt, um seine Mission durchzuführen. Bruce Willis hatte als Kind gestottert, das wusste Wilbur aus verlässlicheren Quellen als denen Lester J. Ormonds. Willis war einmal fast ertrunken, Wilbur genauso. Wenn Wilbur darüber nachdachte, war er vielleicht nicht mutiger als John McClane, aber er besaß mit Sicherheit mehr Mumm als Bruce Willis. Auf jeden Fall hatte er mehr durchgemacht als dieser behütete Junge, der eine Mutter hatte und einen Vater und zwei Brüder und eine Schwester. Wilbur war alleine, und es erschien ihm mehr als gerechtfertigt, dass er in seinem eigenen Film die Rolle des Helden beanspruchte.

In Wilburs Plot war dieser Held auf der Suche nach einem Verräter und dabei nicht nur Jäger, sondern auch Gejagter. Es galt, Verfolger zu verwirren, indem er Haken schlug und falsche Fährten legte. Er ging zurück zum Bahnhof und erkundigte sich nach einer Zugverbindung zum Flughafen. Dabei nahm er die Baseballkappe und Sonnenbrille ab und gab sich

Mühe, beim Schalterbeamten einen bleibenden Eindruck zu hinterlassen. Er fragte, ob es von dort Flüge nach Dublin gebe, worauf der Mann lachend und in holprigem Englisch meinte, das wisse er nicht. Danach schlenderte Wilbur eine Zeitlang möglichst unbeschwert umher, wobei er die Mütze und die Sonnenbrille trug, und ging dann zu einem anderen Schalter, um eine Busfahrkarte in das dreißig Kilometer entfernte Nora zu kaufen.

Der Lärm eines Traktors ließ Wilbur aus dem Schlaf schrecken. Er blinzelte ins Licht, das durch die Lücken zwischen den Brettern fiel und als schiefes geometrisches Muster auf dem Lehmboden der Scheune lag. Er richtete sich auf und spürte einen dumpfen Schmerz im Kopf, der die Nacht auf der Reisetasche gebettet gewesen war. Es dauerte ein paar panische Atemzüge lang, bis er sich erinnerte, wo er war. Das Motorengeräusch verlor sich, und Wilbur kroch aus dem Schlafsack, um seine Schuhe anzuziehen und einen vorsichtigen Blick durch eins der beiden scheibenlosen Fenster zu werfen. Zu seiner Linken erstreckten sich weite, von Hecken und einzelnen Bäumen eingefasste Felder, rechts von ihm lag der Ort, aus dem ein hoher, spitz zulaufender Kirchturm ragte. Grüne, waldbestandene Hügel umwogten die Mulde, in der das Städtchen und der See lagen. Nichts bewegte sich im windlosen Morgen, weder das Gras noch die einzelne Wolke am Himmel, die darauf zu warten schien, vor die Sonne geschoben zu werden. Wilbur rollte den Schlafsack zusammen, stopfte ihn in die Segeltuchtasche und trat auf den schmalen Weg hinaus, der zur Straße führte.

In einem Laden im Ort kaufte er ein Sandwich und eine Packung Orangensaft und setzte sich damit in die Nähe der Kirche auf eine Bank. Wäre er nicht so aufgeregt gewesen, hätte er die Schönheit des Städtchens bemerkt, die vielen Bäume und die Holzhäuser und das Katzenkopfpflaster der Innenhöfe, die gestrichenen Zäune, die Blumenkästen vor den Fenstern und den See. Aber nicht einmal zwei weiß und braun gescheckte

Pferde, die ein Mann eine Straße entlangführte, konnten ihn aus seinen Gedanken holen. Wenn er sich vorstellte, vielleicht bald seinem Vater gegenüberzustehen, bekam er kaum noch Luft, und sein Herz raste und schlug ihm bis zum Hals. Er atmete, wie Matthew es ihm gezeigt hatte, dann holte er die Umschläge aus der Reisetasche.

Sein Vater hatte die Briefe an Orla adressiert. Weder auf dem Briefpapier noch auf den Umschlägen war seine Anschrift vermerkt, und er erwähnte mit keinem Wort, wo in Nora er wohnte, ob im eigenen Haus, einer Mietwohnung oder draußen auf dem Land. Im ersten Brief schrieb er, dass ihm alles leid tue, und er bat Orla um Verzeihung. Er fragte nach seinem Sohn, von dem er nicht wusste, dass Schwester Lorraine ihn Wilbur getauft hatte. Im zweiten Brief gestand er, ein feiger und verantwortungsloser Mistkerl zu sein, und bettelte erneut um Vergebung. Der dritte war sehr kurz und endete mit Lennards Bitte, dem Kind nichts von seiner Existenz zu erzählen. Im vierten wechselten sich Verzweiflung, Bitterkeit und Selbstvorwürfe ab, und der fünfte war ein in krakeliger Schrift verfasstes Versprechen, sich nicht mehr zu melden.

Wilbur hatte die Briefe schon so oft gelesen, dass er sie auswendig kannte. Trotzdem suchte er in ihnen noch immer nach Antworten auf die Frage, ob sein Vater ihn vermisste oder hasste. Lennard Sandberg schrieb viel von sich, von seiner kleinen dunklen Welt, die nach dem Tod seiner Frau untergegangen war, viel von seinem Schmerz und seiner Unfähigkeit, ins Leben zurückzukehren. Er gab weinerlich zu, schwach zu sein, von der Trauer um Maureen gelähmt. Er bat darum, man möge nicht nach ihm suchen, er sei kein Mensch mehr, mit dem man zu tun haben wolle. Die Briefe waren in hitziger Aufgelöstheit hingeschriebene Beichten und Rechtfertigungen, Abbitten und Anklageschriften gegen sich selbst und die Wendungen des Schicksals. Nirgendwo, auch nicht zwischen den Zeilen, stand, dass er so etwas wie Sehnsucht nach seinem Sohn hatte. Aber es stand auch nirgends, dass er Wilbur für den Tod seiner

Mutter verantwortlich machte. Das Fehlen dieses Vorwurfs war es gewesen, das Wilbur den Mut hatte aufbringen lassen, die Reise zu unternehmen.

Die Briefe stammten alle aus dem Jahr 1985. Wilbur fragte sich, ob Orla sie gelesen hatte oder ob Eamon, der zu jener Zeit vermutlich noch bei Verstand war und jeden Morgen auf den Postboten wartete, sie ihr vorenthalten hatte. Er fragte sich, ob Orla etwas unternommen hätte, um ihren Schwiegersohn zu finden, oder ob sie seinen Wunsch, mit seiner Trauer alleine gelassen zu werden, respektiert hätte. Der Gedanke, sein Vater könnte inzwischen tot sein, war ihm schon zu Hause gekommen, und jetzt, so nahe am Ziel, wünschte er sich fast, es wäre so. Etwas von der Wut, die ihn nach dem ersten Lesen der Briefe erfüllt hatte, stieg wieder in ihm hoch, und er erinnerte sich an den in einem wirren Taumel von Verletztheit und Hass gefassten Plan, seinen Vater aufzuspüren und zu töten. Conor fiel ihm ein, der auf seinen Vater geschossen hatte, und dass es leicht ausgesehen hatte abzudrücken.

Er verstaute die Briefe in der Reisetasche, warf das angebissene Sandwich und die halbleere Packung Saft in einen Abfalleimer und machte sich auf die Suche nach dem Postamt. Dort blätterte er im Telefonbuch und fand unter Sandberg zwei Einträge, doch keiner gehörte zu seinem Vater. Er schrieb den Namen auf ein Stück Papier und schob es dem Mann hinter dem Schalter zu. Jetzt wünschte er sich, er hätte das Bild dabeigehabt, das Orla ihm damals gegeben hatte und das Lennard Sandberg vor einem Haus in Philadelphia stehend zeigte. Wilburs Mutter hatte das Foto gemacht und, zusammen mit anderen, Orla geschickt. Lennard trug einen hellen Anzug, Hut und Krawatte, und sein Lächeln war irgendwie schief, vielleicht auch nur die Grimasse, die beim Blick in die Sonne entsteht. Er war groß und schlank, seine Schultern hingen ein wenig, beide Hände steckten in den Hosentaschen. Das Haus im Hintergrund, ein mit weißen Holzschindeln verkleideter Bungalow, leuchtete im Licht, im Rasen steckte ein Schild mit der Aufschrift FOR RENT. Wilbur hatte das Bild eine Weile behalten, aber weil ihn immer, wenn er es hervornahm und betrachtete, eine Woge aus Traurigkeit und Wut überschwemmte, hatte er es irgendwann zerrissen und die Fetzen weggeworfen.

Der Schalterbeamte sagte etwas auf Schwedisch, und Wilbur zuckte mit den Schultern und antwortete: »English?« Der Mann schüttelte den Kopf, zeichnete einen Plan auf ein Blatt Papier, schien dem Gewirr aus Linien, Kreuzen und Pfeilen nach einer Weile selber nicht mehr folgen zu können, zerknüllte das Papier und lächelte beschämt. Dann rief er einen Namen durch die offene Tür hinter sich, worauf eine junge Frau mit einem Stapel Briefen in den Händen erschien. Der Mann sagte etwas zu ihr, aus dem Wilbur nur den Namen seines Vaters heraushörte. Die Frau sah Wilbur an, legte die Briefe in ein Regal, schlüpfte unter einer Klappe in der Theke durch und ergriff Wilburs Hand.

Das Haus war in einem blassen Türkis gestrichen und stand zwischen anderen eingeklemmt in einer Straße, die für den Autoverkehr gesperrt war und deren Belag alle paar Meter wechselte, von Asphalt zu Teer, von Naturstein zu Kies und wieder zu Asphalt. Neben einem Haufen Steine stand eine mit Sand gefüllte Schubkarre, in der Zigarettenkippen steckten. Ein paar Schilder, die auf eine Baustelle hinwiesen, lehnten an einer Mauer, ein löchriger Handschuh zierte das Ende eines Schaufelstiels. Die junge Frau sprach ein verkümmertes Schulenglisch und war neben ihm hergegangen wie eine schüchterne Fremdenführerin, die sich für den fehlenden Unterhaltungswert ihrer Tour schämt. Jetzt zeigte sie auf das Haus und sprach den Namen von Wilburs Vater aus. Dann sagte sie etwas, das Wilbur nicht richtig verstand, wiederholte es leicht verändert und lächelte, als Wilbur nickte, obwohl er auch den Sinn der zweiten Aussage nicht begriff. Sie sah ihn an, bis er noch einmal nickte, dann trat sie vor die Tür und drückte auf den Klingelknopf. Das Schrillen ging Wilbur durch Mark und Bein, und wie schon mehrmals zuvor an diesem Tag verschlug ihm die Angst vor dem Wiedersehen mit seinem Vater fast den Atem. Er schwitzte, und die Tasche erschien ihm plötzlich so schwer, dass er sie zwischen seine Füße auf den Boden stellte. Während sie warteten, las Wilbur den Namen auf dem Türschild und war erstaunt, ihn als Nordahl zu entziffern. Bevor er fragen konnte, wurde die Tür geöffnet.

Der Mann, der vor ihm stand, war groß und breit und hatte rotbraunes, dichtes Haar, das ihm bis auf die Schultern fiel, und einen Bart in derselben Farbe. Er trug ein altes Paar Jeans und über einem weißen T-Shirt ein kariertes Hemd, das nicht zugeknöpft war und über die Hose hing. Er hatte einen runden Kopf und große Hände und war nie im Leben Lennard Arne Sandberg. Die junge Frau und er wechselten ein paar Sätze, dann verabschiedete sich Wilburs Führerin und ging die lange Baustelle entlang zurück zur Post. Der Mann sah Wilbur mit einer Mischung aus Verwunderung, Skepsis und Freude an, wie jemand, der vor seiner Haustür eine mit einer Geschenkschleife verzierte skurrile Skulptur findet. Er trat zur Seite, machte eine ausholende Armbewegung ins Dunkel des Flurs und bat Wilbur in beinahe akzentfreiem Englisch herein. Wilbur zögerte, doch dann folgte er dem Mann ins Haus und zuckte nicht einmal zusammen, als sich hinter ihm die Tür schloss.

Sune Nordahl war mit Lennard Sandberg zur Schule gegangen. Er war ein schlechter Schüler gewesen, Lennard einer der besten. Seine Familie war arm, die seines Freundes zwar nicht reich, aber dank des gutgehenden Eisenwarenladens frei von finanziellen Sorgen. Lennard schenkte seine Pausenbrote, hartgekochten Eier, Kuchenstücke und Äpfel dem ewig hungrigen Freund, dessen Körper in die Höhe und Breite wachsen wollte und der Nahrung verschlang wie ein Heizkessel Kohle. Zu Hause wurde Lennard gezwungen, seinen gefüllten Teller leer zu essen, und er tat es unter großen Anstrengungen. Dennoch blieb er mager und farblos, und weder drei tägliche Löffel Lebertran noch literweise frische Ziegenmilch vermochten daran etwas zu ändern.

Lennards Mutter Selma, eine kleine, stämmige Frau, die sich als Bauernkind mit fünf Geschwistern um Brot und Butter gebalgt hatte, war es ein Rätsel, weshalb ihr Sohn nicht endlich Pfunde zulegte und eine Haut bekam, die nicht aussah wie das Gänseschmalz, das sie ihm auf die Frühstücksbrote schmierte. Dann fiel ihr Blick auf ihren großen, schlaksigen Mann mit der hellen, von Sommersprossen und Leberflecken gesprenkelten Haut, und sie wusste, wen die Schuld traf.

Magnus Sandberg musste in alten Häusern den Kopf einziehen, wenn er unter einer Tür durchging, und sein hageres Gesicht lag unter einem Bart verborgen, dessen Üppigkeit an die Schwarzweißbilder der Gründer von Nora erinnerte. Seine Finger waren lang und von winzigen Schnitten und Kratzern übersät, und wenn er, ohne auf einen Schemel zu steigen, eine Schraube aus einer der obersten Schubladen nahm, sahen sie aus wie Insektenbeine, die eine Beute festhalten.

Lennard wählte Sune zum Freund, weil er jemanden brauchte, der ihm die Rüpel vom Leib hielt, die geheime Welt der Mädchen eröffnete und an den schulfreien Nachmittagen Orte zeigte, die auf Lennards Karte weiße Flecken waren. Weil er sich nicht vorstellen konnte, dass irgendwer sein Freund sein wollte, verlangte er alle paar Wochen eine Art Treueschwur, und einmal musste Sune sich Lennards Initialen mit einem Taschenmesser in die Handfläche ritzen, bevor er sein Wurstbrot und den Apfel bekam. Sune hatte nichts gegen diese Beweisrituale, solange er nicht mit leerem Bauch im Unterricht saß. An das kurz aufblitzende Gefühl von Scham, das ihn beim Verschlingen von Lennards Essen befiel, hatte er sich schon lange gewöhnt. Diese kleine Erniedrigung war besser, als den Spott der Mitschüler zu ertragen, wenn er das Klassenzimmer mit den gurgelnden Geräuschen seines unterbeschäftigten Magens füllte.

Sein Vater war ein stiller, in sich gekehrter Mann, der als Gehilfe des Dorfschmieds gearbeitet hatte. Nach dessen Tod fuhr ein neuer Schmied aus Karlskoga mit seinem Lieferwagen zu den Höfen, und Sunes Vater nahm Aushilfsarbeiten an, die nie lange dauerten. Die Leute legten ihm sein Schweigen als Unfreundlichkeit aus, und als jemand das Gerücht verbreitete, er sei ein Wilderer und Dieb, der den Bauern neugeborene Lämmer von der Weide holte, wollte ihn niemand mehr beschäftigen. Er begann aus Holz Figuren zu schnitzen, Einhörner und Waldwesen, gebückte Trolle, denen er ein Stückchen Katzengold in die Hände legte, und Gnome mit Spitzhüten, die einen Kessel voll lackierter Flusssteinchen umschlangen. Oft saß er tagelang im Schuppen neben dem Haus und verließ ihn nur, um mit dem Bus nach Örebro zu fahren, wo er sein Monatswerk an einen Laden verkaufte.

Sunes Mutter hatte Heimweh nach Finnland, woher sie stammte, und jedes Jahr an ihrem Geburtstag stand sie mit zwei gepackten Koffern im Hausflur, schwankend unter dem Einfluss von Alkohol, Schuldgefühlen und einer verbrauchten Euphorie, die in ihr schwelte wie die Reste eines sich selbst überlassenen Feuers. Nachdem sie mehrere Stunden lang geweint und die Tür angestarrt hatte, als würde diese sich gleich öffnen und ihr Vater sie bei der Hand nehmen und nach Hause führen, ging sie ins Schlafzimmer, räumte ihre Sachen zurück in den Schrank, legte sich aufs Bett und verschlief ein weiteres Jahr.

Henrik, einer von Lennards Onkeln mütterlicherseits, lebte seit fast zwanzig Jahren in Philadelphia, wo er und seine Frau Katarina mit einer Reinigungsfirma zu beträchtlichem Wohlstand gekommen waren. Weil die beiden keine eigenen Kinder haben konnten, behandelten sie Lennard, den sie während eines Heimatbesuchs als Dreijährigen gesehen hatten, wie ihren Sohn, und an seinem achtzehnten Geburtstag luden sie ihn ein, sie zu besuchen. Damals arbeitete Lennard seit zwei Jahren im elterlichen Geschäft, das er einmal übernehmen sollte, und Sune half im Lager aus, erledigte Botengänge und kehrte jeden Feierabend den Boden des Ladens und den Gehsteig davor.

Lennards Eltern fanden keinen Gefallen an der Idee, ihren Sohn in ein Land reisen zu lassen, das so weit weg lag, sich in einem Krieg befand und außerdem Keimzelle der verstörenden Musik war, die manchmal aus Sunes Transistorradio durch die Tür des Lagerraums drang. Aber Lennard ließ sich die Möglichkeit, der Enge Noras und der Ereignislosigkeit Västmanlands zu entfliehen, nicht entgehen, und er nahm das Geld des Onkels, kaufte damit statt eines Flugtickets zwei Karten für eine Überfahrt auf dem Schiff und schleppte Sune mit wie ein schweres Stück Gepäck.

Philadelphia war riesig, laut und schmutzig, und es war großartig in den Augen der beiden Jungen vom Land, die sich in der Stadt bewegten wie Astronauten auf einem fremden Stern. Lennard, dessen Entschluss, in Amerika zu bleiben, bereits nach wenigen Wochen feststand, ließ sich von Onkel Henrik in die wunderbare Welt der Buchhaltung einführen, während Sune mit einem der fünf Putztrupps loszog, um Büroböden zu polieren und von Schaufenstern in der Innenstadt schwarzen Ruß zu waschen. In seiner Freizeit fuhr Lennard mit Onkel Henrik und Tante Katarina im silbernen Lincoln durch die Stadt, ging mit ihnen ins Planetarium, in Museen und an historische Orte, und mit jeder Sehenswürdigkeit, die ihm mit schwedisch-amerikanischem Stolz vorgeführt wurde, schwanden seine Erinnerung an die alte Heimat und der Wunsch, dorthin zurückzukehren.

In langen Briefen nach Hause pries er Philadelphia und sein neues Leben mit Worten, die seine Eltern im Lexikon nachschlagen mussten, um sie zu verstehen. Am Telefon malte er die Bilder der kommenden Jahre so fiebrig, dass sein Vater die Bemühungen, ihn für die Weiterführung des Eisenwarenladens zu gewinnen, bald aufgab. Seine Mutter hielt die Hoffnung noch eine Weile aufrecht, aber wenn ihr Sohn vom baldigen Kauf eines gebrauchten Wagens oder der geplanten Beantragung einer Arbeitserlaubnis erzählte, wurde auch sie stumm und brach nach dem Auflegen in Tränen aus.

Es dauerte ein halbes Jahr, bis seine Eltern Lennards Entscheidung als unwiderruflich akzeptierten, und auch dann fehlte ihnen das Verständnis, sie zu billigen. In ihren Augen hatte sich ihr Sohn des Verrats schuldig gemacht. Aus einer jugendlichen Laune heraus und aufgewiegelt von rebellischer Musik, kehrte er der Familie den Rücken und gab eine gesicherte Zukunft in der Heimat auf, um fernab seiner Wurzeln fragwürdigen Träumen nachzujagen. Sie waren so enttäuscht und verbittert, dass sie die Briefe aus Philadelphia weder lasen noch beantworteten und bei den immer spärlicher werdenden Anrufen ihres Sohnes nur noch einsilbig bestätigten, am Leben zu sein. Schließlich legten sie wortlos auf, wenn Lennard sich meldete. Ihr einziger Sohn war für sie gestorben, ebenso Henrik und Katarina, die an allem die Schuld trugen.

Sune, der mietfrei über der Garage neben dem Haus wohnte, lebte sein eigenes Leben. Nach der Arbeit trank er bisweilen ein Bier mit den Kollegen, von denen alle, bis auf zwei schwermütige Brüder aus Iowa, mexikanische Einwanderer waren. Bei schönem Wetter setzte er sich an den Abenden in einen Park und sah den Softballspielen zu, einer familientauglichen Version von Baseball, deren Regeln für ihn so rätselhaft waren wie die des Originals. An den Wochenenden kam es gelegentlich vor, dass er und Lennard gemeinsam etwas unternahmen, im Bus und in der U-Bahn herumfuhren, ins Kino gingen oder in eine der Bars, wo man Frauen, die sich auf der Bühne auszogen, Dollarnoten ins Höschen stecken konnte. Sie sahen sich die Villen reicher Leute an, saßen an verregneten Nachmittagen in Dauervorstellungen alter Filme, witzelten verlegen über die künstlichen Brüste der Stripperinnen, waren nach drei Gläsern Bier betrunken und redeten von der Zukunft und Musik und Autos, wurden an der Luft wieder nüchtern und gingen schweigend nebeneinander her und merkten, dass sie sich allmählich aus den Augen verloren und keiner von ihnen die Energie aufzubringen bereit war, diesen Prozess anzuhalten.

Sune war nicht mehr von Lennard abhängig, er verdiente genug, um den kleinen Kühlschrank unter dem Garagendach zu füllen und in einem Billiglokal an einem Abend mehr zu essen, als seine Mutter ihm in einem ganzen Monat gekocht hatte. In Schweden hatte die beiden Kinder ein Bündnis zusammengehalten, das auf dem Tausch von Essen gegen Schutz und Ausflüge in unbekannte Welten beruhte, doch hier war alles anders, und ihnen wurde immer stärker bewusst, dass eigentlich nichts sie verband, nicht einmal Freundschaft.

Kein Jahr nach seiner Ankunft in Amerika wurde Sune während der Arbeit in einem Fitnesscenter verhaftet. Er wischte gerade den Boden in einem der Umkleideräume, als die Männer der Einwanderungsbehörde hereinstürmten wie Schuljungs nach der Turnstunde. In der Abschiebehaft durfte er einen Anruf tätigen und rief Lennard an, weil ihm sonst niemand einfiel. Lennard wollte seinen Onkel dazu bringen, einen Anwalt einzuschalten, aber Sune redete es ihm aus, wünschte ihm viel Glück und legte auf. Am folgenden Tag wurde er in eine Maschine gesetzt, die ihn nach New York brachte, dann in eine mit dem Ziel Stockholm. Sune war über seine Abschiebung nicht unglücklich. Er hatte nie vorgehabt, in Amerika zu bleiben, und in manchen Nächten, während derer er schlaflos in seinem Bett lag und unter ihm der abkühlende Motor des Lincoln knackte, dachte er an Nora und vermisste es. Er hatte Sehnsucht nach den endlosen Feldern, der Stille, die nur vom Schlagen der Kirchturmglocken gestört wurde, nach den Seen, die in seinen Kindertagen Meere gewesen und später zu langweiligen Tümpeln verkommen waren, und er hatte sogar Sehnsucht nach seinen Eltern. Seine Mutter lebte inzwischen wieder in Finnland. Ihr Vater, auf den sie so lange vergeblich gewartet hatte, war einen Monat nach Sunes Abreise gestorben, und sie war von der Beerdigung nicht zurückgekehrt.

Sunes Vater schnitzte noch immer Fabeltiere und Trolle, und er weinte, als sein Sohn an einem warmen Oktoberabend in den Schuppen trat. Lennards Eltern gaben Sune seine alte Arbeit im Lagerraum zurück, und als immer mehr gesundheitliche Probleme sie plagten, stand er unversehens in einer blauen Schürze hinter dem Tresen und bediente die Kundschaft, während sein Vater nebenan neue Lieferungen auspackte und einräumte und das Schnitzen auf die Wochenenden verlegte.

Marklund's Marvellous Cleaners hatte bereits einige Jahre zuvor wegen einer Handvoll illegal arbeitender Mexikaner Schwierigkeiten mit den Behörden gehabt, und Sunes Verhaftung schadete der Firma nur deshalb nicht, weil Henrik inzwischen ein angesehener Bürger und pünktlicher Steuerzahler war und zudem ein paar der richtigen Leute kannte. Er war Sponsor der Jugendbibliothek, der Seniorentanzhalle und der Tierauffangstation, war Vizepräsident des *Millpark Country Club* und im Vorstand des Vereins zur Erhaltung historischer Gebäude. Dass seine Putztrupps unentgeltlich die Reinigung von Räumlichkeiten mehrerer gemeinnütziger Organisationen übernahmen, war die weniger reumütige als existenzerhaltende Konsequenz aus der Schwarzarbeiteraffäre gewesen und half der Firma jetzt erneut im Kampf um Pluspunkte bei den Behörden.

Als Henrik vorgeladen wurde, versicherte er den Beamten recht glaubhaft, dass Sune nicht wirklich für ihn gearbeitet, sondern lediglich ab und zu eingesprungen sei, wenn Not am Mann war. Sune Nordahl sei ein stolzer junger Mann und habe auf dieser Hilfe bestanden, als Gegenleistung für Unterkunft und Verpflegung und als Dank für die Möglichkeit, im christlichen, von Fleiß und Landesliebe geprägten Familienverband der Marklunds ein aufrechter Amerikaner zu werden. Die Tatsache, dass Sunes Touristenvisum seit mehr als acht Monaten abgelaufen war, konnte Henrik zwar nicht widerlegen, er schaffte sie aber diskret aus der Welt, indem er größere Summen an ausgesuchte leitende Beamte bezahlte, die sich ihrem Berufsethos weniger verpflichtet fühlten als den Wünschen ihrer anspruchs-vollen Frauen und Geliebten.

Mit diesen Zuwendungen war der geheime Fonds für Notfälle der Firma Marklund ebenso erschöpft wie Henriks kriminelles Potential. Noch immer erleichtert darüber, dass es statt Lennard den ambitionslosen Sune getroffen hatte, hörte er auf seinen Anwalt, der ihm riet, den Neffen eine Weile von der Firma fernzuhalten, um dessen Chancen auf eine Green Card nicht zu gefährden. Lennard wurde für drei Monate nach Vancouver ge-schickt, wo er morgens auf einem geliehenen Fahrrad die Stadt erkundete und nachmittags in einer Schule für Ausländer sein Englisch perfektionierte. Nach seiner Rückkehr aus Kanada absolvierte er einen Test, und dank der Tatsache, dass er einge-bürgerte Verwandte in Amerika hatte, die ihm einen Job in ihrer Firma anboten, erhielt er kaum sechs Wochen später eine offizielle Aufenthaltsbewilligung.

Jetzt, da die Gefahr der Entdeckung gebannt war, stürzte Lennard sich mit doppelter Hingabe in die Arbeit. Sein Eng-lisch war so gut, dass er mit dem Steuerberater diskutieren, mit Kunden verhandeln und unter Henriks staunenden Blicken den Lieferanten von Reinigungsmitteln bessere Konditionen abringen konnte. Er kam morgens als Erster ins Büro und ver-ließ es abends als Letzter. Wenn es nötig war, arbeitete er an den Wochenenden und behauptete Henrik gegenüber, das Wort Ur-laub habe man ihm in Kanada nicht beigebracht. Er reparierte den Fotokopierer und strich die Wände seines Büros neu, er übersetzte die Gebrauchsanweisung einer Poliermaschine vom Englischen ins Spanische, damit die Putzkolonnen die teure Neuanschaffung nicht ruinierten, er erfand griffige Werbe-slogans, holte Aufträge herein und steigerte den Umsatz um fünfundzwanzig Prozent. Onkel Henrik liebte ihn dafür so sehr, dass er Visitenkarten drucken ließ, auf denen, unter dem Firmenlogo und in Prägeschrift, LENNARD A. SANDBERG VICE PRESIDENT stand.

Alles lief wunderbar, der Junge aus Nora träumte den amerikanischen Traum mit offenen Augen, die Welt gehörte ihm.

Nur Tante Katarina spürte, dass Lennard etwas fehlte. Und sie wusste auch genau, was es war. Die Frau, die sie für ihren Neffen aussuchte, war die Tochter eines Zahnarztes und einer Immobilienmaklerin, ein Jahr älter als Lennard und hübsch genug, dass ihr reiches Elternhaus nicht als Entschädigung herhalten musste. Sie hieß Deborah Shuler und studierte Betriebswissenschaften und Politik an der University of Philadelphia. Tante Katarina arrangierte ein Essen in einem der besten Restaurants der Stadt, und sie ließ es Lennard gegenüber so aussehen, als treffe man Frank und Audrey Shuler und deren Tochter rein zufällig. Deborah war nett und intelligent und nach dem dritten Glas Wein sogar gelegentlich witzig, und Lennard schien ihren Ausführungen zur aktuellen Wirtschaftslage und dem Krieg in Vietnam aufmerksam zu lauschen. Tante Katarina und Onkel Henrik und die Shulers beobachteten mit Wohlgefallen, wie gut sich die beiden unterhielten.

Lennard verliebte sich an diesem Abend tatsächlich. Nur war es nicht Deborah Shuler, an die er sein Herz verlor, sondern eine irische Kellnerin namens Maureen McDermott. Die zierliche Frau mit dem braunen, von mehreren Spangen und Klammern gebändigten Haar und dem Make-up, das aussah, als sei es in aller Eile und ohne große Sachkenntnis aufgetragen worden, betrat den Speisesaal nur ein einziges Mal, um ihrer Kollegin beim Abräumen zu helfen, brachte es dabei aber fertig, mit einem Stapel Teller in den Armen über Deborahs Handtasche zu stolpern, im Fallen einen lauten Fluch auszustoßen und der Länge nach hinzuschlagen. Nach einer Schrecksekunde, während der die Kellnerin sich aufgerappelt hatte, bemühten sich die Marklunds und Shulers peinlich berührt, dem Missgeschick und den Blicken der anderen Gäste keine weitere Beachtung zu schenken, und nahmen das Gespräch über die bemannte Raumfahrt wieder auf, wobei sich vor allem Henrik und Frank ins Zeug legten. Nur Lennard konnte es nicht lassen, immer wieder nach der Frau zu schielen, die neben ihm kauerte, schmutzige Teller einsammelte und mit einer Stoffserviette die Soßenflecken auf dem Teppichboden verrieb.

Lennard hatte sich in seinem Leben schon mehrmals verliebt, angefangen in der ersten Klasse, als Anna Linderoth ihm den Kopf verdrehte, aber noch nie zuvor war er von der Nähe eines weiblichen Wesens so in inneren Aufruhr versetzt worden wie an diesem Abend. Das wunderbare Geschöpf wollte gerade die Teller in die Küche tragen, als Deborah einen Fleck auf ihrer Handtasche entdeckte. Der Soßenspritzer wurde von allen am Tisch begutachtet und dann der Kellnerin unter die Nase gehalten. Maureen entschuldigte sich und streckte die Hand mit der Serviette aus, aber Deborah zog die Tasche entsetzt zurück und presste sie an die Brust. Der Geschäftsführer, dem die Aufregung im Speisesaal nicht entgangen war, kam herbei und wurde von Audrey Shuler über den Fall ins Bild gesetzt. Nachdem er den Fleck auf der Handtasche inspiziert hatte, als handle es sich um ein Einschussloch, versicherte er Deborah, das Restaurant werde für den Schaden aufkommen. Zudem bot er an, Nachtisch und Kaffee auf Kosten des Hauses servieren zu lassen.

Damit wäre die Sache erledigt gewesen, hätte Maureen nicht mit der trotzigen Stimme eines zu Unrecht getadelten Mädchens gemurmelt, die verfluchte Tasche habe im Weg gestanden, weshalb die verdammte Schuld nicht bei ihr, sondern bei der eingebildeten Zicke liege. Deborah und ihre Eltern waren über diese unflätige Bemerkung fassungslos, und der Geschäfts-führer verlangte von Maureen eine Entschuldigung. Aber die Frau, die mittlerweile zum Zentrum des allgemeinen Interesses geworden war, dachte nicht im Traum daran und verwies auf ihren Knöchel, den sie sich beim Sturz verknackst hatte. Der Geschäftsführer, ein in Frack gekleideter, grau melierter Mitt-fünfziger, stand erst völlig entgeistert da und lächelte dann wie ein Vater, dessen Kind statt der Weihnachtsgeschichte einen zotigen Witz erzählt hat, fasste sich schließlich und schob Maureen, die zu diesem Zeitpunkt bereits keine Kellnerin mehr war, eilig aus dem Saal. Wenig später ertönte aus einem entfernten Raum, der die Küche sein musste, ein lautes Klirren, das sich nach dem Zerbrechen etlicher Teller anhörte, und während alle am Tisch empört tuschelten und den Kopf schüttelten, wusste Lennard, dass er die Frau seines Lebens gefunden hatte.

Am nächsten Tag fuhr Lennard in seinem gebrauchten goldfarbenen Buick *Skylark*, den er eine Woche zuvor gekauft hatte, zu dem Restaurant und schaffte es, durch eine der Küchenhilfen Maureens Adresse herauszufinden. Sie wohnte in einem Zweizimmerapartment in einem Viertel, durch das Lennard und Sune früher mit dem Bus gefahren waren und das seit Jahren in einem Zustand zwischen Vernachlässigung und Verfall stagnierte. Die von Abfall gesäumten Straßen waren voller Schlaglöcher, Ampeln funktionierten nicht, und Verkehrsschilder waren mit Farbe beschmiert. Trotzdem fuhren Autos, und alle paar Wochen tauchte ein städtisches Reinigungsfahrzeug oder ein Tankwagen voll flüssigen Teers auf und betrieb ein wenig Kosmetik. Die Häuser befanden sich teilweise in erbarmungswürdigem Zustand, und von den Lampen, die zwischen den Fassaden an Leitungen hingen, brannte nur jede dritte, aber es kam auch immer wieder vor, dass plötzlich und wie durch ein Wunder Löcher verputzt, Mauern neu gestrichen und Glühbirnen ausgewechselt wurden.

Maureens Wohnung lag über einem Geschäft, dessen einzige Schaufensterscheibe mit Packpapier abgedeckt war und vor dem es sich ein streunender Hund bequem gemacht hatte. Es erstaunte Lennard, dass in einer solchen Gegend die Tür zum Treppenhaus nicht abgesperrt war und jeder, der wollte, den dunklen Flur betreten konnte. Was ihn nicht verwunderte, waren die defekte Klingel und das Fehlen einer Gegensprechanlage, doch er war froh über diese technische Rückständigkeit, denn noch während er die Stufen emporstieg, wusste er nicht, wie er die Frage, was er wolle, beantworten sollte.

»Weißt du, was er gesagt hat?«, fragte Sune und füllte Wilburs Glas erneut mit Limonade. Wilbur schüttelte den Kopf. Er saß in Sune Nordahls Küche und sog die Geschichte seiner Eltern auf wie ein vertrockneter Boden den Regen. Sune stand am Herd und kochte Abendessen. Wann immer die Pfannen und Töpfe es erlaubten, drehte Sune sich um und erzählte, als habe er jeden Satz, jede Wendung, jede Betonung und jede Pause jahrelang einstudiert und nur darauf gewartet, dass Wilbur von weit her kommen, sich hinsetzen und zuhören würde. Er stellte sich hin und spielte Lennard, der nach Jahren doch noch sein Freund geworden war, versteckte den Kochlöffel hinter dem Rücken und sagte zu Maureen, die die Wohnungstür geöffnet hatte und ihn mit einem Blick, in dem Wiedererkennen und Skepsis lagen, ansah: »Mein Name ist Lennard Arne Sandberg, und ich liebe Sie!« Sune streckte Wilbur den Kochlöffel entgegen wie einen Blumenstrauß, und als der Junge irritiert zurückwich, lachte er und stampfte mit dem Fuß auf. »Genau so hat deine Mutter auch reagiert!«

Sune erzählte gerade, dass Lennard ganze fünf Wochen brauchte, bevor er Maureen zum ersten Mal küssen durfte, als Ulrika hereinkam. Sie war beinahe so groß und breit wie Sune, und nach ihrem Eintreten war in der engen Küche kein Platz mehr. Sune stellte ihr Wilbur vor, der zwar froh war, dass ihm Details zum ersten Kuss seiner Eltern erspart blieben, aber dennoch darauf brannte zu erfahren, wie ihr gemeinsames Leben vor seiner verhängnisvollen Geburt weiter verlaufen war. Ulrika war Sunes Freundin und konnte, nachdem sie von Wilburs Suche nach dem Vater hörte, einen Tränenausbruch nur vermeiden, indem sie in holprigem Englisch etwas von vergessenen Einkäufen murmelte und aus der Küche floh. Nach einem Moment des Zögerns verwarf Sune den Gedanken, ihr zu folgen, und horchte lächelnd auf die schweren Schritte, die das hölzerne Treppenhaus erschütterten, und das dumpfe Schlagen der Haustür. »Frauen«, sagte er, und Wilbur nickte, als wisse er Bescheid.

Der Laden unter Maureens Wohnung gehörte Salvador Gustavo Onetti, einem vierundsiebzigjährigen Argentinier, der in den dreißiger Jahren mit seinen Eltern nach Philadelphia gekommen war, fünfzehn Jahre lang im Hafen gearbeitet und schließlich sein eigenes Geschäft eröffnet hatte. Der kleine glatzköpfige Mann mit Bauchansatz und einem Gesicht, das noch immer beinahe ungebührlich hübsch war, bewohnte mit seiner zwölf Jahre jüngeren, aus einer mexikanischen Einwandererfamilie stammenden Frau Sofia das Erdgeschoss des Hauses, in dessen vorderem Teil sich der inzwischen geschlossene Laden befand. Hinter dem ehemaligen Verkaufsraum lagen drei Zimmer, von denen das eine, die Küche, auf einen Innenhof ging, in den gerade genug Sonnenlicht fiel, dass Sofias Gemüse und die Blumen gedeihen konnten.

Lennard lernte das Ehepaar lange vor dem Tag kennen, an dem er Maureen zum ersten Mal küsste. Er hatte es als gutes Zeichen betrachtet, dass Maureen auch dann, als er sie fast täglich besuchte, viel Zeit mit den beiden verbrachte, denn Salvador und Sofia ließen keine Gelegenheit aus, liebevoll spöttische Bemerkungen über Lennards offensichtliche Verliebtheit und Maureens gespielte Gegenwehr zu machen. Zudem war das alte Paar der unumstößliche Beweis dafür, dass die Liebe tatsächlich die stärkste Macht der Welt war und dass die einzige Möglichkeit, ein glückliches Leben zu führen, darin bestand, es mit jemandem zu teilen.

Als der Laden noch geöffnet war, hatte Sofia darin Kunsthandwerk verkauft, Quilts, die sie selber nähte, Vasen, Kelche und Schalen aus einer Glasbläserei in Virginia, Silberschmuck aus Arizona, Teller, Tassen und Schüsseln aus einer mexikanischen Töpferei, Weidenkörbe, Tischsets aus Schilf, handgeschöpftes Papier und natürlich die Schalen, Truhen und

Möbel aus Kirschbaum, Rosenholz, Eukalyptus und Zeder, die Salvador in seiner zwei Blocks entfernt liegenden Werkstatt hergestellt hatte. Mit dem langsamen Untergang des Quartiers waren auch immer weniger Kunden gekommen, und als Sofia fand, sie habe in ihrem Leben genug Stoffreste zu Tagesdecken verarbeitet, wurde ein Ausverkauf durchgeführt, ein Fest gefeiert und schließlich die Schaufensterscheibe mit braunem Papier verklebt. Das war über drei Jahre her, und der ehemalige Verkaufsraum diente den Onettis jetzt als Vorratskammer, Abstellraum und, unter Zuhilfenahme von Paravents und einem Klappbett, als Notunterkunft für Gäste, die entweder zu mittellos für ein Hotelzimmer oder zu betrunken zum Gehen waren.

Dass Salvador auch nach der Schließung des Ladens noch jeden Tag für mehrere Stunden in seine Werkstatt ging, wusste Lennard, aber was der alte Mann dort machte, erfuhr er erst bei einem Besuch in der ehemaligen Reifenfabrik, die, wenn es nach den halbherzigen Plänen der Stadtverwaltung gegangen wäre, schon seit Jahren hätte abgerissen werden sollen, um einem gut gemeinten und zu keiner Zeit auch nur annähernd finanzierten Projekt für Sozialwohnungen Platz zu machen. Die beiden Stockwerke des schmutziggrauen Klinkergebäudes waren in großzügige Einheiten unterteilt und an Künstler, Handwerker, Antiquitätenhändler und Leute mit Modelleisenbahnen und außer Kontrolle geratenen Bierdeckelsammlungen vermietet.

Lennard hatte erwartet, in Salvadors Zelle knorrige Schalen und polierte Kommoden mit marmorgleichen Maserungen und kleine, nach Leinöl und Hustenbonbons riechende Truhen zu finden, wie der alte Mann sie früher für den Laden hergestellt hatte und mit denen die halbe Wohnung gefüllt war. Doch was sein Freund ihm an einem Nachmittag im September des Jahres 1972 zeigte, überraschte und überwältigte ihn dermaßen, dass er dieses Datum als dasjenige in Erinnerung behielt, an dem für ihn, einmal mehr, ein neues Leben begann.

Salvador baute in seiner fensterlosen und beinahe schalldichten Werkstatt Musikinstrumente aus Holz. In seinen schmalen

Händen entstanden Geigen und Bratschen und Violoncellos, ein bis zwei Stück pro Jahr, ohne Eile und mit der Hingabe und Sorgfalt eines Mannes, der die Welt um sich vor die Hunde gehen sah und dieser Tatsache etwas entgegenhalten wollte, das Schönheit besaß. Der Raum, in dem Salvador Gustavo Onetti der Zeit trotzte, war weiß gestrichen und mit ockerfarbenem Linoleum ausgelegt. Unter der Decke spannten sich Bahnen aus Tüll, die das kalte Licht der Neonlampen wärmten, und an den Wänden hingen zwei von Sofias Quilts, vergilbte Baupläne und Skizzen, eine schmutzige und fadenscheinige argentinische Flagge, ein großformatiges Ölbild, das eine Prärielandschaft mit Bisons jagenden Indianern auf Pferden zeigte, Fotos von Möbeln und Menschen, ein Fächer aus geflochtenem Bambus, ein Feuerlöscher und darüber der Fluchtplan für den Fall eines Brandes, ein grauer, mit Leimflecken verzierter Kittel an einem Haken und ein gelber Regenschirm.

Das alles sah Lennard aus den Augenwinkeln, aber was er wirklich und mit allen Sinnen wahrnahm, war der offene Rumpf eines Cellos, der auf dem massiven Arbeitstisch lag, die Werkzeuge, die anzufassen er noch nicht wagte, und die aus verschiedenen Holzarten gefertigten Teile, die darauf warteten, ein Ganzes zu ergeben, und von denen er noch nicht wusste, dass sie Schnecke und Wirbel und Sattel und Stachel genannt wurden. An diesem Abend ging Lennard in Maureens Wohnzimmer hin und her und erzählte ihr aufgeregt, dass er von Salvador lernen wolle, wie man Instrumente baute, und als er mit Maureen, die das Geschirr in die Küche tragen wollte, zusammenstieß und ihr die Teller zu Boden fielen wie einige Wochen zuvor im Restaurant, fasste er sich ein Herz, hielt mit beiden Händen ihren Kopf fest und küsste sie zum allererersten Mal. Er küsste sie richtig, nicht so, wie er damals Anna Linderoth geküsst hatte oder später, mit fünfzehn, Eva Forsberg, deren Lippen trocken und versiegelt waren und ohne jede Magie. Er küsste Maureen McDermott wie ein Mann, der weiß, dass er nie mehr eine andere küssen wird. Dann öffnete er die Augen und wartete ab, was passieren würde. Maureen sah Lennard an, dessen Hände noch immer ihre Ohren bedeckten, als sollten sie verhindern, dass sie sein ängstliches und erregtes Keuchen hörte, und nach einer Weile, die ihm wie eine Ewigkeit erschien, fragte sie ruhig, ob er als Instrumentenbauer eine Familie ernähren könne.

Maureen hatte es mit dem Heiraten nie eilig gehabt. Die Ehe ihrer Eltern schien ihr eher zur Abschreckung denn zur Nachahmung geeignet. Dachte sie an ihre Kindheit, fiel ihr der Garten in Cork ein, der Seerosenteich und der riesige Himmel über ihr, wenn sie auf der Schaukel durch die Luft schwang. Sie hatte das Lachen ihrer Mutter in den Ohren, ihre Rufe, wenn es Zeit zum Essen oder Schlafen war. Dazwischen hörte sie die Vaterstimme, die für ihren tiefen Ton viel zu leise war und die kurzen, beinahe schüchternen Sätze kaum trug. Zusammen erklangen die beiden Stimmen nur selten, einsame Solisten, die, wenn es sein musste, gemeinsam probten, verhalten und disharmonisch und froh, wenn alles Nötige gesagt schien. Ein Baum, der die Wolken berührte, ein von geheimnisvollen Quellen warmgehaltenes Haus und ein Mann und eine Frau, die Verheiratetsein spielten, das war, woran Maureen dachte, wenn sie sich die ersten fünfzehn Jahre ihres Lebens in Erinnerung rief.

Dass sie der Grund sein könnte, weshalb ihre Eltern eine harmonische Ehe simulierten, ahnte Maureen schon als kleines Kind. Sie lachte und redete viel, tollte im Garten herum und polterte durch das Haus, aber gleichzeitig war sie eine aufmerksame Beobachterin, der kaum etwas entging. Ihr fröhliches, lärmendes Äußeres war nur Ablenkung, ein Tarnzelt, unter dem die Forscherin saß, neugierig, staunend und zunehmend besorgt. Was sie sah, waren seltsame Auswüchse der Liebe, Abarten der Treue, Imitationen des Glücks. Sie sah ihren Vater, dessen Präsenz das Haus erfüllte, ohne dass er wirklich vorhanden war, der tagelang in seinem Zimmer hockte und in den vergilbten Artikeln über den Untergang eines Schiffs verschwand, der selbst allmählich versank, schwer von einer Last, die niemand kannte, der plötzlich da war, wenn es verlangt wurde, der einen gebrochenen Arm betrauerte und gute Noten lobte, der einen Weihnachtsbaum ins Wohnzimmer schleppte und an Maureens drittem Geburtstag die Tür zum Garten öffnete, wo angeleint ein junger Hund mit einer roten Schleife um den Hals saß.

Sie sah ihre Mutter, deren Schönheit nie verklingende Musik war, nie endender Sommer, die untragbare Kleider nähte und das Kochen aus Büchern lernte, die manchmal heimlich rauchte und weinte, die ohne Hilfe einen Zaun um den Gartenteich baute, die an Feiertagen Kerzen anzündete und Lieder sang und ihren Mann auf die Wange küsste, die sonntags zur Kirche ging, nicht an Wunder glaubte und nicht an die Veränderbarkeit des Schicksals und ihrer Tochter das Gegenteil predigte. Sie sah eine starke, einstmals lebensfrohe Frau, die den Eid, den sie vor dem Pfarrer, Gott und der Welt geleistet hatte, nicht brechen wollte und bei ihrem Mann blieb, auch nachdem sie sich die Sinnlosigkeit ihrer Ehe längst eingestanden hatte.

Mit einundzwanzig ging Maureen aus Irland weg. An einem Septembermorgen verließ sie ihre untröstliche Mutter, den altersschwachen Collie und den von Jahr zu Jahr schemenhafter werdenden Vater mit einer Erleichterung, die sie erschreckte. Orla hatte gewollt, dass ihre Tochter in Cork blieb und studierte, aber in Wirklichkeit ertrug sie den Gedanken nicht, mit Eamon alleine in dem großen Haus zurückzubleiben. Trotzdem kaufte sie das Flugticket nach Ontario, wo eine Cousine von ihr lebte, und besorgte genügend American-Express-Travellerschecks, um Maureen zwölf Monate komfortabel und vierundzwanzig in Bescheidenheit reisen zu lassen. Wenn das Geld aufgebraucht wäre, redete Orla sich ein, würde ihr Kind zurückkommen.

Während des ersten Sommers durchstreifte Maureen Kanada, im Winter arbeitete sie in Mexiko als Zimmermädchen. Sie hatte einen Liebhaber in Montreal und einen in Acapulco, vor Aufregung japsende Bürschchen, deren erhitzte Gesichter sie vergessen hatte, kaum dass sie im Bus saß. Ihr Herz war ungebunden, ihr Gepäck leicht, und ihre Ziele suchte sie sich so willkürlich aus wie die Gelegenheitsarbeiten, mit denen sie sich über Wasser hielt, nachdem der letzte Scheck eingelöst war. In Miami kellnerte sie auf einem Ausflugsboot, in Chicago saß sie an der Kasse eines Supermarkts, Baltimore erschien ihr so trist wie ihr Job als Putzfrau, und aus Washington floh sie vor einem Mann, der ihr Boss in einem Souvenirladen war und sie heiraten wollte. Sie lebte ein halbes Jahr im mexikanischen Monterrey an der Grenze zu Texas und danach ein halbes in Charleston, South Carolina, hatte eine Affäre mit einem Mathematikprofessor, der für sie seine Frau sitzenließ, beteiligte sich an der jährlichen Green-Card-Verlosung und hatte Glück. Weil ihr der Name gefiel, ging sie nach Philadelphia, wo sie als Schuhverkäuferin, Telefonistin und schließlich Kellnerin arbeitete und Lennard Arne Sandberg begegnete.

Henrik und Katarina waren von Lennards Plänen alles andere als begeistert. Dass er sich in diese rotzfreche irische Kellnerin verguckt hatte, wollten sie ihm noch als Flausen eines in romantischen Angelegenheiten unerfahrenen Jungen durchgehen lassen, die sich im rauen Klima der Realität bald verflüchtigen würden. Aber seine Absicht, der Firma Marklund und einer blendenden Karriere den Rücken zu kehren, lasteten sie ihm an wie ein Verbrechen gegen die Familie, gegen ihre Ideale und gegen das ganze Land, dem er so viel zu verdanken hatte. In Gesprächen und schließlich einem langen Brief versuchte Lennard den beiden verständlich zu machen, wie groß seine Liebe zu dieser Frau und wie unumstößlich sein Entschluss war, sie zu heiraten und fortan Cellos zu bauen. Doch Henrik und Katarina hatten für diese Absichtserklärungen, die in ihren Ohren wie Süßholzgeraspel eines hormonell überschwemmten dummen Burschen klangen, keinerlei Verständnis, und als sie begriffen, dass es ihm ernst war, warfen sie ihn aus dem Haus und der Firma und verstießen ihn aus ihrer Sippe.

Lennard und Maureen warteten bis zum Mai des nächsten Jahres, dann gaben sie sich das Jawort in einer weiß gestrichenen presbyterianischen Holzkirche in Cedar Hollow. Salvador und Sofia waren die Trauzeugen, eine alte Dame spielte den mit kaum wahrnehmbar falschen Tönen durchwobenen Hochzeitsmarsch auf der Orgel, und ein kleines Mädchen, das im Schatten der Kirche einsam Gummitwist getanzt hatte und dem Lennard einen Dollar gab, verstreute die mitgebrachten Blumen, als das Brautpaar zu seinem Auto ging, einem dunkelbraunen, Zweckdienlichkeit ausstrahlenden Volvo, den Lennard gegen den Buick eingetauscht hatte.

Sofia hatte einen Fotoapparat, mit dem sie den Tag festhielt, und wenn sie durch den Sucher sah, bemerkte sie in Lennards Augen eine Spur Wehmut, die kein Kuss seiner Frau und kein *Bitte lächeln* ganz zum Verschwinden bringen konnte. Lennards Eltern waren in Schweden, und an diesem Tag vermisste er sie schrecklich. Drei Monate vor der Hochzeit hatte er sie angerufen, um sie einzuladen, aber die beiden ließen sich weder dazu bewegen, zu kommen, noch ihrem Sohn zu vergeben.

Maureen hingegen strahlte auf jedem Bild reine Glückseligkeit aus. Sie lachte und scherzte und warf der Kamera Kusshände zu, sie umarmte den verdutzten Pfarrer und schwang das Mädchen durch die Luft, bis es kreischte. Sie hatte nie heiraten wollen, und wenn doch, dann frühestens mit dreißig. Jetzt war sie fünfundzwanzig und konnte sich nichts anderes mehr vorstellen, als mit Lennard den Rest ihres Lebens zu verbringen. Gedanken an die Ehe ihrer Eltern wischte sie weg in der Gewissheit, dass sie und ihr Mann es anders machen würden, besser. Einmal im Monat rief sie zu Hause an und hielt ihre Mutter über ihr Leben auf dem Laufenden. Obwohl sie mittlerweile seit mehr als zwei Jahren in Philadelphia wohnte, erzählte sie Orla, sie sei noch immer auf Reisen, auf der Suche nach dem richtigen Ort, dem richtigen Job und deshalb telefonisch nicht erreichbar.

Sie hasste es, ihre Mutter zu belügen, aber nur so schien es ihr vermeidbar, dass diese plötzlich bei ihr auftauchte, im Schlepptau Eamon, den zu verlassen Orla sich in einer Mischung aus Loyalität, schlechtem Gewissen und Fatalismus nach wie vor weigerte. So unbegreiflich für Maureen die Aufopferung ihrer Mutter war, so wenig verstand Orla, weshalb ihre Tochter wie eine heimatlose Seele durch Amerika flirrte. Alle paar Monate war Orla fest entschlossen herüberzukommen, aber dann erfand Maureen eilig eine neue Reise, eine neue Stelle, die ihr angeboten wurde, eine neue Wohnung, in die sie ziehen musste.

Als sie Lennard kennenlernte, war Maureen versucht, ihrer Mutter von dem Mann, den sie liebte, zu erzählen, aber als sie kurz davor war, verkaufte Eamon das Haus in Cork und zog mit seiner Frau in den Nordwesten, zurück in die Gegend, wo er aufgewachsen war, und von diesem Zeitpunkt an wurde Orla immer schweigsamer und schien die Absicht, ihre Tochter zu besuchen, bald vergessen zu haben. Maureen spürte, wie ihre Mutter unter dem Umzug litt, und als sie Lennard davon erzählte, schlug der vor, Orla solle eine Weile bei ihnen wohnen. Aber Maureen wollte warten, bis sie eine neue, größere Wohnung oder ein kleines Haus fanden oder sie schwanger war. Sie hatte Lennard nie vom Reichtum ihrer Eltern erzählt, nie erwähnt, wie einfach es wäre, sich Geld schenken zu lassen oder zu leihen, und sie tat es auch jetzt nicht. Orla schien noch immer darauf zu hoffen, dass ihr Kind in Amerika scheitern und reumütig nach Hause kommen würde. Aber Maureen hatte ihren Stolz. Sie wollte es ohne die finanzielle Hilfe ihrer Eltern schaffen, wollte ihrer Mutter ein ordentliches Gästezimmer bieten, einen erfolgreichen Mann präsentieren und ein wundervolles Enkelkind in die Arme legen.

Die Flitterwochen, die aus Geldmangel auf ein Wochenende gekürzt wurden, verbrachte das Paar in einem Familienhotel in Norristown, dessen mondänste Attraktion ein allabendlich in farbiges Licht getauchter Springbrunnen in der Empfangshalle war. Auf einem Schild wurden die Gäste darauf hingewiesen,

dass das Werfen von Münzen in das Brunnenbecken zur Erfüllung eines Wunsches führen, die Hotelleitung jedoch nicht
für unerfüllte Wünsche belangt werden könne. Lennard und
Maureen ließen je einen Cent ins Regenbogenwasser fallen,
und beide glaubten zu wissen, was der andere sich wünschte.

Über ein Jahr dauerte es, bis Lennard sein Cello baute, das erste,
bei dem Salvador ihm nicht half, ihn nicht korrigierte und nicht
einmal eingriff, wenn er einen Fehler machte. Aber Lennard
machte keinen Fehler, und wenn doch, bemerkte er ihn rechtzeitig und behob ihn. Als das Instrument fertig war und einige
Tage geruht hatte, bat Lennard Salvador, darauf zu spielen. Der
Mann, der inzwischen ohne seine Brille völlig blind war und
immer öfter vergaß, den Topf mit dem Holzleim zu schließen
oder die Pinsel ins Glas mit Verdünner zu stellen, bevor der
Lack aushärtete und sie unbrauchbar machte, setzte sich auf den
Schemel, strich den mit Rosshaar bespannten Bogen leicht und
mit geschlossenen Augen über die Saiten, drehte die Schrauben
am Wirbelkasten, bis die Töne rein waren und warm und voll
klagender Schönheit, drückte dann den Rücken durch und
spielte. Er war kein besonders guter Cellist, und seine Finger,
die in bald achtzig Jahren kaum einen Tag der Untätigkeit erlebt
hatten, waren oft plump, wenn er sie flink, und kraftlos, wenn
er sie stark haben wollte. Er kannte nur drei kurze Stücke, zwei
von Brahms und eines von Bach, aber er legte so viel Herz in
sein Spiel, dass die Abweichungen von der Perfektion nicht
ins Gewicht fielen, die Missklänge untergingen im mächtigen
Schall, der den Raum ausfüllte wie etwas Greifbares, und die
Langsamkeit seiner störrischen Hände die Melodie dehnte, als
wolle er sie mit Absicht nicht enden lassen.

In der Nacht des Tages, an dem Salvador zum ersten Mal auf
Lennards Cello spielte, wurde das so lange ersehnte Kind ge-
zeugt, das drei Monate später im Bauch seiner Mutter starb. Ein
Wunder müsse geschehen, sagte der Arzt, wenn Maureen noch
einmal schwanger werden sollte, und ein weiteres, wenn sie das

Kind würde austragen können. Die magische Kraft der beiden Münzen, die vielleicht noch immer auf den bunten Fliesen des Hotelspringbrunnens lagen, war aufgebraucht, und nach einem Monat voller Schmerz und Wut richtete Maureen sich in ihrem beschädigten Leben neu ein, arbeitete wieder als Kellnerin und hörte nicht auf, an Wunder zu glauben.

Mit ihrer Mutter telefonierte Maureen nur noch selten, und wenn sie es tat, verkamen die Gespräche zu einem distanzierten Hin und Her von Belanglosigkeiten und Wiederholungen. Es war, als gäbe es eine geheime Abmachung zwischen den beiden Frauen, die es ihnen untersagte, über ihr Unglück zu sprechen. Statt von der Unmöglichkeit, mit Eamon dort oben zu leben, erzählte Orla von einem Garten, den sie trotz des rauen Wetters anlegen wollte, von Spaziergängen am Strand und Möbeln, die sie sich aus Dublin liefern ließ, und Maureen erfand weiterhin Reisen quer durch das Land, leere Wohnungen und vielversprechende Arbeitsplätze. Irgendwann waren die Pausen, während derer Mutter und Tochter schweigend auf das leise Rauschen in der Leitung horchten, immer länger geworden, und schließlich beschränkte sich Maureen auf kurze Pflichtmeldungen alle paar Monate und eine Grußkarte zu Weihnachten und Orlas Geburtstag.

Lennard verkaufte das Cello an eine Musikschule in Boston, dessen Rektor ein guter Freund von Salvador war. Weil das Geld trotzdem immer knapp war und Maureen darauf beharrte, etwas zur Seite zu legen für das Kind, das sie irgendwann haben würden, nahm er eine Stelle in einer Schreinerei an, die sich auf die Restaurierung wertvoller Möbel spezialisiert hatte. Abends und an den Wochenenden baute er in der Werkstatt, deren Miete er inzwischen alleine bezahlte, Instrumente. Schon bald hatte ein Cello, das im dunklen Bauch den Sandberg-Schriftzug mit dem Notenschlüssel im ersten Buchstaben trug, einen guten Ruf als solides, zuverlässiges Instrument ohne Allüren, das vor allem Anfänger kauften und Leute, die kein Vermögen ausgeben konnten. Aber es gab auch Musiker, die den Klang und die Verarbeitung eines Sandberg-Cellos schätzten, insbesondere wenn Lennard wertvolles, gut gelagertes altes Holz verwendete, das Salvador über Jahrzehnte hinweg zusammengetragen hatte.

Als eine Cellistin, die in New York im Rahmen eines Festivals für Kammermusik auftrat, Lennard bat, zu kommen und sie auf seinem Instrument spielen zu hören, fuhren er und Maureen in Begleitung der Onettis mit dem Volvo los, ohne lange zu überlegen. Lennard und Maureen waren seit Jahren nicht über die Grenzen von Pennsylvania hinausgekommen, und die Onettis hatten das letzte Mal die Stadt verlassen, um als Trauzeugen zu fungieren. Sie stiegen in einem Hotel ab, das erschwinglich und trotzdem zumutbar war, gingen ihren Möglichkeiten entsprechend nobel essen und hörten sich am Abend das Konzert in einem Theater in Brooklyn an. Am nächsten Tag unternahmen sie einen Ausflug nach Liberty Island. Weder Lennard noch Maureen hatten die Freiheitsstatue zuvor gesehen, und Sofia füllte einen ganzen Film auf ihrer betagten Kamera. Nach dem Mittagessen waren Salvador und Sofia so müde, dass sie sich in einem Taxi zum Hotel bringen ließen. Lennard und Maureen nahmen die U-Bahn hinaus nach Coney Island, wo sie auf dem Riesenrad fuhren und am Strand spazierengingen. Auf einem Steg, der in die sanfte Brandung des Atlantik ragte, holte Maureen eine Streichholzschachtel voll Dimes und Quarters aus ihrer Handtasche, Münzen, die sie beim Wischen am Boden des Restaurants gefunden und zu Glücksbringern erklärt hatte. Dann nahm sie Lennards Hand, schloss die Augen und ließ die Geldstücke ins Wasser fallen.

»Sie hat die ganze Handvoll Münzen ins Wasser geworfen, und beide haben zugesehen, wie sie versanken«, sagte Sune. Von dem Essen, das er gekocht hatte, hatte Wilbur nicht viel gegessen. Der Topf mit den Nudeln stand in der Mitte des Tisches, und auf seiner Außenwand krümmte sich die Küche zu einem verzerrten, postkartengroßen Bild, in dessen Mitte Wilbur sein Gesicht als hellen Fleck erkannte.

»Und dabei hat sie sich dich gewünscht«, sagte Ulrika und strich Wilbur über den Kopf. Sie war rechtzeitig zum Essen zurückgekommen, mit Wein- und Sprudelflaschen und einer Schokoladentorte, von der Wilbur, überfüttert mit Geschichten, keinen Bissen hinunterbrachte.

»Ihr Wunsch ging in Erfüllung«, sagte Sune. Er lächelte, aber dann senkte er betreten den Blick, und sein Gesicht wurde ernst.

Ulrika sah Wilbur traurig an und legte ihre Hand auf seine.

Nachdem Sune den Abwasch gemacht hatte, rief er Pauline und Henry an. Wilbur hatte ihm die Telefonnummer nur widerwillig genannt, aber Sune und Ulrika hatten darauf bestanden. Pauline weinte, und als sie sich gefasst hatte, wollte sie mit Wilbur sprechen, aber Sune sagte ihr, der Junge schlafe schon. Auch ihren Vorschlag, Henry nach Schweden zu schicken, um den Jungen abzuholen, wehrte Sune diplomatisch ab, indem er versprach, Wilburs Rückflug zu organisieren. Sune bat sogar darum, Wilbur noch einen Tag hierzubehalten. Er wollte ihm den Ort zeigen und ihn seinen Großeltern vorstellen, und nach einigem Hin und Her gab Pauline nach und erlaubte es.

Im Wohnzimmer war das Sofa als Bett hergerichtet worden, in dem Wilbur schlafen sollte. An den Wänden des kleinen Raumes hingen Ulrikas Bilder mit Landschaften, Dorfszenen, Tieren, alle im Stil der naiven Malerei. Die Balken des Dachstocks knackten, in einem der Hinterhöfe bellte ein Hund. Wilbur lag da und sah an die Decke, an der Mondlicht haftete. Er konnte nicht schlafen, zu viele Gedanken drehten sich in seinem Kopf. Er streckte die Hand aus und nahm die Fotografie vom Tisch, die Sune ihm gegeben hatte. Sie zeigte Lennard Sandberg vor einem Hauseingang stehend. Er trug eine weite helle Hose und ein dunkelblaues Hemd, und er hielt den Kopf leicht abgewandt. Hinter ihm fing sich Sonnenlicht im Rot einer Tür, auf die mit weißer Farbe die Zahl 73 gemalt war. Ein Stück der Hausmauer war zu sehen, am rechten Bildrand der hintere Teil eines Fahrrads neben einem Müllsack.

Wilburs Vater sah alt aus und müde, seine Augen waren schmal und lagen tief in dunklen Höhlen. Auf die Rückseite war ein Datum gekritzelt, aber die Jahre hatten die Tinte ausgebleicht und die Zahlen unleserlich werden lassen. Nach dem Abendessen hatte Sune ihm erzählt, er habe die Aufnahme im Winter 1991 erhalten, zusammen mit einem Brief aus New York. Im März 1993 sei ein zweiter Brief gekommen, das letzte Lebenszeichen von Lennard.

Wilburs Vater war nach dem Tod seiner Frau auf einem Frachtschiff nach Rotterdam gefahren und von dort aus nach Schweden. Beim Wiedersehen mit seinen Eltern fand nicht die erhoffte Aussprache und Versöhnung statt. Sein dürrer Vater, von einem verschwommenen Jugendtraum heimgesucht, baute in einer Scheune an einem Boot, das nie Wasser berühren würde, kauerte im Bauch eines wackligen Holzgerippes und wusste alles über Verantwortung und Treue, Pflicht und Verrat, aber nichts über Vergebung und Liebe. Die Mutter saß vor dem Fernseher und gab vor, ihren Jungen nicht zu kennen, und als Lennard den Apparat ausschaltete, fing die alte Frau an zu weinen und schreien, bis Nachbarn an die Fenster klopften und Lennard in sein ehemaliges Kinderzimmer floh, das noch so aussah wie am Tag seiner Abreise nach Amerika. Er legte sich auf das Bett, döste irgendwann für ein paar Stunden ein und verließ das Haus am frühen Morgen, bevor die Eltern wach waren. Müde und niedergeschlagen ging er durch den Ort seiner Kindheit, legte sich am See auf einen der Bootsstege und dachte an die Streifzüge mit Sune, an die verbotenen Plätze, die hellen Bäuche der betäubten Fische, die Augen der verrückten Bauerntochter, die für ein paar Öre ihre Brüste zeigte, an die Leiche des Jungen aus seiner Klasse, der an Blutvergiftung gestorben und aufgebahrt worden war, an das Gewicht des

Messers, das Sune für ihn von einem Marktstand stehlen musste und das Lennard keine Stunde später in den See warf.

Als das Licht des aufsteigenden Tages den Himmel wölbte, schlief Lennard ein. Am Nachmittag setzte er sich in eine Kneipe, und am Abend stolperte er durch die Straßen und in Sunes offene Arme. Fünf Monate blieb Lennard bei seinem Freund, der damals alleine in einem Blockhaus im Wald wohnte, fuhr mit ihm zum Angeln auf den See hinaus, hackte Holz für den Winter und lief tagelang durch die Wälder, froh, niemandem zu begegnen. Dann hielt er den Gedanken an die tote Frau und das zurückgelassene Kind nicht mehr aus, fuhr auf einem Containerschiff nach Saint John und überquerte in einem Bus voller Wochenendausflügler aus New Brunswick die kanadisch-amerikanische Grenze. In New York angekommen, verließ ihn der Mut, seinen Sohn zu sehen, und er beschloss zu warten, bis er bereit dazu war.

Am nächsten Morgen fuhr Ulrika nach Örebro, um Wilburs Flugticket zu besorgen. Sune und Wilbur spazierten durch Nora, sahen sich das Haus an, in dem bis 1979 der Eisenwarenladen von Lennards Eltern untergebracht war, und machten dann auf Sunes Motorrad einen Ausflug aufs Land, wo Magnus und Selma Sandberg wohnten. Entgegen Ulrikas Rat hatte Sune Wilburs Großeltern nicht vorher angerufen, um den Besuch des Enkelkindes anzukündigen, und als er mit dem Jungen den Kiesweg zu dem blauen Holzhaus entlangging, befielen ihn leise Zweifel.

Dann stand plötzlich Magnus in Gummistiefeln und Gartenschürze vor ihm. Sune legte beide Hände auf Wilburs Schultern und stellte ihn dem alten Mann vor. Magnus Sandberg, der groß und dünn wie sein Sohn war, musterte Wilbur stumm. Auch Wilbur gab keinen Ton von sich, erwiderte den Blick seines Großvaters und überlegte, ob der Alte wohl so verrückt war wie Eamon McDermott, der stapelweise Hefte mit wirrem Zeug gefüllt hatte. Sune erzählte irgendetwas von Irland und einer langen Suche, aber weder der Junge noch Magnus hörten ihm zu. Schließlich stellte Magnus die leere Gießkanne auf den Boden, ging zur Haustür, zog umständlich die Stiefel aus und betrat in Socken den Flur. Er sagte nichts, aber weil er die Tür offen ließ, folgten ihm Sune und Wilbur.

Im Wohnzimmer saß Selma in einem Sessel und löste die Knoten eines Wollknäuels. Der Fernseher lief, John Wayne und ein Indianerhäuptling unterhielten sich auf Schwedisch. Magnus stellte sich schweigend neben seine Frau, und Sune erklärte noch einmal, wer Wilbur sei. Selma sah sich Wilbur an, nickte dabei träge und zupfte mit dürren, fleckigen Fingern am Garn. Sune, dem die Situation mit jeder Sekunde unangenehmer wurde, sagte, Wilbur habe den weiten Weg auf sich genommen, um seine Großeltern kennenzulernen, aber auch diese Lüge vermochte den beiden Alten keine Gemütsregung zu entlocken. Als der Film von Werbung unterbrochen wurde, packte Sune den Jungen am Arm und zog ihn wütend murmelnd mit sich hinaus. Er trat gegen das hölzerne Gartentor und einen Blumentopf, der zersprang, ließ den Motor der alten flaschen-grünen Husqvarna aufheulen, bis ein Nachbar vor einem weit entfernten Haus erschien, und fuhr, nachdem Wilbur auf dem Sozius saß, mit durchdrehendem Hinterrad davon.

Nach dem Besuch war Sune am Boden zerstört. Er machte sich Vorwürfe und beteuerte, Magnus und Selma noch nie so erlebt zu haben. Er sei es gewohnt, dass die beiden sich in stumme Verschlossenheit kapselten, sobald er Lennard erwähne, aber dass sie ihren Enkelsohn wie einen Fremden, ja wie einen Feind behandelten, könne er nicht begreifen. Wilbur versicherte ihm, die Reaktion seiner Großeltern mache ihm nichts aus, doch erst als Ulrika mit dem Flugticket und Esswaren zurückkam, hellte sich Sunes Stimmung ein wenig auf. Weil schönes Wetter war, gingen sie zum See und legten sich auf eine Wiese. Sune meinte, Wilbur aufmuntern zu müssen, und erzählte, wie er Lennard das verbotene Fischen mit einer Autobatterie beigebracht hatte.

Doch Wilbur bedurfte keines Trostes. Dass das hässliche, sonderbar riechende Paar ihn nicht in die Arme geschlossen hatte, war ihm nur recht gewesen. Hätte diese bucklige Alte etwa Orla ersetzen sollen? Was hatte er überhaupt mit diesen Leuten zu tun? Nur weil sie verwandt waren, bedeutete das noch lange nicht, dass sie mehr als Gleichgültigkeit füreinander empfinden mussten. Wilbur konnte gut auf neue Großeltern verzichten. Wenn die beiden ihren Sohn damals nicht verstoßen hätten, wäre dieser nach dem Tod seiner Frau zu ihnen zurückgekehrt, statt im Chaos von New York City zu verschwinden. Er hätte sich eine Weile in seinem alten Kinderzimmer verkrochen und getrauert, und die Mutter hätte ihm seine Lieblingsspeisen gekocht, um seine Seele zu heilen. Dann, vielleicht nach einem Jahr, hätte er seinen Sohn zu sich geholt. Er wäre mit dem Jungen nach Irland gefahren, um ihn Orla und Eamon zu zeigen. Die Hügel, der weite Himmel und das Meer hätten ihm gefallen, und er wäre geblieben. Seine Eltern wären regelmäßig zu Besuch gekommen, und er und Wilbur hätten einmal im Jahr eine Reise nach Schweden gemacht. In Nora hätte Lennard seinem Sohn das Schwimmen beigebracht. Zu Hause wäre Wilbur von Felsen ins Meer gesprungen, Orla hätte applaudiert. Lennard hätte die Kiste mit dem Revolver gefunden, nicht die beiden Jungen. Conor hätte nicht auf seinen Vater geschossen. Orla wäre nicht verunglückt.

Alles wäre anders geworden.

»Wilbur?« Sunes Stimme summte in Wilburs Kopf.

»Lass ihn«, sagte Ulrika leise, »er schläft.«

Eine Kirchenglocke schlug. Wilbur schlief nicht. Er wollte nur nie wieder die Augen öffnen.

9

Ich habe meine Sachen wieder. Der Koffer liegt offen auf dem Bett, und ich sitze davor und nehme die Dinge nacheinander in die Hand. Aimee sitzt auf dem Stuhl und trinkt Tee, den Dobbs vor einer halben Stunde gebracht hat. Er hat geklopft und mir ein Tablett entgegengehalten, auf dem ein Teekrug und zwei Tassen, eine Glasschale mit Zuckerwürfeln und ein Kännchen Milch standen, und hat gesagt, das sei für uns. Ich war erstaunt und verlegen und habe ihn gefragt, ob er eine Tasse mit uns trinken wolle, aber natürlich hat er nein gesagt und ist zurück in sein leeres Zimmer, wo das Radio leise Swingmusik spielte und noch immer spielt.

»Und? Fehlt etwas?«, fragt Aimee. Sie hat ihren Mantel wie eine Decke über die Beine gebreitet und hält die Tasse mit beiden Händen fest.

Ich nehme das Wörterbuch hervor, das Matthew mir für die Reise nach Göteborg gekauft hatte. Er war überzeugt, dass ich als Wunderkind nur ein bisschen darin zu blättern brauchte und nach dem Flug fließend Schwedisch sprechen würde.

»Nein«, sage ich, »alles da.« Ich kann tatsächlich etwas Schwedisch. Jag är din son. Ich bin dein Sohn. Jag älskar dig. Ich liebe dich. Jag hatar dig. Ich hasse dich. An etwas anderes kann ich mich nicht erinnern. Ich bin müde, es ist fast zwei Uhr morgens.

»Dein Tee wird kalt«, sagt Aimee und gibt mir die Tasse, die auf dem Tablett am Boden steht. Dabei rutscht der Mantel von ihren Beinen, aber sie lässt ihn liegen. Der Ofen hat das Zimmer leidlich erwärmt, die Luft riecht nach verbranntem Staub und glühendem Metall.

Ich nehme den Plastikhalm aus dem offenen Etui, das auf dem Nachttisch liegt, und trinke. Wäre ich hellwach, würde ich das nicht tun, würde den lauwarmen Tee löffeln oder einfach stehen lassen. Aimee sieht mich an, als würde ich einen Zaubertrick vorführen. Dann zieht sie die Augenbrauen hoch und lacht tonlos. Ich kenne diese Mimik, sie bedeutet: *Was in aller Welt tust du da?!* Ich erzähle ihr von meiner Panik vor Wasser, von Taggarts Tempel, meiner täglichen Mutprobe beim Duschen. Dabei sieht sie mich mit amüsiertem Erstaunen an, wie sie vermutlich jemanden ansehen würde, der ihr gesteht, eine Metallplatte im Schädel zu haben, mit der er Nachrichten aus dem All empfängt.

»Ich muss die Flüssigkeitsmenge, die ich über den Mund aufnehme, genau dosieren können, sonst habe ich das Gefühl zu ertrinken«, sage ich.

Aimee nickt. Vermutlich wägt sie gerade ab, ob ich ein harmloser Spinner oder ein unberechenbarer Psychopath bin. Ich sauge den Rest des mittlerweile so gut wie kalten Tees durch den Halm, jetzt ist es sowieso egal. Ich bin Will McDermott alias Wilbur Sandberg, verhinderter Selbstmörder mit partiellem Gedächtnisverlust, zwanghafter Trinkhalmbenutzer und traumatageschädigter Nichtschwimmer. Ich lebe unter Greisen, und wenn ich mit einer Frau alleine in einem Zimmer bin, lähmen mich Sehnsucht und Angst.

»Ich kann mich in kein Kino setzen«, sagt Aimee nach einer Weile. »In kein Konzert. Keine Lesung. Keine Kirche.« Sie stellt ihre leere Tasse auf das Tablett. »Ich kann zehn Minuten still sein, vielleicht zwanzig. Dann muss ich was sagen. Irgendwas. Meistens rufe ich etwas, ein Wort, einen Satz.« Sie sieht mich an, und ich nicke, als wüsste ich genau, wovon sie spricht. Dabei habe ich keine Ahnung. »Bei der Hochzeit meiner Cousine habe ich mitten in der Zeremonie laut ›Grabschmuck!‹ gerufen, weil das auf der Visitenkarte der Blumenhandlung stand, die ich in der Hand hielt. Ich rufe meistens etwas, das ich irgendwo lese. Es ist wie ein Zwang. Eine Art Tourettesyndrom. Bloß dass es nach einem Wort oder Satz vorbei ist. Tourettesyndrom light.« Sie lächelt versonnen und schüttelt dabei kaum merklich den schiefgelegten Kopf, als erinnerte sie sich wehmütig an einen harmlosen Jugendstreich, den sie sich längst verziehen hat. Dann gießt sie Tee in ihre Tasse.

Eine Weile sagen wir beide nichts. In Dobbs' Zimmer flüstert eine Radiosprecherin. Draußen hupt ein Auto, weit entfernt. Der Ofen klickt. Ich lege das Wörterbuch zurück in den Koffer und klappe den Deckel zu. Ich trage eine graue Trainingshose, Wollsocken, ein blaues Sweatshirt und einen Bademantel aus dickem geripptem Frottee, dessen rot und grün gestreiftes Muster einem vor den Augen flirrt. Ich habe ihn in einem seit längerer Zeit leerstehenden Zimmer im dritten Stock gefunden und zur Reinigung gebracht. Der Zettel mit der Abholnummer hängt noch immer an einer Sicherheitsnadel an einer der Gürtelschlaufen, um mich daran zu erinnern, dass das Ding wirklich einer chemischen Behandlung ausgesetzt war. Ich merke, dass Aimee mich ansieht.

»Was?«, frage ich.

»Nichts«, sagt Aimee. Sie stellt ihre Tasse auf das Tablett und den Koffer auf den Boden. Sie kniet sich neben mich aufs Bett, streift sich eine Haarsträhne hinter das Ohr. Im unbestimmten Licht des Zimmers ist der Halbmond auf ihrer Wange kaum noch zu erkennen. Ihr Haar riecht nach Vanille und feuchter Wolle. Sie hebt den Kopf und sieht mich an. Ihr Gesicht nahe an meinem, halte ich ihrem Blick stand. Im grünen Teich ihrer Pupillen glitzern kupferne Fische. Ich könnte ihre Sommersprossen zählen, aber ich will nicht. Was ich will, weiß ich nicht wirklich, ich habe eine Ahnung davon, einen Traum. Sie kommt näher, und ich spüre ihren Atem. Zittern ihre Wimpern? Zittere ich? Ihre Lippen sind warm, süß von Zucker und Milch. Ich mache die Augen zu und öffne sie, sehe, dass ihre geschlossen sind, und schließe meine ebenfalls wieder. Aimees Zungenspitze berührt meine Lippen, teilt sie.

Ich weiß nicht, wie ich atme, aber irgendwie bekomme ich Luft. Mein Herz füllt mich aus, wächst in den Hals, es bebt. Ich bin nicht mehr müde. Vielleicht schlafe ich längst. Die leisen Geräusche. Die Nähe. Jetzt also.

Aimee schläft. Sie ist jemand anders, weit entfernt. Ihr Haar ist dunkler vor dem Weiß der Laken. Ihr Atem geht so langsam, dass es mir manchmal Angst macht. Ich habe den Ofen ausgeschaltet, der Raum ist warm. Licht fällt durch die dünnen Vorhänge, gerade genug, um den Flaum auf ihren Armen schimmern zu lassen. Aus Dobbs' Zimmer dringt, kaum hörbar, Musik, noch immer oder wieder. Der schlaflose Dobbs, tagträumend von Stille und Vergessen, unfassbar erschöpft. Aimees Kleider liegen auf der Bettdecke, die Arme ihres Pullis umschlingen meine Trainingshose. Ich sehe sie an. Wenn sie ausatmet, entweicht ihr ein Stöhnen, so leise, dass nur ich es höre. Feine Risse schraffieren ihre Lippen. Unter ihren Lidern drehen sich die Pupillen wie verborgene Planeten. Aimee, geborgen im Universum des Schlafs. In meinem Kopf steht eine Maschine unter Strom, die ein Abbild von ihr anfertigt, für immer. Aimee, die mich befreit hat, die mich erlöst hat. Die sich meiner erbarmt hat.

Ich ziehe mich an, stelle die Teetassen neben die Kanne auf das Tablett und gehe leise aus dem Zimmer. Auf dem Flur ist es still und kühl. Ich stelle das Tablett vor Dobbs' Tür, ich will jetzt nicht mit ihm reden, ihm nichts erzählen. Ich gehe die Treppe hinunter in die Lobby, wo Leonidas sitzt und schreibt. Die Lampen über der Empfangstheke brennen nicht, Licht kommt nur von den beiden Notausgangsbeleuchtungen, dem Neonschriftzug draußen über dem Eingang, dessen Blau, vermischt mit dem kraftlosen Leuchten der Morgendämmerung, durch die Fenster sickert, und dem Monitor des Laptops. Die

Wanduhr neben den Schlüsselfächern zeigt zehn vor sechs. Randolphs Schicht beginnt um sieben.

»Morgen«, sage ich.

»Du bist früh dran«, sagt Leonidas und sieht mich an. Ich würde gerne wissen, wozu seine Mutter ihm in meinem Fall geraten hat. »Vollmond.«

»Vermutlich«, sage ich. Ich wusste nicht, dass wir Vollmond haben. Vielleicht hat Aimee deshalb mit mir geschlafen. Leute tun die verrücktesten Dinge in Vollmondnächten. Roch ihr Atem nicht ein wenig nach Alkohol, ihr Pullover nach Haschisch? Gut möglich, dass sie verkatert in meinem Bett liegt und sich wünscht, sie könnte die Zeit zurückdrehen.

»Ich schreibe eine Komödie«, sagt Leonidas. »Ein Boulevardstück. Schluss mit den Tragödien. Die Leute mögen das nicht.«

»Gute Idee«, sage ich. Auf dem Sofa liegen Zeitungen. Ich setze mich hin und überfliege die Lyrik der Schlagzeilen, die Prosa der Katastrophenmeldungen, die ganze Litanei des Elends. Auf der Straße fährt ein Wagen vorbei, eins seiner Blechteile schleift über den Asphalt. Ein paar Funken stieben und verlöschen hinter den Fenstern. Ich würde Leonidas gerne fragen, ob Aimee mit ihm gesprochen hat, bevor sie nach oben gegangen ist, zu mir. Er musste sie reinlassen, um zwei Uhr morgens ist die Hoteltür abgesperrt. Ich würde gerne wissen, was sie ihm erzählt hat. *Hallo, in diesem Koffer sind ein paar Klamotten, ein Spielzeugindianer, ein Nashorn aus Ton, Fotos und anderer Kram, Wilburs gesamter Besitz, ohne den er, glaube ich, nicht leben kann.* Ich falte die Zeitungen zusammen und werfe sie in den Mülleimer hinter der Theke. Der Computerbildschirm ist ein erhelltes Fenster, gefüllt mit Wörtern. Die Kühlung summt, ab und zu knistert die Festplatte. Warum fragt Leonidas nicht, wer sie ist? Wahrscheinlich denkt er sich seinen Teil. Dass Aimee zu schön für mich ist. Zu groß, um einen halben Kopf. Er reimt sich zusammen, dass irgendwas nicht stimmen kann mit ihr.

»Sie ist nett«, sagt Leonidas. Dabei tippt er konzentriert.

»Was? Wer?«

Leonidas sieht mich an, grinst. »Schläft sie noch?«

Ich habe die Nacht mit einer Frau verbracht, laut Statistik über fünfeinhalb Jahre zu spät. Ich habe sie mit nichts bezahlt als grenzenloser Verblüffung und Dankbarkeit. Das Zimmer roch nicht nach Hund, nirgendwo grölten betrunkene Männer. Ich bin kein Aussätziger mehr, ich gehöre dazu. Und jetzt rede ich mit einem Kumpel darüber, wie andere Jungs in New York, in Amerika, auf der ganzen Welt. In dieser Nacht bin ich zu einem normalen Menschen geworden, zumindest was diese eine Sache betrifft. Am Rest werde ich arbeiten.

»Ja«, sage ich. Grinse ich dabei wie er? Soll ich noch etwas sagen? Etwas Witziges? Anzügliches? Vielleicht erwartet Leonidas, dass ich davon erzähle, dass ich angebe, intime Details preisgebe, weil es zum Ritual gehört. Ich stehe an der Theke, ein Gast, der ein Zimmer will, einen Ort, um seine Heimatlosigkeit aufzubewahren. Der Kugelschreiber ragt aus einem Loch in einem bibelgroßen Steinblock, an den er mit einer Schnur gebunden ist, weil Leute Kugelschreiber stehlen. Ich weiß nicht, was ich sagen soll. Mir fällt nichts Schlüpfriges ein, und mit Verliebtheit und dem labyrinthischen Gefühl wallender Verzückung kann ich Leonidas ja wohl nicht kommen.

»Sie ist in meinem Stück«, sagt Leonidas.

»Aimee?«

»Heißt sie so? Ja. Sie hat die ganze Zeit diesen Koffer bei sich. Am Ende des dritten Akts öffnet sie ihn. Und weißt du, was drin ist?«

Ich zucke mit den Schultern. Erinnerungsstücke, könnte ich antworten. Überbleibsel. Dinge, die manchmal trösten und manchmal nicht.

Das Telefon klingelt. Leonidas meldet sich, dann lacht er und spricht Griechisch. Irgendeiner seiner dreitausend Verwandten. Ich hebe die Hand, er auch, und ich gehe nach oben. Weil ich nicht weiß, wie so eine Geschichte weitergeht oder was von mir jetzt erwartet wird, ob ich Aimee wecken darf, ob ich sie wecken muss, *wie* ich sie wecken soll, ob sie überhaupt noch da ist oder schon weg, meine Abwesenheit dankbar ausnutzend, in hastig übergestreiften Sachen die Feuerleiter hinuntergeklettert, humpelnd in ungeschnürten Schuhen, mit dem Schal nach einem Taxi winkend, eine verschlafene, hellwache Gestalt, gerade einer Beinahekatastrophe entkommen, weil ich all das nicht weiß, bleibe ich im Niemandsland meiner Etage auf der obersten Stufe stehen und warte.

Matthews Atemübungen helfen, aber sie ersetzen nicht fünfeinhalb Jahre Erfahrung. Ich wusste nicht, was ich Leonidas erzählen sollte, und ich weiß nicht, was ich Aimee sagen soll. Dass es nicht regnet? Dass die Nacht schön war? Wenn ich ihr sage, dass es das Schönste war, was ich in meinen zwanzigeinhalb Jahren erlebt habe, ist ihr gleich klar, dass ich nicht normal bin, dass es mit mir etwas auf sich hat, über das zu reden unangenehm wäre. Haben wir letzte Nacht geredet? Ich kann mich nur an Gestammel erinnern, an Keuchen, gelegentliches Glucksen. Musste ich ihr gestehen, dass ich Jungfrau war, oder sprach meine Unbeholfenheit Bände? Habe ich die drei Worte geflüstert, oder kamen sie aus Dobbs' Radio?

Nach einer Weile gehe ich ohne jegliche Erkenntnis weiter, stehe viel zu plötzlich vor meiner Zimmertür und lege ein Ohr daran. Stimmen. Knisterndes Fernsehmurmeln. Falls ich einen Plan hatte, verwerfe ich ihn und klopfe an.

»Ja?« Es ist ihre Stimme. Sie ist noch da. Sie sitzt nicht fröstelnd in einem Taxi und sehnt sich nach einer langen gründlichen Dusche.

»Ich bin's«, sage ich. »Will«, füge ich rasch hinzu.

»Komm rein!«

Ich atme alle Luft ein, die ich auf dem stickigen Flur kriegen kann, und betrete das Zimmer. Aimee sitzt angezogen auf dem Bett und sieht fern, eine Talkshow. Leute beschimpfen sich vor Publikum. Wegen der Bildstörung sieht es aus, als ob ein endloser Strom wabernder Flüssigkeit über sie gegossen würde.

»Hi«, sagt sie und schaltet das Gerät aus.

»Hallo«, sage ich. Weil ich nicht weiß, ob ich sie küssen soll, gehe ich rasch zur Kommode, um Dobbs' Zuckerdose in die Hand zu nehmen. Die weißen Würfel sehen aus wie ein kleines eingefallenes Iglu.

»Bis du schon lange wach?«

»Es geht.«

»Musst du heute arbeiten?« Sie schwingt die Beine über den Bettrand und schlüpft in ihre Schuhe.

Ich sehe ihr zu, wie sie die Schnürsenkel bindet. Ich liebe es, Leuten dabei zuzusehen. Es existieren Unmengen verschiedener Techniken, wie beim Zähneputzen oder Wäschefalten.

»Eigentlich schon«, sage ich. Mein Tagesplan sieht die Reinigung der Lobby, das Kehren vor dem Eingang und das Ausmisten der Besenkammer in der zweiten Etage vor. Dazu kommt der Katalog aus Kleinkram, der anfällt, weil das Hotel, einem kranken Organismus gleich, rund um die Uhr mit Rissen und Flecken und Löchern seinen allmählichen Zerfall offenbart.

»Kannst du den Nachmittag frei kriegen?« Aimee steht auf und zieht den Pulli an.

»Weiß nicht«, sage ich. »Da muss ich Randolph fragen.« Das wäre mein erster freier Nachmittag in zwei Wochen.

»Gut«, sagt Aimee. Sie hebt mit beiden Händen ihr Haar aus dem Kragen, kommt zu mir und küsst mich auf den Mund, kurz nur, fast flüchtig, wie eine Frau, die zur Arbeit geht. »Und jetzt hab ich Hunger.« Damit ist sie aus dem Zimmer.

Ich stehe da mit der Zuckerdose in den Händen und sehe auf das Stück Flur im Türrahmen, den roten fusseligen Teppich, die zerkratzte, mit schwarzen Striemen bedeckte Wandleiste und die Tapete, deren Blau fleckig ist, ein Himmel voller Risse und gekritzelter Botschaften. Dann ertönt, begleitet vom Ächzen des erwachenden Fahrstuhls, Aimees Stimme: »Kommst du?«

Der Speiseraum ist so groß wie die Lobby, aber fensterlos. Von der Decke hängen weißschalige Lampen, deren Licht auf ein

Dutzend Tische fällt. Die Stühle sind zusammengetragen, Holz, Metallrohr und Kunstleder, Plastik, jeder Tisch hat andere. An den Wänden hängen gerahmte, großformatige Schwarzweißfotos, Aufnahmen des Hotels aus besseren Tagen. Hinter einer Kantinentheke steht Madame Robespierre in ihrer weißen Uniform und der schwarzen Kopfbedeckung, die einem Cowboyhut für Kinder nicht unähnlich sieht. Randolph sagt, sie komme aus Haiti, Leonidas meint, sie sei Puertoricanerin, und Alfred und Mazursky tippen auf Mississippi oder Alabama, während Enrique behauptet, Madame Robespierre sei zweifelsfrei Kubanerin. Jeder hat für seine Theorie Erklärungen, aber nicht einmal Randolph, der die sechzig-, vielleicht siebzigjährige Frau eingestellt hat, hat Beweise. Das Essen, das sie mit dem wenigen Geld, das ihr zur Verfügung steht, jeden Morgen zubereitet und das ein wilder, sensible Mägen ignorierender Mix aus Cajun-Küche, Karibik und westlicher Fast-Food-Kultur ist, macht das Rätseln um ihre wahre Herkunft nicht einfacher, ebenso wenig wie die Tatsache, dass sie außer ein paar Worten melodischen Englischs keinen Ton von sich gibt.

Leonidas hat mir erzählt, dass es im Hotel bis vor einem halben Jahr noch ein Zimmermädchen gab, das Staub gesaugt und im Keller die Bettwäsche gewaschen und getrocknet hat. Als die Maschinen den Geist aufgaben, das Zimmermädchen eine alte Frau wurde und der Hotelbesitzer kein Geld für Neuanschaffungen lockermachte, verkündete Randolph, die Gäste müssten ab sofort ihre Zimmer selber sauber halten und die Bettwäsche auf eigene Kosten waschen lassen. Als Trost versprach er den maulenden Männern, Madame Robespierres Arbeitsplatz sei unantastbar.

Die Hälfte der Tische ist besetzt. Alfred schlingt Rühreier mit Schinken und Bohnen hinunter, Enrique schwitzt über einem Teller Eintopf und Reis. Mazursky kämpft mit einer Zeitung wie ein Tourist mit einem Stadtplan, während seine Krawatte in der Porridgeschüssel hängt. Elwood und ein alter Mann, der gelegentlich hier übernachtet und dessen Namen ich mir nicht merken kann, sitzen vor ihrer Tasse Kaffee und schweigen sich an, ein vom Leben ernüchtertes Ehepaar, das im Wartesaal die Abfahrt des Zuges verdämmert. Spencer, herausgeputzt wie zu einem Rendezvous, frühstückt englisch mit Tee und Toast und Orangenmarmelade, die er selber besorgt. Er nickt Aimee und mir zu und gießt dann Milch in seine leere Tasse.

Ich sage Madame Robespierre, dass Aimee mein Gast sei, und als sie mich fragend ansieht, lege ich kurz und eher pantomimisch meinen Arm um Aimee zum Zeichen unserer Zusammengehörigkeit. Madame Robespierre versteht und lacht und droht mir mit einem Schöpflöffel. Aimee lässt sich Spiegeleier geben und gebratene Tomaten und Würstchen und Bohnen in Tomatensoße und einen Stapel Toastbrot und dazu Kaffee. Ich bekomme mein übliches Kännchen Tee und eine Schüssel halbvoll mit Cornflakes. Wir setzen uns an den Tisch, an den ich mich vor fünf Tagen zum ersten Mal gesetzt habe. Leonidas, der sich nach dem Ende seiner Schicht mit einem Kaffee für den Heimweg stärkt, hatte mich aufgefordert, meinen Tee hier zu trinken statt alleine in meinem Zimmer. Der Tisch steht ein Stück weg von der Theke und ihren Gerüchen und den Männern, die schlürfen und schmatzen und dummes Zeug reden und sich mit Zahnstochern Fleischfasern zwischen den lockeren Brücken hervorpulen.

»Ist das alles?«, fragt Aimee und deutet auf meine Cornflakes, die ich mit Milch übergossen habe. Doughnuts gibt es hier keine, dafür getrocknete Fische und grüne Papayas. Cornflakes, Toast und Haferschleim sind die einzigen Zugeständnisse, die Madame Robespierre an kontinentale Frühstücksgepflogenheiten zu machen bereit ist.

»Ja«, sage ich. Ich warte, bis sie isst. Ich kann nicht essen, wenn jemand am Tisch sitzt, es sei denn, dieser Jemand isst auch. Wenn ich kaue, erscheint es mir unanständig laut, obwohl mein Mund geschlossen ist. Außerdem denke ich dauernd, dass mir Essensreste zwischen den Zähnen stecken oder in den Mundwinkeln kleben. Nach jedem Bissen wische ich mir mit einer Papierserviette die Lippen sauber und taste mit der Zunge diskret über die Zahnreihen.

»Du solltest mehr essen«, sagt Aimee. Sie tunkt ein Stück Brot in den Eidotter, steckt es zwischen die Lippen und leckt die Finger ab. »Was Richtiges. Nahrhaftes.«

»Damit ich groß und stark werde?«

Aimee sieht mich an, hört auf zu kauen und runzelt die Stirn. »Nein, damit du was im Magen hast«, sagt sie ernst und irgendwie vorwurfsvoll. »Die Arbeit hier ist bestimmt kein Spaziergang am Strand.«

»Ich esse zwischendurch was«, sage ich möglichst munter. Das mit dem groß und stark war dumm von mir. Aimee kann ja nichts von Pauline Conway ahnen. Davon, dass mich meine Mutterdarstellerin dauernd zum Essen genötigt hat. Der festen Überzeugung, dass zwischen meiner hageren Erscheinung und einem kräftigen Körper nur eine seit Jahren existierende Wüste des Mangels lag, die es in Begleitung einer Karawane aus Kohlehydraten, Fetten, Kalorien und Vitaminen zu durchqueren galt, hatte diese Frau so viel Essen vor mich hingestellt, dass die Fata Morgana meines zukünftigen Ichs vor meinen Augen in dampfenden Schleiern von Übelkeit verschwand. Ihr mit verbissener Fürsorglichkeit ausgearbeitetes Vorhaben, mich zu einem normalen Jungen zu mästen, scheiterte am Widerstand meiner Gene, und alles, was mir aus jener Zeit geblieben ist, sind chronische Appetitlosigkeit und Verstopfung. Drängt man mich dazu, ein Lieblingsgericht zu nennen, sage ich Reis mit Gemüse und Sojasoße. Aber eigentlich esse ich nicht gern, empfinde es nicht als lustvoll. Ich bin kulinarisch frigid.

Nach dem Frühstück geht Aimee. Sie will sich in der Bibliothek Zeitungsartikel ansehen, die über das Susan und Kate Caldwell Institut für Humanforschung berichten, die Stadt der Selbstmörder. Es ist kalt, aber es regnet noch immer nicht, und sie geht, eingehüllt in ihren Mantel und den Schal bis unter die Nase gewickelt, zu Fuß zur U-Bahn-Station. Die Nebenstraße, in der das Hotel liegt, ist fast menschenleer. Ein paar Autos fahren vorbei, langsam, als wüssten die Fahrer nicht, wohin sie wollten. Zwei schwarze Jugendliche stehen unter der hochgeklappten Kühlerhaube eines Wagens von der Sorte, wie ich sie aus vierzig Jahre alten Filmen kenne. Ein dritter sitzt hinter dem Steuer und raucht. Am Ende der Straße dreht Aimee sich um und winkt, und ich winke zurück. Dann biegt sie um die Ecke. Winston sitzt mit einer erloschenen Zigarre im Mund vor dem Laden und sieht ihr nach. Als sie verschwunden ist, faltet er die Wolldecke, die über seinen Beinen gelegen hat, zusammen und erhebt sich, als sei eine Vorstellung zu Ende.

»Gleich regnet es«, verkündet er, bleibt einen Atemzug lang unschlüssig stehen und geht dann in seinen Laden.

Obwohl ich kaum Geld habe und mit der Arbeit beginnen sollte, folge ich ihm. Die Glocke, die über meinem Kopf an einem spiralförmigen Blechband hängt, klingelt, als die Tür hinter mir ins Schloss fällt. Der Laden ist ein langer Schlauch, der sich in der Mitte, wo Winston hinter dem Kassentisch sitzt, zu einem engen Korridor verjüngt, durch den man in den hinteren Teil gelangt, den Raum mit dem Plunder. Vorne, beschienen vom diffusen Licht zahlloser Deckenlampen, hat Winston seine Schätze auf Tischen und Regalen ausgebreitet. Vasen, bemalte Porzellankannen, Fotoapparate, bronzene Türklopfer, Kristallgläser, Spieldosen, Segelboote in Flaschen, dunkel angelaufenes Silberbesteck, mechanische Kaffeemühlen, Aschenbecher aus dem *Ritz*, handgeschliffene Karaffen, Operngläser, Flachmänner mit eingravierten Initialen, Parfümflakons mit paillettenbesetzten Zerstäubern, lange Reihen ledergebundener Bücher, Inseln aus Arztkoffern und Handtaschen, Schreibtischlampenwälder, Schallplattentürme.

In Vitrinen, deren winzige Schlüssel Winston an einer Kette um den Hals trägt, liegen Zigarettenetuis aus Silber, Armbanduhren, Perlenketten, Ohrringe, goldene Feuerzeuge. An den Wänden hängen gerahmte Ölbilder, Drucke und Stiche, daneben Jagdtrophäen, Spiegel, Hüte an Haken. Gerollte Perserteppiche stehen herum, Golftaschen, Angelruten, stumme Wanduhren, zwei Barhocker, ein Sofa, in den Ecken Sessel und Stühle und ein Totempfahl.

Der Gang zwischen den Tischen hindurch ist ein Gang zurück in der Zeit, ein Besuch im Museum der beendeten Träume und des verarmten Adels, der aufgelösten Haushalte und verhökerten Spielgewinne, Erbschaften und Diebesgüter und der gescheiterten Ehen und nicht eingehaltenen Versprechen, alles mit dem verstaubten Charme des Unnützen bedeckt, wertvoll und lächerlich und im Preis verhandelbar.

»Ich hab da was«, sagt Winston. »Genau das Richtige für dich.«

»Ich brauche nichts«, sage ich und betrete den zweiten Raum, wo dem Kunden der Müll des Alltags entgegenbrandet, das Strandgut der unteren Mittelschicht. Auf Metallregalen stehen Radios und Mikrowellengeräte und Saftpressen, höher oben Computer, Monitore und Drucker, Kameras, am Boden Fernseher, Bürostühle, Kühlschränke, Fitnessgeräte, Schlittschuhe, eine künstliche Palme. In einer Pappkiste liegen Videokassetten, in einer anderen elektrische Lockenwickler. Möbel stehen wahllos herum, Tische stapeln sich bis unter die Decke, Sessel bilden krumme Säulen, dazwischen stehen Schränke, in denen Pelzmäntel hängen, Fuchs, Kaninchen, Biber. Auf einem Regal liegen Hüte, ein Reithelm und der Zylinder eines Totengräbers. In eine Stuhllehne ist KATIE eingeritzt, in einen Baseballhandschuh hat ein Junge mit Kugelschreiber BOBBY SPARROW geschrieben. In der Schublade einer Kommode liegt eine Brille, auf dem Kissen im Kinderwagen ein Schnuller, in einem Buch eine Postkarte, auf der jemand das Wort Heimweh unterstrichen hat. Ich nehme einen Football in die Hand, an dem die Zahnabdrücke eines Hundes zu erkennen sind. In der Brusttasche einer Lederjacke steckt ein Einkaufszettel: ZAHNPASTA, ROTWEIN, KERZEN, KATZENFUTTER. Ein einzelner roter Kinderfäustling liegt am Boden. An der Innenseite einer Schranktür steht in wackliger Schrift: MATT LIEBT SALLY, darüber schweben Herzen, tintenblau und ungelenk, wie verbeult.

Ich bin gerne hier drin. Es ist ein trauriger Ort voller unbedeutender Geschichten, ein Museum der Abschiede und Trennungen und Tragödien. Den Dingen haftet ein Geruch nach Staub und vergeblicher Mühe an, nach schnellem Geld und langsamem Untergang.

»Sieh's dir mal an«, sagt Winston.

Ich gehe zu ihm, und er zeigt mir eine Kette mit einem runden Anhänger, dessen eine Seite die Sonne und dessen andere den Mond darstellt.

»Silber«, sagt Winston. »Hundert Jahre alt.« Er legt den Anhänger in meine Hand. Winstons Kopf ist klein wie der eines Kindes, das schüttere weiße Haar riecht nach der Pomade, die es in Bahnen unterteilt und an den Schädel klebt. Braune Flecken und rosa Sprenkel bedecken das Schwarz seiner Haut, weiße Stoppeln lassen Wangen und Kinn grau aussehen. Er trägt einen schwarzen Nadelstreifenanzug samt Weste, ein weißes Hemd und eine bordeauxrote Krawatte mit blauen Streifen. Vor vielen Jahren hatte Winston ein Pfandleihhaus in Queens, aber weil er irgendwann das Elend der Leute nicht mehr ertrug, die ihre letzte Habe zu ihm schleppten, eröffnete er diesen Laden. Auf dem Schild draußen steht noch immer FREEMAN ANTIQUES, aber das bisschen Geld, das er zum Leben braucht, macht er schon lange nicht mehr mit dem Verkauf von edlen Kristallkaraffen, sondern mit dem Verscherbeln von gebrauchten Toastern und Stereoanlagen. Eigentlich hat er nur die Geschäftsräume und den Stadtteil gewechselt und eine trostlose Kundschaft gegen eine andere ausgetauscht. Ab und zu kommen Sammler vorbei und werden im vorderen Teil des Ladens fündig, und im Sommer und Herbst kann es passieren, dass sich ein paar Touristen in die Gegend verirren. Aber der größte Teil seiner Klientel besteht aus Menschen, die eine Matratze oder Thermoskanne brauchen oder die Hochzeitsbrosche ihrer Mutter verkaufen wollen. Winstons Laden ist die Welt, vorne die Erste, versunken in der Apathie des Vergehens, hinten die Zweite, auf der Schwelle zur Dritten, erbärmlich mit ihrer abgenutzten Fülle und der Patina des Scheiterns.

»Zwanzig Mäuse«, sagt Winston. »Weil du's bist.«

»Ich habe keine zwanzig Dollar«, sage ich. »Nicht dafür.«

»Ein Mann hat sie gebracht, vor Jahren. Er hat gesagt, er hat die Kette einem Mädchen geschenkt, und sie hat ihn nie mehr verlassen.«

»Und er hat sie dir verkauft?«

»Die Frau ist gestorben. Nach sechzig Jahren Ehe. Und er brauchte Geld.« Winston betrachtet die Sonne, dann den Mond. In seiner hellen, honiggelben Handfläche sieht der Anhänger noch schöner aus als im blauen Samt der Schatulle, wirkt irgendwie älter, kostbarer.

»Tut mir leid«, sage ich. »Wenn ich was brauche, dann gute Schuhe.«

»Kannst es dir ja noch überlegen.«

»Ja. Danke.« Ich gehe zum Ausgang. »Bis bald.«

»Richtig.«

Ich trete auf die Straße. Die alte Karre steht noch immer mit offener Motorhaube da. Es regnet kleine graue Tropfen. Die drei Jungs rauchen, der Qualm wabert durch Fensterschlitze. In meinem Rücken klingelt die Glocke. Ich stoße die Tür noch einmal auf und rufe in den Laden: »Es regnet!«, und Winston strahlt.

Am Nachmittag sitze ich mit Aimee in der U-Bahn. Wir fahren in die Bronx, wo sie sich mit drei Leuten eine Wohnung teilt. Ich habe alle Arbeiten erledigt, bis auf das Ausmisten der Besenkammer. Randolph hat mir den Nachmittag freigegeben, und den nächsten Morgen. Ich habe gesagt, das sei nicht nötig, aber er meinte, man könne nie wissen. Während wir unter der Stadt dahinschaukeln, überlege ich, ob ich Aimees Hand halten soll. Sie erzählt mir von ihren Mitbewohnern, und ich denke an nichts anderes als daran, nach ihrer Hand zu greifen. Ich frage mich, ob ich das darf, ob sie es erlauben würde, es vielleicht sogar erwartet, erhofft. Bin ich ihr Freund, ihr offizieller? Oder nur ein Typ, mit dem sie gerade zusammen ist? Sind wir überhaupt zusammen? Oder haben wir bloß eine Nacht miteinander verbracht? Kann ich sie das alles fragen?

»… schon mal in der Bronx?« Aimee sieht mich an. Hinter ihr wischen Tunnelwände vorbei, freiliegende Kabel, Lichter. Sie lächelt. »Wo bist *du* denn gerade?«

Wärst du auch ohne den Koffer zu mir gekommen? Wenn ich deine Hand berühren würde, würdest du sie zurückziehen? Liebst du mich? Stattdessen sage ich: »Bronx.«

»Bronx, genau«, sagt Aimee und lacht. »Und? Schon mal da gewesen?«

»Nein.« Ich erzähle ihr nichts von den Streifzügen durch die Bronx, nichts von meiner unendlichen Suche.

Plötzlich hält die Bahn an, sanft und mit einem leisen Heulen wie von einem mechanischen Kojoten, lang und klagend. Dann flackert die Innenbeleuchtung und geht aus. Ein Kind ruft erschrocken, Passagiere stöhnen auf, eher verärgert als besorgt. Es ist dunkel, ein paar Ohren glimmen auf, von Handys erleuchtet. Geschäftspartner, Ehefrauen und Freundinnen werden verständigt.

Ich taste nach Aimees Hand, und unsere Finger greifen ineinander.

Last Man Standing
1996

Wilburs Reise in die Geschichte seiner Eltern wurde mit Hausarrest auf unbestimmte Zeit bestraft. Artikel über seine Teilnahme am Musikwettbewerb und sein Verschwinden schafften es bis in die irischen Zeitungen, und Pauline schien der Welt beweisen zu wollen, dass sie und Henry ihre Rolle als Erziehungsberechtigte ernst nahmen und durchaus in der Lage waren, dem Jungen seine Grenzen aufzuzeigen. Um sicherzustellen, dass er die Stunden zwischen Schulschluss und Zubettgehen nicht sinnlos vertrödelte, trug sie Wilbur die Abschrift eines zweihundert Seiten dicken Buches mit dem Titel *Bibelzitate für den Hausgebrauch* auf. Er durfte Colm nicht mehr im Altersheim besuchen, und obwohl sie sich des therapeutischen Wertes der Cellolektionen bewusst war, verbot sie ihm auch den Kontakt zu Matthew.

Nach zwei Wochen plädierte Henry für eine Lockerung der Haftbedingungen, aber seine Frau wollte nichts davon hören. Sie rechtfertigte ihre Unnachgiebigkeit mit der Behauptung, während Wilburs Unauffindbarkeit Todesängste ausgestanden zu haben. Damit meinte sie, dass sie in jenen Tagen der Ungewissheit sowohl um das Leben ihres Ziehsohnes gefürchtet hatte als auch um das eigene, das, so behauptete sie, bei jedem Klingeln des Telefons mit dem Aussetzen ihres vor Sorge geschwächten Herzens hätte enden können. Pauline brachte Wilbur jeden Morgen zur Schulbushaltestelle und holte ihn von dort wieder ab, sie wollte täglich drei Seiten Abschrift sehen, und als ein Brief aus Nora kam, in dem Sune Nordahl sich nach Wilburs Befinden erkundigte, las sie ihn beim Abendessen vor, verkündete jedoch, rosig glühend vor Selbstgefälligkeit und fürsorglicher Strenge, ihn bis zur Beendigung des Arrests zu behalten.

Wilbur ertrug die Bestrafung ohne Klage. Nach dem Scheitern seiner Suche betrachtete er das ganze Leben als Abfolge von Bestrafungen. Er ging zur Schule, wo er gedankenverloren Bestnoten schrieb und das Stigma des Wunderkindes gleichgültig ertrug. An den schulfreien Nachmittagen, den Abenden und Wochenenden saß er am Pult in seinem Zimmer und schrieb, nachdem er die Hausaufgaben erledigt hatte, Sätze wie: »So freu dich, Jüngling, in deiner Jugend, und lass dein Herz guter Dinge sein. Tue, was dein Herz gelüstet und deinen Augen gefällt, und wisse, dass dich Gott um dies alles wird vor Gericht führen« und: »Wer sein Leben liebt, der wird es verlieren, und wer sein Leben auf dieser Welt hasst, der wird es erhalten zum ewigen Leben.« Nachts lag er schlaflos da und fragte sich, ob er dazu verdammt sei, nie sterben zu dürfen, weil er sein Leben hasste. Orla hatte ihr Leben geliebt und war tot. Bestimmt hatte seine Mutter ihr Leben geliebt. Sie hatte sich auf ihn gefreut, das wusste er von Sune. Musste er lernen, sein Leben zu lieben, um es zu verlieren?

Manchmal holte er das Foto aus dem Versteck und betrachtete es, bis es in seine Träume hinüberglitt. Wenn er nachts aufwachte und nicht mehr einschlafen konnte, las er die beiden Briefe, die sein Vater aus New York an Sune geschrieben hatte. Er roch an den dünnen, knisternden Luftpostumschlägen, betrachtete die Briefmarken, bis sie vor seinen Augen verschwammen, strich mit den Fingerspitzen über das Papier und folgte jedem Bogen und jedem Schnörkel der Buchstaben. Er setzte sich im Mondlicht an den Tisch und imitierte die Schrift seines Vaters. Er folgte mit schwarzer Tinte den Sätzen, die dem fernen, dem einzigen Freund gegenüber Zuversicht vortäuschten und zwischen denen, in der fleckigen, zerknitterten Leere des

Papiers, blanke Verzweiflung stand. Während er schrieb, wurde er für eine kurze, schlaftrunkene Zeit zu seinem Vater und glaubte, in der Nachahmung der Schlingen und Haken etwas von dessen Schmerz zu spüren, dem Schmerz über die verlorene Frau und darüber, aus den Bahnen des Lebens gefallen zu sein.

»Ich weiß, du würdest mir viele Gründe nennen, weshalb es sich gegen den Untergang zu kämpfen lohnt, ich kenne sie, und mich daran zu erinnern bricht mir das Herz. Aber es ist zu spät, mir fehlt es an allem, auch an der Kraft, für jemanden wieder ein ganzer Mensch zu werden.« Diese beiden Sätze schrieb Wilbur immer wieder, verworrene Linien auf brennbarem Material. Seite um Seite füllte er damit, Nacht um Nacht, das Zittern der Hand seines Vaters übernehmend. War *er* einmal einer der Gründe gewesen, für den es sich zu kämpfen gelohnt hätte, war *er* dieser Jemand, für den sein Vater wieder ein Mensch geworden wäre, wenn er die Kraft dazu gehabt hätte?

Ja, der war er. Dieser Jemand musste er sein.

Als Pauline ihm sagte, Colm sei gestorben, rannte Wilbur aus dem Haus. Das war in der vierten Woche seiner Verbannung, in der Hälfte des Buches, in einer zeitlosen Zeit. Es regnete, der Tag war zu Ende und mit ihm die Arbeit des Lichts und das wenige Treiben auf den Straßen. Ed Mulqueen sah ihm aus dem gelb erleuchteten Viereck seines Schaufensters nach, Miss McNamara machte ihm erschrocken Platz, ein Auto, vor dem er über die leere Kreuzung hetzte, hupte, aber er hörte es nicht. Was er am Leib trug, war durchnässt, einen Hausschuh hatte er verloren, den zweiten weggeworfen. In Strümpfen platzte er in den Empfangsraum des Altersheims, hinterließ Pfützen auf der Treppe und stürzte in das Zimmer, das schon leer war, ausgeräumt für den nächsten. Er rief Colms Namen, schrie ihn, über den Flur rennend, die Treppe hinunter, ziellos, stürzend und sich aufrappelnd und aufgehalten schließlich von einem Pfleger, der breit und weiß war wie eine Wand und ihn festhielt. Eine der Pflegerinnen kam dazu, Julia Nesbitt. Sie kannte Wilbur und wusste, warum er hier war und nicht aufhören konnte, diesen Namen zu rufen, und warum er vor dem Pfleger auf den Boden sank und sich einrollte. Und sie ahnte, warum der Junge, der früher so oft gekommen war und den sie seit über einem Monat nicht gesehen hatte, keuchend und zitternd auf den Fliesen lag und nicht weinen konnte.

Ein Arzt, der auf Visite bei den Pflegefällen war, gab Wilbur ein Beruhigungsmittel. Der Junge wurde im Büro der Leiterin auf eine Wolldecke gelegt, wo er im Halbschlaf leise wirres Zeug stammelte. Pauline und Henry holten ihn ab, noch bevor jemand sie anrief. Pauline hielt Wilburs linken Pantoffel in der Hand, der am Straßenrand im Lichtkegel des Scheinwerfers aufgetaucht war, und konnte sich nichts erklären. Henry trug den Jungen ins Auto, mehrmals versprechend, die Decke gleich am nächsten Tag zurückzubringen. Zu Hause gab es heißen Tee mit Honig und zwei zerstoßenen Schlaftabletten, und Wilbur wachte bis zum Morgen kein einziges Mal auf.

Im Traum ritt er hinter Orla und Colm durch eine Stadt, deren Straßen aus Muscheln waren. Er wollte mit Orla reden, aber weder sie noch Colm hörten ihn. Sein Pferd blieb stehen, und Orla und Colm verschwanden im Licht, das durch ein Tor fiel. Wilbur rief den beiden nach, immer wieder.

Der halbe Ort kam zu Colms Begräbnis. Er hatte keine Verwandten gehabt, jedenfalls keine, die man hätte verständigen können. Eine Handvoll Männer in seinem Alter gab vor, seine Freunde gewesen zu sein, aber weder Wilbur noch Julia Nesbitt hatten jemals einen von ihnen im Altersheim gesehen. Leute, die Colm gemocht hatten, gab es reichlich, und sie alle standen an seinem Grab. Der Postbote, der Bäcker, der Futterhändler, die Heimleiterin, zwei der Pflegerinnen, Seamus Dougherty, der Tierarzt, Una O'Connell, die ihm alle zwei Jahre eine Hose verkauft hatte, John McGrath, der sich mit der Reparatur vorsintflutlicher Traktoren auskannte, Liam Doyle, in dessen Laden sich alle möglichen Dinge fanden, auch Bücher. Einige weinten, als der Pfarrer den Menschen Colm Finnerty heraufbeschwor.

Wilbur sah zu, wie der Sarg an zwei Seilen in die Grube gelassen wurde. Er weinte nicht. Sein Körper fühlte sich unendlich schwer an, zwei Klauen drückten seine Brust zusammen, in seinem Kopf brannte es. Pauline hielt sich im Hintergrund. Leichenblass stand sie im Rücken angetrunkener Bauern, den Blick starr auf den Boden gerichtet. Henry hätte seine Hand auf Wilburs Schulter legen können, aber er tat es nicht. Tränen liefen ihm übers Gesicht. Wolken verweilten und zogen weiter.

Der Hausarrest wurde aufgehoben, vielleicht auch einfach vergessen. Zu Hause redete Wilbur nicht mehr, in der Schule schwieg er, wann immer es ging. Er durfte wieder zu Matthew, aber es war nicht mehr wie vorher. Wenn Wilbur versuchte, auf dem Cello zu spielen, gelang es ihm nicht, die Töne waren falsch. Er hatte in Göteborg nicht gewonnen, das Stipendium erhielt der Junge aus Waterford. Die Entscheidung war knapp gewesen, und an der Feier waren Wilbur von verschiedenen Seiten Stipendien und Plätze an Musikschulen angeboten worden. Ein französischer Fernsehsender plante eine Dokumentation über junge Musiker und wollte nach Irland kommen, um ein Porträt von Wilbur zu drehen, aber er hatte abgelehnt. An jenem Abend in Göteborg wusste er nicht, wo er in einer Woche, einem Monat sein würde. Da wurde er noch von der Hoffnung getrieben, seinen Vater zu finden, und alles andere, auch seine Freundschaft mit Colm und Matthew, musste dahinter zurücktreten. Jetzt war er wieder da, der kurzzeitig abhanden gekommene Ziehsohn, der Schüler, der Gefährte auf dem letzten Weg, der Gescheiterte. Er hatte das Gefühl, etwas erklären, wiedergutmachen zu müssen, wusste aber nicht, wie. Im Exil seines Zimmers hatte er wirre Briefe an Matthew geschrieben, Seiten voller Entschuldigungen und hilfloser Rechtfertigungen, die er nie abschickte.

Am Tag nach Colms Beerdigung, als er Matthew Fitzgerald zum ersten Mal seit seiner Reise nach Schweden wiedersah, saßen sie in Matthews Wohnzimmer und tranken Tee. Wilbur, der sich seinem Freund und Lehrer gegenüber als Verräter fühlte, erzählte stockend von seinen Beweggründen, während die Katze ihn argwöhnisch beobachtete. Matthew hörte ruhig zu und zeigte dann weder Missbilligung noch Enttäuschung oder gar Zorn. Er hatte mit vierundzwanzig Jahren Mutter und Vater verloren und verstand sehr gut, warum Wilbur der Spur aus den Briefen gefolgt war. Er fühlte sich nicht ausgenutzt oder getäuscht, weil er Wilbur das Cellospiel beigebracht hatte. Wilbur hatte das Instrument lange vor der Entdeckung der Briefe beherrscht, seine Liebe zur Musik konnte unmöglich vorgetäuscht, keinesfalls Teil eines Plans gewesen sein. Nach Wilburs Beichte benutzte Matthew sogar Begriffe wie Schicksal und Bestimmung, und Wilbur nickte verlegen dazu, wohl wissend, dass der während seines dreitägigen Verschwindens vor Kummer gealterte Mann keine Erklärungen suchte, sondern Trost. Vielleicht, meinte Matthew, habe Wilburs außergewöhnliche Begabung ihren Zweck erfüllt, indem sie ihm zu einem Flug nach Schweden verholfen hatte. Vielleicht sei die kurze Zeit, in der Wilbur vom Anfänger zum Virtuosen katapultierte, nur die Vorbereitungsphase für diese Suche gewesen. Vielleicht habe Wilburs unermessliches Talent einzig dazu gedient, der Erfüllung einer Vorsehung den Weg zu bereiten, um dann möglicherweise vergessen zu werden, zu verkümmern, in der Stille zu versinken, aus der sie geweckt worden war.

Wilbur wusste die Antwort nicht, und Matthew rang ihm keine Versprechen, keine Vermutungen ab. Er sah, wie der Junge sich unter der Bürde der Ereignisse krümmte, wie er die fehlgeschlagene Fahndung nach dem Vater und Colms Tod zu verkraften versuchte, und ihm wurde schmerzlich bewusst, dass er ihm nicht helfen konnte.

Die Tage flossen zäh dahin, und dann passierte alles so plötzlich, dass Wilbur sich an keine Einzelheiten erinnerte. Eine Woche war seit Colms Tod vergangen, und noch immer sprach er weder mit Pauline noch mit Henry. Pauline glaubte es mit einer Phase zu tun zu haben, deren Ende absehbar war. Sie kannte sich mit verstockten, rebellischen Teenagern aus, Gott war ihr Zeuge. Sie kochte noch mehr als früher, bestand aber nicht mehr darauf, dass Wilbur seinen Teller leerte, sie kaufte ihm Kassetten mit klassischer Musik, und manchmal, nachmittags, wenn Henry nicht da war, legte sie sich auf ihr Bett und weinte.

Mitten in der Woche ging sie zur Kirche, aber nicht einmal dort konnte sie sich zu der Frage überwinden, was sie möglicherweise falsch gemacht hatte. Sie zündete Kerzen an, eine für Wilburs Seelenheil, zwei für das eigene. Sollte sie etwa beichten, dass sie einen sechzehnjährigen Jungen gemaßregelt hatte, einen Heimlichtuer, Ausreißer und Lügner? Der Pfarrer würde sie auslachen. Wilbur hatte die Strafe verdient. »Züchtige mich, Herr, doch mit Maßen und nicht in Deinem Grimm, auf dass Du mich nicht aufreibest.« Jeremia, Kapitel 10, Vers 24. Sie hatte Wilbur mit Maßen gezüchtigt, und sie hatte es aus Pflicht ihm gegenüber getan, zu seinem Wohl und nicht im Zorn. Die Zeit allein in seinem Zimmer sollte dem Jungen die Möglichkeit geben, nachzudenken und mit sich und seiner Geschichte, seiner Herkunft ins Reine zu kommen. Sein Schweigen würde er bald beenden und ein neuer Mensch sein, gestärkt und geläutert, davon war Pauline überzeugt.

Henry war einfach nur ratlos. Er war Kummer mit Kindern, den eigenen und angenommenen, gewohnt. Er wusste, wie man einen Jungen nach einem verlorenen Fußballspiel aufmunterte oder was ein Mädchen hören wollte, das sich hässlich fühlte. Aber er hatte keine Ahnung, was er Wilbur sagen sollte. In all den Jahren hatte er den Jungen nie wirklich erreicht, obwohl er sich mehrmals bemüht hatte. Einen Kontakt zu dem jungen Burschen herzustellen, der noch immer aussah wie ein

Kind, erschien ihm unmöglich, vor allem nach der Sache in Schweden. Die Bestrafung, die seine Frau über den Ziehsohn verhängt hatte, war ihm zu Beginn als angemessen erschienen, aber nach Colms Tod und Wilburs endgültigem Verstummen bereute er, nicht vehementer für eine vorzeitige Aufhebung des Hausarrests eingetreten zu sein.

In letzter Zeit saß Henry oft in seinem Büro in der Bank und sah auf eine leere Stelle an der gegenüberliegenden Wand. Er versuchte sich daran zu erinnern, wie es war, jung zu sein, warum er Kreditanträge behandelte, statt in Afrika nach Fossilien zu suchen, wann es ihm das letzte Mal gelungen war, sich gegen seine Frau durchzusetzen. Im Geist ging er Jahre zurück, Jahre des Gleichmuts, der Duldsamkeit. Nur mit Mühe gelang es ihm, sich zwei unbedeutende, lächerliche Triumphe über Pauline ins Gedächtnis zu rufen. Der erste war, als er Wilbur erlaubte, ihn bei der Ausräumung von Colms Haus zu begleiten, der zweite, als sie zu Eamon McDermott ins Heim unterwegs waren und er statt rechts, wie es Pauline wollte, links abbog. Dass er sich trotzdem verfahren hatte, spielte dabei keine Rolle.

So saß Henry bis zum Abend in seinem Stuhl und schämte und bemitleidete sich, bis das Telefon schrillte und seiner halbherzigen Selbstbefragung ein Ende bereitete.

Als er sich seinem Haus näherte, stieg ihm von Weitem der Rauch in die Nase. Er musste auf der Straße anhalten, weil zwei Polizeifahrzeuge in der Einfahrt standen. Der junge Patrick O'Leary klärte ihn über die Lage auf. Die Feuerwehr habe den Brand gelöscht und die Ambulanz Wilbur weggebracht. Es sei Schaum eingesetzt worden, kein Wasser, der Sachschaden deshalb gering. Henry fand Pauline in der Küche, wo sie zitternd einem Polizisten Auskunft gab. Sie fiel ihrem Mann in die Arme und ließ einen zweiten Weinanfall zu. Der Polizist, Ari Tikkanens Schwiegervater, erzählte ihm, Wilbur habe die Vorhänge seines Zimmers angezündet, die Feuerwehrmänner hätten ihn bewusstlos auf seinem Bett gefunden. Henry setzte sich. Paulines Hände umklammerten seinen rechten Unterarm. Der Polizist schilderte den Verlauf des Schwelbrandes, der in den Vorhängen, dem Bettvorleger und einer mit Kleidungsstücken gefüllten Kommode zu wenig Nahrung gefunden hatte, um sich richtig auszubreiten.

Henry hörte nicht zu. Er wusste plötzlich, warum er seine Söhne und Töchter und sogar die vom Schicksal so ungerecht behandelten Pflegekinder immer heimlich beneidet hatte: weil sie an einem bestimmten Punkt in ihrem Leben die Wahl gehabt hatten, ihre paar Sachen zu packen und dieses Haus zu verlassen. Weil trotz aller Widrigkeiten und falsch gestellter Weichen eine Zukunft vor ihnen lag, auf die diese Frau, die jetzt um Fassung rang und schluchzend Wörter wie Brandstiftung und Mordversuch hervorstieß, keinen Einfluss mehr hatte. Sogar Wilbur beneidete er, wie verzweifelt dessen Lage auch sein mochte.

Henry saß da und nickte, aber in Gedanken war er bereits weit weg.

Wilbur wachte mitten in der Nacht auf. Er öffnete die Augen, blinzelte ins Dunkel. Sein Kopf tat weh, seine Lungen schmerzten, wenn er atmete. Ein dünner Schlauch ragte aus seiner Nase, ein anderer aus seiner Armbeuge. Rauch war in seinem Körper, er konnte ihn riechen, schmecken. Wilbur erinnerte sich daran, was passiert war. Er setzte sich auf, schlug die Bettdecke zurück und tastete mit den nackten Füßen nach dem Boden. Eine Weile saß er auf der Bettkante und starrte vor sich hin. Durch ein Fenster fiel, von einem Vorhang gedämpft, schwaches Mondlicht in den Raum, unter einer Tür leuchtete ein Streifen gelber Helligkeit. Wilbur hörte Atemgeräusche, und als sich seine Augen an die Dunkelheit gewöhnt hatten, sah er zwei Betten, von denen das eine belegt schien. Er zog vorsichtig am Schlauch, der aus seiner Nase hing, ließ ihn dann aber, wo er war. In seinem Rücken ertönte ein Ächzen, und als Wilbur sich umdrehte, sah er ein weiteres Bett. Ein schlafender Mann lag darin, dessen hell schimmerndes Gipsbein, von Seilzügen gehalten, schräg zur Decke hin ragte. Wilbur hustete, und als der Anfall heftiger wurde, legte er sich hin und bedeckte das Gesicht mit dem Kissen.

Irgendwann kam die Nachtschwester und sah nach den Patienten. Sie ließ die Tür zum Flur offen, von wo Licht hereinfiel. Wilbur war wach und fragte flüsternd, warum er hier sei. Die Schwester, eine alte Frau mit tiefer Stimme und kalten Händen, sagte etwas von Rauchvergiftung und gab Wilbur eine Tablette und lauwarmen Tee aus einer Schnabeltasse. Wilbur wollte wissen, ob das Haus der Conways noch stand, aber das wusste die Schwester nicht.

Drei Tage später wurde Wilbur aus dem Krankenhaus entlassen und in einem vergleichsweise gemütlichen Nebengebäude einer Nervenklinik im County Galway einquartiert. Nach einer schlaflosen Nacht musste er die Fragen eines Psychologen beantworten, der ein Gutachten erstellte. Wilbur machte sich gar nicht erst die Mühe, den Eindruck eines normalen Jugendlichen zu vermitteln. Er wusste inzwischen, dass das Feuer lediglich sein ehemaliges Zimmer verwüstet und sonst keinen Schaden angerichtet hatte, sah man davon ab, dass Pauline Conways Ruf als untadelige Pflegemutter endgültig ruiniert war. In seinem Bericht beschrieb der Psychologe, ein ehrgeiziger Mann mit einem Hang zu grellbunten Krawatten und Einstecktüchern, Wilbur als seelisch instabilen, in höchstem Maße verunsicherten Jugendlichen, dessen durch den Verlust der Eltern traumatisierte Kindheit Potential für selbstzerstörerische Akte bot, wobei Sachbeschädigungen und Gewalt gegen Personen seines Umfeldes nicht auszuschließen seien, wie die Brandstiftung deutlich gezeigt habe. Die außergewöhnliche Intelligenz und musikalische Begabung des Jungen seien Ausdruck einer extremen Introvertiertheit mit einer Tendenz zum Manisch-Depressiven, zudem verhindere sein Außenseiterstatus in der Schule sowohl die Entwicklung eines gesunden Charakters als auch die in diesem Alter so wichtige soziale Integration. Er sprach sich für eine Verwahrung mit Arbeitseinsatz und therapeutischer Betreuung aus, wobei er ein Strafmaß von mindestens drei und höchstens sechs Monaten für gerechtfertigt hielt.

Zu einem ähnlichen Schluss kam auch die Sozialarbeiterin, die mit Wilburs Fall betraut war. Nach einem Besuch bei Pauline, die ihren Ziehsohn als verschlossen und unberechenbar bezeichnete, unterstützte sie den Antrag des Psychologen, und Wilbur wurde in die Jugendbesserungsanstalt Four Towers in der Nähe von Sligo eingewiesen.

Four Towers war bis zum Jahr 1963 eine Fabrik gewesen, in der Tweed- und Leinenstoffe hergestellt worden waren. Die meisten der Jungen, die dort einsaßen, waren kleine Lichter, was ihre kriminelle Vergangenheit betraf. Sie verbüßten Strafen für Ladendiebstahl und Sachbeschädigung, Fahren ohne Führerschein, Prügeleien und etwas, das auffälliges Sozialverhalten genannt wurde. Einige hatten ihre Väter, Lehrer und Chefs tätlich angegriffen, andere waren notorische Schulschwänzer und machten aus purer Langeweile ihre Wohngegend unsicher, fuhren auf Zugdächern und setzten Autos gegen Wände. Es gab Tierquäler und Steinewerfer, Maulhelden, Spanner, Randalierer, es gab Ausgestoßene, Missbrauchte, Täter und Opfer und angehende Verbrecher und Verlorene, und alle waren sie halbe Kinder, zu alt für Ohrfeigen und Nachsitzen und zu jung für richtige Gefängnisse.

Als die Fabrik nach Jahren des Verfalls zu ihrer heutigen Funktion umgebaut worden war, hatten die Verantwortlichen weniger das Wohl der zukünftigen unfreiwilligen Bewohner im Auge gehabt als die Zweckdienlichkeit der Anlage und geringe Baukosten. Im dreistöckigen Hauptgebäude waren neben dem Büro des Direktors und den Unterkünften für die Wachmänner die Waschräume, die Küche, der Speisesaal und die Schlafsäle der Zöglinge untergebracht. Es gab weiß getünchte, bilderlose Wände, polierte Holz- und Steinfußböden, Reihen zentimetergenau ausgerichteter Tische und Bänke, hohe Räume mit Betten aus Eisenrohr und lange, düstere Flure, in denen auch an heißen Sommertagen gruftige Kühle herrschte.

In zwei Nebenbauten befanden sich die Werkstätten, wo die jugendlichen Straftäter Weidenkörbe flochten, Leiterwagen bauten, Traktoren reparierten und sonstige Fronarbeiten verrichteten, um dem Staat nicht auf der Tasche zu liegen. Weil es im Winter in den unbeheizten, zugigen Holzbaracken zu kalt wurde, diente zwischen November und April der riesige Raum im Erdgeschoss als Werkstatt. Dort froren die Jungen etwas weniger und stellten Mause-, Ratten- und Maulwurfsfallen her. Gleich daneben lag die Krankenstation mit vier Betten und einem Behandlungsraum. Als Schwestern auf Abruf standen die Köchin und die Sekretärin des Direktors zur Verfügung, die jedes Jahr einen Erste-Hilfe-Kurs besuchen mussten und bei Notfällen einen Arzt aus Sligo oder die Ambulanz kommen ließen. Verletzte sich einer der Jungen ernsthaft, aber nicht lebensgefährlich, brachte ihn der Direktor in seinem Privatwagen ins Krankenhaus nach Sligo, weshalb auf der Rückbank des Range Rover stets eine Wolldecke und Mullbinden lagen. Diese Vorsichtsmaßnahme hatte Robert Moriarty getroffen, nachdem ein Junge, dem beim Sägen plötzlich zwei Finger fehlten, die Polster vollgeblutet hatte.

Im Schatten des Hauptgebäudes war ein Stück Rasen, das nicht betreten werden durfte und durch das ein schmaler Kiesweg zu einer Kapelle führte. Darin saßen jeden Sonntagmorgen etwa einhundertzwanzig Jungen auf harten Holzbänken und hingen ihren Gedanken und Träumen nach, während ein Pfarrer aus der Gegend ihre noch nicht gänzlich verlorenen Seelen zu erreichen versuchte oder ihnen versicherte, dass Gott ihre Sünden nicht ungeahndet ließ.

Die vier Türme, die der Institution ihren Namen gaben, waren 1972 errichtet worden, wenige Wochen nachdem es fünf Insassen gelungen war, am helllichten Tag über die Hofmauer zu klettern. Obwohl die Flüchtigen nur Stunden später gefasst wurden, veranlassten die zuständigen Stellen den sofortigen Bau der Wachtürme. Vor diesem Ereignis war die Anstalt nach einem Hügel benannt gewesen, dem Knockalongy, den man bei klarem Wetter in der Ferne erkennen konnte.

Als Wilbur durch das Fenster des Autos blickte, das ihn nach Four Towers brachte, sah er im verwaschenen Licht des frühen Tages einen dunklen Klotz aus Backstein in einem flachen Feld stehen. Die vier Türme waren aus Holz, im Zentrum ihrer Balkenkonstruktion verlief im Zickzack eine Treppe, über die man auf den geschlossenen, mit einem Suchscheinwerfer ausgestatteten Ausguck gelangte. Wolken hingen tief über dem Land, ein Nieselregen trübte die Sicht, sodass Wilbur keine Wachmänner ausmachen konnte. Der Fahrer des Wagens, ein junger Polizist aus Letterkenny, hatte im Radio einen Sender mit Popmusik eingestellt, um den verloren auf der Rückbank sitzenden Jungen aufzumuntern.

Aber Wilbur tauchte nur einmal aus seinem Dämmerzustand auf, als Sinéad O'Connor *Nothing Compares To You* sang. Er weinte, und der Beamte sah in den Innenspiegel und sagte, er solle die Sache nicht so schwernehmen, Four Towers sei kein richtiges Gefängnis und Wilbur werde bestimmt bald wieder draußen sein. Dann hielten sie am Haupttor an, und der Polizist stieg aus, um zu klingeln und Wilburs Überweisungspapiere einem Mann in Uniform auszuhändigen, der durch eine kleine Tür neben dem Tor getreten war. Wilbur weinte nicht mehr. Er saß mit geschlossenen Augen da, hielt in der einen Hand den reitenden Indianer fest und in der anderen Colms Nashorn und wartete ab, was geschehen würde.

Als Erstes musste Wilbur sich beim Direktor melden. Ein Wärter brachte ihn zum Büro, wo Miss Rodnick, die Sekretärin, eine Weile seine Akte studierte, bevor sie ihn zu ihrem Chef ließ. Robert Moriarty war ein stiller, nachdenklicher Mann Mitte fünfzig, der Opern liebte und Tauben züchtete. Er hatte dunkelbraunes, dichtes und für seine Position etwas zu wirres Haar und ging an einem Stock, seit er sich als Kind bei einem Sturz vom Dach die Hüfte gebrochen hatte. Seine Stimme war tief, er sprach langsam und machte an den unerwartetsten Stellen lange Pausen, während derer er an etwas ganz anderes zu denken schien.

Die Einrichtung des Büros war spartanisch, woran auch das Ölgemälde nichts änderte, das an der Wand hinter dem Schreibtisch hing und eine Wiese mit Pferden zeigte, über denen Sonnenstrahlen durch einen Gewitterhimmel drangen. Four Towers wurde durch Steuergelder und Spenden finanziert, und Moriarty fiel es nicht im Traum ein, auch nur einen Teil dieses Geldes für eine neue, modernere Büroausstattung auszugeben. Einen Perserteppich, eine mit Intarsien verzierte Kirschholzkommode, die eine Bar enthielt, und zwei weitere Ölgemälde hatte er gleich nach seinem Amtsantritt durch einen Antiquitätenhändler in Dublin verkaufen lassen und den Erlös zur Anschaffung neuer Kochherde benutzt. Anders als sein Vorgänger, betrachtete Moriarty Bescheidenheit als eine der hehrsten Tugenden, und wie als Symbol dafür stand auf seinem Tisch eine Kaffeetasse, die vor Jahren zerbrochen und von ihm eigenhändig zusammengeleimt worden war.

»Sandberg. Kein irischer Name«, sagte Moriarty, während er etwas auf ein Blatt Papier schrieb.

Erst als Moriarty ihn ansah, wurde Wilbur bewusst, dass eine Antwort von ihm erwartet wurde. »Schwedisch, Sir«, sagte Wilbur. »Mein Vater ist … war …«

»Hier drin steht«, Moriarty tätschelte Wilburs Akte, »dass wir uns auf unbestimmte Zeit um dich kümmern sollen. Was sagst du dazu?«

Wilbur senkte den Kopf und zuckte mit den Schultern. Moriarty erhob sich, nahm den Stock, der am Schreibtisch lehnte, und ging zum Fenster, um in den Regen hinauszusehen. Wilburs Hände lagen auf den Knien. Obwohl er die Indianerfigur und das Nashorn in den Hosentaschen spürte, fühlte er sich einsam und mutlos. Er hatte in den vergangenen Nächten kaum geschlafen und war plötzlich unendlich müde. Was sollte er antworten? Dass es ihn nicht kümmerte, wie lange man ihn hier einsperren würde? Dass er froh war, dem Haus der Conways entkommen zu sein, obwohl er nicht wusste, ob ihn hier Schlimmeres erwartete? Dass Bestrafung ihm gleichgültig war, weil sein Leben ihm nichts bedeutete?

»Was mich betrifft, so …« Moriarty verstummte und sah einer aschgrauen Wolke nach, die bedächtig erst über einen, dann den zweiten Turm strich und schließlich aus seinem Blickfeld verschwand. »… will ich dich auf keinen Fall länger als sechs Monate hier haben.« Er drehte sich zu Wilbur um und sah ihm in die Augen. »Verstanden, junger Mann?«

Wilbur erwiderte Moriartys Blick für den Bruchteil einer Sekunde. »Ja, Sir«, sagte er. Miss Rodnick hatte ihm in ihrem Büro geraten, die Hände aus den Taschen zu nehmen und den Direktor immer mit Sir anzusprechen.

»In dieser Zeit …« Jetzt stand Moriarty vor der Bücherwand und starrte eine Weile auf die vollen Regale, als suche er nach einem bestimmten Titel. Im Nebenzimmer schrillte zweimal das Telefon, dann war gedämpft Miss Rodnicks Stimme zu hören. Moriarty wandte sich Wilbur zu. »… erwarte ich von dir Hingabe.« Er ging an sein Pult zurück und setzte sich, behielt den Stock jedoch in der Hand. »Hingabe an das Ziel, deine Flausen aus dem Kopf zu vertreiben. Hier drin steht …«, wieder tätschelte er mit der Handfläche die Akte, »du seist ein intelligenter Bursche. Leute mit Grips zünden keine Häuser an.« Er klopfte mit dem Gummiteil des Stockes auf den Parkettboden. »Und du hast doch Grips, oder?«

»Ich weiß nicht, Sir«, sagte Wilbur, und dann, kleinlaut: »Ja.«

»Na also!«, rief Moriarty. »Drei Monate, höchstens. Dann werfe ich dich raus. Verstanden?«

»Ja, Sir«, sagte Wilbur.

»Und jetzt meldest du dich bei Mr. Foley. Der zeigt dir, wo du schläfst.«

Wilbur wartete, dass der Direktor noch etwas sagte, aber Moriarty nahm einen Brief von einem Stapel und begann zu lesen, als sei Wilbur schon nicht mehr da. Wilburs Blick fiel auf ein gerahmtes Zitat von Cicero, das zwischen den beiden Fenstern an der Wand hing. *Oft ist nichts dem Menschen feindlicher als er sich selbst.* Als das Telefon klingelte, hob Moriarty ab, sah Wilbur leicht erstaunt an und winkte ihn mit einer Handbewegung aus dem Raum.

Joseph Foley war ein schweigsamer Riese, der in seiner dunkelblauen Uniform aussah wie ein Polizist aus einem Comic. Obwohl er sich täglich rasierte, schwärzten Bartstoppeln die Hälfte seines Gesichts, dessen andere Hälfte von einer knolligen, großporigen Nase beherrscht wurde. Im Schatten seines Mützenschirms lagen graublaue wässrige Augen, mit denen er den vor ihm stehenden Wilbur musterte. Obwohl er seit einer halben Stunde auf einem Stuhl vor dem Zimmer saß, das als Büro, Teestube und Umkleideraum diente, atmete er heftig, als sei das Verspeisen eines belegten Brotes eine anstrengende Arbeit. Krümel lagen in seinem Schoß, und Butter ließ seine wulstigen Lippen glänzen.

»Sandberg, Sandberg …« murmelte Foley und kaute nachdenklich. »Bist du der Kerl, der an einem Tag fünf Banken im County Wicklow ausgeraubt hat?«

Wilbur schüttelte den Kopf. »Nein«, sagte er. »Sir«, fügte er hinzu, weil er nicht wusste, ob die Regel auch für das Wachpersonal galt.

»Hm, nicht …« Foley kniff die Augen zusammen und schob sich den Rest des Schinkenbrotes in den Mund, ein Stück, das Wilbur als Mittagessen gereicht hätte. Jetzt atmete er geräuschvoll durch die Nase, was ihn noch mehr anstrengte und rot anlaufen ließ. Als er endlich geschluckt hatte und wieder zu Atem kam, schob er die Uniformmütze nach hinten und sah Wilbur noch genauer an.

Wilbur stand stocksteif da und wagte nicht einmal, den

Koffer auf den Boden zu stellen. Zwei Tage nach dem Brand war Henry ins Krankenhaus gekommen und hatte ihm ein paar Kleidungsstücke und persönliche Dinge gebracht. Während Pauline Vorhangstoffe aussuchte, um, wie sie sagte, nach den schrecklichen Ereignissen rasch wieder Tritt zu fassen, überlegte Henry, was Wilbur außer frischer Wäsche wohl brauchen würde. Er durchsuchte Wilburs ehemaliges Zimmer, fand aber nur ein paar Notenblätter, eine Karte von Schweden und das Buch *Schätze der Kiesgrube*, das er dem Jungen geschenkt hatte. Statt in die neue, von Wilbur nie benutzte Sporttasche tat Henry die Sachen in einen der beiden Koffer, die Wilbur nach Orlas Tod von Colm bekommen hatte und die nur deshalb nicht auf dem Müll gelandet waren, weil Henry sie vor seiner Frau in der Garage versteckt hatte.

Wilbur hatte sich die Indianerfigur und das Nashorn in die Hosentaschen gesteckt, bevor er die Vorhänge anzündete. Den Rest der Dinge hatte er in einer Blechdose im Rasen der Conways vergraben, weil sie nicht verbrennen sollten. Henry ahnte, dass Wilbur irgendwo einen nur für ihn selber wertvollen Schatz haben musste, Andenken an eine Kindheit, die gerade zu Ende gegangen war. Aber er fragte ihn nicht danach. Wilbur hatte geweint, als Henry sich an sein Bett setzte. Er schämte sich für das, was er getan hatte, und entschuldigte sich bei Henry. Henry verzieh ihm und gab ihm den Koffer, in den er auch einen Umschlag mit etwas Geld und Sunes Brief gelegt hatte.

Der Koffer war nicht schwer, trotzdem hoffte Wilbur, der Wachmann würde ihn endlich zum Schlafraum führen. Foley holte eine Flasche Sprudel unter dem Stuhl hervor, schraubte sie gemächlich auf und trank sie in einem Zug leer. Dann sah er Wilbur mit großen Augen an und blähte die Backen, als er dezent rülpste.

»Jetzt hab ich's!«, rief er dann und schlug sich mit der flachen Hand auf den Oberschenkel. »Sandberg! Der Herr der Blüten! Du hast Falschgeld für zehn Millionen in Umlauf gebracht!«

»Nein, Sir«, sagte Wilbur. Wofür hielt ihn der Kerl? Hatte man diesem Ochsen seine Akte nicht gezeigt? Konnte dieser Fleischberg überhaupt lesen? »Ich … ich hab etwas angezündet.«

Foleys eckige Kinnlade fiel herunter, seine Augen weiteten sich. »Der Feuerteufel von Lough Gill …« sagte er tonlos, beinahe flüsternd. »Zwanzig Schulen in Schutt und Asche gelegt, die Autos von siebzig Lehrern abgefackelt …« Er schluckte leer, starrte Wilbur an und drückte sich gegen die Wand.

Wilbur stellte den Koffer ab und machte mit beiden Händen abwehrende Bewegungen. »Nein, nein, ich hab die Vorhänge in meinem Zimmer angezündet. Keine Schulen. Ich wollte …« Wilbur verstummte. Sollte er diesem begriffsstutzigen Koloss etwa erzählen, dass er versucht hatte, sich umzubringen?

Alan O'Carroll, der zweite von fünf Wachmännern, die an diesem Tag Dienst hatten, kam mit einem Eimer in der Hand den Gang entlang. Er war halb so alt wie Foley, vierundzwanzig, und halb so breit. Er ging lässig, beinahe beschwingt, wobei sein freier Arm schlenkerte. Als er näher kam, bemerkte Wilbur, dass sich eine rote, wulstige Narbe über O'Carrolls Wange zog.

»Hör nicht auf ihn, Junge«, sagte er zu Wilbur und betrat den Raum, dessen Tür offen stand. »Joe verarscht jeden Frischling.« Er stellte den Eimer, der mit Kohlebriketts gefüllt war, neben den Ofen aus schwarzem Gusseisen und rieb sich das Kreuz. Foley grinste und sah jetzt endgültig wie eine Karikatur aus. O'Carroll lehnte sich an den Türrahmen und lockerte den Knoten seiner schwarzen Krawatte, gerade genug, um nicht gegen die Vorschriften zu verstoßen.

Wilbur sagte nichts. Das alles war ihm peinlich. Er hasste diesen Ort und jeden, der seine erbärmliche Geschichte kannte. Er dachte an Bruce Willis, der sich den Weg aus diesem Gefängnis freischießen würde. Wenn der Trottel mit dem Gehstock dachte, er könne Wilbur in drei Monaten zu einem neuen Menschen formen, dann täuschte er sich gewaltig. Wilbur hatte Pauline Conways Einzelhaft überstanden und würde auch Four Towers überstehen.

»Wir wissen, dass du bloß 'n harmloser Spinner bist, der sein Zimmer angekokelt hat«, sagte O'Carroll. Er nahm die Mütze ab und kratzte sich am Kopf. Seine rotblonden Haare waren an der Stirn schütter und entweder verschwitzt oder mit Brillantine zurückgekämmt.

Wilbur senkte den Kopf. Er hasste sich, weil er die Idee, den Kanister aus der Garage zu holen und das Benzin im Zimmer zu verschütten, nicht in die Tat umgesetzt hatte. Nicht einmal Feuer legen konnte er. Das nächste Mal würde er die Sache besser planen.

»Ich hoffe, du hast keine Streichhölzer mitgebracht«, sagte O'Carroll und sah Wilbur ernst an. Als Wilbur den Kopf schüttelte, lachte O'Carroll. »Na, dann bin ich ja beruhigt.« Er setzte die Mütze wieder auf und schlenderte den Gang hinunter. »Man sieht sich!«, rief er, ohne sich umzudrehen, und bog um eine Ecke.

»Also, dann wollen wir mal«, sagte Foley. Er erhob sich ächzend, warf die leere Sprudelflasche in den Abfalleimer neben dem Ofen und nahm einen Schlüsselbund aus der Uniformjacke. Mit einem der Schlüssel sperrte er die Tür zu und setzte sich dann langsam in Bewegung.

Wilbur ergriff den Koffer und folgte dem Mann. Als sein Blick aus einem der Fenster fiel, sah er eine Taube, die durch den Nebel flog und auf dem Dach eines Turmes landete.

Im Schlafraum standen siebenundzwanzig Betten. Fünf Lampen mit emaillierten Schirmen hingen von der Decke. Durch drei Fenster in der Außenwand fiel Tageslicht auf die Bodenplanken, die beinahe schwarz waren und glänzten. Unter jedem Bett stand ein Nachttopf mit Deckel. An der schmalen Stirnwand, die wie die übrigen weiß verputzt war, hing ein mannsgroßes Kruzifix. Foley hatte unterwegs ein Kissen, zwei Laken und zwei Wolldecken besorgt und warf alles auf eins der beiden Betten, die der Tür am nächsten standen. Wilbur musste seine Schlafstatt selber machen, und Foley sah ihm dabei zu. Es dauerte eine Weile, bis Wilburs Bett aussah wie die anderen und Foley zufrieden war. Am Fußende von jedem Bett stand eine Holztruhe, auf deren Deckel eine Nummer gemalt war, in Wilburs Fall eine 73. In diese Truhe legte Wilbur die Sachen aus seinem Koffer. Dann ging er hinter Foley her zu den Waschräumen, wo er sich die Duschen und Toiletten zeigen und die Regeln erläutern ließ.

Nach dem Rundgang, zu dem ein Blick in den Speisesaal und den Hof gehörte, nahm Wilbur im Materialraum im Erdgeschoss zwei Paar graue Socken, zwei weiße Unterhosen und Unterhemden, eine moosgrüne Arbeits- und eine schwarze Sonntagshose, einen grauen Wollpullover, ein moosgrünes und ein weißes Hemd, eine schwarze Krawatte, ein Handtuch, einen Waschlappen, ein Stück Seife, eine Zahnbürste und eine Tube Zahnpasta entgegen. Die Toilettenartikel waren in einem Leinenbeutel, der ebenfalls die Nummer 73 trug. Foley sah sich Wilburs schwarze Lederschuhe an, das letzte Weihnachtsgeschenk von Pauline und Henry, und befand sie für gut genug. Er drückte ihm eine kleine Holzkiste in die Hand, in der sich Schuhwichse, zwei Bürsten und ein gefalteter Stofflappen befanden. Der Stofflappen war von einem bleichen Grün und zweifellos ein Stück aus einer ehemaligen Arbeitshose. Die schwarze Schuhwichse in der flachen Metalldose verströmte einen kräftigen Geruch, eine Mischung aus Tabak und Motorenöl.

»Direktor Moriarty sieht dir immer zuerst auf die Schuhe und dann in die Augen«, sagte Foley. »Er sagt, wer schmutzige Schuhe hat, kann kein sauberes Leben führen. Jedenfalls so was in der Art.«

Wilbur erinnerte sich nicht, worauf Moriarty nach dem Betreten des Büros zuerst gesehen hatte. Er rang sich ein Lächeln ab und nickte. Eine Weile standen sie schweigend da, als würde Moriartys Weisheit im Raum nachhallen. Dann gingen sie endlich weiter. Foley zeigte und erklärte Wilbur alles geduldig und trug sogar den Kleiderstapel in den Schlafraum, als der Junge unter der Last zu taumeln begann. Ging Wilbur hinter dem Riesen her, war dessen Rücken ein dunkelblaues Meer, das sanft wogte und aus dem die keuchenden und rasselnden Geräusche von Ungeheuern drangen.

Bis es Zeit zum Mittagessen war, musste Wilbur in der Küche helfen. Foley hatte ihn der Köchin Geraldine Dunne vorgestellt und den vier Burschen, die ihr halfen, geraten, den Neuen nicht zu schikanieren. Wilbur war sich vorgekommen wie am ersten Tag an der Schule in Letterkenny, wo ihn die Kinder, die ihn nicht kannten, angestarrt hatten. Zum Glück schickte ihn Geraldine, eine für ihren Beruf ungewöhnlich schlanke Frau um die sechzig, zum Tischdecken in den Speisesaal. Dort legte Wilbur Messer, Gabeln und Löffel neben Teller, von denen zu seinem Erstaunen viele mit verblassten Aufdrucken versehen waren. THE HARBOUR INN stand auf einigen, auf anderen FERNHILL MANOR und THE COURT YARD HOTEL. Wilbur vermutete, dass die Teller entweder auf Auktionen günstig zusammengekauft worden oder Geschenke von Hotels waren. Auch bei den Gläsern sah kaum eines wie das andere aus. Er stellte niedrige dicke neben hohe mit eingeschliffenem Muster und ehemalige Marmeladengläser neben zerkratzte Plastikbecher. Nur das Besteck war gleich, billige ausgestanzte Ware, die man ohne Kraftaufwand verbiegen konnte.

Nach dem Decken der Tische musste Wilbur mit einem Jungen, den Geraldine ihm als Jason vorgestellt hatte und der ihm widerwillig die Hand gegeben hatte, Dosen mit Pfirsichhälften aus dem Vorratsraum hinter der Küche holen.

»Was haste denn ausgefressen?«, fragte Jason. Er war um mehr als einen Kopf größer als Wilbur, hatte millimeterkurzes schwarzes Haar und schwarze Augen, und er blinzelte viel und heftig. Wilbur deutete das Blinzeln als nervösen Tick und fragte sich, ob man so etwas hier drin entwickelte.

»Brandstiftung«, sagte Wilbur möglichst beiläufig, während er die schweren Dosen, die Jason von einem Regal nahm, auf einen Rollwagen stapelte. Er hatte genug Filme gesehen, um zu wissen, dass es ratsam war, im Gefängnis den Eindruck eines Kerls zu vermitteln, mit dem nicht zu spaßen war.

Jason sagte nichts, auch nicht, warum er hier war. Und Wilbur fragte nicht. Sie brachten die Dosen in die Küche und öffneten sie. Die drei anderen Burschen, alle älter und größer als Wilbur, putzten Gemüse, schnitten Kartoffeln in Scheiben und rührten, wenn die mit Teigkneten beschäftigte Geraldine es ihnen sagte, in den Töpfen. Einer von ihnen, ein kräftiger Rothaariger, sah Wilbur immer wieder mit spöttischem Blick an und schnitt Grimassen. Wilbur setzte sich auf einen umgedrehten Eimer, schälte Kartoffeln und hielt den Kopf gesenkt.

Geraldine summte während der Arbeit, aber ihre Stimme reichte nicht einmal entfernt an die von Orla heran. Als sie *Mistletoe and Wine* trällerte, schnitt Wilbur sich in den Finger. Der Rothaarige grinste. Geraldine wusch Wilburs Wunde unter kaltem Wasser aus, verband sie und meinte, Wilbur solle die Finger von Messern lassen und stattdessen das Rühren in den Kochtöpfen übernehmen.

Irgendwann drang der Lärm von Schritten durch die Flure, und wenig später setzten sich einhundertzweiundzwanzig Jungen an die Tische. O'Carroll und John Kearney, ein stiller und gutmütiger Wärter, der kurz vor der Pensionierung stand, beaufsichtigten die Zöglinge, die sich in Gruppen zum Essenfassen anstellten. Wie Geraldine ihn geheißen hatte, stand Wilbur neben dem Rothaarigen, der Suppe schöpfte, und legte eine Scheibe Brot auf jedes Tablett, das ihm hingehalten wurde. Die Hand mit dem verletzten Finger hielt er so, dass man den blutigen Verband nicht sehen konnte. Er zwang sich, jedem der Jungen ins Gesicht zu sehen, aber nur wenige erwiderten sein kurzes Nicken. Die meisten musterten ihn gleichgültig, einige abschätzig oder sogar feindselig. Nur einer strahlte ihn nach einem Moment ungläubigen Staunens an. Wilbur brauchte noch länger, um sein Gegenüber zu erkennen. Dann weiteten sich seine Augen, und seiner Kehle entfuhr ein heiserer Laut. Sämtliche Köpfe drehten sich in seine Richtung, an den Tischen wurde getuschelt und gelacht. O'Carroll verbat sich die Unruhe, und die Jungen verstummten.

Conor legte einen Finger auf die grinsenden Lippen, nahm dem erstarrten Wilbur das Brot aus der Hand und ging weiter.

10

Aimee wohnt in einem schmalen Backsteinhaus, dessen untere Hälfte dunkelrot gestrichen ist und an dessen Stirnseite im Zickzack eine schwarze Feuerleiter verläuft. Auf den Gitterböden der Feuerleiter stehen Töpfe mit verkümmerten Pflanzen, über die man im Brandfall klettern müsste. Der Verputz der beiden oberen Stockwerke ist weiß, Leitungen und Kabel wachsen aus ihm heraus und spannen sich schlaff über einem Stück Rasen bis zum Nachbarhaus. Der Gehsteig vor dem Gebäude ist ein Flickenteppich aus Betonplatten, Verbundsteinen, rissigem Zement und mit Kies vermischtem Teer. Angekettet an einen schiefen Zaun lehnt ein Rennrad, dem der Sattel und das Vorderrad fehlen. Aimee erzählt, es gehöre Stewart, einem ihrer Mitbewohner. Er nehme die Teile ab, weil sich der Rest zum Klauen nicht lohne.

Ich gehe neben Aimee durch ein Tor, hinter dem ein geteertes, von Müllcontainern und weiteren Fahrrädern besetztes Rechteck liegt. Aimee öffnet die gelb gestrichene Haustür, dann stehen wir einen Atemzug lang im Dunkeln, bis sie das Licht anknipst und im Schein der Deckenlampe ein enges Treppenhaus vor uns liegt.

Als das Licht in der U-Bahn wieder angegangen war, entstand ein merkwürdiger Moment, während dem ich nicht wusste, ob ich Aimees Hand weiter festhalten oder loslassen sollte. Dann war der Frau auf dem Sitz vor mir der Schlüsselbund hinuntergefallen, und ich konnte ihn aufheben, was den Rückzug meiner

Hand weniger peinlich machte. Wir sind an einer Haltestelle ausgestiegen, deren Namen ich mir nicht gemerkt habe, und zu Fuß weitergegangen. Einmal mussten wir einer Gruppe von Kindern mit einem angeleinten Hund ausweichen, und unsere Arme berührten sich, aber als ich zögernd nach Aimees Hand tastete, griff ich ins Leere, weil Aimee in eine Seitenstraße einbog.

Während wir an Wäschereien, Pizzabuden, geschlossenen Bars und Restaurants, an Wohnhäusern, Garageneinfahrten, verwahrlosten kleinen Parkanlagen, eingezäunten Sportplätzen, mit Eisengittern abgetrennten Höfen, aufgelösten Tankstellen und lückenhaften Bauzäunen, an bunten Holzhäusern mit blumengeschmückten Veranden und herausgeputzten Vorgärten und offenen Hauseingängen vorbeigingen, redete Aimee fast ununterbrochen. Sie erzählte von den Leuten, mit denen sie sich die Wohnung teilt, von Ruth, die irgendwas studiert, von Sheila, der Köchin, und von Stewart, der im nahe gelegenen Zoo arbeitet und ein toller Hecht zu sein scheint. Jedenfalls schwärmte Aimee geradezu von ihm, und nach wenigen Minuten hasste ich den Kerl. Aimee meinte, Stewart würde den Job des Tierpflegers von Grund auf lernen und es sei unglaublich, was er täglich erlebe. Ich kenne diese Sorte Angeber. Bestimmt karrt er den ganzen Tag Elefantenscheiße durch die Gegend und erzählt am Abend seinen Mitbewohnerinnen, er hätte einem Tiger einen Dorn aus der Pranke gezogen.

Die Wohnung liegt im dritten Stock, hat vier Zimmer, Küche und Bad. Im Flur stehen ein Paar schwarze Gummistiefel und riesige Basketballschuhe, die bestimmt Stewart gehören. An seiner Zimmertür hängt ein metallenes Krokodil, mit dem man anklopfen soll. Die Zimmer sind winzig. Aimee besitzt eine Matratze, einen Schrank, einen Schreibtisch und einen Stuhl. Ein Computer steht auf dem Tisch, darunter ein Drucker und ein Stapel Papier. In Regalen türmen sich Bücher und Zeitschriften. An der Wand über dem Schreibtisch hängen Notizzettel und Zeitungsausschnitte, mittendrin ein Foto, das einen vielleicht fünfundzwanzig Jahre alten Mann zeigt. Er steht vor einem Garagentor, lächelt ein wenig unsicher und stützt sich auf eine Schneeschaufel.

»Ich brauche nicht viel«, sagt Aimee, und es klingt wie eine Rechtfertigung. Sie nimmt ein paar Kleider vom Bett und streicht die Decke glatt.

»Es ist nett«, sage ich, obwohl ich mir vorgenommen hatte, dieses Wort nicht zu verwenden. Ich stehe da und überlege, was ich zu dem Zimmer noch sagen könnte, aber mir fällt nichts ein. Aimee räumt einen Teller mit Orangenschalen und eine Tasse in die Küche. Ich sehe aus dem Fenster, um einen Kommentar über die Aussicht vorzubereiten, aber da ist nur die Klinkermauer des Nachbarhauses. Die meisten Bücher sind über Psychologie und Journalismus, von den wenigen Romanen kenne ich keinen einzigen.

»Tee oder Kaffee oder was Kaltes?«, ruft Aimee aus der Küche.

»Kaffee«, rufe ich zurück. Eine Cola wäre mir jetzt lieber, aber die Zubereitung des Kaffees wird Aimee eine Weile beschäftigen. Ich brauche noch einen Augenblick, um herauszufinden, ob ich überhaupt hier sein will. Es ist kurz vor vier. Irgendwann gegen Abend werden alle nach Hause kommen, und Aimee wird mich ihnen vorstellen. Stewarts Händedruck wird übertrieben kräftig sein, die Studentin wird mich einen Moment lang irritiert betrachten und dann beteuern, wie nett es sei, mich kennenzulernen, und die Köchin wird fragen, ob ich Veganer sei. Wenn ich Pech habe, werde ich zum Abendessen eingeladen. Die Köchin wird bestimmt etwas zubereiten, das ich hasse, und ich werde es aus Höflichkeit hinunterwürgen, während Stewart erzählt, wie er ein vermeintlich totgeborenes Nashorn wiederbelebt hat. Die Studentin wird wissen wollen, wo Aimee und ich uns begegnet sind, und Aimee wird einen Augenblick zögern und dann die Wahrheit sagen. Die drei werden sich plötzlich sehr intensiv mit dem Essen auf ihren Tellern beschäftigen, ein paar unverfängliche

Bemerkungen machen und das Thema wechseln. Sie werden sehr freundlich sein und mich erst zerpflücken, wenn ich weg bin.

Nein, ich will nicht hier sein. Die Hände in den Taschen, stehe ich mir selber im Weg herum. Ich überlege noch immer an einer Bemerkung zu diesem Raum, etwas locker Dahingesagtem, aber mein Kopf ist leerer als diese vier Wände, und außerdem wäre es jetzt sowieso zu spät. In meinem Hotelzimmer könnten Aimee und ich auf dem Bett liegen und aus den Wasserflecken an der Decke Tiere lesen und Zeppeline und Dampfschiffe. Wir könnten dafür sorgen, dass uns warm wird, während aus Dobbs' Zimmer leise Musik herüberdringt und sich mit dem Geräusch des Regens mischt.

»Milch und Zucker?«

»Ja, bitte.« Ich gehe in die Küche, einen hellen Raum, der von einem Tisch und sechs Stühlen beherrscht wird und dessen Wände in unregelmäßigem Orange gestrichen sind. Aimee drückt die Tür des Kühlschranks mit dem Fuß zu und stellt eine Packung Milch auf die Spüle. Natürlich hängt ein Plakat des New Yorker Zoos an der Wand, und natürlich zeigt es einen Tiger. Vor diesem Bild sitzt Stewart bestimmt jeden Abend und verzapft den drei hingebungsvoll lauschenden Frauen seine Märchen.

»Ich hab überhaupt keine Möbel«, sage ich. Dann erst frage ich mich, warum ich das gesagt habe.

Aimee sieht mich an. Wahrscheinlich stellt sie sich dieselbe Frage.

»Im Hotel. Die einzigen Dinge, die mir gehören, sind der Steinzeitfernseher und die Heizung.«

»Ich hatte mal eine Menge Möbel«, sagt Aimee, »aber sie wurden gestohlen.« Sie gießt kochendes Wasser über den Kaffee und wartet, bis es durch den Filter getropft ist. Die feinen Haare in ihrem Nacken leuchten im Licht der Papierlampe, die als weißer Mond über dem blauen See des Tisches schwebt. »Vor ein paar Jahren, in Queens. Zwei Wochen nach dem Einzug war alles weg. Bis auf die Matratze, Bücher, Kleider und Kleinkram.«

Ich würde gerne Aimees Kleinkram sehen, gerne wissen, was sie im Lauf der Jahre gesammelt hat. Ob sie Steine vom Strand mitgenommen, Figuren aus Cornflakes-Packungen behalten hat, ob sie in einer verbeulten Keksdose Spielsachen aufbewahrt und Fotos und Briefe und ob sie genauso an den Dingen hängt wie ich.

Stattdessen frage ich: »Hattest du eine Diebstahlversicherung?« Das letzte Wort klingt so banal und obszön, dass ich schreien möchte, um seinen Nachhall zu übertönen.

Aimees Kopf ist leicht schräg gelegt, und sie sieht abwesend oder verträumt zu, wie der Kaffee durch den Filter rinnt und sich in der Glaskanne sammelt. Eine Haarsträhne hängt ihr ins Gesicht und bewegt sich leicht im Rhythmus ihrer Atemzüge. Sie fährt sich mit der Zungenspitze über die Lippen, die spröde und rissig sind wie meine. Ich würde gerne hinter sie treten und die Arme um sie legen und sie auf den Hals küssen, aber das geht nicht, nicht nach einem Satz, der mit dem Wort Diebstahlversicherung endete. Ich frage mich, ob sie mich jetzt für einen totalen Vollidioten hält.

»Nein«, sagt Aimee. Sie schüttet das restliche Wasser in den Filter und stellt den Kocher weg. »Ich mag Versicherungen nicht.« Dann belädt sie ein Tablett mit der Kanne, zwei Tassen und Löffeln und der Milchtüte. »Der Zucker ist da«, sagt sie, deutet auf einen offenen Schrank und geht aus der Küche.

Ich folge ihr mit der Zuckertüte, aus der ein Löffel ragt, in ihr Zimmer. Wir setzen uns auf den Boden, mit dem Rücken zum Bett, und sie schenkt Kaffee ein. Dann gießt sie Milch in meine Tasse und gibt zwei Löffel Zucker dazu. Dass sie sich daran erinnert, macht mich glücklich, und ich will ihr das sagen, aber dann warte ich zu lange, und der Moment ist vorbei. Sie trinkt einen Schluck ihres schwarzen Kaffees, steht auf und nimmt einen Stapel Papier vom Tisch, den sie mir reicht. Es sind vielleicht zwanzig Seiten, große Schrift, doppelter Zeilenabstand.

Auf dem obersten Blatt steht: *Ein Spielplatz für Selbstmörder,* darunter, etwas kleiner: *Unhaltbare Zustände im Caldwell Institut* und: *Von Aimee Ward.*

»Lies ihn einfach mal und sag mir dann, was du davon hältst.« Aimee setzt sich wieder neben mich und schlingt die Arme um die angewinkelten Beine.

»Jetzt?«, frage ich.

Aimee nickt. »Du warst da. Wenn ich etwas Falsches geschrieben habe, sag's mir.«

Deswegen bin ich also hier. Ich bin ihr Augenzeuge, ihr Korrekturleser, eine mögliche Quelle, von der sie sich ein paar Informationen erhofft, an die sie nicht herangekommen ist. Vielleicht ist das der Grund, weshalb sie noch mit mir zusammen ist. Vielleicht hat sie die Typen aus demselben Grund ins Gartenhaus geschleppt.

»Was ist?«

Ich sehe Aimee an. Die Narbe ist kaum zu erkennen in diesem Licht. Es regnet wieder, ich kann hören, wie die Tropfen auf das Flachdach über uns trommeln. Wir haben nie über die Sache im Gartenhaus gesprochen, richtig, meine ich. Oder warum sie bei mir im Hotel aufgetaucht ist. Sie hat nie gesagt, dass sie mich liebt. Sie hat mit mir geschlafen, aber von Liebe war nie die Rede. Vielleicht hat Aimee außer mir noch andere ehemalige Bewohner von Vermeers Stadt besucht. Kann sein, dass sie eine Liste hat, auf der ich eine Nummer bin.

»Will?« Aimee lächelt, winkt mit einer Hand. »Ist was?«

Ich schüttle den Kopf, dann beginne ich zu lesen.

Aimee beschreibt die Stadt der Selbstmörder als eine Mischung aus Erholungsheim für Lebensmüde und Forschungslabor eitler Psychologen, in dem die Insassen als ahnungslose Versuchskaninchen gehalten werden. Vermeer stellt sie als ehrgeizigen und in Europa heftig umstrittenen Wissenschaftler dar, dem das geistige und körperliche Wohl seiner Patienten weniger wichtig ist als die Möglichkeit, an ihnen neue und unorthodoxe Behandlungsmethoden zu testen. Sie behauptet, aufgrund falscher und ungenügender psychologischer Betreuung und dem fast gänzlichen Verzicht auf medikamentöse Behandlung würden viele der Insassen einen weiteren Suizidversuch unternehmen, oftmals noch während ihres Aufenthalts in der Offenen Abteilung. Sie erwähnt zwei Fälle von Selbstmord in Vermeers Stadt, und obwohl die Namen geändert sind, erkenne ich James Foster, der Glasscherben geschluckt, und Roger Willett, der sich mit Chlor vergiftet hat. Aimee schreibt, die beiden würden noch leben, wenn sie richtig behandelt worden wären, statt »in einer Art Ferienheim herumzuspazieren, unterschwellig depressiv, wandelnden Zeitbomben gleich«.

Ich lese den letzten Satz und lege die Blätter ordentlich hin. Der Regen hat aufgehört oder so sehr nachgelassen, dass er auf dem Dach nicht mehr zu hören ist. Das kleine Zimmer riecht nach Kaffee und schwach nach Duftöl oder Räucherstäbchen. Meine Beine fühlen sich ein wenig taub an, mein Kopf auch. Seltsamerweise habe ich Hunger.

»Und?«, fragt Aimee nach einer Weile.

»Ich weiß nicht«, sage ich.

»Du weißt nicht?«

Soll ich ihr sagen, dass mir der Artikel egal ist? Dass ich keinen Grund sehe, weshalb er veröffentlicht werden sollte? Ich halte Vermeer weder für größenwahnsinnig noch für skrupellos. Ob er fachlich inkompetent oder ein revolutionärer Geist ist, kann ich nicht beurteilen. Zu mir war er freundlich, ich mochte seinen Akzent. Auf seinem Schreibtisch liegt ein Strick, daneben steht ein leerer Fotorahmen. Er ist ein wenig seltsam, vielleicht verrückt. Das macht ihn mir irgendwie sympathisch. Aber ich war kein richtiger Patient. Ich wollte mich nicht umbringen, nicht vor und nicht während meines Aufenthalts in seiner Stadt. Keine Ahnung, ob seine Ideen den Männern helfen oder schaden. Ich habe nie eine andere Institution von innen gesehen und weiß nicht, ob die Patienten dort weniger oft versuchen, sich ein zweites oder drittes Mal umzubringen.

»Ich bin froh, dass ich eine Weile dort sein konnte«, sage ich.

Aimee nimmt den Papierstapel von meinen Beinen, erhebt sich und legt ihn auf den Schreibtisch.

»Melvin ist gar kein Patient.«

»Was?« Ich wollte gerade sagen, dass ich auch froh sei, sie dort getroffen zu haben, aber wahrscheinlich will sie das im Moment nicht von mir hören.

»Dein Zimmergenosse hat nie versucht, sich umzubringen. Er ist Psychologe, ein Angestellter des Instituts.«

»Woher weißt du das?«

»Ich weiß es eben. Leute reden. Es gibt Akten.« Aimee gießt sich Kaffee in die Tasse. »Vermeer war übrigens ganz schön sauer, als du einfach abgehauen bist. Du warst die ideale Besetzung für das Treffen mit dem Ausschuss.«

Ich sitze da und sehe auf meine Beine. Ich kann das Gewicht des Artikels noch auf ihnen spüren. *Ein Spielplatz für Selbstmörder.*

»Ich wollte mich nicht umbringen.«

Aimee sagt nichts. Sie bläst in ihre Tasse und trinkt.

»Es war alles ein Riesenmissverständnis.«

»Vielleicht«, sagt Aimee. »Weißt du, dass ich deinen Koffer geklaut habe?«

»Wie, geklaut?«

»Aus dem Raum, wo die Sachen aufbewahrt werden.«

Ich sehe Aimee an. Sie hält den Kopf gesenkt.

»Hat das keiner gemerkt?«

»Doch, ja, wahrscheinlich. Ich war nicht mehr da, um es herauszufinden.« Jetzt sieht sie mich an. Dann stellt sie die Tasse auf den Boden und geht zum Fenster, legt eine Hand ans Glas. »Aber keine Sorge, ich wollte sowieso kündigen.«

Eine Weile schweigen wir. Aimees Hand liegt auf der Fensterscheibe. Ich überlege, wie ich ihr mit dem Artikel helfen kann. Möglicherweise interessiert sie der Vorfall mit der defekten Überwachungskamera. Oder dass ich wegen einer Lücke im Sicherheitsnetz in den Besitz eines Bademantelgürtels gekommen bin, mit dem ich mich hätte erdrosseln können.

»Warum bist du zu mir ins Hotel gekommen?«, höre ich mich schließlich fragen.

»Was?« Aimee dreht sich um und legt die Stirn in Falten. »Warum fragst du?«

»Nur so.« Ich bereue, ihr diese Frage gestellt zu haben. Aber dann ist mir alles egal. »Hast du Carson auch besucht?«

»Wen?«

»Kanonenfutter Carson. Der Kerl, der desertiert ist. Hast du den auch besucht, nachdem er draußen war?« Ich stehe auf, dabei stoße ich mit dem Fuß meine Tasse um. Kaffee versickert im Teppich. Es regnet nicht mehr. Ein Vogel sitzt auf einem Stromkabel, eine Amsel, glaube ich. Jedenfalls ist er schwarz, und als er auffliegt, lösen sich Tropfen vom Kabel. Ein Motorrad fährt vorbei, die Haustür fällt ins Schloss.

»Was soll das, Will?« Aimee hat die Tasse auf das Tablett gestellt und drückt ein Papiertaschentuch auf den Fleck.

»Tut mir leid«, sage ich. »Ich bezahl die Reinigung.«

»Ich rede nicht vom Teppich!«

»Ich verstehe das alles nicht! Du hast diese Typen im Gartenhaus an dich rangelassen. Und mich. Du hast mit mir geschlafen. Und jetzt soll ich dir bei diesem Artikel helfen. Was willst du von mir?«

»Ich hab niemanden an mich rangelassen, du Idiot!« Aimee wirft das zerknüllte und mit Kaffee vollgesaugte Taschentuch auf das Tablett und steht auf. Sie sieht mich wütend an, und ich drehe mich wieder zum Fenster. »Ich hab ihnen erlaubt, meine Titten anzufassen! Damit sie eine Ahnung davon kriegen, warum es sich lohnt zu leben! Wegen meinen Brüsten und den Brüsten anderer Frauen und weil verdammt noch mal alles besser ist, als sich umzubringen!« Sie geht wütend aus dem Zimmer und lässt die Tür offen.

»Warum hast du mit mir geschlafen?«, frage ich, aber ich bin zu leise, sie hört mich nicht. Die Wohnungstür wird geöffnet und geschlossen. Draußen wird es langsam dunkel. Der Himmel ist von einem hellen Grau, fast makellos sauber. In einem Zimmer im Haus gegenüber geht ein Licht an und macht aus dem Fenster ein gelbes Viereck in der dunklen Fassade.

»Aim, ich muss dir unbedingt … oh …« Der Typ, der im Türrahmen steht, muss Stewart sein. Er ist groß und kräftig, und seine Haut ist noch immer braun vom Sommer. Er trägt Jeans und ein kariertes Baumwollhemd über einem T-Shirt, auf dem BON JOVI steht. Wenn ich so was anziehe, sehe ich aus wie zwölf. Jetzt, wo Stewart vor mir steht, hasse ich ihn nicht mehr. Ich bin nur plötzlich sehr müde. Ich dachte, ich hätte das hinter mir, aber ich bin neidisch auf diesen Kerl, weil er mich um fast zwei Köpfe überragt und weil er vor Selbstbewusstsein strotzt. Und weil sein Zimmer drei Schritte von Aimees entfernt liegt. Stewart sieht kurz über seine Schulter und mustert mich dann.

»Du bist …«

»Ich bin«, sage ich und lasse es dabei bewenden. Stewart ist für einen Augenblick verwirrt, dann lächelt er.

Aimee kommt mit einem Lappen und einem Geschirrtuch aus der Küche.

»Hi, Stew.« Sie geht an ihm vorbei, kniet sich hin und schrubbt an dem Fleck herum.

»Aim, du wirst es nicht glauben. Ich hab dir doch gestern von diesem Puma erzählt, Chuck.«

»Lass mich raten«, sage ich, all meinen Mut und meine Feigheit zusammennehmend, und gehe an Stewart vorbei auf den Flur, »du hast Chuck einen Zahn gezogen. Einen vereiterten. Ohne Betäubung. Mit bloßen Händen.« Ich gehe zur Wohnungstür, öffne sie und trete ins Treppenhaus. Ich lasse die Tür hinter mir zufallen. Das Licht geht aus, und ich stehe eine Weile da.

Aimee kommt nicht hinter mir hergelaufen. Sie ruft nicht einmal nach mir. Eine Weile warte ich noch, dann gehe ich langsam im Stockdunklen die Stufen hinunter.

Der Regen ist in dichtes Nieseln übergegangen, eins von der Sorte, das einen in kürzester Zeit bis auf die Knochen durchnässt. Ich bleibe am Tor stehen und sehe in beide Richtungen die Straße hinunter. Ich habe keinen Schimmer, wo es langgeht. Der Anblick von Stewarts amputiertem Rad tröstet mich kein Stück.

»Hey, Will!«

Ich drehe mich um. Aimee steht an einem Fenster im dritten Stock. Wasser läuft mir ins Genick und am Rücken hinunter, und ich ziehe den Kopf zwischen die Schultern.

»Wo willst du hin? Komm wieder hoch!«

Ich spiegle mich in einer Pfütze. Von dort oben sehe ich vermutlich aus wie ein Zwerg, ein jämmerlicher, kindischer Gnom, ein begossener Pudel. Ein sturer Trottel, der den gesenkten Kopf schüttelt.

»Du holst dir eine Erkältung!«

Das hat Orla oft zu mir gesagt. Du holst dir eine Erkältung. Zieh dir etwas Warmes an. Komm rein, der Tee ist fertig. Wenn der Regen schneller kam, als ich rennen konnte, rieb sie mir die Haare mit einem Handtuch trocken. Dabei schloss ich die Augen und dachte, dass so das Leben zu sein hatte. Genau so. Dass, wann immer man nass war und fror, es jemanden geben sollte, der einen wärmte.

Ich werde Aimee bitten, mit mir einen Kaffee zu trinken. Irgendwo in der Nähe gibt es bestimmt ein Lokal, wo wir uns in eine ruhige Ecke setzen können. Vielleicht heißt die Kellnerin Francine oder Florence und schwatzt uns einen Teller Suppe auf, weil ich klatschnass bin. Vielleicht sind die anderen Gäste alte Männer, die Domino spielen und über das Wetter und die missliche Lage der Welt reden. Vielleicht dringt Musik aus einem Radio durch die offene Küchentür, während ich Aimee von mir erzähle. Von meiner Mutter, die ich nie gesehen habe, und meinem Vater, den ich nicht kenne. Von Orla und Colm und Matthew und davon, dass ich mich nicht umbringen wollte, jedenfalls nicht in Vermeers Stadt. Dann werde ich ihr sagen, dass ich sie liebe. Und sie wird mir vermutlich sagen, dass sie mich mag, aber nicht liebt. Aller Wahrscheinlichkeit nach wird es unangenehm werden, aber das ist mir egal. Ich habe diese drei Worte noch nie zu jemandem gesagt, nicht als Erwachsener jedenfalls. Es wird endlich Zeit. Auch wenn ich mich lächerlich mache und alles in einem Desaster endet.

Der Regen wird wieder heftiger, aber mir ist nicht kalt. Ich hebe den Blick zum Fenster, wo Aimee nicht mehr steht. Bestimmt kommt sie gleich runter, und wir können los.

The Fifth Element

1997

Hatte Wilbur vor ein paar Tagen noch gedacht, die Weihnachtsfeier in Four Towers sei an Tristesse nicht zu überbieten, wurde er am Neujahrsfest eines Besseren belehrt. Im Speisesaal waren ein paar farbige Luftballons und Papierschlangen an Schnüren aufgehängt, und auf den Tischen lagen die in weiße Farbe getauchten Tannenzweige vom Heiligabend, über die etwas Konfetti gestreut worden war.

Nach dem Abendessen hielt Robert Moriarty eine Rede, in der achtmal das Wort Zukunft vorkam. Worauf sich die Aufmerksamkeit der Jungen richtete, waren jedoch nicht die gut gemeinten Ratschläge des Direktors, sondern die Brüste seiner Frau Elizabeth. Sie hatte Robert vor einem halben Jahr geheiratet, und es war ihr erstes Silvester im Erziehungsheim. Während ihr Mann von Tugenden und Anstand sprach, hefteten sich die Augen zahlloser in sexuellen Nöten steckender Burschen auf den Busen der Frau, die neben dem Rednerpult saß und an den weißen Handschuhen in ihrem Schoß zupfte.

Auch Wilbur sah hin, aber nicht aus purer Geilheit, sondern weil ihm der Anblick eines weiblichen Wesens ein wenig Trost verschaffte. Miss Rodnick war, wenn sie sich überhaupt einmal im Flur vor dem Büro oder beim Gang über den Hof zeigte, ebenso unnahbar wie unattraktiv, und Geraldine sorgte mit ihrer ruppigen Art dafür, dass die Jungs sie gar nicht erst als Frau wahrnahmen. Denjenigen, die es dennoch taten und lüstern auf ihren Hintern schielten, wenn sie sich bückte, zog sie eins mit dem Kochlöffel über. Elizabeth Moriarty, großgewachsen und mit einer zerstreuten Traurigkeit in den graublauen Augen, erinnerte Wilbur an eine Frau, die er zu kennen glaubte, deren Gesicht und Stimme er sich jedoch nicht ins Gedächtnis rufen konnte.

Aus einem Grund, der ihm verborgen war, musste er im erbärmlich dekorierten Speisesaal an sonnendurchflutete Landschaften denken, an gewundene Feldwege und blaue Himmel, in denen unerreichbare Vögel flatterten, an sommerwarme Wiesen und von grünen Hügeln gesäumte Täler, in die er hineinglitt wie in einen flackernden Tunnel. An all das musste er beim Betrachten von Elizabeth Moriarty denken, deren gewelltes Haar im Schein der an Schnüren baumelnden Laternen rötlich schimmerte.

Ab und zu blickte Wilbur zur Seite. Conor saß drei Reihen weiter vorne und schien ebenfalls in die Betrachtung der Oberweite von Moriartys Frau versunken. Wie immer, wenn er Conor sah, fochten zwei Mächte in Wilbur einen erschöpften Kampf. Die eine wollte, dass er sich mit dem alten Freund versöhnte und ihm verzieh, wollte vergessen und abschließen und dort anknüpfen, wo vor sieben Jahren alles aufgehört hatte. Die andere sah nur das Gesicht, das voller Hass gewesen war, die Hand, deren Finger den Abzug gezogen und die Welt in Dunkelheit gestürzt hatte. Conors Worte gingen unter im himmelzerreißenden Knall des Revolvers. Wilbur hörte die Entschuldigung nicht, nicht die Beteuerungen und die Reue und den Schmerz. Hätte Conor Lynch an jenem Tag nicht auf seinen Vater geschossen, wäre das Pferd nicht losgaloppiert und in Orlas Wagen gerannt. Orla würde noch leben. Wilbur wäre nicht zu Pflegeeltern gekommen, hätte sein Zimmer nicht in Brand gesteckt und säße jetzt nicht hier und müsste sich eine Rede über die Verheißungen der Zukunft anhören.

Irgendwann war die Rede zu Ende. Nachdem die Tische und Stühle zur Seite geschoben worden waren, scherbelte bis fünf

Minuten vor Mitternacht aus einem der Bezeichnung Stereoanlage spottenden Gerät Musik, die Robert Moriarty für Pop
hielt, und ein paar der Jungen tanzten sich auf der freien Fläche
ihre Wut und Frustration aus dem Leib. Um Mitternacht wurde
mit alkoholfreiem Fruchtpunsch auf das Neue Jahr angestoßen.
Zehn Minuten später mussten die Jungen in die Waschräume
und dann ins Bett, um Punkt halb eins wurden die Lichter gelöscht. Danach hatten die Zöglinge noch ausreichend Zeit, sich
Gedanken über die Ansprache des Direktors zu machen. Stattdessen träumten sie von weichen Brüsten und knirschten vor
Sehnsucht mit den Zähnen.

Conor war seit drei Jahren und zwei Monaten in Four Towers.
Nachdem er auf seinen Vater geschossen hatte, war er nach
Donegal überführt worden, wo er die Nacht auf der Polizeiwache verbracht hatte. Danach hatte man ihn in Sligo verhört
und ihn dann in Galway vom selben Psychologen begutachten
lassen, der fünf Jahre später auch einen Bericht über einen Cello
spielenden Brandstifter verfassen sollte. Anders als bei Wilbur
befand der Psychologe jedoch, dass es sich in Conor Lynchs Fall
nicht um die Verzweiflungstat eines im Grunde sensiblen und
hochintelligenten Kindes handelte, sondern um den kaltblütig
versuchten Mord am verhassten Vater, ausgeführt von einem
zur Gewalt neigenden Burschen, der auch mehrere Wochen
nach dem Verbrechen keine Reue zeigte. Ein Gutachten der
Sozialbehörde wies darauf hin, dass die Mutter mit der Weiterführung des Sägewerks, der Erziehung der Tochter und der
Betreuung des behinderten Sohnes völlig ausgelastet und der
Verbleib Conors in der Familie nicht zu verantworten sei. Aufgrund dieser Einschätzungen wurde Conor, damals zwölf Jahre
alt, der Obhut des Staates übergeben.

Die ersten anderthalb Jahre saß er in der Besserungsanstalt
für minderjährige Straftäter im County Limerick, wo er neun
Stunden täglich Besenstiele lackierte und zweimal in der Woche
einen Therapeuten zur Verzweiflung brachte, indem er den

Mund nicht öffnete. Dann wurde er probeweise in einen von katholischen Mönchen und ehemaligen Sträflingen geführten Landwirtschaftsbetrieb in Cavan gesteckt. Dort wollte man ihn jedoch bereits nach einem halben Jahr nicht mehr haben, weil er die eingesperrten Kaninchen, Ziegen und Hühner freiließ und sich weigerte, am Schlachttag mitzuhelfen. Zurück am alten Ort, benahm er sich mustergültig und wurde ein Jahr später nach Four Towers verlegt. Hier gehörte er zwar nicht zu den Vorzeigejungen, die bei Besuchen von höherer Stelle im Hof Spalier standen und handgeschnitzte Heugabeln an Kommunalpolitiker verteilten, fiel aber auch nicht oft genug auf, um zu den Problemfällen zu gehören.

Direktor Moriarty betrachtete es als seine moralische Verpflichtung, jedem Jungen eine zweite Chance zu geben, auch Conor Lynch. Er tat das, obwohl er in Conors Akte ein dickes rotes Ausrufezeichen gemalt hatte, das Vorsicht, und daneben ein schwarzes Kreuz, das Mordversuch bedeutete. Neben Conor gab es drei weitere Jungen, deren Akten diese Symbole zierten. Andrew Sheahan hatte auf den Saufkumpan seines Vaters eingestochen, der seiner kleinen Schwester zu nahe gekommen war, Padraig McLoughlin hatte versucht, seine Stiefmutter zu vergiften, und Liam O'Toole war nach einer Schlägerei neben seinem halbtoten Freund aufgewacht.

Moriarty ließ keinen Zweifel daran, dass sich diese Burschen eine große Schuld aufgeladen hatten und zur Rechenschaft gezogen werden mussten, aber sie waren für ihn keine Schwerkriminellen, die es wegzusperren galt. Seine Lebensaufgabe sah er darin, die Zöglinge in Four Towers zu tüchtigen, verantwortungsvollen Menschen heranzubilden, und die Conors Entwicklung betreffenden Notizen, die er in die Akte eintrug, belegten dieses Vorhaben. Tauchten in den Vermerken zu Beginn noch Adjektive wie aufmüpfig, störrisch, aggressiv und unruhig auf, wurden diese im Laufe der Zeit ersetzt durch anpassungsfähig, wissbegierig und kooperativ. Moriarty beobachtete Conors Verhalten sehr genau und beabsichtigte, sich bald für den Jungen einzusetzen und zu bewirken, dass er zurück zu seiner Familie konnte.

Conor hatte alles getan, um vorzeitig wegen guter Führung entlassen zu werden. Er arbeitete fleißig, meldete sich oft freiwillig zum Putz- oder Gartendienst, er prügelte sich nie, bestahl seine Kameraden nicht und übernahm bei jeder Gelegenheit das Ausmisten des Taubenschlages. Was noch fehlte, war ein Gespräch mit dem Direktor, bei dem er endlich Reue zeigte, seinen Vater zum Invaliden gemacht zu haben.

Sean Lynch war nach drei Wochen aus dem künstlichen Koma geholt worden, lag noch fünf Wochen auf der Intensivstation und weitere acht in der Abteilung für Hirnverletzte. Er konnte seit dem Tag, an dem sein Sohn auf ihn geschossen hatte, nicht mehr sprechen. Sein rechter Arm gehorchte ihm kaum noch, sein rechtes Augenlid hing herab, und er erkannte niemanden mehr, auch nicht seine Frau und seine Tochter. Er musste gebadet und gefüttert werden, und wenn er mit der linken Hand ein paar zittrige Striche und krumme Linien, die eine unbeschädigte Kammer seines Hirns für Buchstaben hielt, auf einen Zettel kritzelte, vergingen oft Stunden. Nach drei Monaten wurde er in eine Rehabilitationsklinik im County Cork verlegt, wo er sich so weit erholte, dass ein Wohnheim für Behinderte in Dublin ihn aufnahm. Dort durfte er in der Werkstatt Bilderrahmen schleifen, was er mit versunkener Hingabe tat. Beim ungelenken Hantieren mit dem Schleifpapier lächelte er oft, als erinnere ihn der Geruch des Holzes an etwas Schönes.

Im ersten halben Jahr besuchte Aislin ihren Mann alle zwei Wochen, und einmal im Monat nahm sie Fiona mit. Das damals vierjährige Mädchen begriff nicht, was mit ihrem Vater geschehen war. Er redete nicht mehr und sah komisch aus, und wenn sie ihm eine Zeichnung hinlegte, betrachtete er das Blatt stumm und so lange, dass sie verlegen wurde. Nach anderthalb Jahren war Sean so weit, in der Möbelwerkstatt arbeiten zu können, erst in der Fertigung, dann an den Maschinen, mit denen das

Holz zugesägt wurde. Er lernte langsam zu sprechen, und mit seinem linken Arm war er so geschickt wie früher mit dem rechten. Im Frühling des zweiten Jahres teilte die Leitung des Behindertenwohnheims Aislin mit, die Genesung ihres Mannes sei so weit fortgeschritten, dass er ins normale Leben entlassen werden könne.

Aber das Zuhause, das in Sean vielleicht etwas wachgerufen hätte, wenn seine Erinnerung nicht von einer glühenden Kugel ausgelöscht worden wäre, gab es nicht mehr. Aislin hatte das Sägewerk und das Wohnhaus verkauft und lebte mit Kieran und Fiona in einem Cottage außerhalb Sligos, von wo es regelmäßige Zugverbindungen nach Dublin gab. Zudem waren es vom neuen Wohnort nur ein paar wenige Kilometer bis Four Towers.

Es war unmöglich zu sagen, ob Kieran und Sean einander erkannten, ob in ihren defekten Gehirnen etwas passierte, das ein vages Gefühl der Vertrautheit auslöste, oder ob sie Fremde füreinander waren. Der Himmel an jenem letzten Tag im April des Jahres 1994 war tiefblau, weiße Wolken trieben darin, bewegt von einem kalten, unregelmäßigen Wind. Mary O'Sea führte die braune Stute, auf der Kieran saß, am Zügel über die Wiese, als Aislins VW-Bus vor dem Cottage hielt. Mary war Aislins beste Freundin und die Mutter von Rosie, die vor langer Zeit im Meer ertrunken war. Marys Mann hatte nach dem Tod der Tochter angefangen zu trinken und war irgendwann nach England gegangen, von wo er Geld schickte und nicht mehr zurückkehrte. Als Aislin Sägewerk und Haus verkaufte und mit den Kindern nach Sligo zog, besuchte Mary die drei regelmäßig, blieb immer öfter über Nacht und schließlich ganz. Sie kümmerte sich um Kieran, wenn Aislin ihren Mann in Dublin oder Conor in Four Towers besuchte, sie zog Gemüse in einem Garten hinter dem Haus und arbeitete an drei Nachmittagen als Verkäuferin in einem Lebensmittelladen in Sligo. Die Zeiten, in denen sie ihren Mann vermisste, waren schon lange vorbei, und auch wenn die Erinnerung an Rosie nicht verblasste, so schmerzte sie nicht mehr wie früher. Ihr Leben war jetzt hier, mit Aislin, Kieran und der zehnjährigen Fiona, die sie, ohne Rosies Platz im Herzen herzugeben, liebte wie das eigene Kind.

Aislin stand neben dem VW-Bus und wartete, bis Sean ausgestiegen war. Der einst so kräftige Mann war schmaler geworden und gleichzeitig langsamer, zögernder. Seine Bewegungen hatten nichts Bedrohliches mehr, wirkten auf eine beruhigende Art träge, beinahe sanft. Alles, was er sah, betrachtete er lange, als versetzte ihn seine Umgebung unablässig in Erstaunen. Er trug mittlerweile eine Brille, deren rechtes Glas beschichtet war und das hängende Lid verbarg. Sein Haar war stellenweise grau geworden, aber Aislin hatte dafür gesorgt, dass es nicht mehr alle zwei Wochen geschnitten wurde. Die Autotür, die er vor Jahren achtlos mit dem Fuß zugestoßen hätte, schloss er jetzt vorsichtig und auf rührende Art umständlich, sah sich dann neugierig um und machte dabei winzige Schritte auf dem Kies.

»Komm«, sagte Aislin und ergriff Seans rechte Hand, die kraftlos und immer etwas kühler als die linke war. »Ich möchte, dass du jemanden kennenlernst.« Bedächtig, als hätten sie alle Zeit der Welt, gingen die beiden zu der Wiese. Mary war mit dem Pferd an den Zaun gekommen und tätschelte den Hals des Tieres. *All You Can Eat* war eine fünfjährige Fuchsstute, die ihren Namen ihrem enormen Appetit verdankte und deren früherer Besitzer sie loswerden wollte, bevor sie ihm die Haare vom Kopf fraß. Sie hatte wunderschöne Augen mit langen Wimpern, und jeden, der sie fütterte, liebte sie innig.

»Sean, das ist meine Freundin Mary«, sagte Aislin.

Mary lächelte und streckte Sean die Hand entgegen. »Freut mich sehr, Sean.«

»Uun Ag, Ary«, sagte Sean. Seine Stimme war leise und stockend wie die eines jungen Mannes beim ersten Rendezvous, aber er ergriff Marys Hand ohne zu zögern und schüttelte sie lächelnd eine Weile.

»Und das ist Kieran.«

Der inzwischen einundzwanzigjährige Kieran saß ein wenig nach vorne gekrümmt im Sattel, hielt die Zügel fest in beiden Händen und schaukelte mit dem Kopf vor und zurück. Er war ein hübscher Bursche geworden, mit wachen Augen und vollen, geschwungenen Lippen, die sich ständig bewegten, auch im Schlaf. Die Haare, die an Stirn und Nacken unter dem Helmrand heraushingen, schimmerten schwarz. Trotz der vielen Stunden im Freien war seine Haut hell, und hätte man einen Makel an ihm benennen müssen, wären es die von einer leichten Akne und der täglichen Rasur geröteten Stellen an Kinn und Hals gewesen.

Jedem, der Sean Lynch als jungen Mann gekannt hatte, wäre die verblüffende Ähnlichkeit Kierans mit seinem Vater aufgefallen. Aislin musste für einen Moment den Blick von den beiden wenden, um nicht zu weinen. Sie sah zum Haus hinüber, wo Fiona hinter dem Küchenfenster saß und die Szene beobachtete.

»Uun Ag, Kian«, sagte Sean und hielt dem Jungen die Hand hin.

Kieran sah seine Mutter an und ergriff, als Aislin nickte, die Hand seines Vaters. Sean lächelte. Ein Projektil steckte in dem Teil seines Gehirns, das für die Aufbewahrung von Erinnerung zuständig war. Er erkannte die Person nicht, deren Hand er eine Weile freundlich schüttelte. Es war noch nicht lange her, da hatte er in der gleichen Werkstatt gearbeitet wie vor Jahren sein Sohn. Beide hatten Bilderrahmen geschliffen, stumm und eingetaucht in eine Welt, die es nicht mehr gab und die sie in gleißend hellen Gedanken endlos durchstreiften, einsam und verloren und für immer in ihr aufgehoben. Beide wussten nicht oder hatten vergessen, wer sie waren, aber beide lächelten in der unerschütterlichen Gewissheit, in diesem Augenblick glücklich zu sein.

Robert Moriarty hatte schon als Junge in einem leerstehenden Fabrikgebäude außerhalb Dundalks Tauben gezüchtet. Fünf

Jahre lang verbarg er seine Leidenschaft vor den Eltern. Sein Vater, ein Busfahrer und Laienprediger, bezeichnete die Tiere als gefiederte Ratten, und seine Mutter, die in einem Friseursalon arbeitete, hätte sich Sorgen wegen der Baufälligkeit des Fabrikgebäudes gemacht. Während seiner Zeit an der Uni, wo er Psychologie und Volkswirtschaft studierte, gab er seine geheime Liebhaberei auf. Er reiste nach England und Frankreich, kehrte nach Dublin zurück und studierte drei Semester Englische Literatur, folgte einer polnischen Sängerin nach Krakau und floh nur Wochen später, eingeschüchtert von todernsten Hochzeitsvorbereitungen, nach Wien.

Vom Geiste Freuds beseelt, fuhr er schließlich heim nach Dundalk, arbeitete auf dem Sozialamt, wurde befördert und war irgendwann Leiter des Jugendamtes. Als er eines Abends eine verletzte Taube auf der Straße fand, nachdem er wenige Stunden zuvor einen vom Vater regelmäßig verprügelten Jungen in die Obhut seines Amtes überführt hatte, war ihm die Idee mit dem therapeutischen Taubenschlag gekommen.

Auf einem ungenutzten Flecken Erde im Hinterhof des Sozialamtes baute er in seiner Freizeit aus Brettern und Latten, alten Türen und Fenstern eine kleine Hütte auf Stelzen. Von einem Freund aus früheren Tagen bekam er zwei Taubenpärchen und steckte sie in ihr neues Zuhause. Um die Vögel beobachten zu können, ohne sie zu stören, errichtete er neben der Hütte ein Podest, auf das man über eine Treppe gelangte. Meistens nahm er ein einzelnes Kind mit, um ihm die Tiere zu zeigen. Er erzählte ihm, dass ihr zoologischer Name Columbidae war, dass es Felsentauben und Ringeltauben gab, Hohltauben und Turteltauben und Türkentauben, dass Männchen und Weibchen ein Leben lang zusammenblieben, dass ihre Jungen Nesthocker genannt wurden und dass einige Brieftauben tausend Kilometer weit nach Hause flogen. Das Kind durfte die Tauben füttern, und wenn es sich vor den Tieren nicht fürchtete oder ekelte, durfte es ein besonders zahmes Exemplar auch streicheln.

Moriartys Modell, zu Beginn von vielen Kollegen noch belächelt, galt nach ein paar Jahren als richtungweisend, wenn es um den Einsatz von Tieren bei der seelischen Betreuung von Kindern und Jugendlichen ging. Seine Methode machte Schule, und ihr Erfinder wurde zum neuen Direktor der Besserungsanstalt außerhalb Sligos ernannt.

Die Gesellschaft, so erklärte Moriarty den Neuankömmlingen in Four Towers, sei ein Taubenvolk. Vorneherum werde gegurrt und hintenherum gehackt, es herrsche ein ewiges Gezanke um Futter und die schönsten Weibchen, und die ganz Fiesen schissen ihresgleichen auf den Kopf. An dieser Stelle grinsten die meisten Jungs, und Moriarty lächelte zufrieden, bevor er fortfuhr. In einer Gesellschaft gehe es um gegenseitige Achtung, um Rücksichtnahme den Schwächeren gegenüber, um Solidarität. Er erläuterte den Jungen die Bedeutung dieses Fremdwortes, machte einen leidlich eleganten Schwenker zum Thema Weltfrieden und zeigte ihnen dazu Taubenbilder von Picasso und Matisse. Den Abschluss seines Vortrags bildete ein kurzer Exkurs in die faszinierende Welt der Brieftauben, deren Orientierungssinn und imposanten Flugkünste.

Im ersten Jahr hatte er den Fehler begangen, von Falken zu erzählen. Sämtliche wissenschaftlichen Fakten zugunsten seiner Weltbildmetapher ignorierend, nannte er sie die Bösewichte im Vogelreich, die im friedfertigen Taubenvolk Unruhe stifteten und nur an Streit und Kampf interessiert seien. Diesen Teil hatte er jedoch schon bald wieder weggelassen, nachdem sich viele der Jungen in der abschließenden Befragung lieber mit imposanten Falken als mit pummeligen Tauben identifizierten.

Jeder Junge musste einmal mit hinauf in den Taubenschlag und die Tiere eine Stunde lang beobachten. Moriarty forderte sie auf, zu beschreiben, was sie sahen. Meistens murmelten die Jungen etwas von verschlafen wirkenden Vögeln, die wie Hühner in ihren Nischen hockten, von den roten Augen, die manche hatten, vom seltsamen Gang der Tiere, den albern zu

nennen sie sich nicht trauten, von den Lauten, die aus ihren auf-
geplusterten Körpern drangen, von ihren grauen und weißen
Federn, von den Ringen an ihren rötlichen, gerippten Füßchen.
Einige machten Bemerkungen über den vielen Mist, der überall
lag, einige ganz Mutige über die Männchen, die wie zu klein
geratene Gockel um die Weibchen balzten.

Moriarty hörte ihnen schweigend zu, oft amüsiert über die
Jungen, von denen manche verschüchtert um Worte rangen
und andere enthemmt, beinahe panisch drauflosquasselten.
Erst am Ende der Stunde zählte er die Begriffe auf, die ihm beim
Betrachten der Tauben einfielen. Sanftmut. Wachsamkeit. Innere Ruhe. Dann sahen ihn die Jungen an und nickten pflicht-
bewusst, und in ihren Köpfen stiegen für Sekunden die Wörter
auf, drehten eine Ehrenrunde über Feldern der Ahnungslosig-
keit und sanken zurück ins Nichts. Für die meisten Zöglinge
waren Tauben einfach irgendwelche Vögel, nicht der Rede
wert, im besten Fall bewegliche Ziele für Schießübungen mit
der Steinschleuder oder dem Kleinkalibergewehr, für manche
Hühnchenersatz in mageren Zeiten. Andere hielten sie, die
Ansicht ihrer Eltern übernehmend, für fliegendes Ungeziefer,
ekliges Federvieh, auf dem es von Parasiten wimmelte.

Einer der Jungen, Noel Moger, ein ebenso schlauer wie unberechenbarer Bursche aus Tuam, der wegen Einbruchdiebstahls
und leichter Körperverletzung in Four Towers war, hatte irgendwo gelesen, Taubenkot zerstöre Gebäude und Denkmäler,
weshalb in vielen Städten der Welt versucht werde, die Zahl
der geflügelten Pest zu reduzieren. Gift und Geburtenkontrolle
seien taugliche Mittel, hatte er heimlich verlauten lassen, aber
womit er seine Zuhörer faszinierte, war die Nachricht, an einigen Orten würden abgerichtete Greifvögel gegen die Tauben
eingesetzt. Viele der Jungen kamen aus ländlichen Gegenden,
wo die Jagd zum Alltag gehörte, und die Vorstellung, einen
dressierten Falken, Bussard oder Habicht zu besitzen, der Moriartys Viecher vom Himmel holte, ließ sie verträumt lächeln.
Natürlich verbargen sie ihre Verachtung für die Tauben vor dem

Direktor, aber wann immer ein Raubvogel durch das begrenzte Stück Himmel flog, das ihnen durch ein Fenster oder zwischen den Mauern zu sehen erlaubt war, blitzten für Sekunden ihre Augen auf.

Das Ausmisten war freiwillige Arbeit. Moriarty wollte nicht, dass die Jungen die Tauben hassten, nur weil sie deren Exkremente entfernen mussten. Die meisten taten es ein paar Mal, dann hörten sie auf, sich zu melden, weil es ihnen keine Vergünstigungen einbrachte. Einige hatten Interesse an der Taubenzucht vorgetäuscht, um beim Direktor einen Stein im Brett zu haben, aber so funktionierte Moriartys Theorie nicht. Die Vögel sollten einfach da sein. Der Sinn ihrer Anwesenheit bestand einzig und allein darin, den Jungen zu zeigen, dass Lebewesen durchaus miteinander existieren konnten, ohne sich zu betrügen und zu bestehlen, zu verletzen oder gar umzubringen. Der Kot der Vögel war ein Abfallprodukt dieses Anschauungsunterrichts, und er musste hin und wieder entfernt werden. Aber diese Arbeit wollte Moriarty nicht belohnen, jedenfalls nicht mit direkten Vorteilen. Im Verlauf der Jahre kannte er die paar Burschen, die bei der Stange blieben, und wenn ihre Zeit kam, um eine vorzeitige Entlassung zu beantragen, vermerkte er ihre Stunden im Taubenschlag als freiwillige Einsätze, nicht mehr und nicht weniger. Meldete sich kein Freiwilliger, stieg Moriarty mit Schaufel und Eimer in den Turm hoch und erledigte die Arbeit selber. Er war überzeugt, dass er damit den Jungen ein gutes Beispiel gab.

Conor trug sich jeden Montag in die Liste ein. Die Arbeit im Taubenschlag betrachtete er als eine Möglichkeit, dem Wochentrott zu entfliehen. Mit der Tatsache, eingesperrt zu sein, hatte er sich längst abgefunden, aber die Eintönigkeit der Tagesabläufe machte ihm zu schaffen. Die drei Stunden am Samstagmorgen, wenn seine Mitinsassen die Wände und Böden der Waschräume und der Küche schrubbten, Feuerholz hackten, im Hof mit Stöcken auf ihre Matratzen eindroschen oder auf Knien die Böden der Schlafsäle und Flure bohnerten, schabte er mit einer Blechschaufel Taubenmist vom Boden des Wachturms und genoss die Aussicht.

Bei den ersten Malen waren die Tauben noch weggeflogen. Er hatte ihnen nachgeschaut, wie sie als langgezogene Linie in Richtung Meer verschwanden und dann, weit weg und zum flirrenden Wölkchen geschrumpft, ins Landesinnere abdrehten und in einem großen Bogen zurückkamen, um sich in Gruppen auf den Dächern der anderen Türme niederzulassen. Dort saßen sie dann und warteten, bis er fertig war. Doch Conor ließ sich Zeit. Er hatte drei Stunden für sich alleine, und die schöpfte er aus. Weil Moriarty es so wollte, trug er bei der Arbeit einen grauen Overall, eine Atemmaske aus Zellstoff, eine Schutzbrille und Handschuhe, was sein Gefühl, weit weg und isoliert zu sein, noch verstärkte.

Wenn er mit der Arbeit fertig war und sich an der Landschaft sattgesehen hatte, legte er sich meistens noch eine Weile auf den Rücken, schloss die Augen und hörte den Geräuschen der Tauben zu. An kühlen, verregneten Tagen hockten die Vögel in ihren Nischen und öffneten nicht einmal mehr die Augen, wenn er sie aufhob, um unter ihnen sauberzumachen. Lag er da, eingehüllt in das Gurren und Trippeln und das leise Sirren unter den Flügeln ankommender und wegfliegender Tauben, dann dachte er an seine Mutter und an Fiona und Kieran. Und daran, dass sein Vater, oder das, was von ihm übrig war, wieder bei ihnen lebte. Er rechnete aus, wie viele Tage es bis zum nächsten Besuchstermin noch waren, und fragte sich, ob seine Mutter seinen Wunsch respektieren und seinen Vater nie mitbringen würde. Sie hatte ihm zwar erzählt, dass er niemanden wiedererkenne, dass er sanft wie ein Lamm sei und oft ganze Tage damit verbringe, Ameisen auf einer Fensterbank zu beobachten. Aber so konnte Conor sich seinen Vater nicht vorstellen. Er sah das Bild vor sich, das Mary mit ihrer Kamera gemacht hatte und das Sean Lynch in einem zu großen schwarzen Anzug neben dem Pferd stehend zeigte, aber er traute dem schüchtern wirkenden Lächeln des Mannes nicht. Er malte sich aus, wie er seinem Vater in die Augen sehen würde. Wie in der Hälfte einer Sekunde das kalte Licht der Erinnerung in diesen Augen blitzen und dieses falsche Lächeln verschwinden würde. Er sah, fünfzehn Meter über seinem irdischen Käfig schwebend und von den Lauten friedlicher Vögel getragen, seinen Vater vor sich und keinen anderen, guten Menschen.

Wilbur hatte sich rasch an sein neues Leben gewöhnt. Nach zwei Wochen schierer Verzweiflung hatte er beschlossen, nichts mehr vermissen zu wollen, keine Menschen, keine Empfindungen, keine Dinge, und von da an ging es ihm besser. Er sorgte dafür, dass er beschäftigt war und keine Zeit zum Grübeln hatte. Von halb acht bis zwölf und von halb zwei bis fünf arbeitete er in der Werkstatt und stellte mehr Rattenfallen her, als sein Tagessoll verlangte, und nach dem Abendessen und an den Samstagnachmittagen schloss er sich der Gruppe an, die in einem der Kellerräume einen Kraftraum einrichten wollte.

Direktor Moriarty, der sich als Pionier in der Betreuung und Reintegration straffällig gewordener Kinder und Jugendlicher in Irland sah, hatte schon vor Jahren erwogen, in Four Towers ein Sportprogramm einzuführen, musste seine Pläne jedoch immer wieder wegen fehlender finanzieller Mittel auf Eis legen. Die einzigen körperlichen Ertüchtigungen, die er für seine Schützlinge bisher anordnete, waren zwanzig Minuten Morgengymnastik im Arbeitssaal und an regenfreien Samstagen eine Stunde Freiübungen und Ballspiele auf dem Hof.

Jetzt war etwas Geld vom Staat da, das in die Bereiche Ausbildung, Kultur und Leibesertüchtigung investiert werden musste, und endlich konnte Moriarty seine Vorhaben verwirklichen. Die Traktorenwerkstatt wurde so modernisiert, dass die Burschen, die dort arbeiteten, eine richtige Ausbildung erhielten. In den nächsten Jahren sollten auch die übrigen Bereiche angepasst werden. Die Herstellung von Nagetierfallen für den lokalen Markt konnte man als Notlösung, vielleicht noch als

Einarbeitungsprogramm für Neuankömmlinge verstehen, für zukunftstauglich hielt Moriarty diese Art schlecht bezahlter Beschäftigungstherapie jedoch nicht.

Die Bibliothek, die sich vorher in einem dürftig beheizten Zimmer im Erdgeschoss befunden hatte, wurde in die erste Etage neben den Speisesaal verlegt, einen Raum, in den sich die Jungen bisher zurückziehen konnten, um Briefe zu schreiben, zu lesen, Schach zu spielen oder sonst etwas zu tun, das keinen Lärm machte. Moriarty nannte ihn den Raum der Stille, für die Jungen war es die Kammer des fünften Turms oder einfach der Wichsraum. Um den Burschen beim Schreiben ihrer Briefe etwas Privatsphäre zu geben, hatte Moriarty sie in der Werkstatt Paravents aus Holz und Stoff bauen lassen, die jeden der dreißig Tische vor neugierigen Blicken abschirmte. Dass sich die von ihren Hormonen malträtierten Schützlinge hinter diesen Wänden Erleichterung verschafften, ahnte Moriarty nicht, und als er im Zuge der Umbauten die Entfernung der Paravents anordnete, löste das einen Proteststurm aus. Gleichzeitig verwundert und erfreut darüber, wie wichtig seinen Schützlingen ihre Momente der Stille und Einkehr waren, bewahrte er die Faltwände vor der Vernichtung und die Jungen davor, ihre aus Sexheften und Unterwäschekatalogen ausgeschnittenen Bildchen wieder in den Toilettenräumen ausbreiten zu müssen, deren kalte Fliesen jedes Schnaufen und jedes Wimmern schallend zurückwarfen.

Dank der staatlichen Zuschüsse erhielt die Bibliothek Hunderte neuer Bücher, zehn Computer und einen Fernseher, auf dem Moriarty den Jungen Dokumentarfilme über die alten Ägypter und das Leben in den Ozeanen zeigte. Der Fernseher stand in einem abgesperrten Schrank, zu dem nur Moriarty den Schlüssel hatte. Der einzige Zweck des Gerätes bestand darin, Videokassetten mit naturwissenschaftlichen Filmen abzuspielen, doch unter den Jungen gab es technisch versierte, die mit einfachen Hilfsmitteln eine Zimmerantenne bauten und für die das Öffnen eines Schrankschlosses ein Kinderspiel war.

Bald nach Anschaffung des Geräts bildete sich eine Gruppe, die sich The Movie Men nannte und die sich nachts in der neuen Bibliothek versammelte, um sich Filme anzusehen. Die Gruppe bestand aus fünf Burschen, und wer bei ihnen aufgenommen werden wollte, musste Beitrittsgeld bezahlen sowie eine wöchentliche Leihgebühr für ein Paar Kopfhörer. Die meisten der Jungen hatten kein Geld, um beizutreten, andere wollten das Risiko, erwischt zu werden, nicht eingehen, andere interessierten sich nicht für Filme. Den fünf Gründern war das recht, denn mehr als neun Kopfhörer konnten an den eigens gebauten Verteiler nicht angeschlossen werden. Außerdem waren sie Snobs und wollten ihren exklusiven Geheimbund nicht für den Pöbel öffnen, wie sie sagten. Gab es an einem Abend mehr Interessenten für einen Film als Kopfhörer, wurde gelost. Jungen mit Geld kauften sich einen Platz, wenn sie einen Streifen unbedingt sehen wollten. In ihrer Blütezeit zählten die Movie Men dreiundzwanzig Mitglieder. Wilbur war die Nummer neun.

Der erste Film, den Wilbur in der Bibliothek sah, war *Hudson Hawk*, der einzige Bruce-Willis-Streifen, den er noch nicht kannte. Er und sieben andere Cineasten saßen im Halbkreis um den von Paravents umstellten Fernseher und durften weder lachen noch sonst irgendwelche Geräusche von sich geben. Mit den Kopfhörerkabeln, die zum Verteilerkasten liefen, und den vom Bildschirmlicht bleichen Gesichtern sahen sie aus wie erstarrte, an ein Gerät angeschlossene Versuchskreaturen in einem Science-Fiction-Film. Nach dem Abspann wurden die Kopfhörer und der Verteilerkasten in einem Hohlraum des Tisches versteckt, auf dem der Computer des Bibliothekars stand, und der Fernseher zurück in den Schrank gesperrt. Dann warteten die Mitglieder der Gruppe, bis der Wachmann seine Außenrunde antrat, und gingen über die leeren Flure zu den Schlafräumen.

Am Mittwochnachmittag von drei bis fünf und an den Wochenenden zwischen zwei und fünf war die Bibliothek geöffnet. Hatte Wilbur Dienst, saß er an seinem Tisch und trug die Ausleihdaten in Karten, sortierte zurückgebrachte Bücher ein, schrieb Mahnungen und erfasste Neuanschaffungen im Computer. Gab es nichts zu tun, las er. Weil ihn die Jungen immer wieder fragten, wie das eine oder andere Buch sei und was er empfehlen könne, schrieb er kurze Kritiken zu den Titeln, die er kannte. Zuerst war sein Stil hochtrabend und intellektuell, und keiner seiner Mitinsassen verstand, was er meinte. Dann passte er sich an. Zum *Fänger im Roggen* schrieb er: »Holden Caulfield ist sechzehn und weiß nicht, was er mit seinem Leben anfangen soll. Er hasst seine Mitschüler, die sich in der Dusche gegenseitig nasse Handtücher an den Arsch klatschen. Am Schluss ist er etwas klüger als zuvor, aber die Welt ist noch immer ein Irrenhaus.« Unter die Kritik stellte er jeweils eine Kurzbewertung, in diesem Fall: »Flott geschrieben, kaum Fremdwörter.« Das Buch lag trotzdem wie Blei im Regal.

Renner waren Bildbände über Autos und Motorräder mit wenig Text, dicht gefolgt von Werken über Fußball und gälische Sportarten. *Der menschliche Körper* war ebenfalls meist vergriffen, weil darin die wissenschaftliche Zeichnung einer nackten Frau zu finden war. Dass die Dame zur Hälfte offenlag und ihre inneren Organe zur Schau stellte, schien die Jungen nicht zu irritieren. Die relativ große Nachfrage nach einem Buch über Bergbau konnte Wilbur sich nur damit erklären, dass viele der Jungen am Graben von Schächten und Tunnels interessiert waren. Bücher über fremde Länder, Pferde und Landwirtschaft erfreuten sich ebenfalls einiger Beliebtheit.

Selten wurden Klassiker ausgeliehen wie Stevensons *Schatzinsel* oder Dickens' *Oliver Twist*. Dumas' *Graf von Monte Christo* erlebte eine positive Wende, nachdem Wilbur in der Kurzkritik den Ausbruch von der Gefängnisinsel hervorgehoben hatte. Krimis, Bücher, in denen Sex und Gewalt vorkam, und Comics gab es in der Bibliothek nicht, dafür sorgte der Direktor persönlich. Moriarty wiederum ließ sich von verschiedenen Leuten beraten, Freunden meistens, die allesamt in Kirchengruppen,

Gemeindeverbänden, katholischen Frauenzirkeln und sonstigen honorigen Verbindungen saßen.

Dafür, dass nichts Triviales oder gar Anrüchiges den Weg in die Regale der Four-Towers-Bibliothek fand, war gesorgt, und auch dafür, dass kaum ein wirklich guter zeitgenössischer Roman greifbar war, der den vermauerten Horizont eines dahindämmernden Jungen vom Land hätte sprengen können. Wilburs Liste der fehlenden Autoren war lang, sie reichte von Nelson Algren über Roddy Doyle bis zu Kurt Vonnegut und füllte drei Seiten. Ab und zu veränderte, kürzte und entschärfte er diese Liste und zeigte sie Moriarty, der sie zur Prüfung seinen Freunden und Sittenwächtern faxte und dann das eine oder andere Buch für gefahrlos genug befand und seinen Kauf bewilligte. So kamen die nach Weltliteratur lechzenden Insassen von Four Towers zu Werken wie Steinbecks *Straße der Ölsardinen*, Doyles *Commitments* oder den gesammelten Erzählungen von Carson McCullers. Weil Wilbur und einer der anderen drei Bibliothekare, ein Junge namens Colum Noland, die Einzigen waren, die diese Bücher auch wirklich lasen, manipulierten sie die Ausleihstatistik ein wenig zu ihren Gunsten. Damit sorgten sie sowohl für steten Nachschub an gehaltvoller Literatur als auch für einen zufriedenen Direktor, der von der geistigen Reife eines Teils seiner Schützlinge hingerissen war und seine Bemühungen belohnt sah.

Die Arbeit in der Bibliothek, bei der sich die vier Jungen im Wochenrhythmus abwechselten, war ein willkommener Kontrast zur stupiden Tretmühle der Werkstatt, aber worauf Wilbur sich wirklich freute, war die Fertigstellung des Kraftraums. Nach elf Wochen, während derer er und vierunddreißig andere Jungen feuchten Verputz von Kellerwänden geklopft und weggekarrt, verfaulte Bodenbretter entfernt und Lehm und Schutt herausgeschaufelt, mit Isolationsmaterial, Gipsplatten, Beton und Mörtel hantiert, einen neuen Boden eingezogen, die Wände neu verputzt und gestrichen, eine Heizung und Beleuchtung installiert und Parkett und Teppich verlegt hatten, war der Raum fertig. Was jetzt noch fehlte, waren die Hanteln und Gewichte, die Bänke und Rudergeräte und Sandsäcke.

Wilbur hatte in einem Wissenschaftsmagazin, das ein Arzt der Bibliothek aus seinen Wartezimmerbeständen überließ, einen Artikel über Bodybuilding gelesen und sich vorgenommen, endlich ein paar Muskeln zuzulegen. Er war jetzt siebzehn Jahre alt, einen Meter siebenundfünfzig groß und wog lächerliche achtundvierzig Kilo. Es gab in Four Towers nur noch einen Jungen, der so kurz geraten war. Sein Name war Danny McAllister, aber alle außer Wilbur nannten ihn Midge, kurz für Midget, Liliputaner. Danny war sechzehneinhalb, vier Zentimeter kleiner als Wilbur, dafür elf Kilo schwerer. Er hatte Wilbur auf die Gruppe aufmerksam gemacht, die im Keller einen Kraftraum baute, und ihn dazu überredet, ihr beizutreten. Danny war pummelig und kurzatmig und fest entschlossen, etwas daran zu ändern. Zusammen saßen sie in der Bibliothek und lasen Berichte über Gewichtheben und Muskelbildung, über Eiweiße, Ernährung und Anabolika. Sie lasen das Buch eines ehemaligen Mister Universum mit dem Titel *Pump It Up!*, in dem viel von Leiden und Schmerzen die Rede war. Sie lernten die Namen von Muskeln auswendig, Trapezmuskel, Deltamuskel, Bizeps, innerer schräger Bauchmuskel, Strecker, Beuger. Wilbur übertrieb es wie immer und las auch alles über Sarkoplasma, Endomysium und Azetylcholin, bis er mit sämtlichen Abläufen innerhalb seiner unterentwickelten Muskulatur vertraut war.

»Protein«, sagte Danny, als sie beim Mittagessen saßen. Es gab Kartoffelbrei, grüne Bohnen und eine Scheibe Rinderbraten, zum Nachtisch Apfelkompott.

»Was ist damit?« Wilbur zwang sich, seinen Teller zu leeren und dabei nicht an Pauline Conway zu denken. Er hatte die Absicht, mehr zu essen und schwerer zu werden. Vielleicht würde er dadurch auch noch wachsen.

»Wir werden eine Menge davon brauchen«, sagte Danny. »Eier wären nicht schlecht.«

Wilbur dachte nach. »Ich werde mit Geraldine reden.«

Es wäre übertrieben gewesen zu behaupten, die Köchin im Four Towers sei bestechlich. Aber das Gerücht hielt sich, Geraldine Dunne sei gegen Bezahlung eines bescheidenen Betrages bereit, den Jungen kulinarische Sonderwünsche zu erfüllen. Wilbur hatte gehört, sie habe dem aus gutem Haus stammenden Peter Summerhill Räucherlachs besorgt und zwei Jungen, die ihr Geld zusammengelegt hatten, zehn Tafeln Nussschokolade. Ein paar Extraeier von ihr zu bekommen sollte kein Problem sein, dachte Wilbur, und er wusste auch schon, wer ihm das Geld dafür geben würde.

Jeden ersten Sonntag im Monat war Besuchstag. Ließ das Wetter es zu, wurden ein paar Tische und Bänke in den Hof gestellt, regnete es, empfingen die Zöglinge ihre Verwandten und Bekannten im Speisesaal. Wer dem Gemurmel, dem Lachen und gelegentlichen Weinen entgehen wollte, durfte mit seinem Besuch in die Bibliothek, wo Foley, O'Carroll oder einer der anderen Wachmänner darauf achtete, dass die Regeln eingehalten wurden. Wilbur zog es vor, mit Henry Conway in der Bibliothek zu sitzen.

Am ersten Sonntag nach Wilburs Ankunft in Four Towers waren Aislin und Fiona Lynch gekommen, um Conor zu besuchen, und Aislin hatte bei Wilburs Anblick zu weinen begonnen und ihn mit Fragen bestürmt. Dann war auch Fiona in Tränen ausgebrochen, und Wilbur war nach ein paar gestammelten Antworten in die Bibliothek geflohen, wohin ihm Henry wenig später verwirrt gefolgt war.

Henry besuchte Wilbur jeden Monat. Er hatte sich drei Tage nach dem Brand von Pauline getrennt und lebte in einer ehemaligen Mühle am River Easky, fünf Kilometer von einem Ort gleichen Namens und zwanzig von Sligo entfernt. Er hatte sich einen Bart wachsen lassen und trug jetzt alte Cordhosen, ausgeleierte Wollpullover und Jacken, deren Löcher er selber stopfte. Seine Anstellung bei der Bank hatte er gekündigt. In der

Küche eines Restaurants, dessen Wirt er kennengelernt hatte, half er manchmal aus, putzte Gemüse und spülte Teller. Er hatte sich das Angeln beigebracht und wie man einen Garten anlegt. Das Brennholz für seinen Kamin sammelte er am Meer.

Er sei glücklich, versicherte er Wilbur. Dabei lächelte er und sah seinem Gegenüber in die Augen. Dann senkte er jeweils den Blick und betrachtete seine Hände, deren Haut gebräunt und rissig war. Am Hals war unter dem Pullover ein Stück weißer Hemdkragen und der Knoten einer dunklen Krawatte zu sehen. Wilbur vermutete, dass es sich jeden Monat um dasselbe Hemd und dieselbe Krawatte handelte. Er sah Henry genau an, wenn der von seinen Stangenbohnen erzählte oder einer besonders großen Forelle, die er gefangen hatte. Der Mann, der einmal sein Ziehvater gewesen war, schien vor Leben zu sprühen, und doch war in seinen Augen und seinen Bewegungen etwas, das Wilbur misstrauisch machte. Hinter jedem Lachen und jeder Geschichte und jeder Beteuerung, zufrieden zu sein, lag eine Traurigkeit verborgen, die Wilbur sich nur damit erklären konnte, dass Henry seine Frau vermisste.

»Geht es dir auch wirklich gut hier drin?«, fragte Henry, wie er es jedes Mal tat.

»Mir fehlt nichts«, sagte Wilbur, ohne nachzudenken, und lächelte ein wenig.

Henry nickte und sah auf seine schrundigen Hände. »Ich baue jetzt Kartoffeln an, weißt du?«

»Kartoffeln sind okay«, sagte Wilbur. »Hier gibt es vier Mal die Woche Kartoffeln.«

»Gut«, sagte Henry, nickte erneut und krümmte die Finger so, dass der Dreck unter den Nägeln nicht mehr zu sehen war.

An diesem Sonntag waren sie fast alleine in der Bibliothek. Außer O'Carroll, der immer wieder kurz einnickte, saßen nur noch Tommie Fitzgerald und dessen Eltern und Rory Simmons mit seiner Mutter an den Tischen bei den Fenstern. Im Speisesaal verloren sich eine Handvoll Zöglinge und deren Besucher.

Es war Sommer, und die Leute hatten Besseres zu tun, als nach ihren missratenen Söhnen und Enkeln zu sehen.

»Heute Abend werde ich mir einen Kartoffelauflauf im Ofen machen«, sagte Henry. »Mit Dosenspargel und Speck und mit Käse überbacken.« Er nickte eifrig und sah dann aus dem Fenster, wo zwei Tauben vorbeiflogen.

»Klingt lecker«, sagte Wilbur. Er kannte das Rezept, es war von Pauline.

Tommie Fitzgerald regte sich über etwas auf, das sein Vater sagte, wurde laut und fluchte. O'Carroll wachte aus seinem Dämmerzustand auf und wies den Jungen, der wegen Diebstahls und Fahrerflucht hier war, zur Ordnung. Henry schob Wilbur rasch ein paar Scheine zu, die er aus dem Ärmel des Pullovers gezogen hatte. Wilbur nahm das Geld und steckte es unter den eng anliegenden Hemdkragen.

»Danke«, sagte er leise.

Henry schloss kurz die Augen und nickte. Tommie hatte sich beruhigt, aber sein Vater stand auf und verließ den Raum. Seine Mutter, eine dicke Frau, die ein schwarzes Kleid und einen schwarzen Hut trug wie zu einer Beerdigung, weinte und folgte ihrem Mann. O'Carroll tastete Tommie nachlässig ab und begleitete ihn zur Tür, wo Foley den Jungen in Empfang nahm. Dann setzte er sich wieder auf seinen Stuhl und kämpfte gegen den Schlaf.

Oft redete Henry während der gesamten Besuchszeit von den Plänen, die er für seine Zukunft schmiedete. Er hatte das Auto verkauft und sein Bankkonto aufgelöst und sonst alles, was ihm gehörte, im Haus gelassen. Die Anzüge, Krawatten und Schuhe brauche er nicht mehr, sagte er, die könne Pauline ihrem Bruder geben. Immer wenn er den Namen seiner Frau aussprach, machte er danach eine lange Pause, während der er mit zusammengepressten Lippen leicht den Kopf schüttelte und sich die Handrücken kratzte. Er wolle eine Weile in der alten Mühle bleiben und dann nach Dublin gehen, um Geologie zu studieren. Aufgeregt redete er davon, wie er nach dem

Studium im Auftrag von Minengesellschaften und Erdölfirmen in fremde Länder reisen würde, um nach Bodenschätzen zu suchen. An einem Sonntag versprach er, Wilbur als seinen Assistenten mitzunehmen, am nächsten, aus jedem Land eine Karte zu schicken. Einmal war er euphorisch und erzählte von den Büchern, die er gekauft hatte, ein andermal bedrückte ihn der Gedanke, Irland zu verlassen.

Wilbur hörte einfach nur zu. Sollte jemand anders Henry erklären, dass er möglicherweise nicht mehr jung genug für ein Studium sei und sicherlich zu alt, um eine Stelle als Geologe zu bekommen. Er wollte ihm nicht beibringen, dass niemand auf einen weltfremden neunundfünfzigjährigen Mann wartete, der sich einen Jungentraum verwirklichen wollte. Er hörte einfach zu und nickte, und wenn Henry lächelte, lächelte er zurück.

Am Ende der Stunde, die sie hatten, blickte Henry auf die Stelle an seinem linken Handgelenk, wo früher die Uhr gewesen war und wo die Sonnenbräune den hellen Umriss fast zum Verschwinden gebracht hatte. »Also«, sagte er, »ich geh dann besser mal.« Er blieb einen Moment unschlüssig sitzen, legte schließlich die Handflächen auf die Oberschenkel und stand auf.

»Ja«, sagte Wilbur und erhob sich ebenfalls.

O'Carroll beobachtete, wie Wilbur und Henry Conway sich die Hand schüttelten. Wilbur musste am Tisch bleiben und darauf warten, dass O'Carroll ihn kontrollierte und von der Liste strich. Er stand da und sah Henry nach, wie er langsam den Raum verließ, fahrig und leicht gebückt und ein ausgebranntes Feuer mit sich schleppend.

Am Tag vor der Eröffnung des Kraftraums hielt Direktor Moriarty eine Rede. Wie immer wartete er damit bis nach dem Abendessen, und wie immer stand er dazu zwischen den beiden Stahlsäulen vor dem Durchgang zur Küche. Er trug einen dunkelbraunen Anzug mit Weste, eine schwarze Krawatte und schwarze Schuhe. Er sah zufrieden aus, aber auch müde. Einige Jungen witzelten, der Direktor sehe seit der Hochzeit so mitgenommen aus, weil ihm seine sexsüchtige Frau jede Nacht das Äußerste abverlange.

Moriarty betonte erst, wie stolz er auf alle sei, die an einem der Projekte beteiligt waren, einerlei, ob es sich dabei um Kultur oder Sport handle. Er lobte noch einmal die Jungen, die aus der ehemals kümmerlichen Büchersammlung eine ansehnliche Bibliothek gemacht hatten und mit ihrem Einsatz entscheidend dazu beitrugen, der geistigen Bildung in Four Towers den Weg zu ebnen. Sein Aufruf an die Zöglinge, mehr zu lesen, verhallte scheinbar ungehört im Saal, und erst seine erneute Rechtfertigung, die Computer nicht mit Internetanschluss zu versehen, löste missbilligendes Gemurmel aus.

Dann pries er den Fleiß und Durchhaltewillen der Gruppe, die ein schäbiges Kellerloch in einen mehr als nur vorzeigbaren Kraftraum verwandelt hatte. Er erwähnte die Metzgerei Dunphy, die fünf Langhanteln gespendet hatte, und die Landwirtschaftsgenossenschaft, Hauptabnehmerin der Fallen, die für die Kosten von zwei Rudermaschinen aufgekommen war. Das Ende eines schlappen Applauses abwartend, erinnerte er die Jungen daran, dass es bei der Ertüchtigung des Körpers nicht darum gehe, Kraft zu entwickeln, um Schwächere zu drangsalieren, sondern darum, ein Gleichgewicht zwischen Körper und Geist zu finden. Muskeln seien dazu da, um Arbeit zu verrichten und Gutes zu tun, nicht um die Faust für den Kampf zu stählen.

Nachdem er seine Ansprache beendet hatte, gab er dem im Hintergrund wartenden Foley ein Zeichen, worauf dieser und Michael Cormack, ein fünfzigjähriger Wachmann mit einem winzigen, von einer Hornbrille beherrschten Kopf, etwas Schweres in den Saal trugen, das unter einem weißen Laken verborgen war. Moriarty erklärte bewegt feierlich, er und seine Frau hätten sich Gedanken zur Einweihung des Kraftraums gemacht und entschieden, die Schenkung eines Sportgeräts sei eine dem besonderen, wenn nicht gar historischen Anlass angemessene Geste. Nach einem weiteren Zeichen des Direktors entfernte Foley das Laken und enthüllte ein mit einer breiten roten Schleife verziertes Trimm-dich-Fahrrad. Als die Jungen das Gerät ohne sonderliche Gefühlsregungen anstarrten, forderte Moriarty einen von ihnen, den großgewachsenen Aidan Fogarty, auf, nach vorne zu kommen und probeweise in die Pedale zu treten. Weil weder der Sattel noch der Lenker auf Fogartys Maße eingestellt waren, sahen dessen Bemühungen derart ungelenk aus, dass Moriarty ihm nach kurzer Zeit bedeutete, abzusteigen und sich zurück auf seinen Platz in der ersten Reihe zu setzen.

Der Abend endete damit, dass der kleine Computer am Lenker zu piepen begann und nicht mehr aufhörte und Moriarty die beiden Wachmänner ungewohnt gereizt aufforderte, das Fahrrad zu entfernen, bevor er die Jungen in die Schlafräume entließ.

Wann immer es möglich war, verbrachte Wilbur seine freie Zeit im Kraftraum. Da er einer der Jungen war, die beim Umbau geholfen hatten, war er im Besitz eines A-Passes. Das bedeutete, dass er ein Jahr lang keinen Eintritt in Form von Arbeitsstunden entrichten musste und immer Zutritt hatte, außer es befanden sich bereits zwanzig Inhaber eines A-Passes im Raum. Zwanzig, das war die Zahl, die der Architekt als Richtlinie angegeben und die Moriarty als Gesetz verkündet hatte. Die Begrenzung machte Sinn, und sogar die ewigen Rebellen und Querulanten akzeptierten sie, ohne zu murren. Hätte man jeden reingelassen, der wollte, wären sich die Jungen in den fünfundneunzig Quadratmetern, die zur Hälfte von Geräten beansprucht wurden, auf die Füße getreten.

Jungen, die nur einen B-Pass hatten, konnten sich den Zutritt verdienen. Einmal Kraftraumbenutzung kostete zwei Arbeitsstunden in Küche, Garten, Bibliothek oder Taubenschlag. Für die Einhaltung dieser Regeln sowie Ordnung während des

Trainings sorgte jeweils einer der Wachmänner, der neben der Sprossenwand an einem Tisch saß, die Pässe und abgeleisteten Arbeitsstunden kontrollierte und die Jungen zurechtwies, wenn diese mit den Hanteln Unfug trieben oder in zweideutigen Stellungen vor dem Spiegel posierten.

Wilbur und Danny absolvierten ihre Trainingseinheiten gemeinsam. Sie hatten sich komplexe Aufbaupläne zusammengestellt und in der Bibliothek ausgedruckt, und sie befolgten sie stur und demütig und mit einer heimlichen Lust an der Qual. Lag Danny auf der Bank und stöhnte unter dem Gewicht einer Langhantel, die es genau fünf Mal zu stemmen galt, stand Wilbur dabei und zählte laut mit, jederzeit bereit, seinem Partner und Leidensgenossen beim Absetzen der Hantelstange zu helfen. Schnaufte Wilbur an der Butterflymaschine, die seine Hühnerbrust in gewölbte Kraftpakete verwandeln sollte, war es Danny, der die Bewegungsabläufe und Zahl der Ausführungen überwachte. Die Übungen, Gewichte und Wiederholungen trugen sie gewissenhaft in ihre Tabellen ein, die sie auf Klemmbrettern mit sich herumtrugen.

Sie dehnten jeden Muskel, bevor sie eine Hantel anfassten, achteten auf ihre Atmung, benutzten als Einzige Moriartys Rad und ignorierten den Spott der schwitzenden, schnaufenden Banausen, die sich ohne Sinn und Verstand an den Maschinen austobten und blindwütig auf die Sandsäcke eindroschen, als seien es Psychologen oder Polizisten. Am Schluss standen sie abwechselnd auf der Waage, die das Geschenk eines pensionierten Arztes war, und notierten ihr Gewicht in die dafür vorgesehene Spalte auf ihren Blättern. Dann duschten sie, leerten ihre Teller und würgten danach heimlich noch mindestens zwei hartgekochte Eier hinunter, die Geraldine Wilbur zum vierfachen Marktpreis verkaufte.

In den Nächten nach einem Training lag Wilbur in seinem Bett und gab sich dem Ziehen und Brennen in seinen Armen, Beinen und in seiner Brust hin. Der Schmerz fühlte sich gut an, denn er versprach Wachstum. Wilbur stellte sich vor, wie seine

Muskeln prall und hart wurden und wie er gleichzeitig in die Höhe schoss, angetrieben von Hormonen und Botenstoffen, von Proteinverbindungen, Aminosäuren und Genen, die aus einem siebzehnjährigen Schlummer erwachten.

Der Tag, an dem Direktor Moriarty Wilbur zu sich kommen ließ, war ein Mittwoch. Wilbur war gerade auf dem Weg zur Bibliothek, als Cormack ihn holte. Jetzt saß er im Büro auf dem Besucherstuhl und wartete. Miss Rodnick hatte ihm gesagt, der Direktor sei noch mit einem Klempner im Heizungskeller beschäftigt, aber gleich bei ihm. Wilbur fragte sich, was er angestellt hatte. Als ihm außer den manipulierten Ausleihdaten der Bibliothek, Henrys Geld und den Eiern, die er damit kaufte, nichts einfiel, kam er zu dem Schluss, dass die Movie Men aufgeflogen sein mussten. Vor ein paar Tagen hatten fünf Jungen *Apocalypse Now* gesehen und waren von O'Carroll erwischt worden. Der Wachmann hatte ein Riesentheater gemacht und damit gedroht, Moriarty zu unterrichten. Nur dank Peter Summerhill, der über unerschöpfliche Geldreserven zu verfügen schien und ein großzügiges Schweigegeld zahlte, behielt O'Carroll die Sache für sich.

Aber keiner der Jungen traute Alan O'Carroll, dessen Narbe für die wildesten Gerüchte sorgte, über den Weg. Auch Wilbur hätte es nicht erstaunt, wenn der windige Kerl trotz Bestechung zu seinem Chef gegangen wäre, um den Filmclub hochgehen zu lassen. Der letzte Streifen, den Wilbur gesehen hatte, war *The Shawshank Redemption* mit Tim Robbins und Morgan Freeman gewesen, und der Gedanke, dass es mit den nächtlichen Treffen bald vorbei sein könnte, machte ihn wütend und traurig.

»Wilbur!« Die Tür war so plötzlich aufgestoßen worden, dass Wilbur zusammenzuckte und seine Halswirbel knirschten, als er den Kopf herumwarf. Robert Moriarty schloss die Tür hinter sich, ging, den Gehstock schwingend, zu seinem Tisch und ließ sich in den Stuhl fallen. Tief in die Rückenlehne versackt, sah er Wilbur an und tippte mit den Spitzen der Finger, die ein Dach bildeten, gegeneinander. »Wilbur Sandberg«, sagte Moriarty und tätschelte die Akte, die vor ihm lag, um gleich darauf die Hände zu falten, als wolle er beten.

Wilbur rutschte auf seinem Stuhl nach hinten, um ein gerades Kreuz zu machen.

»Ich möchte dich etwas fragen, Wilbur. Kannst du …« Moriarty machte eine seiner unberechenbaren Pausen, drehte sich mit dem Stuhl zum Fenster und sah in einen fahlen, lichtlosen Himmel, der jede Zeitschätzung verunmöglichte. »… mir sagen, wie lange du jetzt schon hier bist? Bei uns in Four Towers?« Er schürzte die Lippen, als müsse er selber überlegen, und sah Wilbur an, die Stirn in tiefe Falten gelegt.

»Ich weiß nicht genau, Sir«, sagte Wilbur. »Vier Monate?«

Moriarty nickte scheinbar gedankenverloren. Er sah wirklich sehr müde aus, dachte Wilbur, aber dass er jede Nacht mit seiner Frau schlief, konnte er sich trotzdem nicht vorstellen. Bestimmt war er einfach überarbeitet. Die Aufgabe, das Geld der Regierung sinnvoll einzusetzen, hatte er sehr ernst genommen und bestimmt ein paar schlaflose Nächte deswegen verbracht. Die bleiche, zarte Elizabeth konnte unmöglich für seine dunklen Augenringe verantwortlich sein.

»Nahe dran«, sagte Moriarty, noch immer nickend. Er stand auf und strich mit einem Finger am Rahmen eines Bildes entlang, als wolle er es geraderücken. »Vier Monate, eine Woche und fünf Tage ist es her, seit ich das zweifelhafte Vergnügen hatte, dich in meinem Büro zu begrüßen.« Er grinste, ging um den Tisch herum und setzte sich auf die Kante. Er kreuzte die gestreckten Beine und verschränkte die Arme vor der Brust.

»Ich hätte nicht gedacht, dass es schon so lange ist, Sir«, sagte Wilbur. Er fühlte sich unbehaglich. Falls Moriarty etwas gegen ihn in der Hand hatte, wäre es ihm lieber gewesen, damit konfrontiert statt auf die Folter gespannt zu werden.

»Tja, die Zeit fliegt«, sagte Moriarty. Er seufzte und sah aus dem Fenster, wo nichts war. Nicht einmal eine Taube durchquerte das dichte Grau. »Die Zeit fliegt.« Er legte die Hände an die Tischkante und sah Wilbur an. »Deshalb und weil du dich gut gemacht hast, werde ich deine baldige Entlassung beantragen.«

Wilbur brauchte einen Moment, um diese Nachricht zu verdauen. Er hatte sich nie Gedanken über das Ende seiner temporären Aufbewahrung, wie er es nannte, gemacht. Er fühlte sich wohl in Four Towers, wohler jedenfalls als bei den Conways. Die älteren Jungen ließen ihn mehr oder weniger in Ruhe, nachdem er in den ersten Wochen schikaniert und bedroht worden war. Mit einem Teil von Henrys finanziellen Zuwendungen bezahlte er die aus fünf hartgesottenen Burschen bestehende Gang, die von den schwächeren Jungen Schutzgeld kassierte und als Gegenleistung dafür sorgte, dass ihnen nichts passierte. Weil Moriarty Wilburs Intelligenz erkannt hatte, blieb ihm auch der Schulunterricht erspart, jene zwölf Stunden pro Woche, während derer ein Lehrer aus Sligo mit den Jungen Mathematik, Englisch, Geschichte und Biologie paukte. Die vierzehntäglichen Gespräche mit einem Psychologiestudenten, die als therapeutische Begleitmaßnahme bezeichnet wurden und ein Witz waren, brachte er dank seiner bei den Conways einstudierten Verstocktheit inzwischen locker hinter sich. Er hatte vor drei Wochen mit dem Krafttraining begonnen, und obwohl er noch keine Muskelmasse zugelegt hatte, war er zuversichtlich, dass sich die Schinderei bald auszahlen würde.

Er hatte Freunde hier, Danny McAllister und Colum Noland, außerdem verstand er sich gut mit Jack Connolly, einem der anderen Teilzeitbibliothekare. Seine Arbeit verrichtete er mechanisch, den sonntäglichen Gottesdienst brachte er in somnambuler Entrücktheit hinter sich, und an den Umstand, mit sechsundzwanzig Jungen in einem Raum zu schlafen, ihre Atemgeräusche, ihr Gemurmel und Ächzen zu hören, hatte er sich längst gewöhnt. Über eine Zeit nach Four Towers hatte er nie nachgedacht und stellte jetzt mit Entsetzen fest, dass er nicht ewig hierbleiben konnte und keine Ahnung hatte, wie seine Zukunft aussehen würde. Zu Pauline Conway zurück musste er nicht, so viel war sicher. Henry hatte ihm erzählt, sie habe sich von der Liste der Pflegeeltern streichen lassen und sei für unbestimmte Zeit zu ihren Eltern nach Waterford gefahren. Aber natürlich gab es andere Ehepaare, die ihre Kinderliebe oder Erziehungswut ausleben wollten. Und diesmal würden die Behörden bestimmt dafür sorgen, dass er bei Leuten landete, die mit schwierigen Burschen besser zurechtkamen.

»Du scheinst ja nicht gerade überwältigt vor Freude«, sagte Moriarty.

Wilbur senkte den Blick. Seine Schuhe waren blitzsauber. Jetzt wünschte er, sie am Morgen nicht poliert zu haben. Er bereute auch, sich immer so gut benommen zu haben, nie unangenehm aufgefallen zu sein. Hätte er sich wie der latent gefährliche, verkorkste Jugendliche aufgeführt, als den ihn Pauline und der Psychologe beschrieben hatten, würde Moriarty wohl kaum riskieren, ihn in die Gesellschaft zu entlassen.

»Es ist nur … Es kommt ein wenig überraschend«, sagte Wilbur schließlich.

Moriarty lachte. »Oh ja, das Leben steckt voller Überraschungen!« Er öffnete Wilburs Akte und vertiefte sich eine Weile darin. »Hier steht, maximal sechs Monate.« Er sah Wilbur an. »Erinnerst du dich?«

»Ja, Sir«, sagte Wilbur.

»Dann erinnerst du dich bestimmt auch daran, dass ich dir gesagt habe, du seist ein kluger Junge und gehörtest eigentlich nicht hierher.«

»Ja, Sir.«

»An meiner Einschätzung hat sich nichts geändert. Du …« Moriarty nahm seinen Stock und ging zum Fenster. Er blickte hinaus, als läge dort draußen nicht dichtes Grau, sondern eine weite Landschaft, an der sich das Auge sattsehen konnte. Immer wieder strich er mit zwei Fingern der freien Hand über die Krawatte. Es wurde dunkel, und sein Gesicht spiegelte sich im Glas, aber er sah es nicht. Plötzlich drehte er sich um und deutete mit dem Stock auf Wilbur. »… hast dich untadelig verhalten. Kein einziger Vorfall.« Er fuchtelte ein wenig mit dem Stock. »Das ist Rekord!« Er ging um den Schreibtisch und setzte sich.

Wilbur fühlte sich elend. Er dachte daran, Moriarty von seinen Verfehlungen zu berichten. Er besaß Geld, obwohl es verboten war. Moriarty wollte damit verhindern, was im Schatten seiner Vertrauensseligkeit längst geschah, nämlich die heimliche Etablierung einer Klassengesellschaft, in der Jungen mit Geld sich Waren und Dienste und die Komplizenschaft von Wachmännern kauften. Wilbur war ein Mitglied der Movie Men, fälschte Ausleihstatistiken und schlich sich fast jede zweite Nacht aus dem Schlafraum, um eine Stunde lang alleine durch die Gänge zu schlendern. Er kaufte Eier von Geraldine, ein weiteres Vergehen, das er dem Direktor präsentieren konnte.

»Ich werde noch heute alles Nötige in die Wege leiten, um dich so bald wie möglich loszuwerden.« Moriarty lachte erneut, hörte aber auf, als er Wilburs bestürztes Gesicht sah. »Oh, ich hatte ganz vergessen zu erwähnen, wer sich bis zu deiner Volljährigkeit um dich kümmern wird.« Er zog ein Blatt aus der Akte und warf einen Blick darauf. »Miss Agnes Ferguson. Sagt dir der Name etwas?«

Wilbur war zu überrumpelt, um einen Ton hervorzubringen. Natürlich erinnerte er sich an seine ehemalige Lehrerin. Einen Monat nachdem er auf die neue Schule gewechselt war, hatte sie ihn bei den Conways besucht, um zu sehen, wie es ihrem Lieblingsschüler ging, dem Wunderkind, dessen Zukunft sie in so leuchtenden Farben gezeichnet hatte. Pauline hatte Kaffee gekocht und Kuchen gebacken, und Wilbur hatte auf dem Cello gespielt. Er erinnerte sich daran, dass Miss Ferguson ihm Broschüren englischer Eliteuniversitäten mitgebracht und beim Abschied fast geweint hatte.

»Sie war deine Grundschullehrerin und ist jetzt pensioniert«, sagte Moriarty. Er wartete noch immer auf eine Reaktion von Wilbur. »Sie war in England bei ihrer Schwester und hat erst kürzlich erfahren …« Er öffnete eine Schublade seines Schreibtisches, sah eine Weile nachdenklich hinein und schloss sie wieder, ohne ihr etwas zu entnehmen.»… wie es dir ergangen ist in letzter Zeit.«

»Sie weiß, dass ich hier bin?« Wilburs Hirn arbeitete auf Hochtouren, um die möglichen Folgen eines Zusammenlebens mit Miss Ferguson abzuschätzen. Gleichzeitig forderte ihn eine innere Stimme lauthals auf, Moriarty die Geldscheine, die, mit Papier umwickelt, in seinen Schuhen lagen, zu zeigen, die nach Schweiß und Leder riechenden Scheine auf den Tisch zu knallen und ihn über die wahren Zustände in Four Towers aufzuklären. Immer dröhnender befahl ihm die Stimme, sich als einen der Schlimmsten darzustellen, als Unscheinbaren, der dank seiner Intelligenz die Lücken des Systems erkannt hatte und zu nutzen wusste. Die Wahrheit würde den naiven, von Gleichheit und Gerechtigkeit träumenden Menschenfreund so treffen, dass er für keinen der Jungen mehr ein gutes Wort einlegen, für keinen je wieder eine vorzeitige Entlassung beantragen würde.

»Oh ja, selbstverständlich ist sie über deinen momentanen Aufenthaltsort im Bilde.« Moriarty grinste kurz und klappte die Akte zu. »Sie hat mich vor ein paar Tagen angerufen und gestern zu Hause besucht. Eine äußerst nette und kultivierte Dame, muss ich sagen. Sehr rüstig für ihr Alter. Ich bin sicher, sie wird es mit dir aufnehmen können.« Er erhob sich und ging ohne den Stock zum Bücherregal, um ein gekipptes Buch aufzurichten. »Bis zu deinem achtzehnten Geburtstag dauert es ja sowieso nicht mehr sehr lange, nicht wahr?«

»Nein, Sir.« Wilbur sah sich in einem Bett mit geblümter Wäsche liegen. Er sah Miss Ferguson, die ihm Kekse und einen Becher heißer Milch brachte. Er hörte, wie sie ihn nach der Hauptstadt der Mongolei fragte und der Dauer des Zweiten Punischen Krieges. Am neunzehnten März nächsten Jahres würde er volljährig sein. Am selben Tag würde Bruce Willis seinen dreiundvierzigsten Geburtstag feiern. Er sah sich blutend am Boden liegen, zusammengeschlagen von der Gang als Rache für seinen Verrat, der vielleicht nicht einmal seine Auslieferung an Miss Ferguson verhindern konnte. Er wollte Moriarty alles erzählen, aber er tat es nicht.

»Dann wäre, denke ich, so weit alles geklärt«, sagte Moriarty. Er nahm seinen Stock, ging zur Tür und legte die Hand auf die Klinke.

Wilbur erhob sich.

»Sobald es Neuigkeiten gibt, werde ich dich darüber in Kenntnis setzen.« Moriarty öffnete die Tür und klopfte Wilbur, der den kalten Flur betrat, auf den Rücken. »Und übertreib es nicht mit dem Gewichteheben.«

»Nein, Sir«, sagte Wilbur. »Danke, Sir.« Er drehte sich nicht mehr um, ging den Flur hinunter und um die Ecke und an O'Carroll vorbei, der mit einer Tasse Kaffee aus dem Raum der Wachmänner kam und ihm nachrief, er solle gefälligst grüßen. Wenig später betrat er die Bibliothek, wo Jack Connolly für ihn eingesprungen war, setzte sich an einen der hintersten Tische und dachte im Schutz des Paravents darüber nach, wie er seinen Aufenthalt in Four Towers verlängern konnte.

Conor hatte es nach ein paar erfolglosen Versuchen aufgegeben, mit Wilbur zu reden und ihn für das, was geschehen war, um Verzeihung zu bitten. Es tat weh, seinen ehemaligen Freund jeden Tag zu sehen und nicht mit ihm sprechen zu können. Obwohl er den Polizisten, dem Psychologen oder Moriarty gegenüber nie Reue über seine Tat gezeigt hatte, zerriss es ihm das Herz bei dem Gedanken, dass er, wenn vielleicht auch nur indirekt, für Orlas Tod und Wilburs Unglück verantwortlich war. Seit jenem Tag vor sieben Jahren plagten ihn Albträume, aber die Bilder, die ihn nachts schweißnass aufschrecken ließen, zeigten nicht seinen von der Kugel niedergeschossenen Vater, sondern eine regennasse Landstraße, ein zuckendes, sterbendes Pferd und Orla, die über die himmelblaue Wellen werfende Kühlerhaube gebreitet dalag, ihm in die Augen sah und mit den Lippen ein blutiges Wort formte, das er nicht erriet.

Die Einzelheiten des Unfalls hatte er von einem der Polizisten, die ihn verhörten, den Rest aus der Zeitung. Monatelang hatte er einen Artikel mit sich herumgetragen, bis das Papier, wo es gefaltet war, riss und er es kleben musste. Die Schwärze der Schrift hatte sich in feinen Staub aufgelöst, die Buchstaben verblassten und verschwanden teilweise, das Papier wurde weich und dünn und zerfiel an den Rändern. Das Klebeband vergilbte, wurde spröde, bekam Risse und brach. Irgendwann nahm Conor den Ausschnitt aus der Hosentasche und bewahrte ihn in seiner Reisetasche auf. Eines Tages verbrannte er ihn im Taubenschlag, kratzte die Asche zusammen und warf sie vom Turm in den Wind. Doch das Ritual blieb ohne Wirkung, die Träume verschwanden nicht und auch nicht die allabendliche Angst vor ihnen.

Lange Zeit hatte Conor gehofft, Wilbur könnte ihm vergeben und die schlimmen Träume würden seltener werden und irgendwann ganz ausbleiben. Er hätte aus dem Dunkel seiner Wände treten, wieder mit Menschen reden und als ein Mensch leben können, statt zu schweigen und törichte Worte an Tauben zu verschwenden. Er hätte die Umarmung seiner Mutter zugelassen und den Kuss seiner Schwester, und er hätte ihnen vielleicht endlich erlaubt, von seinem Vater und Kieran zu erzählen, davon, wie die beiden abwechselnd auf dem Pferd ritten und in der Sommerhitze im nahen See planschten. Aber sosehr er sich eine Aussöhnung mit seinem alten Freund auch wünschte, so gut verstand er doch, warum Wilbur ihm diese Absolution verweigerte. Den Erlass der Sünden gab es im Beichtstuhl, aber im wahren Leben büßte man bis zuletzt für seine Taten.

Conor erwartete keine Erlösung mehr, keine helleren Tage und kein Glück. Er hatte bis jetzt nicht den Mut gehabt, seine Mutter zu bitten, ihn nicht mehr zu besuchen, aber er würde es bald tun. Er war müde und gleichgültig gegenüber seinem Schicksal. Er wollte nicht mehr reden und nicht mehr jeden ersten Sonntag im Monat seine ganze Kraft aufwenden, um

Aislin und Fiona einen behutsam ins Licht zurückkehrenden Sohn und Bruder vorzuspielen, der irgendwann wieder ein Leben haben würde.

In der Bibliothek, wo er hinging, wenn Wilbur nicht da war, hatte er ein Buch über Meditation gefunden. Jetzt lag er manchmal nachts in seinem Bett und ließ sich in einen Zustand gleiten, der kein Denken war und kein Empfinden und auch kein Schlaf, sondern das, was er für die Lage seines Vaters hielt. Es war ein tiefes, lichtloses Meer, ein großer Fluss, in dem Bilder trieben, sich wälzten und für Sekunden ihre schimmernden Seiten zeigten wie Fische ihre Bäuche. Es war ein Fallen und Schweben, ein ständiges Entgleiten. Es war ein dumpfes Ahnen, weit weg vom Erinnern. Es wurde ein Versinken, ein Ausruhen, ein halber Tod.

Wilbur war nicht der einzige Nachtwandler. Wenn der Wachmann seine Außenrunde machte, begegneten sich die schlaflosen Jungen auf den Fluren wie Mönche im Kloster. Im Sommer war vielen die Luft im Schlafsaal zu stickig, im Winter flohen sie vor dem Husten der Bettnachbarn. Manche suchten eine stille Ecke zum Rauchen, andere wollten für eine Weile ihre Ruhe. Die Movie Men schlenderten seelenruhig über die Gänge, Neulinge huschten ängstlich umher. Niemand redete oder machte Lärm, niemand stahl oder beschädigte etwas und gefährdete damit den nächtlichen Freiraum. Wer es dennoch tat, bekam es mit der Gang zu tun, die jeden neu Angekommenen über die Regeln aufklärte. Am Tag waren alle hier Gefangene, nachts konnte jeder, der wollte, eine Weile frei sein, solange er sich an die geheimen Gesetze hielt.

Der halbe Liter Pocheen, billiger Kartoffelschnaps aus einer Schwarzbrennerei, hatte Wilbur ein Vermögen gekostet. Der Fusel war, auf zwei Plastikdosen verteilt, in Ersatzteilen für Traktoren eingeschmuggelt worden. Callum Gallagher, dessen kriminelles Potential in Four Towers erst richtig zur Entfaltung kam, hatte seinem Kunden die Hälfte des Geldes als Anzahlung abgenommen und den Rest bei Lieferung. Dann hatte er ihm anschaulich erklärt, was er mit ihm machen würde, falls Wilbur erwischt und seine Quelle preisgeben würde. Wilbur hatte versprochen, vorsichtig zu sein.

Jetzt saß Wilbur in einer Ecke der Bibliothek und zwang sich, den Armeleutewhiskey löffelweise hinunterzuschlucken. Er wusste, dass man sich mit Alkohol Mut antrinken konnte, und genau das beabsichtigte er zu tun. Den Schlüssel zur Bibliothek, eine von vier Kopien, hatte er vom Präsidenten der Movie Men gegen Bezahlung einer horrenden Leihgebühr erhalten. Er steckte im Schloss der abgesperrten Tür. Heute war keine Filmnacht. Im Fernsehen lief nichts Nennenswertes, jedenfalls nicht auf den drei irischen Kanälen, die mit Hilfe der selbstgebastelten Zimmerantenne zu empfangen waren.

Der Alkohol schoss warm durch Wilburs Venen und wuchs im Hirn wie eine schwere schwarze Wolke. Blitze strömten aus der Wolke und sickerten bis in die Fingerspitzen. Der Hals brannte, im Bauch loderte es. Müdigkeit löste Angst ab, danach kamen Übelkeit und ein dummes Grinsen.

Schließlich, nach der ersten Dose, entflammte in Wilbur etwas wie Furchtlosigkeit, vielleicht auch nur Leichtsinn. Jedenfalls war genug davon da, dass Wilbur damit begann, Bücher aus den Regalen zu nehmen und sie auf dem Boden aufzutürmen. Obwohl er schwankte, wählte er die Bücher sorgfältig aus, ließ die Romane, für die er gekämpft hatte, stehen, und warf die Werke von redseligen Pfaffen, Kardinälen, Politikern und anderen Schwätzern auf den Haufen, dazu die billig gebundenen, gekürzten und dennoch nie ausgeliehenen Romane der Sammlung von *Reader's Digest*, ein Ratgeberbuch, das Glück versprach, einen Bildband über Schweden, zwei Bände mit dem Titel *Deine Zukunft in der Armee*, ein bebildertes Werk über Tierfallen sowie alles, was er zu den Themen Pfadfinder, Pilgerreisen und Wasser fand. Die vierzehn Bücher, die sich mit Tauben beschäftigten, stellte er wieder an ihren Platz, nachdem er sich Moriartys Bestürzung ausgemalt hatte.

Irgendwann schüttete er den Rest Fusel aus der zweiten Dose über den Bücherberg, schaffte es nach ein paar zittrigen Versuchen, eins der sündhaft teuren Streichhölzer anzureißen, und ließ es fallen. Der Alkohol flammte blau und weiß auf, das Papier wurde gelb, dann braun und schwarz. Leder warf Blasen und schälte sich, Pappe kräuselte sich in der Hitze. Heller Rauch stieg hoch. Wilbur setzte sich hin, legte den schweren Kopf an die Wand und schloss die Augen. Direktor Moriarty würde enttäuscht sein. Miss Ferguson würde vielleicht weinen. Nein, so einen Jungen konnte sie beim besten Willen nicht in ihr Haus aufnehmen. Einer wie Wilbur Sandberg gehörte genau da hin, wo er war, auch wenn er damit der besseren Welt verloren ging.

Er hörte Moriarty, der nach ihm rief. Vielleicht war es auch Foley oder O'Carroll oder Henry. In seinem Schädel lärmte es. So fühlte es sich also an, wenn man betrunken war. Die Augenlider Vorhänge aus schwerem Samt. Kichern vor Angst und Übermut. Stimmen im Kopf.

»Wilbur!« Laut und deutlich.

Er öffnete die Augen, ein Stück weit nur. Der Rauch war jetzt dunkel, die Flammen loderten. Er atmete die verbrannten Worte ein, legte das Kinn auf die Brust und schloss die Augen.

»Wilbur!« Verweht, von sehr weit weg.

Und das Poltern des Gewitters, entfesselt von der Wolke in seinem Schädel.

Cormack hasste die Nachtschicht. Er hasste es, auf dem schlecht geheizten Turm zu stehen und in die Dunkelheit zu starren. Weil er nicht rauchte, aß er Bonbons und Schokolade, um das langsame Verrinnen der Zeit erträglicher zu machen. Es gab keine Mrs. Cormack, die zu Hause auf ihn wartete, aber eine Katze mit einem Hang zum Trübsinn namens Lady Belle. Während er auf die schwarzen Felder sah, dachte er an das Puppenhaus, das er gerade baute und das er an Weihnachten zusammen mit den anderen verkaufen würde. In weiter Ferne streifte ein Paar Scheinwerfer eine Straße entlang, wurde zu zwei roten

Rückleuchten und löste sich auf. Cormack nahm die Brille ab und rieb sich die Augen. In seinen Uniformtaschen raschelte Bonbonpapier. Er hielt die Hände über den Heizkörper, Wärme waberte über sein Gesicht und verlor sich.

Seit fünfundzwanzig Tagen hatte es keinen Vorfall an den Mauern mehr gegeben. Zuletzt hatte ein Junge einen mit zwanzig Zigarettenpackungen gefüllten und von Schnüren zusammengehaltenen Schuhkarton in den Hof geworfen und war auf dem Mofa, das er zuvor geschoben hatte, davongebraust. Auf dem Deckel des Kartons stand der Name des Empfängers, der die Bestellung Moriarty gegenüber natürlich bestritt. Seither verliefen die Nächte ruhig, was Cormacks Natur entgegenkam. Wenn er nur hätte lesen dürfen auf seinem Turm, oder wenigstens Radio hören. Aber das erlaubte der Direktor nicht, und weil Cormack ein guter Angestellter war, hielt er sich daran.

Hasen kreuzten im schwachen Mondschein die Felder, gestern stand ein Reh auf der Straße, die zum Tor führte. In einem der drei anderen Türme hockte O'Carroll und rauchte. Cormack mochte seinen Kollegen nicht, der ihn Mack nannte und bestahl, Bonbons aus den Taschen klaute und dachte, es bliebe unbemerkt. Im vierten Turm schliefen die Tauben, eine Vorstellung, die Cormack tröstlich erschien. Im Sommer, wenn er die Fenster hochklappte, konnte er ihr Gurren hören. Ein Motorrad lärmte im Nichts, tauchte als weißes, trichterförmiges Licht auf, drehte an der Kreuzung ab und verschwand schaukelnd in Richtung Sligo. Vielleicht jemand mit Schnaps oder Zigaretten auf dem Gepäckträger, der es sich im letzten Moment anders überlegt hat, dachte Cormack.

Als er sich umdrehte, fiel sein Blick auf die Fenster der Bibliothek. Er hatte schon einmal ein Feuer gesehen, drüben in einem der Schuppen, in denen die Werkstätten untergebracht waren. Zwei Jahre war das her. Seine Aufmerksamkeit hatte damals einen riesigen Sachschaden verhindert, möglicherweise eine Katastrophe. Die Flammen des Feuers in der Bibliothek erschienen ihm gelb und rein, nicht wie das schmutzige Lodern der Werkstatt, das Qualm ausgestoßen hatte wie ein Fabrikschlot. Cormack öffnete die Luke im Boden und kletterte die Leiter hinunter, rannte ins Hauptgebäude und löste den Feueralarm aus.

Als Wilbur, vom eigenen Husten geweckt, die Augen öffnete, nahm er gebrochene Dunkelheit wahr. Kein Geräusch drang an sein Ohr, nur seine Lungen pfiffen leise. Sein großer Zeh tat ihm weh, der rechte. An der Decke verlief ein Kabel. Das Metall des Bettgestells war warm, nicht kalt wie das im Schlafraum. Niemand keuchte neben ihm, keiner knurrte und winselte im unruhigen Schlummer. Er drehte den Kopf, erst zur einen, dann zur anderen Seite. Aus dem Donner war ein fahles Pochen geworden, etwas in seinem Schädel rutschte und stieß irgendwo dagegen, wenn er sich bewegte. Er blinzelte in die Helligkeit. Im Himmel war er nicht.

Von Müdigkeit ergriffen, schlief er wieder ein. Im Traum hörte er Stimmen. Er schreckte auf, dämmerte vor sich hin. Dann lag er da und lauschte Sätzen wie Regen, der auf ein Dach fällt. Worte plätscherten über seinen Halbschlaf, zerrannen unverständlich. Danach hüllte ihn wieder Dunkelheit ein, umgab ihn Stille.

Später erwachte er mit Kopfschmerzen, wusste nicht, wie lange er geschlafen hatte. Mondlicht schwamm durch die Fenster, durchwirkte das Dunkel mit einem Schimmer. Wilbur hustete eine letzte Wolke Bücherasche, dann verstummte das Pfeifen in seinen Lungen. Sein Zeh war versengt und mit einer fettigen Salbe bestrichen. Ein Wasserkrug und ein Glas standen auf dem Nachttisch, daneben, in einem weißen Gefäß, das wie eine Seifenschale aussah, lag eine einzelne Tablette. Wilbur setzte sich auf, ließ die Beine über den Bettrand baumeln und sah sich um. Neben seinem standen noch drei weitere Betten im Raum, aber nur seins war mit weißen Laken bezogen. An einer Wand hing ein Kalender. Die Uhr war kaputt, der Sekundenzeiger rührte sich nicht. Auf der Kommode neben der Tür standen eine leere Vase, eine braune Flasche und eine nierenförmige Schale aus Chromstahl, in der ein Wattebausch lag. Wilbur wusste, dass er sich auf der Krankenstation befand, obwohl er sie nie von innen gesehen hatte. Er stand auf und ging barfuß zum Fenster, hielt das Gesicht nahe ans Glas und sah hinaus. Einer der Wachmänner bewegte sich gemächlich über den Flur vor der Bibliothek, der schmalen Silhouette nach zu urteilen war es O'Carroll. Sterne standen im Himmel.

Wilbur ging zur Tür und drückte die Klinke, obwohl er wusste, dass man ihn eingeschlossen hatte. Er fragte sich, wie viel von der Bibliothek abgebrannt war. Als er Schritte auf dem Flur hörte, legte er sich zurück ins Bett und stellte sich schlafend. Noch bevor die Tür aufgesperrt wurde, erkannte er die Stimmen von Foley und Miss Rodnick. Das Neonlicht, das sich zitternd und begleitet von knisterndem Summen über ihm ausbreitete, drang durch seine geschlossenen Lider.

»Liegt da, als könnt er kein Wässerchen nicht trüben«, sagte Foley.

»Seinetwegen verpasse ich meine Lieblingssendung«, sagte Miss Rodnick.

Wilbur hörte, wie Wasser aus dem Krug ins Glas floss.

»Was für eine Sendung ist das denn, wenn man fragen darf?«

»Beschwingt in den Abend.«

»Kenn ich nicht. Dabei seh ich eine Menge fern.«

»Ich rede von einer Radiosendung. Und jetzt sollten wir uns um diesen Flegel hier kümmern.«

Wilbur spürte, wie Miss Rodnick ihm mit der Handfläche ein paar Mal leicht auf die Wange schlug. »Aufwachen, junger Mann!«

Foley rüttelte ihn am Arm. »Stell dich nicht tot, Sandberg! Wir haben heute noch was anderes vor als Krankenbesuche!«

Wilbur öffnete die Augen einen Spalt weit. Das harte Licht sickerte in seinen Kopf und benetzte darin Stellen mit dumpfem Schmerz. Miss Rodnick, verärgert, stand links, Foley rechts von ihm, bekümmert und hungrig. Wilbur schloss die Augen. Foley stieß ihn leicht gegen die Schulter.

»Hast du nicht gesagt, du hast keine Streichhölzer dabei?«

»Schluck die Tablette«, sagte Miss Rodnick.

Wilbur öffnete die Augen ein wenig, nahm die Tablette aus Miss Rodnicks Hand, schob sie zwischen die Lippen und trank das Wasserglas leer.

»Angenehme Träume«, sagte Foley.

»Wenn ich mich beeile, höre ich noch den Schluss.«

»Ich bring Sie zum Wagen.«

Das Licht ging aus, die Tür wurde geschlossen und abgesperrt, Schritte und Stimmen entfernten sich. Wilbur setzte sich auf und spuckte die Tablette an die gegenüberliegende Wand.

O'Carroll kannte diese Geräusche. Er wusste, was passierte, und Teil seiner Arbeit wäre gewesen, es zu beenden. Aber er stand da und wartete. Er hatte das Feuer in der Bibliothek auch gesehen und es erst für das flackernde Licht des Fernsehers gehalten, gedacht, die Jungs hätten vergessen, die Paravents so um die Kiste zu stellen, dass das Leuchten des Fernsehers durch die Fenster nicht zu sehen war. Nicht einmal Cormack, der Streber, hatte das nächtliche Treiben der Movie Men bisher entdeckt. Dann hatte O'Carroll genauer hingesehen und die Flammen erkannt. Er war beinahe die Leiter hinuntergefallen, aber da schrillte schon der Alarm. Weil er ein verdächtiges Fahrzeug nicht aus den Augen gelassen hatte, ein Motorrad, das an der Kreuzung langsamer wurde und dann in Richtung Osten verschwand, hatte er das Feuer zu spät bemerkt. Weil er seinen verdammten Dienst getan hatte und das Feuer in seinem Rücken brannte, wo er verflucht noch mal keine Augen hatte.

Eine halbe Minute. Dreißig Sekunden trennten ihn davon, sich im Lob des Direktors zu sonnen. Er säße jetzt im Büro von Moriarty, der wegen des Brandes um zwei Uhr morgens aus dem Bett geklingelt worden und gleich hergefahren war. Er, Alan O'Carroll, wäre der Held der Stunde, nicht Cormack, nicht schon wieder dieser beschissene Musterknabe. Mack mit seinen weibischen Händen, die Puppenhäuser bauten und eine fette Katze streichelten.

O'Carroll ballte die Fäuste. Irgendwann würde er im dunklen Flur von Cormacks Haus warten und diesem elenden Streber eine Tracht Prügel verpassen.

Die Geräusche verstummten. Etwas sackte zu Boden. O'Carroll trat aus dem Schatten und schlenderte um die Ecke. Callum Gallagher und zwei seiner Kumpane sahen ihn ruhig an. Gallagher legte den rechten Zeigefinger an die Lippen und grinste. O'Carroll nickte kühl. Das Trio verschwand in Richtung der Schlafräume. Es war kurz vor vier Uhr morgens. O'Carroll sah sich den Burschen an, den die Gang in die Mangel genommen, für irgendetwas bestraft hatte. Das Gesicht des Jungen wies keinen Kratzer auf, sah man von der geschwollenen Lippe ab. Er lag gekrümmt da, beide Hände in den Magen gepresst, wohin die drei Hüter des Gesetzes ihn geschlagen und getreten hatten.

O'Carroll nahm die Mütze ab wie vor einer Leiche und setzte sich, lehnte sich mit dem Rücken an die kalte Mauer. Er dachte an seine Kindheit und daran, wie oft er zusammengeschlagen worden war. Er kam auf keine Zahl, es gab keine Summe. Im Nachhinein war es immer viel weniger, weil er sich nicht erinnern wollte an jedes einzelne Mal. Weil er das Brennen nicht mehr spüren wollte, wo seine Haut jahrelang blau gewesen war. Weil er den Biergestank nicht riechen und das Heulen seiner Mutter nicht hören wollte. Weil die Bilder und die Gerüche und das Brennen verschwinden würden, wenn er einfach nicht mehr daran dächte.

O'Carroll strich sich mit dem Finger über die Narbe, dreimal, das brachte Glück. Er kannte den Jungen, der vor ihm am Boden lag wie ein frierender Hund. Das war der Spinner, der jede Woche freiwillig in den Turm hochstieg, um Taubenscheiße abzukratzen. Der nach der Arbeit auf dem Rücken lag und träumte. Er betrachtete den Jungen, der die Augen geschlossen hielt und keuchend atmete. Er streckte die Hand aus und zog sie zurück. Eine Zigarette wäre jetzt das Richtige gewesen, aber hier drin zu riskant. Er fischte stattdessen eins von Cormacks Bonbons aus der Tasche, wickelte es aus und schob es in den Mund. Erdbeere, Weibergeschmack. Der Junge ächzte, krümmte sich noch mehr zusammen. Im Garten hinter dem Haus hatte es Erdbeeren gegeben, groß und rot, wenn das Gekreuche und die Vögel nicht vorher alles holten. Er machte die Augen zu, legte den Kopf an die Wand. Seine Mutter füllte Untertassen mit Guinness, darin ersoffen die Schnecken. Sein Vater sah das Vergeuden von Bier als Sünde, als Verbrechen, und Erdbeeren hasste er.

O'Carroll öffnete die Augen. Der Junge atmete ruhig.

»He, wovon träumste?«, flüsterte O'Carroll, als stelle er sich die Frage selber. Er würde noch eine Weile sitzen bleiben und den Jungen dann zur Krankenstation bringen. Bestimmt war der arme Kerl die Treppe hinuntergefallen. Das passierte immer wieder.

Wilbur atmete mit einem falschen Ächzen, gespielt angestrengt und stockend. Er fragte sich, wie lange man ihn in Ruhe lassen würde, wenn er eine Rauchvergiftung und Erschöpfung vortäuschte, und kam auf einen halben Tag. Dann würde Moriarty mit ihm reden wollen. Wilbur hoffte, dass er wütend war, wütend und enttäuscht genug, um ihn noch eine Weile hierzubehalten, am besten ein Jahr. Dann wäre Wilbur alt genug, um sein Erbe anzutreten, das Geld zu nehmen und zu verschwinden.

»Ich werde Miss Ferguson anrufen müssen«, sagte Moriarty leise, um Wilbur nicht zu wecken.

»Die Arme«, sagte Elizabeth. »Es wird ihr das Herz brechen.«

Wilbur gelang ein rasselndes Pfeifen, das er aus den Tiefen seiner Lungen holte. Er hätte sich gerne das Kissen über den Kopf gelegt, um nichts mehr zu hören. Er wollte niemanden enttäuschen, niemanden verletzen, weder Moriarty noch seine alte Lehrerin. Hier drin bleiben wollte er, die Eintönigkeit der

Tage über sich ergehen lassen, Nagetierfallen bauen und Zeit totschlagen. Er verlangte nichts außer diesen Mauern, die ihn aufheben sollten, bis er achtzehn war.

»Gerade noch hat er Gewichte gestemmt, als hinge sein Leben davon ab.« Moriartys geräuschvolles Ausatmen erfüllte, getragen von einem langen Seufzer seiner Frau, den Raum. »Ich verstehe das nicht.«

»Dabei hast du so viel Hoffnung für diesen Jungen gehabt.« Ihr Flüstern war der Ton aus einem Radio, dem ein Kind unter der Bettdecke lauscht.

Wilbur wünschte, Elizabeth Moriarty würde nicht an seinem Bett stehen und solche Dinge sagen. Der Klang ihrer Stimme bewirkte, dass er sich schäbig fühlte, feige und dumm. Sie musste mit ihrem Mann hergekommen sein, überlegte er, mitten in der Nacht und nur seinetwegen. Er schämte sich und hoffte, die beiden würden bald gehen.

»Die Hoffnung habe ich nicht aufgegeben«, sagte Moriarty so leise, dass Wilbur es kaum verstand. »Das tue ich nie.«

Eine Weile standen die beiden noch schweigend da, dann verließen sie den Raum. Wilbur hörte, wie der Schlüssel im Schloss gedreht wurde. Er blieb auf der Seite liegen und wartete, bis die Schritte sich entfernt hatten, wartete, bis das Kreisen der Gedanken langsamer wurde und der Drang, weinen zu müssen, nachließ. Dann öffnete er die Augen und schlug die Bettdecke zurück, wo sie auf dem verbrannten Zeh lag. Er überlegte, ob er so betrunken gewesen war, dass er nicht gemerkt hatte, wie er Feuer fing. Wären die Flammen über seinen Fuß das Bein hochgekrochen, im Stoff der Hose Nahrung findend? Wäre er verbrannt, zusammen mit sämtlichen Büchern, dem Schund, dem Mittelmaß und dem Lesenswerten? Das brachte ihn auf die Frage, wer ihn gerettet hatte.

Conors Lippen sahen aus, als hätte er zwei Würstchen unter sie geschoben, wie Stuart Maguire es manchmal im Speisesaal tat, wenn er den Clown gab. Die Haut um seine Rippen war dunkel verfärbt, am rechten Unterarm prangte ein blauer, faustgroßer Fleck. Wenn er atmete, tat es weh, und wenn er sich aufrichtete, ritzten Messer seine Bauchmuskeln.

Doktor Carrigan, der in dieser Nacht zum zweiten Mal nach Four Towers hinausgefahren und entsprechend übel gelaunt war, hatte ihn untersucht und eine Überweisung ins Krankenhaus für unnötig befunden. Der alte Arzt hatte mit seiner Frau neun Kinder großgezogen, darunter fünf Söhne, und er nahm Conor kein Wort von der Geschichte mit dem Treppensturz ab. »Wenn du gefallen bist«, hatte er gesagt, »bin ich geflogen. Von Collooney bis hierher, wie ein Vögelchen.« Dann hatte er Moriarty eine Salbe gegen Prellungen und eine Handvoll Schmerztabletten gegeben und war nach Hause gefahren zu seiner Frau, die in einem warmen Bett auf ihn wartete. Moriarty hatte die Tabletten in den Medizinschrank gesperrt, Foley angewiesen, alle zwei Stunden nach den beiden Patienten zu sehen, und war dann mit Elizabeth ebenfalls nach Hause gefahren, um noch zu ein paar Stunden Schlaf zu kommen.

Jetzt lag Conor in dem Bett, das dem von Wilbur schräg gegenüberstand, und horchte auf den Atem des Jungen, der einmal sein Freund gewesen war. Die Tabletten begannen zu wirken. Ihre Inhaltsstoffe dockten an den richtigen Stellen seiner Nervenbahnen an, blockierten gezielt Impulse und legten sein Versandzentrum für Schmerzen lahm. Er lag auf dem Rücken und glitt mit den Fingern über jede einzelne Rippe, nur um sicherzugehen. Draußen drückte Licht durch die Dunkelheit wie Feuchtigkeit durch schweren Stoff. In seinem Kopf leierte eine simple Melodie. Er betastete seine Lippen. Für einen Spiegel hätte er aufs Frühstück und Mittagessen verzichtet. Er war nicht müde, nur erschöpft.

»Ich hab die gefragt, ob ich zur Beerdigung darf, aber sie haben's nicht erlaubt.« Conors Stimme war wie die Deckenlampe, die unschlüssig und nervös angesprungen war, als O'Carroll ihn hergebracht hatte. Sie war wie Strom, nicht wie Licht, und floss schwankend in einer dunklen Bahn. »Ich hab denen gesagt, sie können zehn Bullen mitnehmen, um mich zu bewachen. Oder ich seh von Weitem zu, aus 'm Fenster von 'nem Polizeiwagen. Nichts zu machen.«

Eine Weile herrschte Stille. Wilbur atmete, ohne sich zu rühren.

»War vielleicht besser so, wer weiß. Hätte nicht mal Blumen besorgen können. Wilde Margeriten, die hat Orla doch so gemocht.« Conor blickte an die Decke, das schillernde Rechteck, getüncht mit Mondschein. Als sie zur Leinwand wurde, drehte er den Kopf und sah zur Tür. »Hätt eh keinem in die Augen sehen können.«

Wilbur atmete aus, das Ächzen kam von alleine und ohne Absicht. Sein Zeh juckte.

»Wenn ich hier rauskomm, geh ich zum Grab und leg ihr die Blumen hin. Ich weiß 'ne Straße, da wachsen sträußeweise Margeriten. Zwischen Kies und 'nem Zaun wachsen die, Hunderte, man würd's nicht glauben.« Conor spürte die Stellen, wo Elizabeth Moriarty die Salbe mit ihren Händen eingerieben, die Haut dabei fast nicht berührt hatte. Sie glühten.

Wilbur wedelte mit dem Fuß, um den Zeh zu kühlen.

»Deinem Großvater leg ich auch 'n paar hin. Wenn er sie nicht will, soll er sich beschweren.«

Wilbur gluckste, hielt den Atem an. Draußen verzog sich der Nebel.

»Dann geh ich weg. Irgendwohin, wo mich keiner kennt. Ich fahr mit dem Schiff, je größer das Meer, umso besser.«

Wilbur hustete.

»Wahrscheinlich heuer ich auf 'nem Frachter an. Da werd ich bezahlt und seh was von der Welt.«

Wilbur sah aus dem Fenster. Die Sonne strahlte den Mond an, und der gab von seiner Helligkeit der Erde ab, die Dinge leuchten ließ. Wilbur musste daran denken, dass manche der Sterne, deren Funkeln er sah, schon vor langer Zeit erloschen waren. Nichts war für die Unendlichkeit bestimmt, nicht einmal die Lebensspanne eines Planeten.

»Tasmanien«, sagte Wilbur.

Die Stille, die folgte, dauerte eine Ewigkeit.

»Mindanao«, sagte Conor endlich, und Licht schwebte in seiner Stimme.

Als Folge des Brandes würde die Bibliothek für mindestens zehn Tage geschlossen bleiben. Das bedeutete, dass den Jungen ein wichtiger Ort des Rückzugs genommen wurde, wozu auch immer jeder Einzelne diese Momente nutzte. Zudem mussten alle ein paar Stunden damit verbringen, die schlammige Masse aus Löschwasser, verkohlten Büchern und Teppichfetzen vom ruinierten Parkett zu kratzen, Ruß von den Wänden und der Decke zu wischen und alles neu zu streichen. Die Movie Men radierten Wilbur von ihrer Mitgliederliste und schworen Rache.

Die Gang, deren geheime Gesetze Wilbur mit Füßen getreten hatte, würde ihn bestrafen. Conor hatte sich bei seinem nächtlichen Ausflug erwischen lassen, und man hatte ihm eine Lektion erteilt. Dass er jemanden gerettet und ein Feuer gelöscht hatte, war belanglos. Moriarty würde nicht nur in der Bibliothek aufräumen. Er würde wissen wollen, warum Wilbur um Mitternacht durch die Flure spazieren und eine verschlossene Tür öffnen konnte, woher er den nachgemachten Schlüssel hatte und wie er an den Schnaps und die Streichhölzer gekommen war. Es würde eine Untersuchung geben, und das war das Letzte, was die Gang in ihren Mauern brauchte. Wilbur würde nicht die Treppe hinunterfallen, er würde von einem Güterzug überrollt werden.

Conor musste die Krankenstation nach einem Tag verlassen. Doktor Carrigan hatte ihm Zähigkeit und eine gute Gesundheit bescheinigt, auf die Schulter geklopft und die Salbe gegen Prellungen geschenkt. Moriarty, von Foley begleitet, holte Conor ab und unterhielt sich dann über eine Stunde in seinem Büro mit dem Jungen, dessen Lippen nach wie vor geschwollen waren. Conor musste dem Direktor noch einmal die ganze Geschichte erzählen, wie er nicht schlafen konnte, den Rauch roch und die Tür eintrat, wie er den halb bewusstlosen Wilbur vom Feuer wegzerrte und die Flammen mit einem Teppich und Wasser aus einer Vase und einer Gießkanne löschte. Wie er später in der Nacht, nachdem er Moriarty den Hergang zum ersten Mal geschildert hatte, den Schlafsaal verließ, um frische Luft zu schnappen, und, vom Rauch noch leicht benebelt, die Treppe hinunterstürzte.

Anders als Doktor Carrigan war Moriarty dazu bereit, Conors Geschichte zu glauben, zumindest teilweise. Dass manche nicht schlafen konnten, aus schlechten Träumen aufwachten oder bei einem einsamen Gang durch die Flure ihren Gedanken nachhängen wollten, konnte er verstehen. Das verstieß zwar gegen die Regeln, aber es war kein Verbrechen. Bei seinem Antritt hatte Moriarty die Anordnung seines Vorgängers, die Türen der Schlafräume nachts abzusperren, aufgehoben, nachdem er über den Brand in einem südamerikanischen Gefängnis gelesen hatte, bei dem zahllose Gefangene umgekommen waren. Er fragte Conor, ob er Wilburs Motive kenne, und gab sich mit einem ahnungslosen Nein zufrieden. Bevor er ihn gehen ließ, zeigte er ihm den Brief, den er vor ein paar Tagen verfasst hatte und in dem er Conors vorzeitige Entlassung anregte.

Nachdem Conor gegangen war, stellte Moriarty sich eine Weile ans Fenster und blickte auf die fernen Hügel, die zum ersten Mal seit Tagen im Sonnenlicht schimmerten. Seine Hand krampfte sich um den Griff des Stocks, seine Augen waren müde. Er wollte sich setzen, blieb aber stehen und dachte daran, wie es wäre, diese Arbeit aufzugeben. Ob es leicht sein würde, Four Towers zu verlassen und die Jungen und Miss Rodnick, Foley, Cormack, Geraldine und alle anderen im Stich zu lassen. Er überlegte, wie er sein Kündigungsschreiben formulieren würde, ob er den Mut haben würde, Versäumnisse einzuräumen. Ob er seinen guten Ruf aufs Spiel setzen und zugeben würde, dass hier Dinge geschahen, die er nicht für möglich gehalten hatte. Zugeben, dass in seiner Anstalt Jungen andere

Jungen krankenhausreif prügelten, dass neben seinem noch ein anderes Gesetz herrschte, ein strengeres.

Tauben flogen vorbei, und er fragte sich, was aus ihnen werden würde, wenn er ginge. Sein Lebenswerk, überlegte er, würde Schaden nehmen, ein Falke seinen Platz einnehmen und Four Towers mit eiserner Hand führen. Er würde sich eine andere Stelle suchen müssen, mit vierundfünfzig. Elizabeth wäre vermutlich nicht angetan von diesen Veränderungen. Nicht jetzt, wo ein Kind in ihr wuchs.

Seine Hand zitterte, und er wechselte den Stock in die Linke. Wolken zogen heran, die Hügel wurden zu sanften, dunklen Wellen. Er war der Kapitän, und dies war sein Schiff. Nichts von dem, was hier geschehen war, musste nach außen dringen. Keiner der Vorfälle der letzten Tage war besorgniserregend genug, um die Pferde scheu zu machen. Er hatte alles unter Kontrolle, brauchte keine Ratschläge von externen Experten, die durch sein Reich stolzierten und von Videoüberwachung und Disziplinierungsmaßnahmen schwärmten. Er konnte auf die Gutachten dieser eiskalten Kerle verzichten, die das Gefängniswesen in Amerika studiert hatten und aus seinen Kindern Verbrecher und dem Taubenschlag wieder einen Wachturm machen wollten. Er kannte sie von Kongressen, diese Karrieretypen mit ihren Mobiltelefonen und elektronischen Notizbüchern, diese Angeber, die hinter seinem Rücken seinen Führungsstil kritisierten und Witze über seinen Stock rissen. Er hatte ihnen zugehört und wollte sie nicht hierhaben.

Er ging zum Schreibtisch, setzte sich hin und wählte Bill Carrigans Nummer. Der alte Mann war auf seiner Seite, Moriarty wollte es sich nur bestätigen lassen.

Wilbur hatte den Brief immer wieder gelesen, so lange, bis er ihn auswendig konnte, wie Conor. Er lag in seinem Bett auf der Krankenstation und murmelte die Worte vor sich hin, fing nach dem letzten wieder beim ersten an, endlos. Ein Matrose hatte sie aufgeschrieben, Abschiedsworte an seine Frau. Eamon

McDermott hatte sie unterschlagen, gestohlen und in eine Kiste gelegt, die Kiste in einen verlassenen Dachsbau geschoben. Conor Lynch hatte den Brief gefunden, unter Tüchern, unter dem Fernrohr und dem Messer und dem Revolver, den er in jener Nacht holte. Im Mondlicht hatte er den Brief gelesen und entschieden, ihn Wilbur nicht zu zeigen, schon damals ahnend, was er bedeutete.

Als Wilbur Schritte auf dem Flur hörte, zerriss er das Blatt, auf das Conor den Brief aus dem Gedächtnis geschrieben hatte, und stopfte die Streifen in eine Lücke zwischen den Fliesen und dem Abflussrohr des Waschbeckens. Er war seit Stunden angezogen, die frische Kleidung hatte Foley am Morgen auf das Nachbarbett gelegt. Sein Kater war verflogen, Appetit hatte er trotzdem keinen. Am linken Fuß trug er einen Schuh, am rechten nur einen zu großen Strumpf, weil der Zeh noch immer bandagiert war. Er stand neben dem Bett, als Moriarty und O'Carroll die Tür aufsperrten und das Zimmer betraten. Geraldine folgte ihnen mit Putzzeug und einem Wäschekorb. Moriarty wirkte bekümmert, als er sich im Raum umsah.

»Na, wie geht es uns denn heute?«, fragte er und zwang sich zu einem Lächeln und einem munteren Ton.

Wilbur zuckte mit den Schultern. Hose und Hemd waren ihm zu groß. Dass der Alkoholkonsum für eine Schrumpfung seines Körpers verantwortlich sein könnte, erschien ihm unwahrscheinlich und bei näherer Betrachtung absurd. Er hatte viel über die schrecklichen Folgen unmäßigen Trinkens gehört und gelesen, aber in seinem Fall handelte es sich offensichtlich nur um eine Fehleinschätzung der Kleidergröße.

»Doktor Carrigan sagt, wenn du nicht mehr husten würdest, sei dein Urlaub beendet.« Moriarty setzte sich auf eins der leeren Betten und blickte nach draußen, wo Regen niederging. Seewind trieb Wolken über einen Himmel, der ständig seine Farben wechselte, in einer Minute grau auf die Hügelkuppen drückte und in der nächsten blau erstrahlte. Regen fiel nach dem gleichen unregelmäßigen Muster und trocknete rasch in den heftigen Böen und der Sonne, die nach jedem Wolkenschub über die Landschaft flutete.

Wilbur dachte daran zu husten, räusperte sich dann aber nur. Geraldine rieb mit einem Putzlappen über das Waschbecken, zog danach die Laken von Wilburs Bett und legte sie in den Korb. O'Carroll stand bei der Tür, die Arme im Rücken gekreuzt. In der Stille konnte man die Regentropfen hören, die der Wind gegen das Glas warf.

Moriarty sah Wilbur nachdenklich an. »Ich würde gerne mit dir reden, Wilbur«, sagte er schließlich. »In meinem Büro.« Er erhob sich, wobei er beide Hände auf den Stock legte, sah eine Weile selbstvergessen zu, wie Geraldine die Knöpfe des Kissenbezugs öffnete, und ging dann zur Tür, die O'Carroll für ihn öffnete.

Conor saß im Taubenschlag und sah in den von Licht geweiteten Himmel. Er war mit der Arbeit fertig, aber hinlegen wollte er sich nicht. Dass Wilbur mit ihm gesprochen, dass er ihm vielleicht verziehen hatte und sie wieder so etwas wie Freunde waren, ließ ihn vor Unruhe immer wieder aufstehen und herumgehen, obwohl hier oben kaum Platz war. Die Schwellung seiner Lippen war zurückgegangen, und er konnte sich wieder ohne Schmerzen im Bauch strecken und die Schuhe binden. Callum Gallagher und die Typen aus der Gang ließen ihn in Ruhe. Sie hatten ihn nach Wilburs Zustand gefragt, und er hatte ihnen gesagt, Wilbur habe eine üble Rauchvergiftung und schwere Verbrennungen und müsse wohl noch eine Weile auf der Krankenstation bleiben. Die Gang war enttäuscht, ihr stand der Sinn nach Rache und Bestrafung, nicht nach Warten.

Conor sah hinunter in den Hof, wo die Jungen mit Holzstöcken auf ihre Matratzen einschlugen. Sie hassten diese Arbeit, und ihr Hass entlud sich in den Hieben, die auf dem Turm wie weit entferntes Gewehrfeuer klangen. Conor würde seine Matratze später ins Freie schleppen, um den Staub und den Milbenkot aus ihr zu prügeln und sie mit einer Lösung zu besprühen, die die Jungen Moriartys Nebel nannten. Auch zum Haareschneiden würde er erst gehen, nachdem der letzte Kunde vom Sessel geklettert war. Er fuhr sich mit der Hand über die Haare, die so kurz waren, dass sie sich nicht mehr wie früher lockten.

Direktor Moriarty, der als Vorsteher des Sozialamtes verwahrloste Kinder mit Läusen und den Bisswunden von Wanzen gesehen hatte, war vom Tag seines Amtsantritts darum bemüht gewesen, die hygienischen Bedingungen in Four Towers zu verbessern und das Ungeziefer, das sich unter dem Regiment seines Vorgängers vermehrt hatte, ein für alle Mal auszumerzen. Groteske Geschichten über seinen Feldzug machten die Runde, und alle rochen nach Essig und Salmiak und Schwefel und dem Mittel, das jede Woche auf die Matratzen gesprüht wurde. Berichte von ehemaligen Insassen kursierten, in denen geschrubbt und geschwitzt und mit kochendem Wasser hantiert wurde. Anekdoten hielten sich, in denen von Quarantänen die Rede war, von Ausräucherungsaktionen und tiefgefrorenen Kissen, von Vorträgen über Wanzenlarven und Milbeneier, von zwischen die Glasplättchen eines Mikroskops gequetschten Flöhen und von Fotos asiatischer Kakerlaken, groß wie Mäuse.

Und von einer Frau wurde den Neuankömmlingen erzählt, die drall und sinnlich war und aus deren Fingerspitzen heiße Strahlen in die Kopfhaut ihrer willigen Opfer schossen, direkt ins brodelnde Gehirn. Die Berührungen dieser Frau, schwärmten die Alteingesessenen, entschädigten für Moriartys manischen Sauberkeitsfimmel, jeder ihrer Atemstöße ins Ohr machte das wöchentliche Schleppen der Matratzen in den Hof wett, und wenn einen ihr praller Busen an der Schulter oder Wange streifte, entlohnte das für all die Nächte, in denen man, benebelt von chemischen Ausdünstungen, im Schlafsaal lag und bei offenen Fenstern fror.

Molly Keegan, die vor ihrer Heirat als Friseuse gearbeitet hatte, kam jeden Monat mit einem Kamm und einem elektrischen Scherapparat nach Four Towers. Im modrig riechenden Duschraum stutzte sie das Haar der Jungen auf die vorgeschriebenen drei Zentimeter, eine Länge, die Moriartys Hygieneanspruch genügte, ohne zu sehr nach dem uniformen Kahlschlag eines militärischen Millimeterschnitts auszusehen. Molly war sechsundvierzig Jahre alt und hatte einen Mann und drei Kinder. Sie schnitt auch Männern in Altersheimen die Haare, und wenn sie nicht mit Kamm und Schere auf Achse war, fuhr sie Blumen aus. Sie selber hielt sich für verblüht und mäßig attraktiv, und nur manchmal, wenn sie nach einer Kissenschlacht mit ihren Töchtern ihr erhitztes Gesicht im Badezimmerspiegel sah, erinnerte sie sich an die junge Frau, die sie einmal gewesen war.

Dass ihr Anblick den alten Männern im Heim ebenso das Blut in die Lenden treiben könnte wie den halben Kindern in Four Towers, wäre ihr nie in den Sinn gekommen. Wenn ihre Kunden mit geschlossenen Augen auf dem Sessel saßen und dabei unruhig wackelten und leise ächzten, dachte sie entweder an altersbedingte Zuckungen oder jugendliche Ungeduld. Und eilten die Knaben, die ihre Söhne hätten sein können, nach dem Haarschnitt davon, ohne sich zu bedanken oder ihr auch nur in die Augen zu sehen, legte sie es ihnen als Schüchternheit aus.

Molly machte diese Arbeit, weil die Familie das Geld brauchte, aber eigentlich schnitt sie nicht gern Haare. Sie liebte Locken und Pferdeschwänze, aufwendige Hochsteckfrisuren, sanft geschwungene Strähnen und zügellose Mähnen, die bis zur Hüfte reichten. An den kurz gehaltenen Schöpfen herumzuschnippeln widerstrebte ihr zutiefst, die Einheitsschädel fand sie traurig, und die Jungen taten ihr leid. Davon, dass ihre Kunden sich von ihr eine Glatze hätten scheren lassen, um ein paar selige Minuten in der Nähe ihres himmlischen Fleisches zu verbringen, ahnte sie nichts.

Conor war es egal, wer ihm die Haare schnitt und was für ein Bild er danach abgab. Weder seine Frisur noch seine von einer leichten Akne befallene Haut oder sein schlaksiger, unfertiger Körper kümmerten ihn. Den innerhalb von Monaten

425

auf die dreifache Größe gewachsenen Adamsapfel nahm er mit derselben Gleichgültigkeit hin wie die Tatsache, dass die schwarzen Augenbrauen über der Nasenwurzel zusammenwuchsen und an seinen langen Armen riesige ungeschickte Hände baumelten. Er würde sich auf den eigens gezimmerten Sessel setzen und Mollys Routine hingeben. Er würde ihren Geruch aus Seife und Schweiß und aufgewärmtem Essen einatmen, dem Summen des Geräts lauschen und dabei die Augen geschlossen halten. Er würde versuchen, nicht daran zu denken, woran die meisten Jungen in diesem Sessel dachten, nämlich dass das Schergerät ein Vibrator sei und das heftige Atmen der übergewichtigen Molly ein nahender Orgasmus. Oder dass sich die mit Sicherheit unglücklich Verheiratete nach getaner Arbeit die Kleider vom üppigen Leib reißen und die flaumigen Achselhaare rasieren würde, auf dem Rücken liegend und vor Lust keuchend. Er würde auch versuchen, sich nicht vorzustellen, was fast jeder von Mollys Kunden unter dem schwarzen, mit Haaren aller Farben bedeckten Umhang trieb, der ihnen vom Hals bis zu den Knien ging. Dasitzen würde er, die Augen geschlossen, und überlegen, was er anfangen sollte draußen in der drohenden Freiheit.

Das Auto sah Conor schon, als es von der Hauptstraße abbog. Es war ein dunkler Lieferwagen, und er blieb nach etwa hundert Metern auf dem Zufahrtsweg stehen. Mächtige Wolken flogen über einen blauen Himmel, ihre Schatten waren Teiche und Seen, die sich für keinen Ort in der Landschaft entscheiden konnten, über die Hügel glitten und verschwanden. Ein Fuchs, rotbraun wie Mollys Haar, schoss aus einer Hecke und rannte über ein Feld. Der Wagen setzte sich in Bewegung, wurde schneller und raste auf das Haupttor zu. Als der Fuchs in ein Wäldchen tauchte, prallte das Fahrzeug gegen das Tor. Einen Moment lang blieb es mit eingedrückter Schnauze stehen, ein benommenes Tier, dem zischend Atem entstieg, dann setzte es zurück, heulte ein paar Mal auf und preschte erneut vor.

Beim ersten Knall war Foley, der die Aufsicht über die im Hof arbeitenden Jungen hatte, zum Tor gerannt und hatte durch das Guckloch gespäht. Jetzt redete er aufgeregt in sein Funkgerät und sah zum Turm hoch, wo wie erstarrt Cormack stand. Als es zum zweiten Mal krachte, schrie Foley die Jungen an, ins Hauptgebäude zu gehen, aber seine Befehle gingen im anschwellenden Jaulen einer Sirene und dem Gejohle der Jungen unter. In den dritten Aufprall mischten sich berstendes Blech und splitterndes Holz, das Tor schwang auf und krachte gegen die Mauern. Was vom Lieferwagen übrig war, kroch auf den Hof und starb in einem Pilz aus Dampf und Rauch und einer Wolke schwarzer Abgase. Hinter der Windschutzscheibe, die halb aus dem Rahmen gesprungen, aber intakt war, hing eine dunkle Gestalt über dem Lenkrad und hob den Kopf. Die Fahrertür ging auf, und der Mann kippte vom Sitz und fiel zwischen zwei Pfützen auf den Teerboden. Foley zerriss sich in drei Teile. Einer versuchte, die Jungen ins Gebäude zu treiben, der zweite wollte den Verrückten fangen und der dritte das Tor schließen.

Als Cormack endlich von seinem Turm herunterkam, waren schon ein Dutzend Jungen auf und davon. Der Fahrer hatte sich aufgerappelt und rannte torkelnd über den Platz, beschrieb Ellipsen und Achten, blieb plötzlich stehen und duckte sich unter Foleys offenen Armen weg, stolperte zum Wagen, umrundete ihn, verschwand im Laderaum und kollerte zur Beifahrertür wieder hinaus. Irgendwann konnte Foley nicht mehr, setzte sich hin und keuchte und bellte in sein Funkgerät. Immer mehr Jungen drängten durch das offene Tor und verteilten sich auf den Feldern, während Cormack den verfolgte, der als Einziger die Straße als Fluchtweg gewählt hatte.

Moriarty stand am Fenster seines Büros und sah dem Treiben im Hof und auf den Feldern in einer Mischung aus Entsetzen und Belustigung zu. Er wusste, dass er zum Telefon gehen und die Polizei informieren sollte, dass es eine gute Idee wäre, hinunterzugehen und die Jungen, die unschlüssig vorm Tor hin und her liefen, zum Bleiben zu überreden, aber er stand nur da, überwältigt von den Geschehnissen und unfähig, sich zu rühren. Miss Rodnick, die vor wenigen Augenblicken zu ihm hereingestürmt war und hysterisch geschrien hatte, würde bestimmt die Polizei anrufen.

Vom Meer her kamen Regenwolken und schütteten sich Minuten später aus. Die Jungen, die über die Felder rannten, hinfielen, sich aufrappelten und weiterhetzten, erinnerten Moriarty an Hasen. Hinter ihm stand ein Schrank, darin waren zwei Gewehre eingeschlossen. Der Schlüssel hing an einem Bund, der warm in seiner Hosentasche lag. Er spürte ihn zwischen den Fingern, er war kürzer als die anderen und sein Schaft hohl wie der Lauf einer winzigen Waffe. Regen prasselte auf das Dach des Lieferwagens, aus dem plötzlich der Mann stürzte und etwas schrie, das vom Lärm der Sirene geschluckt wurde.

»Willst du nicht gehen?«, fragte Moriarty, ohne den Blick vom Hof zu nehmen.

Wilbur antwortete nicht. Er sah zu, wie Henry über die Kühlerhaube des Lieferwagens auf das Dach kletterte und dabei Foley abschüttelte, der seinen Fuß zu fassen bekommen hatte. Als die Sirene verstummte, hörte Wilbur, dass Henry seinen Namen rief. In der Stille entschieden sich ein paar Jungen zur Flucht, andere trotteten durchnässt ins Gebäude zurück. O'Carroll stürmte an ihnen vorbei und schien zu fliegen, als er sich auf Henry warf. Die beiden Männer stürzten zu Boden, und O'Carroll drosch mit einem der herumliegenden Holzknüppel auf Henry ein, der sich auf den Bauch gewälzt hatte. Foley, vor Kälte oder Angst zitternd, zerrte O'Carroll weg und legte sich auf Henry, bedeckte ihn vollständig mit seinem schweren, bebenden Körper. So plötzlich, wie er eingesetzt hatte, hörte der Regen auf. Sonnenlicht schwemmte über die Felder und jeden Fliehenden, über die Mauern und den Wagen und über Foley, der auf Henry lag, eine massige, dunkel glänzende Robbe.

Moriarty drehte sich um, ging zum Schreibtisch und setzte sich in den Sessel. Eine Weile sah er vor sich hin, die Hände zum spitzen Dach gefaltet. Schließlich nahm er das Foto seiner Frau in die Hand und betrachtete es. Aus weiter Ferne waren Polizeisirenen zu hören. Moriarty seufzte und sah Wilbur nach, der den Raum verließ. Er wollte rufen, dem Jungen etwas mit auf den Weg geben, aber es fiel ihm nichts von Bedeutung ein.

Eine Woche nach dem Vorfall waren achtundvierzig der sechsundfünfzig Ausreißer gefasst. Callum Gallagher war nicht unter ihnen. Nur einer aus der Gang hatte sich erwischen lassen und saß jetzt in einer Jugendstrafanstalt im Norden Dublins, weil er auf der Flucht ein Auto gestohlen und zu Schrott gefahren hatte. Wilbur wurde in Ruhe gelassen. Die meiste Zeit des Tages verbrachten die Jungen in der Bibliothek und in den Schlafsälen. Vor den Türen standen Wächter, zwei davon eben erst eingestellt. Männer in Anzügen gingen durch das reparierte Tor ein und aus, schritten zielstrebig über die Flure, kletterten auf die Türme und machten Fotos.

Im Büro, das Moriarty geräumt hatte, wurden Sitzungen abgehalten. Miss Rodnick kochte in fünf Tagen mehr Kaffee als in den fünf Jahren davor. Die Tür zum Kraftraum war verriegelt worden, eine Bestrafungsaktion, die allen Insassen galt, auch denen, die am Tag der großen Flucht im Gebäude geblieben waren. Doktor Carrigan kam jeden Tag vorbei und sah nach den zwei Jungen, die auf der Krankenstation lagen. Einer hatte sich beim Rennen über die Felder den Fuß verstaucht, der andere den Arm gebrochen, als er vor der anrückenden Polizei auf einen Baum geklettert und heruntergefallen war. Irgendjemand hatte Geraldine angewiesen, bis auf Weiteres keinen Nachtisch mehr zuzubereiten, auch das eine Strafmaßnahme.

Um Gruppenbildungen und Verschwörungszirkeln vorzubeugen, wurden den Jungen neue Nummern zugeteilt. Wilbur musste in einen anderen Schlafsaal umziehen, und der Zufall wollte es, dass er mit Conor zusammengelegt wurde. Während der Nachmittagsstunden, in denen sie eingesperrt waren, lagen die meisten Jungen auf ihren Betten, lasen, hingen ihren Gedanken nach oder dösten vor sich hin. Obwohl Redeverbot herrschte, setzten sich Wilbur und Conor in eine Ecke und unterhielten sich leise. Weil die Jungen nicht arbeiteten, den Kraftraum nicht benutzen durften und ganze Tage verschliefen, waren sie nachts hellwach. Dann wurden siebenundzwanzig flüsternde Stimmen zum Lärm, und so teilten sie sich in Gruppen von je neun auf, unterhielten sich eine Stunde, schwiegen zwei und redeten dann weiter.

Wilbur und Conor hatten viel nachzuholen und verbrachten jede Minute ihrer Sprechzeit zusammen. Zum ersten Mal erzählte Wilbur jemandem von seiner Zeit bei den Conways, von *Ari's Mega Video Store*, von den Besuchen bei Colm, von Matthew Fitzgerald, vom Cellospielen und der Reise nach Schweden. Im Flüsterton vorgetragen, klang die Geschichte wie ein seltsames Märchen, dem Conor, zum staunenden Kind geworden, atemlos lauschte.

Sieben Tage und Nächte dauerte es, bis beide ihre sieben Jahre losgeworden waren. Dann sprachen sie wieder über Schiffe und fremde Länder, über Meeresgetier und Flugzeuge und Bücher, wie sie es früher auf dem kleinen Hügel vor Orlas Haus getan hatten. Trotz Moriartys Weggang und den Veränderungen, die ein anonymes Gremium anordnete, waren die beiden Freunde glücklich und beschlossen, noch eine Weile in Four Towers zu bleiben. Für Wilbur standen die Chancen dafür nicht schlecht, denn seine Brandstiftung in der Bibliothek war inzwischen aktenkundig, und auch Conor durfte sich Hoffnungen machen, da man an höherer Stelle nicht mehr viel von Robert Moriartys Empfehlungsschreiben hielt und erst einmal sämtliche vorzeitigen Entlassungen auf Eis legte.

Die zuständigen Behörden waren Robert Moriartys Kündigungsgesuch zuvorgekommen und hatten ihn fristlos entlassen. Noel Moger, ein Mitglied der ehemaligen Gang, war auf der Flucht gefasst worden und hatte über die vergleichsweise paradiesischen Zustände in Four Towers geplaudert und damit

Moriartys alten Gegnern reichlich Munition geliefert und sogar Leute im Justizministerium alarmiert. Bei seiner Vernehmung erzählte Moger von nächtlichen Fernsehvergnügen und Schutzgelderpressungen ebenso freimütig wie von eingeschmuggelten Pornoheften und den Preisen für Alkohol und Zigaretten. Er zitierte munter aus dem Gesetzbuch der Gang und schilderte, wie Übertretungen bestraft wurden und dass die Jungen, die über die Jahre hinweg mit Prellungen und blauen Flecken auf der Krankenstation gelandet waren, keineswegs immer nur einen Treppensturz hinter sich hatten. Seine Aussagen deckten sich mit denjenigen von anderen Jungen, die im Zuge der Untersuchungen befragt wurden und bereitwillig über alle möglichen geheimen Freiheiten, das vertuschte Feuer in der Bibliothek und einen bestechlichen Wachmann berichteten. Gegen Moriarty wurde ein Verfahren eingeleitet, O'Carroll wurde vom Dienst suspendiert.

Elf Tage nachdem der angetrunkene Henry Conway im Lieferwagen des Restaurants, für das er manchmal in der Küche arbeitete, das Tor durchbrochen hatte, trat ein neuer Direktor offiziell sein Amt an. Er hieß John Townsend, war zweiundvierzig, hatte einen von frühmorgendlichen Waldläufen gestählten Körper und kürzeres Haar als die jugendlichen Delinquenten, deren Aufenthalt in Four Towers er grundlegend zu ändern gedachte. Er trug dunkelblaue Anzüge mit Weste, hörte in seinem Ford *Mondeo* klassische Musik und trank täglich drei Liter stilles Wasser. Miss Rodnick rief er Gloria und leitete an seinem ersten Arbeitstag die vorzeitige Pensionierung der unter seinem Kommando gleichzeitig überforderten und aufblühenden Frau in die Wege. Mit den Wachmännern, den altgedienten und den von ihm eingestellten, pflegte er einen jovialen Umgang und erwartete von ihnen unbezahlte Überstunden als Zugeständnis unter Freunden.

Er ließ eine Stechuhr installieren und Videokameras, Bewegungsmelder und Sicherheitsschlösser. Aus dem Taubenschlag wurde wieder ein Wachturm, aus der Bibliothek ein Arbeitsraum für die kalte Jahreszeit. Die vom Brand verschonten Bücher kamen in einen Raum neben Miss Rodnicks Büro, wo Briefpapier und alte Ordner lagerten. Die tägliche Arbeitszeit der Insassen wurde um eine Stunde verlängert, Besuchstag war nur noch jeden zweiten Monat. Die Öffnungszeiten des Kraftraums beschränkten sich auf jeweils zwei Stunden am Samstag und Sonntag, wobei nur die Jungen Zugang hatten, die sich in der laufenden Woche keine Fehltritte erlaubt und ihre Arbeitsvorgaben erfüllt hatten. Um nicht als Unmensch zu gelten, ließ der neue Direktor im Hof zwei Basketballkörbe anbringen und wenigstens am Sonntag wieder einen Nachtisch servieren, den nicht mehr die wegen Bestechlichkeit entlassene Geraldine zubereitete, sondern ein Koch.

In der zweiten Woche nach seinem Amtsantritt beorderte Townsend Wilbur zu sich. Er hatte die Absicht, sämtliche Insassen der Reihe nach zu empfangen, um sich einen Eindruck von ihrem moralischen Zustand zu verschaffen und ihnen mitzuteilen, dass er nichts von dem, was unter Moriartys Leitung möglich war, auch nur ansatzweise dulden würde. Eigentlich hatte er sich die gefassten Flüchtlinge zuerst vorknöpfen wollen, aber dann erhielt er einen Anruf und setzte Wilbur Sandberg zuoberst auf seine Liste. Er saß hinter einem Schreibtisch aus getöntem Glas und Chromstahl und hob nicht einmal den Kopf, als Cormack Wilbur in den Raum schob.

»Danke, Michael«, sagte Townsend, während er mit einem Metallstift auf das Bedienungsfeld des Organizers tippte, der vor ihm auf der fast leeren Tischplatte lag.

»Keine Ursache, Mr. Townsend, Sir.« Cormack verließ das Büro und schloss die Tür hinter sich.

Wilbur stand da und wartete, betrachtete die leeren, weiß gestrichenen Wände und die neuen Regale, auf denen Reihen dicker, gleichfarbiger Bücher standen. Er wusste, dass er der Erste war, den Townsend zu sich bestellte, und er fragte sich, ob das ein gutes oder schlechtes Zeichen war.

»Es gibt offenbar Menschen«, sagte Townsend, klappte das Gerät zu und kritzelte etwas auf einen Notizblock, »die bereit sind, einen Teil ihres Lebens darauf zu verwenden, Burschen wie dir zu helfen. Ihnen den Weg zu weisen, Werte aufzuzeigen.« Er riss den obersten Zettel ab, faltete ihn zusammen und steckte ihn in die Brusttasche seines Jacketts. Dann schenkte er sich Wasser aus einer Karaffe in ein Glas und trank einen Schluck, wobei er den Sessel so drehte, dass er Wilbur sein Profil zuwandte. »Ich persönlich ziehe es vor, dir und deinesgleichen den Charakter zu schleifen. Dir hier drin beizubringen, was richtig ist und was falsch. Was gut ist und was schlecht. Wo die Grenzen deiner individuellen Freiheit verlaufen und mit wem du dich verflucht noch mal besser nicht anlegen solltest.« Er trank das Glas leer, drehte sich um und sah Wilbur an. Das tat er eine Weile, ohne etwas zu sagen. Dabei schien er keine Sekunde zu erwägen, Wilbur zum Hinsetzen aufzufordern.

»Diese Menschen meinen es gut mit dir«, sagte er schließlich. »Sie setzen Hoffnungen in dich. Dass du diese Hoffnungen enttäuschst, ist nicht der Fehler dieser Menschen. Das ist einzig und allein dein Verschulden.« Er stieß sich mit den Händen von der Tischkante ab und rollte auf dem Stuhl ein Stück weit zurück. Wieder betrachtete er Wilbur eine Zeitlang. »Ehrlich gesagt, würde ich dich gerne noch ein halbes Jahr hierbehalten. Dir zeigen, wie man sich zu verhalten hat. Dich Respekt lehren vor Menschen, die sich deiner annehmen. Dankbarkeit. Demut. Disziplin. Das würde ich dir gerne beibringen in den nächsten sechs Monaten.« Er zog sich an den Tisch zurück, drückte eine Taste des Laptops und sah auf den Bildschirm.

Wilbur blickte zu Boden. Ein weiteres halbes Jahr in Four Towers wäre ihm recht gewesen. Die neuen Bedingungen waren zwar unangenehm, aber auszuhalten. Vielleicht würden die strengen Regeln wieder gelockert, wenn sich die Aufregung nach dem Massenausbruch und Moriartys Entlassung gelegt hätte. Ein halbes Jahr war kein Problem, nicht mit Conor an seiner Seite.

Die Tastatur klickte leise unter Townsends Fingern. »Fast ein wenig schade, dass du uns verlassen musst«, sagte Townsend, ohne die Augen vom Bildschirm zu nehmen.

Wilbur sah hoch. »Was?« Das Wort blieb auf halbem Weg in seiner Kehle stecken, er räusperte sich.

»Wie bitte, Sir, heißt das!« Townsends Stimme war laut und schneidend, aber er sah Wilbur nicht an, tippte weiter und schrieb dann etwas auf den Notizblock. Nach einer Weile sah er Wilbur an, erwartete offensichtlich etwas von ihm.

»Wie bitte, Sir?«, sagte Wilbur. Draußen im fahlen Licht bemerkte er Tauben. Drei oder vier flogen um den Turm, der bis vor kurzem ihr Zuhause gewesen war. Einer der neuen Wachmänner, ein ehemaliger Mittelgewichtsboxer mit einem blinden Auge, schwenkte einen Besen aus dem offenen Kippfenster, um die Tiere zu vertreiben.

»Um ehrlich zu sein, bin ich nicht ganz unglücklich darüber, dich loszuwerden.« Townsend verschränkte die Arme vor der Brust und atmete tief ein und aus. Seine Augen waren braun, nicht wirklich unfreundlich. Er hatte eine geschwungene Oberlippe und kleine, viereckige Zähne. »In deiner Akte steht zwar, dass du überdurchschnittlich intelligent seist. Ein Genie. Musikalisch.« Zum ersten Mal lächelte er, ein spöttisches Grinsen. »Das mag alles sein. Mich interessiert aber viel mehr, dass du Häuser anzündest. Dass du dein superkluges Hirn dafür benutzt, Feuer zu legen. Brände, bei denen du nicht nur dein verpfuschtes Leben beenden willst, sondern auch das anständiger Menschen.« Er erhob sich, knöpfte sein Jackett zu und sah dabei auf eine helle Tafel, an der mit Magneten Zettel gleicher Größe befestigt waren. »Deshalb bin ich froh, dass du verschwindest. Soll sich deine neue Beschützerin mit deinem verkorksten Ego herumschlagen.« Er ging zum Schreibtisch, nahm einen Umschlag auf und wedelte damit in Wilburs Richtung.

Wilbur machte ein paar Schritte auf Townsend zu und ließ sich den Umschlag geben. ENTLASSUNGSSCHEIN, SANDBERG, WILBUR stand darauf.

Townsend drückte einen Knopf auf der neuen Gegensprechanlage. »Schicken Sie Michael rein, bitte.« Er atmete hörbar aus, verschränkte die Arme und sah Wilbur an.

Kurz darauf betrat Cormack den Raum und blieb neben der offenen Tür stehen. Wilbur betrachtete den Umschlag. Er wollte Townsend fragen, was das alles zu bedeuten habe, warum er entlassen werde, nachdem er den Brand gelegt hatte, aber er brachte kein Wort hervor.

»Alles Gute, Sandberg«, sagte Townsend und nickte Cormack zu.

»Gehen wir«, sagte Cormack, wartete, bis Wilbur durch die Tür ging, und folgte ihm auf den Flur.

Am Nachmittag saß Wilbur alleine im Speisesaal. Colms Koffer, so gut wie leer, lag auf seinen Knien. Der Koch und drei Jungen arbeiteten in der Küche, aus der leises Scheppern drang. Wilbur hatte beim Mittagessen gefehlt, weil er, von Cormack beaufsichtigt, seine Habseligkeiten packen und die Anstaltskleidung zurückgeben musste. Er hätte sowieso keinen Bissen heruntergekommen. Wäre noch etwas von Henrys Geld da gewesen, hätte er eine Nachricht für Conor schreiben und Danny geben können, aber so bestand keine Möglichkeit, Conor, der mit den übrigen Jungen in einer der Werkstätten arbeitete, über das unerwartete Ereignis zu informieren.

Foley holte ihn ab und ging mit ihm hinunter und über den regennassen Hof. Wilbur wollte ihm danken, dass er Henry vor O'Carrolls Schlägen geschützt hatte, schwieg dann aber. Einer der neuen Wachmänner erwartete sie. Er ließ sich von Wilbur die Entlassungspapiere geben, verschwand damit in der winzigen Holzhütte, die seit ein paar Tagen an die Mauer gedrückt dastand, kam nach kurzer Zeit wieder heraus und öffnete dann mit mehreren Schlüsseln die ins Tor eingelassene Tür. Wilbur drehte sich um, sah Licht in Townsends Büro und eine einzelne Taube über dem Turm kreisen, ging zu dem wartenden Polizeifahrzeug und stieg ein.

»Lass dich hier bloß nicht mehr blicken«, sagte Foley ernst. Dann grinste er und warf die Wagentür zu.

Wilbur nickte und zwang sich zu einem Lächeln. Das Auto fuhr los, feiner Regen fiel auf die schmutzigen Scheiben. Auf einem Feld lag ein einzelner Schuh. Wilbur war froh, dass der Beamte schwieg und das Radio nicht einschaltete. Er drehte sich nicht mehr um und schloss die Augen.

Auf der Polizeiwache wurde Wilbur in einen Raum gesperrt, wo sonst aufgegriffene Betrunkene ihren Rausch ausschliefen und es nach schmutzigen Kleidern, Erbrochenem und Reinigungsmittel roch. An den beiden Längswänden war je eine Pritsche angebracht, auf der eine mit Plastik überzogene Schaumstoffmatte lag. In der Deckenmitte brannte eine vergitterte Lampe. Wilbur stand da und dachte nach. Dass Miss Ferguson ihre Meinung geändert hatte und ihn nun doch bei sich aufnehmen wollte, erstaunte ihn. Ihr Vertrauen und ihre Zuversicht in ihn mussten grenzenlos sein. Die Vorstellung, die nächsten paar Monate mit seiner ehemaligen Lehrerin, einer alten, pingeligen Jungfer, verbringen zu müssen, erschien ihm so absurd, dass er es schon beinahe komisch fand.

Eine Stunde später holte man ihn aus der Ausnüchterungszelle und brachte ihn in ein Büro. Ein Polizist stellte ihm die Anwesenden vor, eine Vertreterin des Sozialamtes und einen Anwalt, der angeblich Wilburs Interessen vertrat. Der Anwalt war jung und nervös und überreichte Wilbur seine Karte. TOBEY SHEEHAN las Wilbur und steckte die Karte ein. Kurz darauf betrat eine Frau den Raum, die mit Sicherheit nicht Miss Ferguson war. Sie war vielleicht Anfang vierzig und ungewöhnlich groß, und sie hatte helles, rötlich schimmerndes Haar. Bleich vor Aufregung setzte sie sich neben Wilbur, sah ihn eine Weile nur an, ergriff schließlich seine Hand und lächelte, während ihr Tränen über die Wangen liefen.

Die Dame sei Alice Krugshank, sagte der Anwalt, und hier, um Wilbur nach Amerika mitzunehmen.

Nach Erledigung der Formalitäten verließen Wilbur und Alice Krugshank den Polizeiposten von Sligo und setzten sich in eine Kneipe. Die trotz ihrer Größe und ungewöhnlichen Ausstrahlung schüchterne Frau erklärte Wilbur, wie lange ein privater Ermittler nach ihm gesucht habe und wie glücklich sie gewesen sei, als die Nachricht kam, der so lange Vermisste sei gefunden. Immer wieder ergriff Alice Wilburs Hand, hielt sie für Sekunden fest und schüttelte lächelnd und den Tränen nahe den Kopf.

Sie wollte gleich mit ihm zum Flughafen Shannon fahren und in der nächsten Maschine nach New York fliegen, aber Wilbur bat sie, ihn in den Norden nach Portsalon zu bringen, wo er etwas Wichtiges zu erledigen habe. Alice entschuldigte sich für ihre Ungeduld und meinte, sie würde sehr gerne sehen, wo Wilbur aufgewachsen sei. Sie ließen den Kaffee und die Cola unangerührt stehen, setzten sich in den von ihr gemieteten Wagen und fuhren los. Alice war eine ängstliche, unkonzentrierte Lenkerin und Linksverkehr nicht gewohnt. Bei jedem Auto, das ihnen hinter einer Kurve entgegenkam, zuckte sie zusammen, lachte dann nervös auf und machte einen Scherz über ihre Fahrkünste.

Wilbur saß auf dem Beifahrersitz und hörte der Frau zu, die ihm von einem Kinderheim erzählte, von Ausflügen auf dem Rad, Seeüberquerungen im Ruderboot, Libellen und Fischen, Stutenmilch und Tanzlektionen. Er erinnerte sich an nichts, und trotzdem kamen ihm die geschilderten Orte und Ereignisse seltsam vertraut vor. Und er war froh, dass die Frau neben ihm unaufhörlich redete und keinen Moment der Stille zuließ, während der er sich hätte fragen müssen, was eigentlich mit ihm passierte.

Gegen Abend kamen sie in Portsalon an. Wilbur sagte Alice, wie sie durch den Ort fahren musste, und zog den Kopf zwischen die Schultern. Nachdem sie vor dem Haus angehalten hatten, blieb er eine Weile sitzen und versuchte, richtig zu atmen. Alice tat dasselbe, darauf wartend, dass Wilbur ihr von Henry und

Pauline Conway erzählte. Aber dazu hätte Wilbur bei Orla anfangen und die Zeit mit Colm erwähnen müssen, und das wollte er nicht. In seinem Kopf stürzten die Erinnerungen durcheinander, außerdem war die Frau neben ihm eine Fremde, auch wenn sie das Gegenteil behauptete.

Schließlich stieg Wilbur aus und ging über die Einfahrt zur Garage, aus der er eine Schaufel holte. Im Garten grub er an der Stelle zwischen der Esche und der Steinmauer in der feuchten Erde, bis das Schaufelblatt auf etwas Hartes stieß. Er legte die Schaufel weg und kniete sich hin.

»Guten Tag, Wilbur.«

Wilbur hob den Kopf. Er war nicht erstaunt, Pauline Conway zu begegnen. Er hatte damit gerechnet, dass sie hinter dem Vorhang stehen und ihn beobachten würde, und es war ihm egal. Er blickte ihr ins Gesicht und sagte nichts.

»Ich …« Pauline verstummte und starrte auf den Boden, als würde dort etwas ihre Aufmerksamkeit erfordern. Dann sah sie erneut Wilbur an. »Man hat mich angerufen und über die Situation informiert.« Sie strich sich mit beiden Händen die Schürze glatt, obwohl sie tadellos gebügelt war. »Ich wünsche dir viel Glück in Amerika.«

Wilbur betrachtete das ausgehobene Loch. Er hatte einen Wurm zerteilt, dessen Teile sich wanden. In einem der Nachbargärten bellte ein Hund. Wilbur wischte mit den Händen Erde beiseite und legte ein Stück Rot frei. Dann ergriff er die Blechdose, zog sie hervor und stand auf. Er wollte weggehen, aber dann besann er sich, nahm die Schaufel und schüttete das Loch wieder zu.

Pauline kam über den nassen Rasen. Sie trug Hausschuhe aus Stoff, aber das schien sie ebenso wenig zu beachten wie die abendliche Kühle. Wilbur legte den Placken aus Erde und Grasnarbe auf das Rechteck, wo das Loch gewesen war, und trat ihn vorsichtig fest.

»Zeigst du mir, was du da drin hast?« Pauline stand vor ihm. Sie wirkte kleiner als früher, weniger einschüchternd, beinahe zart. Sie versuchte ein Lächeln, und man sah, dass sie es lange nicht getan hatte.

Wilbur zögerte, dann nahm er den Deckel von der Büchse. Ohne sie anzufassen, sah Pauline sich die Schätze an, Strohhalme aus Colms Scheune, die Eintrittskarte eines Dubliner Kinos, Matthews Wörterbuch, die Uhr, die Orla Wilbur geschenkt hatte, nachdem ihm die erste gestohlen worden war. Unten in der Büchse lagen die Briefe von seinem Vater und von Sune, vier gefaltete Seiten aus Eamons Heften, das Foto, das Orla in Sligo zeigte, und der Zeitungsartikel über ihren Kampf mit den Behörden.

Pauline griff in die Tasche ihrer Schürze, holte drei Briefe hervor und legte sie in die Blechdose. Auf einem Umschlag erkannte Wilbur Sunes eckige Buchstaben, auf den anderen beiden Matthews verschnörkelte Schrift und Marken mit dem Kopf der Queen.

»Die bin ich dir noch schuldig«, sagte Pauline. »Es tut mir leid.« Sie wartete, aber als Wilbur weiter schwieg, berührte sie ihn flüchtig am Arm, wandte sich ab und ging zur Verandatür.

»Wie geht es Mr. Conway?«

Pauline blieb stehen und drehte sich um. Ihr Lächeln war so flackernd und traurig, dass sie verlegen den Kopf senkte. »Es geht ihm gut«, sagte sie. »Die Leute dort kümmern sich um ihn.« Ihr war kalt, und sie legte die Arme um sich. »Er war krank, aber jetzt geht es ihm gut.«

»Bitte grüßen Sie ihn von mir«, sagte Wilbur. »Würden Sie das tun?«

Pauline nickte, und für einen Augenblick gelang ihr ein wirkliches Lächeln. Es schien, als wolle sie noch etwas sagen, doch dann ging sie ins Haus, schloss die Verandatür und zog den Vorhang zu. Wilbur sah zum Fenster hoch, hinter dem sein früheres Zimmer lag. Jetzt erst bemerkte er das Fehlen der Satellitenschüssel. Er fragte sich, was Pauline Conway wohl die ganze Zeit alleine machte, aber dann fiel ihm ein, dass sie ja noch Gott hatte.

Er ging zurück zur Straße, legte die Blechdose zum Koffer auf den Rücksitz, setzte sich neben Alice und bat sie, die kurze Strecke bis zu Matthew Fitzgeralds Haus zu fahren. Es wurde dunkel, aber Alice hatte es nicht eilig und stellte keine Fragen. Wilbur wusste, dass Matthew nicht mehr hier wohnte. Über einen gemähten Rasen ging er zum Holzschuppen, der aussah, als hätte ihn jemand instand gesetzt, und als er sich dem Haus näherte, bemerkte er die gelb gestrichene Fassade und die neuen Fensterläden. Eine Frau mit einem Kind auf dem Arm kam zur Hintertür heraus. Der kleine Junge aß eine Scheibe Brot und sah Wilbur regungslos an. Wilbur fragte die Frau, ob sie wisse, wo Matthew Fitzgerald sei, und sie sagte, er sei nach dem Verkauf des Hauses zurück nach England gegangen. Wilbur bedankte sich und verließ das Grundstück auf demselben Weg, auf dem er es betreten hatte. Er kletterte über die Steinmauer hinter dem Schuppen und ging zu dem Auto, in dem die Frau saß, die ihn in ein anderes Land bringen würde, in ein anderes Leben.

Sie übernachteten in einem Hotel in Letterkenny. Bis zum frühen Morgen lag Wilbur wach in seinem Zimmer auf dem Bett und versuchte seine Gedanken zu ordnen. Beim Frühstück, von dem er keinen Bissen herunterbekam, dachte er daran, Alice zu fragen, ob sie zum Friedhof fahren und Orlas und Colms Gräber besuchen könnten, ließ es dann aber bleiben. Er spürte den Indianer und das Pferd in der Hosentasche, aber es half nicht viel. Er sah aus dem Fenster auf die leere Straße und in den Himmel, über den Wolken glitten, grau gefleckt wie ein riesiger Taubenschwarm.

Im Regen fuhren sie nach Shannon und saßen am Abend in einem Flugzeug nach New York.

11

Es ist sieben Stunden und fünfzehn Tage her, seit ich Aimee das letzte Mal gesehen habe, genau wie in dem Lied von Sinéad O'Connor, das ich in Orlas Küche gehört habe, als ich zehn war. Sie ist nicht runtergekommen. Eine Weile bin ich noch im Regen herumgestanden und dann zurück ins Hotel gefahren. Sie ist wütend auf mich gewesen an jenem Tag, und als sie mich da unten stehen sah, durchnässt und lächerlich, hat sie vermutlich gedacht, dass es das Beste sei, mich abzuhaken. Vielleicht hat auch der gute alte Stew nachgeholfen, hat sich hinter sie gestellt, für mich unsichtbar, und ihr etwas zugeflüstert. Stewart, der Löwenbändiger, der Aimee Aim nennt und nur eine Tür öffnen muss, um bei ihr zu sein.

Ich habe Aimee nie nach ihrer Telefonnummer gefragt, ihre Adresse habe ich mir nicht gemerkt. Wenn ich in die Bronx fahren würde, um das Haus zu suchen, fände ich es vermutlich, irgendwie, irgendwann. Im Telefonbuch steht sie nicht, auch die Auskunft hatte nur eine Aimee Ward zu bieten, aber die schreibt sich Amy, ist Friseuse und wohnt in New Jersey.

Wo ich bin, weiß sie. Wenn sie mich sehen will, wird sie herkommen. Aber diese Hoffnung habe ich aufgegeben, schon vor Tagen. Ich bin nicht gerade der Typ, der einer Frau nicht mehr aus dem Kopf geht. Wahrscheinlich ist sie froh, mich los zu sein, ohne Geschrei und Tränen, wie ich es aus Filmen kenne.

Gut möglich, dass ich hier noch sitze, wenn ich so alt bin wie die Männer, die sich dieses Hotel als Ort zum Sterben ausgesucht haben. Leonidas ist vorgestern für einen Monat nach Kreta geflogen, wo er mit dreihundert Verwandten den Tod seines Lieblingsonkels betrauert. Heute Morgen kam eine E-Mail von ihm. Seine Mutter habe sich weinend auf den Boden geworfen, als er ihr Haus betrat. Ob aus Freude, ihren Sohn zu sehen, oder aus Kummer über den Tod ihres Bruders, wisse er nicht. Sein Onkel, ein ehemaliger Arzt, sei irgendwie einbalsamiert und in der dekorierten Garage seines Hauses aufgebahrt worden. Hinter der Leiche im Sonntagsanzug hänge ein altes Blechschild, das für Mobi-Motorenöl werbe, und in einer Ecke stehe das Rennrad, mit dem der Verstorbene jedes Wochenende herumgefahren sei. Leonidas wolle eine Story über all das schreiben. Von Theaterstücken, auch Komödien, habe er vorerst die Schnauze voll. Kein Schwein interessiere sich dafür, lässt er mich wissen. Jetzt wolle er es mit Kurzgeschichten versuchen.

Die Nachtschicht ist nicht übel. Die meiste Zeit habe ich Ruhe vor den alten Knackern, die sich in ihren Zimmern in einem unruhigen Schlaf wälzen. Mazursky, Alfred und Enrique sitzen zwar jede Nacht bis drei, vier Uhr morgens in der Lobby, trinken schlechten Wein, quatschen dummes Zeug, spielen Karten oder Domino oder irgendetwas anderes, das Zeit totschlägt, aber sie nerven mich nicht mehr. Spencer geht wie jeden Abend um halb elf nach oben in sein Zimmer, nachdem er eine Weile schweigend auf dem Sofa gesessen hat. Dobbs besucht mich jeweils gegen neun und bringt Tee mit, manchmal Kekse. Dann sitzen wir am Computer aus Winstons Beständen und surfen im Internet. Dobbs ist völlig fasziniert von unseren nächtlichen Ausflügen ins Cyberspace. Wir verbringen Stunden vor dem Bildschirm und geben aufs Geratewohl Stichwörter in die Suchmaschine ein. Dann betrachten wir andächtig Aufnahmen von gesprengten Hochhäusern, Beinprothesen aus China, Termitenbauten, Mondgesteinsproben, Verkehrsunfällen mit Nashörnern, von fliegenden Fertighäusern und tätowierten Männern, die uns traurig ansehen.

Manchmal hat Dobbs eine Zeitung oder ein Buch dabei, und wir tippen blind mit einem Kugelschreiber auf ein Wort, das wir dann eingeben. Halloween. Domestizieren. Sprengstoffgürtel. Seerosen. Beziehungsunfähigkeit. Es gibt kurze Filme, die wir uns ansehen. Ein Baum wird maschinell in wenigen Sekunden gefällt, von den Ästen befreit, geschält und in gleich lange Stücke zerlegt. Nackte Menschen, die durch Schnee rennen und in ein ins Eis geschlagenes Loch springen. Eine schwarze Katze, die in ein Aquarium fällt, immer wieder, weil Dobbs endlich mal lacht. Eine Weltumrundung mit dem Satelliten. Die zehn schönsten Touchdowns.

Wir geben Wörter ein, die wir uns ausdenken, oder wir schließen beim Tippen die Augen. Wir versuchen es mit Fantasiewebseiten und folgen abgründigen Links, wir landen in Asien und Russland, bei harmlosen Spinnern und Verrückten und Leuten, um die man sich wirklich Sorgen machen muss. Wir lesen Auszüge aus dem Tagebuch eines chilenischen Opernsängers, staunen beim Anblick von Bisswunden australischer Haie und lernen eine Bildhauerin aus Nevada kennen, die Türme aus Lehmziegeln baut, von denen sie springt, bis sie sich ein Bein bricht. Nach der Heilung legt sie den Gips in den Turm und verschließt ihn. Man kann ihre Werke nicht kaufen, nur mieten. Ich müsste zweieinhalb Jahre hier arbeiten, um einen ihrer Türme einen Monat lang zu mieten.

Als Dobbs auf seinem Zimmer ist, gebe ich bei Google Aimee Ward ein. Drei Treffer. Eine wohnt in Utah, eine in England, die dritte in Wyoming. Eine ist Sportlerin, die andere Bürgermeisterin eines winzigen Kaffs, die in Utah schreibt medizinische Artikel für Fachzeitschriften. Ich gehe auf eine Seite mit Stadtplänen der Bronx und streife durch die Straßen, suche die U-Bahn-Station, an der wir ausgestiegen sind, finde sie aber nicht, gehe hoch zur Fordham Road und zur Kingsbridge Road, runter zur Burnside Avenue, dann rüber zur Tremont Avenue. Der große grüne Fleck ist der Botanische Garten. Auf der Website sehe ich den Kuppelbau aus Glas und die Gewächshäuser,

Bäume und Seen und einen Fluss, alles mitten in der Bronx. Ich betrachte Bambussträucher und versuche mich an den Namen einer Bar zu erinnern, an der wir vorbeigegangen sind. Auf der Website des Zoos suche ich nach den Mitarbeitern, aber die Tierpfleger sind nicht aufgeführt. Über Stewart hätte ich Aimee gefunden. Ich könnte in den Zoo gehen und nach ihm fragen. Vielleicht hätte ich Glück und würde ihn dabei erwischen, wie er Zebrakacke in eine Schubkarre lädt. Natürlich könnte ich in der Stadt der Selbstmörder anrufen, bestimmt haben die noch ihre Adresse oder Telefonnummer.

Susan und Kate Caldwell Institut für Humanforschung, eintausendzweihundertelf Einträge. Selbstmord, einhundertzwanzig Millionen Treffer. Ich klicke wahllos ein paar Seiten an, stoße auf Selbsthilfegruppen und Polizeiberichte, auf Hemingway und Sylvia Plath und einen kalifornischen Professor, der sich die Mühe gemacht hat, Selbstmordarten nach Erfolgswahrscheinlichkeit, Sterbezeit und Schmerzfaktor aufzulisten. Sich in die Luft zu jagen ist Donald I. Templers Meinung nach am effizientesten. Auf seiner Schmerzskala, die von eins bis hundert reicht, steht bei Sprengstoff eine Vier. Die Chancen, dabei auch wirklich umzukommen, sind mit sechsundneunzig Prozent sehr gut und werden nur noch von einem Kopfschuss übertroffen, wo man zu neunundneunzig Prozent draufgeht und einen Schmerzpegel von sechs aushalten muss, wenn man als Waffe ein Gewehr wählt. Mit einer Pistole sinkt die Erfolgsquote um zwei Prozent, und der Schmerzpegel liegt bei dreizehn. Ein leichtes Schaudern befällt mich, als ich lese, dass Selbstverbrennung mit fünfundneunzig Punkten die schmerzhafteste Art ist, sich zu töten, dass sie im Schnitt siebenundfünfzig Minuten dauert und nur in siebenundsiebzig von einhundert Fällen erfolgreich ist. Das Ertrinken in einem See oder Meer ist mit neunundsiebzig Punkten genauso qualvoll wie das Ertrinken in der Badewanne, und beides dauert durchschnittlich neunzehn Minuten. Für die Naturvariante spricht, dass ihr mit dreiundsechzig Prozent fast dreimal so viel Erfolg winkt wie der häuslichen Lösung.

Wenn die Nachtschicht zu Ende ist, esse ich etwas und lege mich dann für ein paar Stunden hin. Ich brauche nicht viel Schlaf. Gegen zwölf bin ich meistens wieder auf und erledige die Arbeiten, für die Dobbs zu alt ist. Vor einer Woche habe ich Randolph dazu überredet, Dobbs als meinen Assistenten einzustellen. Dobbs ist für die leichten Jobs zuständig, ich mache alles andere. Er wandert mit dem Staubsauger durch das Gebäude, ich schleppe die neuen Gasflaschen für Madame Robespierre in die Küche. Er räumt die alten Zeitungen aus der Lobby und leert die Aschenbecher, ich steige in den Liftschacht, um Alfreds Sozialversicherungskarte rauszuholen. Ich zerre den Abfallcontainer über den Hinterhof bis zur Straßenecke, ich streiche Fett in die Scharniere der Feuerleiter, ich säge die Bretter zu, die unter Mazurskys Matratze kommen, damit sein ausgeleierter Rücken nicht noch krummer wird, und ich suche auf dem Dach nach dem Leck, durch das Wasser ins oberste Stockwerk dringt, während sich der Himmel über mir entleert.

Den Begriff Freizeit habe ich aus meinem Vokabular gestrichen. Wenn ich mal nichts zu tun habe, gehe ich rüber zu Winston und sehe mir die Trümmerteile menschlicher Abstürze an. Oder ich fahre mit dem Bus in der Gegend rum, steige irgendwo aus und suche eine Buchhandlung oder einen Plattenladen. Ich nehme mir ein Buch und setze mich hin, bis die Angestellten mir Blicke zuwerfen oder fragen, ob sie mir helfen können. Dann bedanke ich mich und gehe, ohne etwas zu kaufen. In den Plattenläden höre ich mir stundenlang Musik an. Manchmal bestelle ich eine ausgefallene, nicht vorrätige CD und gebe einen erfundenen Namen und eine falsche Adresse an. Letzte Woche war ich Jimmy Teduski, wohnhaft Montgomery Street 18, Jersey City, und plauderte mit einem Verkäufer aus der Rockabteilung über Kurt Cobains angeblichen Selbstmord und die Frage, ob Elvis sich umgebracht haben könnte. Jimmy

Teduski ist der Auftragskiller, den Bruce Willis im Film *The Whole Nine Yards* spielt.

Vorgestern verwickelte ich als Maarten Vermeer, Vanderbilt Avenue 312, Brooklyn, die junge Angestellte eines Buchladens in ein Gespräch über Virginia Woolf und fragte sie, ob es Aufzeichnungen darüber gebe, wie kalt das Wasser des Flusses war, in dem die Dichterin sich ertränkt hatte. Die Verkäuferin versprach, sich um die Sache zu kümmern, und verschwand in einem Hinterzimmer. Ich gebe mich gerne als jemand anderes aus, ich selber zu sein fällt mir noch immer schwer.

Wenn das Wetter schön ist, nehme ich die Reise zum Prospect Park auf mich und setze mich am Rand einer Wiese auf eine Bank. Oft spielen ein paar Jungs Football, jedenfalls so was Ähnliches. Beim Anblick der herumtobenden Schulschwänzer, Tagediebe und Arbeitslosen muss ich an Conor und mich denken und daran, wie wir auf unserem mickrigen Berg gesessen und in unsere enge Welt geschaut haben, tagelang und beinahe bewegungslos, gedankenverloren Bilder und Geschichten verdauend und auf eine bescheuerte Weise glücklich.

Vor einer Woche saß ich auch da, las Zeitung und sah zu, wie ein Rudel Halbstarker den Rasen umpflügte. Obwohl sie offenbar zwei Teams gebildet hatten, war nicht zu erkennen, wer gegen wen spielte. Kaum hatte der Typ, der sich für den Quarterback hielt, den Ball geworfen, stürzten sich alle auf die Stelle, wo das Ei herunterkam. Dann begannen die Balgerei und das Gegröle, und nach einer Weile rappelten sich alle auf, und das Ganze ging von vorne los. Es sah aus, als ob jemand einen Laib Brot in einen Teich wirft und ein Dutzend Enten sich darum fetzt.

Irgendwann flog der Ball in meine Richtung und kollerte mir vor die Füße. Der Kerl, der mit seinen langen Armen kein übler Fänger war, holte den Ball. Ich legte rasch die Sportbeilage auf den Kulturteil der *New York Times* vom Vortag und reichte ihm das abgegriffene Leder. Er sah mich an und fragte, ob ich mitspielen wolle. Ich dachte, ich hätte ihn falsch verstanden, sagte nur so etwas wie »nettes Spiel«, aber dann meinte er, sie bräuchten einen zwölften Mann und in der Zeitung stünde eh bloß Mist. Er grinste und drehte den Ball in der Hand und hörte nicht auf seine Kumpel, die ungeduldig wurden. Ich schätze, der Bursche war vierzehn, vielleicht fünfzehn, auf seinem Leibchen stand KILLER WHALE. Mir wurde schlagartig bewusst, dass er mich für etwa gleich alt halten musste.

Ich bin jetzt zwanzig Jahre alt und einen Meter einundsechzig groß, wiege dreiundfünfzig Kilo und sehe aus wie fünfzehn, nach einer schlaflosen Nacht und bei schlechter Beleuchtung wie sechzehn. Wenn ich Glück habe, lässt man mich mit dreißig in ein Pornokino, ohne meinen Ausweis zu verlangen, und sollten mir mit vierzig endlich graue Haare wachsen, werde ich im Supermarkt vielleicht nicht mehr von minderjährigen Mädchen angesprochen, die sich mit mir verabreden wollen. Manchmal stelle ich mir vor, wie ich aussehen werde, wenn ich so alt bin wie Dobbs oder Spencer, also Ende siebzig, Anfang achtzig, und sehe einen alten Sack vor mir, der, falls das überhaupt möglich ist, geschrumpft ist und mit trüben Augen aus dem glatten Gesicht eines vergreisten Babys schaut.

Ich sagte, ich hätte mir vor wenigen Tagen den Fuß verstaucht, erfand eine kleine Geschichte, in der ich mich als Feierabendfußballer darstellte, der im Strafraum hart gefoult worden war. Der Typ sagte, tja, da könne man nichts machen, ging zurück aufs Feld und schmiss das Brot in den brodelnden See. Als ich etwas später den Park verließ, humpelte ich, was mir erst auffiel, als ich schon auf der Sterling Street stand.

Heute ist etwas Unglaubliches passiert. Spencer hat mit mir gesprochen. Beim Frühstück ist er an meinen Tisch gekommen und hat mich gefragt, ob ich ihn zum Arzt begleiten könne. Der Termin sei um vier und die Praxis ganz in der Nähe. Natürlich sagte ich ja. Spencer bedankte sich und ging auf sein Zimmer. Als er mich ansprach und diese eine Frage an mich richtete, wurde es im Speisesaal still. Sogar Alfred und Enrique hielten für einen Moment die Klappe. Spencers Stimme ist dünn, aber tief, er redet leise und sehr deutlich, mit der flüchtigen Spur eines englischen Akzents. Ich fühlte mich geehrt, und als Mazursky Spencer nachäffte, kippte ich ihm meine restlichen Cornflakes über die Rühreier.

Nach fünf Stunden Schlaf erledige ich meine Arbeit, dusche und trinke einen Kaffee. Um halb vier kommt Spencer in seinem guten Anzug in die Lobby, und wir gehen los. Spencer bewegt sich sehr langsam, und wenn wir die Straße überqueren, hält er sich an meinem Arm fest. Versuche ich mit ihm zu reden, hört er mich wegen des Verkehrslärms nicht, und im Wartezimmer will ich nicht fragen, was ihm fehlt, weil so viele Leute um uns herum sitzen.

Zu meiner Überraschung hat Spencer schon im Fahrstuhl ein gefaltetes Etwas aus rotem Plastik aus der Tasche seines Jacketts gezogen und aufgeblasen. Es dauerte eine Ewigkeit, bis er mit seinen verschrumpelten Lungen das Ringkissen gefüllt hatte, aber er schaffte es und setzte sich mit einem um Nachsicht bittenden Lächeln darauf. Ich vertreibe mir die Zeit mit dem Durchblättern von Illustrierten, sehe mir Landhäuser in Maine an und die neue Wintermode und den Typ, den Nicole Kidman gerade abserviert hat. Ab und zu lächle ich Spencer aufmunternd zu, jedenfalls hoffe ich, dass es aufmunternd wirkt.

Spencer bleibt ziemlich lange beim Arzt drin. Dann kommt er endlich und strahlt, als wäre er überrascht, mich noch hier vorzufinden. Ich lade ihn zu einem Kaffee in ein russisches Lokal ein, wo er mir bei einem Glas Eistee erzählt, er habe seit über einem Jahr Prostatakrebs. Als ich ihn entsetzt ansehe, lächelt er und sagt, das sei nicht so schlimm, er sei sowieso nicht besonders scharf darauf, neunzig Jahre alt zu werden. Zu meinem Erstaunen äußert er den Wunsch, ins Kino zu gehen. Was wir uns ansehen, ist ihm egal, und so setzen wir uns in einen Science-Fiction-Film, dessen Dolby-Surround-Getöse sogar Spencers betagte Ohren erreicht. Ich finde den grässlichen Streifen nur deshalb toll, weil er Spencer begeistert. Als ein Raumschiff einen Meteoriten mit irgendeinem Strahl pulverisiert, lehnt Spencer sich zu mir herüber und sagt, genau das wolle der Arzt mit seiner Prostata tun, aber er lasse es nicht zu.

Später essen wir eine Suppe in einem Imbisslokal, das ein junger Iraner führt und das aussieht wie ein Verkaufsraum für Restposten von Polstermöbeln und Beistelltischen. Spencer versinkt in seinem Ohrensessel und erzählt mir von Pevensey in England, wo er aufgewachsen ist, von seinem Pferd, dessen Name ihm zu seiner großen Verlegenheit nicht mehr einfallen will, von seinen Eltern, seiner Schwester Zelda, vom Krieg und vom Weggehen und vom Ankommen in einem Land, das ihm bis heute fremd geblieben ist. Seine Stimme ist leise, und ich beuge mich zu ihm vor und warte mit dem Kauen, bis er eine Pause macht und einen Löffel Hühnersuppe isst.

Auf dem Weg zum Hotel holt er in einer Apotheke seine Medikamente. Die Packungen mit den Pillen und Kapseln füllen die ganze Einkaufstüte, die er aus dem Jackett zaubert wie zuvor das aufblasbare Kissen.

»Die hier sind gegen die Schlaflosigkeit«, sagt er zu mir, »die gegen die Schmerzen, die gegen die schlimmen Schmerzen.«

»Und die hier?«, frage ich und lege eine Packung in die Tüte.

»Habe ich vergessen«, sagt Spencer. »Vermutlich gegen das Sterben.«

Offenbar sehe ich ihn mit einer Mischung aus Bestürzung und Verlegenheit an, denn er lächelt, stopft die letzte Packung in die Tüte und schiebt mich aus dem Laden.

»Kommen Sie, Wilbur, das ist kein Ort für einen gesunden jungen Mann.«

Wir treten auf die Straße, und Spencer hakt sich bei mir ein. Im wogenden Fluss der Menschheit sind wir zwei Steine, die langsam am Grund entlangkollern, Millionen von Jahren alt.

Nachts sitze ich am Empfang und lese. Das Hotel ist zwar nicht voll belegt, aber es kommt nur sehr selten vor, dass nach acht Uhr abends jemand ein Zimmer will. Wir vermieten nur an Männer, das steht groß auf einem Schild an der Fassade. Als Randolph mal seine gesprächigen fünf Minuten hatte, erzählte er mir, dass diese Einschränkung bis vor ein paar Jahren nicht gegolten hatte. Aber Frauen, vertraute Randolph mir an, seien die Wurzel allen Übels, und Frauen und Männer unter einem Dach die Garantie für Chaos, Zerstörung und das Ende der Zivilisation. Ich hörte mir Geschichten an von Ehebruch und Prügeleien, von nackten Typen auf Feuerleitern und Polizisten, denen hysterische Furien das Gesicht zerkratzten. »Keine Frauen in diesem Laden«, hatte Randolph mir eingeschärft. »Madame Robespierre und deine Kleine sind Ausnahmen.«

Meine Kleine. Nicht mal ein Bild habe ich von ihr.

Mit Leonidas habe ich mal darüber gesprochen, ein Drehbuch zu schreiben. Er findet Hollywood zum Kotzen und würde nie für dieses, wie er sagt, kulturlose und geldgeile Inzuchtpack arbeiten. Aber Leonidas findet auch Shakespeare zum Kotzen, weil dessen Stücke so oft gespielt werden. Im Kino liefen heute die Trailer zu drei Filmen, zwei davon waren Action-Streifen. Ich warte seit fünf Jahren auf den vierten Teil von *Die Hard* und hätte ein paar Ideen, wie er aussehen könnte. Als ich Leonidas davon erzählt habe, fand er meinen Plot gar nicht so übel, auch wenn ihm die Handlung zu wenig dramatisch war. Das Leid der Hauptfigur, John McClane, müsse noch stärker spürbar sein, der Held müsse am Rand der Vernichtung stehen, um aus der Asche aufsteigen und erstrahlen zu können. Ich tat so, als würde ich mir den Rat zu Herzen nehmen, und bedankte mich für die Bücher zum Thema griechische Tragödie, die er mir lieh. In seiner Mail von gestern meinte er, falls ich das Ding noch immer schreiben wolle, solle ich mehr Heiterkeit reinpacken. Leonidas arbeitet gerade an einer witzigen Kurzgeschichte über seine Reise nach Kreta, danach will er seinen Job im Hotel der alten Männer humoristisch verwerten. Wenn ich morgen von ihm erfahren würde, er wolle Haikus oder Kinderbücher verfassen, wäre ich nicht überrascht.

Einen Titel hat mein Drehbuch auch schon, *Die Hard 4 – No Return*. Bruce Willis, also John McClane, wird darin sterben. Ich finde, vier Teile sind genug, und Helden, die im Einsatz statt an Altersschwäche oder verdorbenem Essen sterben, halten sich am längsten, siehe Jesse James, John F. Kennedy, Jesus. Der größte Teil der Geschichte spielt in einem Schloss in Schottland, wohin McClane, seine Frau Holly und seine beiden Kinder Lucy und John Jr. eingeladen worden sind. Spendiert hat die Reise ein reicher Kerl, dem McClane in *Die Hard 3* das Leben gerettet hat. Das riesige, aus dunklem Stein gebaute Schloss ist von einem Wassergraben umgeben und mit der funktionierenden Zugbrücke vor allem bei reichen amerikanischen und japanischen Gästen beliebt. Waltraud Gruber, die Mutter von Hans und Simon, die McClane in *Die Hard 1* und *Die Hard 3* getötet hat, taucht aus ihrem Exil in Argentinien auf, wo sie und alte Nazifreunde ein Weingut betreiben und mit Drogen- und Waffenhandel den weltweiten Aufbau von rechtsextremen Zellen finanzieren. Natürlich ist sie die anonyme Spenderin der Familienreise, und natürlich will sie Rache für ihre Söhne. Ihr Plan ist es, Holly und die Kinder umzubringen und es so aussehen zu lassen, als habe McClane die Morde begangen, weil Holly ihn verlassen wollte. Dazu engagiert sie einen Spezialisten, der in Hollys Schrift einen Trennungsbrief verfasst, den die Polizei später bei McClane finden soll. Waltraud nimmt Drogen und ist völlig durchgeknallt, und sie will sehen, wie McClane leidet und sich aus Verzweiflung das Leben nimmt. Das Drehbuch ist düster und ziemlich schräg, es kommen Geister darin vor, die im Schloss spuken, und eine Weile lasse ich die Zuschauer im Glauben, die süße Lucy sei tot, aber außer der Schurkin, ihren Komplizen und John McClane muss niemand sterben. Ein Schuss Humor kommt auch in die Geschichte, weil sich einer der Zimmerkellner unsterblich in Waltraud verliebt und ihr bei ihren Mordplänen im Weg steht, so ähnlich wie Jack Lemmon dem Profikiller Walter Matthau in *Buddy, Buddy*. In der Rolle Waltrauds sehe ich Judi Dench oder Meryl Streep.

Ich habe keine Ahnung, wie man Drehbücher schreibt, aber in der Bibliothek gibt es Literatur zu dem Thema. Es scheint, als hätten sämtliche Autoren, von denen mal ein Script verfilmt wurde, ein Lehrbuch verfasst. Die Anleitungen sind meistens für Anfänger gedacht, Studenten und Hausfrauen, Leute, die es zur Abwechslung mit Drehbuchschreiben statt Gedichten oder naiver Malerei versuchen wollen. Vielleicht gehe ich die Sache wirklich mal an, um zu sehen, ob ich eine erste Fassung hinkriege. Ich könnte mir bei Winston eine gebrauchte Schreibmaschine besorgen und nachts arbeiten, wenn hier sowieso nichts los ist. In einem Monat sollten die hundertzwanzig Seiten zu schaffen sein.

Vielleicht fliege ich mit dem fertigen Drehbuch nach Los Angeles und biete es einem Agenten an. Vielleicht ist ganz Hollywood von mir begeistert, und ich plaudere schon bald mit Bruce Willis am Set meines Films, für den man mir außer ein paar Millionen auch die Regie angeboten hat.

Vielleicht steht Aimee morgen in der Hotellobby und wir sind wieder zusammen.

Ich liege auf meinem Bett und schließe die Augen. Aus Dobbs' Zimmer dringt kaum hörbar das Radio. Dobbs mag Swing, er versetzt ihn in die Zeit, bevor die Dinge passiert sind, die ihn aus der Bahn geworfen haben. Ich versuche mich an Musik zu erinnern.

Mercury Rising
1998

Manchmal, wenn sie sich alleine wähnte, summte Alice Krugshank vor sich hin. Es war keine erkennbare Melodie, die im Innern ihres dünnen Körpers entstand, sondern eine lose Folge von Tönen, nur dazu da, das andere Geräusch in ihrem Kopf zu überdecken. Während Alice summte, vertieft in das Machen eines Bettes oder das Falten von Wäsche, hielt Wilbur den Atem an und lauschte dem leisen Klang. Er erinnerte sich an Orla, die im Auto bei offenem Fenster gegen den Motor angesungen hatte, laut und voller hervorbrechender Lebenskraft. Aber Alice sang nicht, ihr Mund war geschlossen und das Summen eine zufällig mäandernde Musik, ein an- und abschwellender Strom aus langgezogenen Tönen, die das stille Haus füllten.

Lawrence Krugshank hatte Alice vor etwas mehr als elf Jahren verlassen und lebte mit seiner neuen Frau in Baltimore. Nachdem Eamon McDermott den kleinen Wilbur aus Chestnut Hill geholt hatte, war Alice in eine tiefe Depression gefallen. Tagelang lag sie im Bett, aß nichts und weinte, und nicht einmal der Besuch von Ruby Fletcher, die noch immer nicht adoptiert worden und deshalb Alice' Lieblingsmädchen war, vermochte sie aus ihrem Dämmerzustand zu holen. Fünf Wochen blieb sie im abgedunkelten Zimmer, lag zusammengekrümmt da und starrte vor sich hin, fiel in kurzen, tiefen Schlaf und weinte wieder, trank Tee und Suppe, die Lawrence ihr trotz matter Gegenwehr einflößte. In der sechsten Woche stand sie auf, blieb aber in der kleinen Wohnung und konnte durch nichts dazu bewegt werden, sie zu verlassen. Sie sprach kein Wort, verbrachte Stunden in der Badewanne und, eingehüllt in Tücher, auf einem Stuhl in der Küche.

Lawrence, von Sorge um seine Frau getrieben, ließ den Hausarzt kommen, der Vitaminpräparate verschrieb und sich ansonsten ratlos zeigte. Ein befreundeter Psychologe schlug vor, Alice für eine Weile in einem Sanatorium unterzubringen, wo sie zwei Monate blieb, lange Spaziergänge unternahm und wenigstens wieder zu sprechen begann. Die mitfühlende, zärtliche, an Gott und der Welt interessierte Frau, die Lawrence kannte, wurde Alice nicht mehr. Ihre Unfähigkeit, Kinder zu bekommen, hatte sie ein Stück aus dem hellen Leben geschoben, jetzt war sie ein weiteres Stück in die Dunkelheit geglitten. Sie hörte auf, im Büro des Waisenhauses zu arbeiten und sich mit den Kindern zu beschäftigen. Stattdessen begann sie zu malen, ungegenständliche Bilder in dunklen Farben, grundlose Ozeane, düstere Landschaften. Vom Vorschlag ihres Mannes, ein Kind zu adoptieren, wollte sie nichts wissen. Als Lawrence eines Tages mit einem Kind in den Armen nach Hause kam, einem Jungen in dem Alter, in dem Wilbur gewesen war, fing sie an zu weinen und rannte hinaus in den kalten Regen.

Die ganze Nacht blieb sie weg und kam am nächsten Morgen zurück, erneut verstummt und mit einem Fieber, das sie mehrere Wochen ins Bett zwang. Ihr großer, feingliedriger Körper wurde dünn und dann mager, ihre helle Marmorhaut nahm eine fahlgelbe Farbe an, und der verbliebene Glanz verschwand endgültig aus ihren Augen. Irgendwann schnitt sie sich aus einer Laune heraus die langen roten Locken ab und ließ sie im Waschbecken liegen, wo Lawrence sie fand. Seit Wilbur weggeholt worden war, schliefen sie nicht mehr miteinander, sie redeten kaum noch, und wenn, dann bestürmte Lawrence sie mit hilflosen Fragen und verzweifelt optimistischen Zukunftsplänen, schwieg dann aber bald wie seine Frau und versank mit ihr in nächtelanger Apathie und schweren, verstörenden Träumen.

Zwei Jahre lang versuchte Lawrence, seine Frau zu erreichen und zurückzuholen, dann war sein Vorrat an Verständnis, Rücksichtnahme und Verzicht aufgebraucht. Er war dreiundvierzig, und wenn er jemals Kinder wollte, musste er sich bald entscheiden. Nach einem mittlerweile alltäglichen, aber besonders heftig geführten Streit trennte er sich von Alice und zog nach Baltimore, wo er aufgewachsen war. Ein halbes Jahr später wurde die Ehe geschieden, und Lawrence heiratete eine alte Schulfreundin. Wie um Alice zu verhöhnen, wurde die Frau zwei Monate später schwanger.

Alice Simmons, wie sie jetzt wieder hieß, blieb noch eine Weile in Reading. Sie mietete sich ein möbliertes Zimmer bei einer Frau, die nachts, wenn Alice wach im Bett lag, Akkordeon spielte. Irgendwann hörte sie auf, Leinwände mit dunklen Farben zu füllen, zerschnitt die Bilder mit der Schere und warf sie in den Abfall. Als ihre Ersparnisse aufgebraucht waren, packte sie ihre paar Sachen und fuhr zu ihrem Bruder. Harold Simmons, acht Jahre älter als seine Schwester, war Kurator und verbrachte die meiste Zeit seines beruflichen Lebens mit Reisen, um irgendwo auf der Welt Ausstellungen vorzubereiten und einzurichten. Sein Haus auf Long Island, ein verschachtelter, mit dunklen Holzschindeln verkleideter Bau aus den siebziger Jahren, stand während neun von zwölf Monaten leer und wartete förmlich auf eine erschöpfte, heimatlose Seele wie Alice, um sie zu beherbergen.

Während Harolds Abwesenheit kam zweimal pro Woche ein Gärtner, der nach dem Rechten sah, den Rasen mähte, die Hecken stutzte und den Ford *Explorer* in der Garage zehn Minuten laufen ließ, damit sich die Batterie auflud. Als Alice einzog, drehte er für sie die Heizung höher, schloss die Gasflasche in der Küche an und zeigte ihr, wo sich der Sicherungskasten befand. Der Mann, nur wenig älter als Alice, hätte sich gerne auch für andere Zwecke zur Verfügung gestellt, aber das Objekt seiner unausgesprochenen Begierde war nicht in der Stimmung, eine eilige, nach Rasierwasser und Rasenmäheröl riechende Affäre mit absehbarem Ende einzugehen.

Als sie wieder alleine war, ging Alice zum Strand. Es war Mitte März, die Abende wurden wärmer, und als die Sonne unterging, setzte sich Alice mit einer Wolldecke um die Schultern in den Sand und sah den Leuten nach, die mit ihren Hunden vorbeigingen. Eine alte Frau mit nackten Füßen winkte ihr zu, und Alice winkte zurück und fühlte zum ersten Mal seit Langem so etwas wie innere Ruhe, eine verwischte Erinnerung an Geborgenheit. Am Abend telefonierte sie noch einmal mit Harold, der ihr versicherte, sie könne so lange im Haus bleiben, wie sie wolle.

Im Jahr darauf kaufte Harold eine Wohnung in London. Weil sein Herz an dem Haus in Sayville hing, behielt er es, was mehr oder weniger bedeutete, dass er es seiner Schwester schenkte. Zwei-, dreimal im Jahr kam er für eine Woche vorbei, hängte ein paar Bilder ab, wickelte Skulpturen in Luftpolsterfolie und packte alles in Holzkisten, die er nach England schicken ließ. Er lud Alice in die besten Lokale der Gegend ein, gab den Versuch auf, ihr das Segeln beizubringen, zeigte ihr stattdessen, wie man Hummer aß, Gemüse einmachte und einen verstopften Siphon reinigte, und verschwand wieder.

Alice verließ Long Island im ersten Jahr nur ein einziges Mal, um für Harold etwas in Manhattan zu erledigen. Sie fühlte sich in dem Haus wohl, machte bei jedem Wetter einen Spaziergang am Strand und vergaß Lawrence schon bald. Um die leeren Stellen an den Wänden zu füllen, fing sie wieder an zu malen. Doch diesmal gerieten die Bilder nicht zu Wegmarken der Verzweiflung, sondern fingen Licht ein und den offenen Himmel, das Meer und Möwen und Wolken, die keine andere Farbe als Weiß hatten. Sie rollte schwere, flauschige Teppiche zusammen und schleppte sie in den Schuppen neben der Garage. Über die schwarzen Ledermöbel legte sie helle Tücher aus Indien, die ein Laden im Ort verkaufte. In der Küche strich sie die dunkelbraunen Schränke weiß und die Wände safrangelb. Truman, der Gärtner und Mann für anfallende Reparaturen, half ihr, die schweren Vorhänge abzunehmen, und sägte unter verhaltenem Protest einen Ast ab, dessen Blätter ein Wohnzimmerfenster verdunkelt hatten. Die unbeholfenen Versuche, bei Alice ein Interesse für seine Person oder zumindest seinen gebräunten Körper zu wecken, scheiterten erneut, und als Alice eimerweise Sand vom Strand hochschleppte, um damit den geteerten Weg zwischen dem Garten und der Garage zu bedecken, erzählte Truman seinen Freunden, Harold Simmons' Schwester sei möglicherweise verrückt, mit Sicherheit aber lesbisch.

Wäre ihr Konto nicht so gut wie leer gewesen, hätte Alice ein paar Dachfenster einbauen lassen, um mehr Licht in den oberen Räumen zu haben. Ihr Drang nach Helligkeit ging so weit, dass sie an bedeckten und regnerischen Tagen im kleinen Gewächshaus im Garten saß und malte oder las. Nachts ließ sie sämtliche Lampen brennen, auch in den Räumen, die sie nie betrat. Die endlosen Stunden zwischen Sonnenuntergang und Morgendämmerung hasste sie, gegen die Müdigkeit kämpfte sie an, bis sie irgendwo niedersank. Der Schlaf war ihr Feind, in ihren Träumen wurden Tore geöffnet, durch die Angst und Schwäche strömten. Eine Zeitlang schluckte sie Tabletten, die sie wach hielten, bis sie zusammenbrach, dann versuchte sie es mit kurzen, zeitlich kontrollierten Ruhephasen, bei der ihr Schlafmittel halfen.

Als ihre finanzielle Lage kritisch wurde, arbeitete Alice vier Tage in der Woche im Süßwarenladen von Sayville. Der Laden lag neben einer Galerie, die im Sommer Bilder mit Strand- und Hafenszenen an die Touristen verkaufte. Die Besitzerin wollte Alice' Arbeiten sehen, stellte zwei davon aus und verkaufte sie. In der Mitte des Sommers kündigte Alice bei *Sayville Sweets*, um nur noch zu malen. Mit dem Geld, das Lawrence ihr monatlich schickte, und dem neuen Verdienst kam sie gut zurecht, zumal Harold sämtliche Kosten übernahm, die den Unterhalt des Hauses betrafen. Als der Sommer zu Ende ging und die

Touristen weniger wurden und schließlich ganz ausblieben, schloss die Galerie bis zur nächsten Saison und die Besitzerin zog in ihr Haus nach Key West. Für kurze Zeit arbeitete Alice als Aushilfe in einer Buchhandlung, und im Winter stand sie nachts im Laden einer Tankstelle hinter der Kasse.

Alice schlief am Morgen ein paar Stunden und malte am Nachmittag Bilder für das nächste Jahr. Sie hatte den Holzfußboden im Wohnzimmer mit alten Laken ausgelegt und benutzte den Raum als Atelier. Weil ihr während der Wintermonate das Licht zu schwach war, kaufte sie gebrauchte Theaterscheinwerfer, die für sie Sonnenlicht simulierten. War der Himmel bedeckt, machte sie nur noch kurze Spaziergänge am Strand, an Regentagen blieb sie im Haus und legte sich in die warmen Strahlen der Scheinwerfer. Ihre Wut über das schlechte Wetter und die Kälte dämpfte sie mit Tabletten. Manchmal verfluchte sie ihren Bruder, weil er dieses Haus gekauft hatte, diesen finsteren, verwinkelten Klotz, statt einen sonnendurchfluteten Würfel aus Glas in New Mexico. Sie rief die Galeristin an und hoffte, nach Key West eingeladen zu werden, aber daraus wurde ebenso wenig wie aus einem Besuch in Puerto Rico, wo Harold eine Ausstellung über die Pioniere des Kubismus vorbereitete.

Weil die Tabletten allmählich ihre Wirkung verloren und Alice es leid war, ständig die Apotheke zu wechseln, um nicht aufzufallen, begann sie zu trinken, erst nur Wein, dann Wodka. Der Alkohol ließ sie die grauen Tage besser überstehen, Regen wurde ihr gleichgültig, wenn sie getrunken hatte. Beim Malen hörte sie jetzt laute Musik. Harolds Sammlung umfasste Hunderte von Schallplatten und Bändern mit Klassik und Jazz. Eingepackt in Haydn und Mingus, die aus den kühlschrankgroßen Boxen dröhnten, malte Alice den Strand und das Meer und den Himmel aus dem Gedächtnis. Den richtigen Himmel sah sie oft tagelang nur noch, wenn sie im Dunkeln zur Arbeit fuhr. Nina Simone und Maria Callas machten sie traurig, dann legte sie sich auf den Boden und sah gegen die Decke, die weiß und leer war. Manchmal wurde sie müde und schlief ein, obwohl die Nadel in der Auslaufrille klang wie das Kratzen eines großen gefangenen Tieres. Wenn um halb neun der Wecker klingelte, musste sie alle Kraft zusammennehmen, um sich anzuziehen und loszufahren, frierend und mit einem dumpfen Hass auf jeden, dem sie in dieser Nacht begegnen würde.

Um sich zu beweisen, dass sie kein Alkoholproblem hatte, trank Alice zwischendurch nichts außer Orangensaft und Tee, vier, fünf Tage, eine Woche lang. Gegen ihre Unruhe nahm sie Tabletten und war stolz, sie nur mit Leitungswasser hinunterzuspülen. Oft lag sie im Wohnzimmer und zählte flüsternd die Namen der Mädchen aus Chestnut Hill auf, an die sie sich erinnerte. Ruby mit den Haselnussaugen und dem Stoffhasen, Maggie, die Angst vor der Dunkelheit hatte und sich nicht umarmen ließ, Rita-Mae, nach deren Weggang es kein Mädchen mehr gab, das Witze erzählen konnte, Alison, stumm und die beste Tänzerin der Welt, Florence und Emily, nur im Paket erhältlich, Carol, die ihren kleinen Bruder vermisste, Muriel, die Bücher verschlang und Berge von Essen, Jill und ihr Traum vom Nach-Hause-Gehen, Esther, schön und so schüchtern, dass sie stotterte, Lea aus dem Land eines verlorenen Krieges, Olivia, die ihre Mutter zeichnete, ohne sie je gesehen zu haben, Elaine, Drama Queen, adoptiert von einem Senator und einer ehemaligen Miss Iowa, Anna, unzugänglich, traurig, Katherine, die mit achtzehn nicht fort wollte, Sarah, mit ihren Kinderlähmungsbeinchen schwer vermittelbar, Joanne, für die Chestnut Hill die fünfte Station war, Debora, vielleicht schon Kindergärtnerin, Nancy und ihre Zerstörungswut, Brenda, die wissen wollte, ob sie hässlich sei, Heather, unnahbar auf der Reise zum Beginn ihres Lebens, Mildred, die sich Schutzhüllen und Fangnetze strickte, Iris, singend, summend, kaum je sprechend, Charlotte mit der Kraft, in allem das Gute zu sehen, Lucille, die kein Mädchen sein wollte, Sophie, schneller als der Wind, Bernice, unsterblich in Lawrence verliebt, dann in den neuen Koch, Nora-Jane, die auf Kommando rülpsen konnte, Maud, die die Briefe ihres Vaters ungelesen zerriss, Pearl mit ihrer

Radiostimme, Kimberley, mit sieben adoptiert, Amanda, die ohne Kimberley nicht mehr leben wollte, Rosemary, Gartentierärztin, Megan, mit elf zu oft umhergeschoben, um weiterhin ein Kind zu sein, Bridget, die einmal auf einem Baum im Urwald leben würde, Linda, die nach ihrer Ankunft alle Spiegel zerschlagen wollte, Celia mit ihrer Puppe Harry, der sie die Finger abschnitt, Paula, die Blumen aus Draht bastelte, Sally, Prinzessin, kein Waisenkind und in Chestnut Hill nur aufgrund einer Verwechslung, Patricia, voller Zorn und Pläne, Claire, immer in Weiß, Holly, die weglief, um das Krankenhaus zu sehen, in dem sie zur Welt gekommen war, Wilma, die Inserate verfasste, in denen sie sich als tadellose Tochter anpries, Daphne, glücklich nur in der dampfenden Küche, Teresa, zurückgeblieben in einem fremden Land, Susan, die mit dem Wagen des Postboten losfuhr und bis nach Mount Penn kam, Laura, die im Hof ihren Koffer verbrannte, Diane, die im ersten Sommer nicht ins Freie ging, Helen, die weinte, wenn sie einen Hund sah, Dorothy, die eine eigene Sprache erfand, Martha, die Abschiedsbriefe schrieb und trotzdem blieb.

Alice war nüchtern, als sie Truman anrief und ihn bat, das Schuppendach abzudichten. Sie legte sich mit ihm auf den Stapel aus Teppichen, die feucht waren vom Regen, der durch die lockeren Ziegel drang. Truman, überrascht und verschreckt, kam keuchend in ihrer Hand, lag dann schwer auf ihr, fuhr mit Händen und Lippen über ihren bekleideten Körper und stammelte Unsinn. Sie schob ihn weg und stand auf, und er beteuerte und versprach und verlangte, aber sie wischte die Hände an einem Teppich ab und sagte, er solle sich um das Dach kümmern. Er packte sie am Arm, und sie musste ihn nur ansehen, damit er sie losließ. Als er sagte, es tue ihm leid, hörte sie ihm schon nicht mehr zu und ging durch den feinen Regen ins Haus. Truman fuhr weg, ohne das Dach repariert zu haben, und ließ sich nicht mehr blicken.

In einer sternenlosen Februarnacht überfielen zwei siebzehnjährige Burschen die Tankstelle. Sie erbeuteten einhundertacht Dollar und flüchteten in einem Wagen, den sie kurz zuvor in Whitestone gestohlen hatten. Der eine hatte Alice mit einer Pistole bedroht und sich Schokolade in die Taschen gestopft, während der andere das Geld aus der Kasse nahm. Alice hatte geweint, obwohl der Junge mit der Waffe ihr immer wieder sagte, sie brauche keine Angst zu haben. Die Polizei verfolgte den weißen Chevrolet, der bei Oakdale von der Straße abkam und sich überschlug. Der Junge mit der Pistole wurde aus dem Auto geschleudert und starb, der Fahrer kam mit ein paar Kratzern davon. Alice hatte einen Nervenzusammenbruch, und Texaco gewährte ihr einen Monat bezahlten Urlaub. Danach ging sie nicht mehr zurück und fuhr zum Tanken einen längeren Weg, nur um das Gebäude nicht mehr sehen zu müssen.

Im Sommer wurde sie alle ihre Bilder los, aber sie hatte keine Lust, noch mehr davon zu malen. Sie trank und wurde nicht mehr richtig betrunken, und selbst an sonnigen Tagen blieb sie im Haus, lag auf dem Boden und sah an die weiße, leere Decke, während Chet Baker sie zu Tränen rührte. So wurde sie von ihrem Bruder gefunden, dessen angekündigten Besuch sie vergessen hatte. Harold, der Rauchen und Trinken verabscheute, packte sie in seinen Mietwagen und fuhr sie nach Manhattan, wo er sie in die Obhut einer privaten Suchtklinik gab. Er blieb vierzehn Tage, neun mehr als geplant, besuchte am Morgen die Museen und Galerien der Stadt und am Nachmittag seine Schwester, die viel weinte und versprach, ihr teures Zimmer mit Aussicht auf den Hudson bald zu verlassen und ein normales Leben zu führen. Harold beruhigte ihr schlechtes Gewissen, redete mit den Ärzten und flog dann nach Tokio, weil die Vorbereitungen für eine Pollock-Ausstellung keinen Aufschub mehr duldeten.

Alice redete mit anderen Frauen über ihre Trunksucht, sprach mit Ärzten und Psychologen über ihre Ehe und Lawrence und dessen Frau und Zwillinge, die sie nie gesehen hatte und nie sehen wollte, und gab Harold telefonisch jeden zweiten Abend darüber Auskunft, wie viel besser sie sich fühlte und wie schwach das Verlangen, Alkohol zu trinken, geworden war.

Als sie nach vierunddreißig Tagen das Gefühl des umsorgten Eingesperrtseins, die deprimierenden, im Kreis verlaufenden Gespräche, die adretten Uniformen und einheitlichen Kurzhaarfrisuren der Betreuerinnen, die pastellfarbenen Möbel, die künstlich gesüßten Kräutergetränke, die Lymphdrüsenmassagen und die monotonen Rundgänge auf der mit einem drei Meter hohen Zaun umgebenen Dachterrasse nicht mehr ertrug, überzeugte sie ihren Arzt und Harold davon, gesund genug für die Freiheit zu sein, und fuhr zurück nach Sayville.

Sie wollte wieder malen, wusste aber nicht, was. Den Strand hatte sie so oft gemalt und ihre eigenen Bilder so endlos kopiert, dass sie nicht mehr in den Himmel blicken konnte, ohne Pinselstriche und Farbmischungen darin zu sehen. Als sie damals den jungen Sozialarbeiter Lawrence Krugshank kennengelernt hatte, war sie im dritten Jahr an der Universität, wo sie Kunstgeschichte und Pädagogik studierte. Sie wollte Lehrerin werden oder Kulturjournalistin, vielleicht Kuratorin wie ihr Bruder, der damals gerade seine erste Ausstellung in Atlanta leitete. Sie kannte die Biografien von Rembrandt und Caravaggio, von van Gogh und Monet, sie hatte alle Bilder von Gustav Klimt gesehen und die meisten von allen anderen bedeutenden Malern, sie hatte Aufsätze zu ihren Werken geschrieben und bereitete sich darauf vor, dieses Wissen in irgendeiner Form anzuwenden. Doch dann heiratete sie Lawrence und fand sich schon bald in einem Büro in Chestnut Hill wieder, wo sie zu Beginn zwischen Buchhaltung und Bettelbriefen an einer Biografie über Robert James Mellerton schrieb, einen von der Kunstwelt vergessenen Maler aus Wyoming, der auf Seiten der Union mit seiner Staffelei in den Bürgerkrieg gezogen und 1863 bei der Schlacht von Gettysburg getötet worden war.

Über Maler, Stilrichtungen und Epochen wusste Alice einiges, in der Theorie kannte sie jede Maltechnik, und von ihrem Lieblingskünstler Renoir wusste sie, wovon er nachts geträumt und wie viele Frauen er geliebt hatte. Von unterschiedlichen Grundier- und Maltechniken und den Nuancen im Gebrauch der Leinwände, Farben und Pinsel wusste sie kaum etwas, und ihr Talent als Zeichnerin war bescheiden. Die düsteren Bilder waren aus einer Depression heraus entstanden, die Strandbilder aus einer Laune und der Notwendigkeit, leere Wände zu füllen. Jetzt fehlte ihr sowohl der innere Zwang als auch der äußere Reiz.

Sie setzte sich in den Garten und malte Blumen, kam sich aber schon bald albern vor, weil ihre Rosenbilder aussahen wie schlechte Entwürfe für Tischdecken. Danach versuchte sie es mit Treibgut vom Strand und Muscheln, doch dafür war ihre Technik ebenfalls nicht ausgereift genug, dann malte sie Steine, was als Prozess und Ergebnis langweilig war. Schließlich zerstach sie mit dem Pinselgriff eine leere Leinwand, weil ihr die Motive ausgingen. Tagelang saß sie im Wohnzimmer und blätterte in den Kunstbüchern, die Harold nicht mit nach London genommen hatte. Aber statt inspiriert zu werden, wurde ihr durch das Betrachten der Meisterwerke klar, dass sie eine Stümperin war, bestenfalls eine mäßig talentierte Hobbymalerin, deren Werke von Touristen gekauft wurden, von Leuten in kurzen Hosen, die ihrer Ferienlaune Ausdruck verliehen, indem sie ein nichtssagendes Gemälde kauften, um es zu Hause neben einen Katzenkalender über einen mit Nippes befrachteten Kaminsims zu hängen. Diese Erkenntnis befreite sie zuerst, doch dann traf sie Alice mit solcher Wucht, dass sie ihr nicht standhielt und zusammenbrach.

Wenn sie am Telefon mit ihrem Bruder sprach, klang sie völlig normal. Umgeben von den im ersten Sommer gekauften, grundierten und leeren Leinwänden, erzählte sie ihm von neuen Bildern und einer möglichen Ausstellung im nahen Bellport.

Harold, der gerade zwischen London und Dublin pendelte, hatte keinen Grund, seiner Schwester nicht zu glauben, freute sich für sie und versprach, bald zu kommen. Nach den Gesprächen, deren Zeitpunkt und Länge sie selbst bestimmte, stürzte Alice ab, taumelte zurück in einen diffusen Raum ohne Geräusche, eine wattierte Kammer, in der sie hinfallen konnte, ohne Schmerzen zu empfinden.

Wenn sie trank, war die Zeit eine gekrümmte Linie, die zu ihr zurücklief, eine Schleife aus Wiederholungen, glatt und poliert wie blitzendes Metall. Ihre Tage zerfielen in lose Teile, verschwommene Bilder, deren Ränder ineinanderflossen und Schlaf von Hunger trennten, Notdurft von Waschen, Bewusstlosigkeit von Einkaufen. Wochen wurden zu fleckigen, unregelmäßigen Mustern und Monate zu deren Kopien, überbelichtet und verschmiert von wässrigen Farben. Das Leben, wie Alice es wahrnahm, war ein Film, der in einem Nebenzimmer lief.

Als Harold am Telefon seinen Besuch ankündigte, bat Alice ihn, nicht zu kommen. Sie erfand eine Reise nach South Carolina und eine neue Freundin, ebenfalls Malerin. Stattdessen fuhr sie nach Brooklyn und wies sich selbst in eine Suchtklinik ein. Als Grund gab sie an, nicht sterben zu wollen, was nur zur Hälfte der Wahrheit entsprach. Zwölf Tage blieb sie dort, weil sie den Anfang alleine nicht geschafft hätte, dann mietete sie sich ein winziges Zimmer, ging morgens und mittags auf lange Wanderungen durch die Nachbarschaft und abends zu den Treffen der Anonymen Alkoholiker. Sie war einundvierzig Jahre alt und wog neunundfünfzig Kilo. Weil sie noch immer einen Meter sechsundachtzig groß und rothaarig war, sahen einige Leute auf der Straße sie an, manche erschrocken, manche nur erstaunt. Kinder starrten zu ihr hoch und senkten verlegen den Blick, wenn ihrem bleichen Gesicht ein Lächeln gelang.

In ihrem Badezimmer hing ein Spiegel, dessen silberne Schicht an der Rückseite abblätterte, zerfranste Löcher im Glas hinterlassend, durch die der Verputz schien. Wenn Alice sich darin betrachtete, war sie fassungslos. Oft stand sie minutenlang im schlechten Licht da und verscheuchte den Gedanken, das Gesicht ihrer Mutter wie eine dünne, leicht verrutschte Folie über ihrem eigenen zu erkennen. Margaret Simmons war neunundsechzig. Ein jahrelanger Streit mit der Tochter hatte vor vier Jahren damit geendet, dass sie an Alzheimer erkrankte und sich an nichts mehr erinnerte, auch nicht daran, Kinder zu haben. Harold, der gute Sohn, besuchte sie zweimal im Jahr im Pflegeheim in Jersey City, wo sie untergebracht war, saß eine Weile mit ihr in der Cafeteria, erzählte von Museen in Kapstadt und Edinburgh, von Matisse und Chagall, von neuen Fertiggerichten, Börsenkursen und Reiseweckern und ging wieder.

Joseph Simmons, der Vater von Harold und Alice, wurde in Vietnam getötet, als Alice fünfzehn war. Sie habe seine Züge geerbt, hörte Alice als Kind immer, aber jetzt sah sie nichts mehr davon, nicht die geschwungenen Lippen und nicht die Augen, die dunkelgrün und voller Leben gewesen waren. Was sie jetzt sah, war ein weißes, eingefallenes Gesicht, das sie weinen ließ.

Die Treffen der Anonymen Alkoholiker fanden in einem Haus statt, in dem sich früher ein Hutladen, ein Friseur und, in den beiden oberen Stockwerken, die Büros einer Gewerkschaft befunden hatten. Jetzt war im Erdgeschoss ein chinesischer Schnellimbiss einquartiert, und in der dritten Etage wurden Kleider gelagert. Dazwischen lag erstaunlicherweise eine privat geführte Kindertagesstätte, die ihren kleinen Speisesaal gegen einen symbolischen Betrag an die lokale Umweltschutzgruppe, den Frauenverein und die Anonymen Alkoholiker vermietete. Es gab ein Treffen am Mittwochabend und am Sonntagnachmittag, und Alice ging zu beiden. Anders als in Manhattan, saßen hier keine in Schönheit verkümmerten Frauen reicher, vielbeschäftigter Männer, keine an den gnadenlosen Regeln der Wall Street zerbrochenen und zu Trinkerinnen gewordenen Karrierefrauen und keine verbrauchten Schauspielerinnen, die ihren Berühmtheitsgrad so überschätzten, dass sie beim Spaziergang auf der Dachterrasse eine Sonnenbrille trugen und ihr Gesicht verdeckten, wenn ein Hubschrauber über sie hinwegflog.

In dem Raum im Haus an der Foster Avenue trafen sich Frauen und Männer, die eine Stunde zuvor noch Kaffee serviert, gelangweilte Kinder unterrichtet, Vergaser zusammengebaut und Versicherungen verkauft hatten, Menschen, die unscheinbare Leben lebten und nicht mehr zusehen wollten, wie ihnen alles, was ihnen wichtig war, entglitt. Es kamen Trinker, die am Ende waren und sich nichts mehr erhofften und nur noch dasitzen und wissen wollten, dass es jemanden zum Zuhören gäbe, wenn sie reden würden, dass sie dazugehörten und Menschen mit einem Namen und einer Geschichte waren. Gregory hießen sie und Hank und Rosalyn und Karen, sie waren junge Burschen ohne Arbeit und alte Frauen, denen die Männer und die Hälfte ihres Lebens weggestorben waren.

Sie hatten winzige Wohnungen und Lebensmittelläden und Schreibwarengeschäfte, und sie schämten sich für ihre Träume, die sich nie erfüllen würden. Sie waren zynisch geworden vor Pech und auf schreckliche Art gelassen gegenüber dem Unglück, das sie bewohnte und unter ihrer Haut lag wie Fett. Sie erzählten weinend und stammelnd und wütend und ungläubig kichernd schlimme Geschichten von Krankheit und Tod und vom Verlassenwerden, von Feuern und verirrten Kugeln in Einkaufszentren, von ertrunkenen Kindern und verlorenen Spielen, von Schulden und Gewalt und Betrug und einem Schmerz, der sie in den Bauch trat und umwarf und nicht nachließ, außer wenn sie tranken.

Alice war es peinlich, von sich zu erzählen. Dass ihr als junge Frau die Gebärmutter entfernt worden war, hätte möglicherweise genügt, um in den inneren Kreis der Versehrten aufgenommen zu werden, aber der Umgang mit diesem Verlust war ihre Sache, und sie wollte mit niemandem darüber reden. Die Geschichte von dem Mann, der sie verlassen hatte und dafür mit einer Hochglanzfrau und Zwillingen belohnt worden war, entbehrte zwar nicht einer gewissen Tragikomik, erschien ihr jedoch zu trivial, als dass sie damit ihre Anwesenheit hätte rechtfertigen wollen. Davon zu berichten, als Malerin gescheitert zu sein, kam ihr in der beklemmenden Gesellschaft dieser vom Leben wahrhaftig Geschundenen so absurd vor, dass sie lieber log, statt ihnen die Verzweiflung vor einer leeren Leinwand zu schildern.

Das Schicksal, das sie für sich erfand, war weder zu banal noch zu dramatisch, und niemand in dem Raum, dessen Wände fröhliche Kinderzeichnungen zierten, schien an ihrer Glaubwürdigkeit zu zweifeln.

Harold ließ sich nicht weiter hinters Licht führen und besuchte Alice in Brooklyn. Er verbarg seine Bestürzung über ihren Zustand so gut es ging und bot ihr auch jetzt Unterstützung an, seelische und finanzielle. Er sorgte dafür, dass das Haus auf Long Island an Urlauber vermietet wurde, und kaufte seiner Schwester ein paar Möbel und Küchengeräte. An einem Tag brachte er einen Entsafter, am nächsten einen Dampfkochtopf, und als die Küche davon überquoll, schenkte er ihr einen Fernseher und eine Musikanlage. Gerührt und überfordert ließ Alice diese brüderlichen Liebesbeweise eine Zeitlang über sich ergehen, aber als Harold mit einem Rudergerät und Eiweißpulver auftauchte, bat sie ihn so diplomatisch wie möglich, damit aufzuhören.

Es ging ihr jede Woche besser. Sie mochte Brooklyn und ihr Viertel, das sie mittlerweile so gut kannte wie damals die Gänge in Chestnut Hill. An die Zeit dort, an die Arbeit und die Kinder und an Lawrence dachte sie kaum noch, und wenn doch, dann mit leiser Wehmut statt bohrender Sehnsucht und dem Gefühl von unauslöschbarem Schmerz und Verlust. Sie hatte gelernt, einen Teil ihres Lebens als gescheitert zu betrachten und nicht weiter damit zu hadern. Aus ihrer Alkoholabhängigkeit nicht mehr herauszukommen hätte ein weiteres Scheitern bedeutet, und das wollte sie nicht zulassen. Das Trinken hatte sie zum

Opfer gemacht, hatte sie zu Boden geworfen und kriechen und lallen und Dinge an einer weißen, leeren Decke sehen lassen, die es nicht gab. Das Trinken hatte die Welt ausgeblendet und ihre Gefühle, und sie forderte beides zurück.

Das Trinken hatte sie auch in die Nähe von Menschen gebracht, deren Gesichter sie früher nicht einmal als verwischte Schatten wahrgenommen hätte, deren Stimmen kaum ein fernes Geräusch für sie gewesen wären. Durch das Trinken hatte sie einen Kreis von Menschen betreten, die sie nicht kannte, die sie übersehen, vor denen sie sich gefürchtet hatte, Verlorene, leise vor sich hin Murmelnde, scheinbar Funktionierende, unter den Kleidern Zitternde, junge Frauen, die am Fenster eines Waschsalons standen und plötzlich anfingen zu weinen, alte Männer, die ihr nahes Ende als Trost empfanden, als Verheißung. In der Gruppe, deren Zusammensetzung ständig wechselte, saß Alice oft einfach da und hörte sich die Geschichten der Verheerungen und Niedergänge an, und wenn sie danach in die Nacht von Brooklyn trat, fühlte sie sich schwer vom Gewicht des Gehörten, aber auch auf eine befreiende Art offen. Ihre Anteilnahme an den Schicksalen der anderen gab ihr das Gefühl zurück, am Leben zu sein und Teil einer Gemeinschaft, auch wenn diese Gemeinschaft von Krankheit und Verzweiflung zerrüttet war.

Drei Monate nach dem ersten Treffen mit den Anonymen Alkoholikern suchte Alice eine Arbeit. Harold hatte darauf bestanden, dass sie die Mieteinnahmen des Hauses auf Long Island bekam, aber sie wollte ihr eigenes Geld verdienen. Sie fand eine Stelle in einem Reformkostladen, der zwei alten Männern gehörte. Die Bezahlung war mittelmäßig, aber ihre Aufgabe im Lager und Verkauf leicht, und am Abend durfte sie Obst und Gebäck mitnehmen, das für den nächsten Tag nicht mehr geeignet war. Umgeben von Vollkornbrot, biologischem Gemüse und naturbelassenen Säften, blieb Alice gar nichts anderes übrig, als sich gesund zu ernähren. Seit achtunddreißig Tagen trank sie keinen Alkohol mehr, und zum ersten Mal in vier Jahren legte sie an Gewicht zu.

An den Wochenenden besuchte sie manchmal Trevor und Clive, die in der Lower East Side in einem Mietshaus aus den fünfziger Jahren wohnten und auf ihrer Dachterrasse Koi-Karpfen züchteten. Ihre bleiche Haut bekam einen Schimmer von Braun, die Ringe unter ihren Augen verschwanden, und wenn sie sprach, stieg ihre Stimme nicht mehr aus einer licht-losen, der Welt abgewandten Tiefe auf. Zu den Treffen in der Foster Avenue ging sie noch immer zweimal wöchentlich, und das Zuhören tat ihr weh und erinnerte sie daran, wie nahe am Abgrund sie gestanden hatte, aber es gab ihr auch Kraft und Hoffnung. Zu Carol, einer Frau in ihrem Alter, die erst seit zwei Wochen nicht mehr trank, entwickelte sie so etwas wie eine Freundschaft, die endete, als Carol mit ihrem neuen Freund nach Minneapolis zog und sich nie mehr meldete.

Ein Kunde des Reformkostladens, ein Englischprofessor und Lebensmittelallergiker, gefiel ihr, aber der Mann interes-sierte sich nur für glutenfreie Speisen und die Schreibfehler in den Annoncen, die an einem schwarzen Brett neben der Kasse hingen. Heimlich schwärmte Alice auch für Trevor, war sich jedoch darüber im Klaren, dass er mit zweiundsiebzig zu alt für sie war. Trotzdem liebte sie es, mit ihm zu flirten und ihn zu verwirren, indem sie ihn bei der Arbeit im engen Laden mit der Hand streifte oder ihn mit einem Augenaufschlag anlächelte, wenn er ihr eine Packung braunen Reis aus einem Regal reichte oder sich für eine Schachtel Haferkekse bedankte, die sie aus dem Lagerraum geholt hatte.

Harold hatte sich bei einem Aufenthalt in Seattle in eine Mu-seumsangestellte verliebt, lud sie im Frühling nach London ein und heiratete sie im Sommer. Louise war vierzehn Jahre jünger als Harold, etwas pummelig und vernarrt in alles Englische. Nach kurzer Zeit sprach sie mit britischem Akzent und kannte die Regeln von Kricket. Weil sie beides unbedingt einem Kind beibringen wollte, wurde sie im Herbst schwanger. Harold, der sein Junggesellendasein bisher mit der Aussage verteidigt hatte, die Museen der Welt seien seine Familie und die Bilder seine Kinder, konnte vor Freude kaum noch arbeiten. Der Junge wurde im Juni des folgenden Jahres geboren, George getauft und zum frühestmöglichen Zeitpunkt nach New York geflogen, wo die Eltern ihn seiner Tante präsentierten. Harold und Louise heulten vor Glück und Schlafmangel, als sie mit Alice neben dem Bett standen, auf dem das Baby lag, und Alice brach ebenfalls in Tränen aus.

Nachdem sich alle drei umarmt hatten, hörten Harold und seine Frau auf zu weinen, aber Alice konnte nicht. Als sie nach fünf Minuten noch immer schluchzte, wusste Harold, dass etwas nicht stimmte, und weitere fünf Minuten später rief er einen Arzt, der bei Alice einen Nervenzusammenbruch feststellte und ihr eine Beruhigungsspritze gab.

Alice schlief, und in ihrem Traum fuhr sie auf einem Rad durch eine sonnenhelle Landschaft. In einem Korb am Lenker saß ein Kind, dessen Gesicht sie nicht sehen konnte. Als sie aufwachte, saßen Harold und Louise an ihrem Bett und betrachteten sie voller Sorge. Das Baby schlief in ihrer Mitte in einem Reisekorb. Alice lächelte. Harold nahm ihre Hand und sagte, alles würde gut. Alice nickte, weil sie wusste, was zu tun war, damit wirklich alles gut würde.

Alice hörte auf zu summen, und Wilbur ging in den Garten und legte sich auf einen Liegestuhl. Er hörte die Wellen, die sich am Strand brachen, und von weit her einen Rasenmäher. Es war März, die Tage wurden länger und wärmer. Der bedeckte Himmel hing tief, Möwen flogen darin keine, dafür konnte man im leichten Wind das Meer riechen.

Vor vier Tagen war Wilbur achtzehn geworden. Alice hatte eine Torte und alkoholfreien Champagner besorgt und ein Geschenk, einen Discman und ein paar CDs mit Musik, von der sie glaubte, dass Wilbur sie mögen würde. Harold und Louise hatten aus London angerufen, und Wilbur musste mit ihnen sprechen und sich beglückwünschen lassen, obwohl er beide nur von Fotos kannte. Neben dem Geburtstag gab es noch die Tatsache zu feiern, dass Wilburs Antrag auf einen amerikanischen Pass bewilligt worden war. Alice hatte sich um alles gekümmert, und als es Probleme beim Finden der Geburtsurkunde gab, schaltete Harold einen befreundeten Anwalt ein, der die Dinge rasch regelte.

Wilbur war jetzt volljährig und konnte tun und lassen, was er wollte, wusste mit seiner plötzlichen Freiheit allerdings nicht viel anzufangen. Er hätte nach Irland gehen und sein Erbe antreten können, fand jedoch, das habe keine Eile. Er war noch nicht bereit, den Verkauf von Orlas Haus in die Wege zu leiten, ebenso wenig den von Colms Farm, die er auch geerbt hatte. Auf einem Konto bei der Bank Of Ireland lag ein kleines Vermögen, das hatte ihm der Anwalt gesagt, der zu Orlas Beerdigung gekommen war. Aber von diesem Geld wollte Wilbur nichts. Er hatte den Brief des Matrosen gelesen, dessen Abschrift Conor ihm gegeben hatte. In diesem Brief stand, woher das Gold, das Eamon McDermotts Reichtum begründet hatte, gekommen war, und für Wilbur stand fest, dass er davon keinen Cent haben wollte.

Er fühlte sich wohl in dem Haus, die ruhigen, zeitlosen Tage und der Umstand, dass niemand etwas von ihm verlangte, taten ihm gut. Alice war mit ihm nach Montauk gefahren, und sie hatten Sheltered Island besucht und waren in einem Restaurant gewesen, wo in riesigen Aquarien Meeresfische schwammen. Er war neu eingekleidet worden, hatte drei Paar Schuhe bekommen und eine Sonnenbrille. Harold und Louise hatten ihm einhundert Dollar zum Geburtstag geschenkt, von denen er Briefpapier, Umschläge und einen Füllfederhalter gekauft hatte. Den Rest wechselte er in irische Pfund und schickte sie, zusammen mit einem Brief, an Conor, der noch immer in Four Towers saß. An Matthew und Sune schrieb er ebenfalls. Matthew, inzwischen siebenundsiebzig Jahre alt, lebte wieder in

Norwich, unterrichtete aber nicht mehr. Vor fünf Jahren war er für ein paar Tage zurück in die Heimat geflogen, weil seine Frau gestorben war und in Manchester, wo sie mit ihrem dritten Mann gelebt hatte, beerdigt wurde. An der Trauerfeier lernte Matthew Cynthias Schwägerin Norma Kennedy kennen und verliebte sich in die neun Jahre jüngere Frau, die als Fotografin arbeitete.

Im ersten seiner beiden Briefe an Wilbur lag ein Schwarzweißbild, das mit Selbstauslöser aufgenommen worden war. Es zeigte Matthew und Norma auf einem umgedrehten Ruderboot sitzend vor einem See, beide sahen ernst und glücklich in die Kamera. Zu ihren Füßen lagen die Ruder und, zusammengerollt auf einer Jacke, eine Katze, die Wilbur bekannt vorkam, im Hintergrund standen Wolken über einer Bergkette. Der Brief trug den Stempel vom 11. Oktober 1996. Matthew erzählte darin von seinen Plänen, das Haus in Portsalon über einen lokalen Makler zu verkaufen und sich seine Habseligkeiten nach England schicken zu lassen. Er fragte, wie es Wilbur gehe, und bat ihn zu antworten. Pauline hatte Wilbur den Brief nie gegeben, auch den zweiten nicht, der fünf Wochen später gekommen war.

Wilbur schickte Matthew siebzehn eng beschriebene Seiten. Sune bekam neun. Eine Telefonnummer konnte er nicht angeben, weil das Haus noch immer vermietet wurde und die Leitung stillgelegt worden war. Beiden Briefen hatte er ein Foto beigelegt, das Alice aufgenommen hatte. Wilbur stand vor dem offenen Maul eines Pottwals, der lebensgroß und aus Kunststoff den Parkplatz eines Seafoodrestaurants zierte.

Ende Mai verließen Alice und Wilbur Long Island und fuhren nach Brooklyn. Das Haus würde bis in den September hinein für sehr viel Geld vermietet sein, außerdem wollte Alice Wilbur New York zeigen. Die Umstellung von sieben auf zwei Zimmer fiel beiden nicht ganz leicht, aber nach ein paar Tagen legten sie ihre Befangenheit ab und gewöhnten sich an das Zusammenleben in der kleinen Wohnung. Wilbur schlief auf dem Sofa im

Wohnzimmer und bekam die Hälfte des Einbauschranks für seine Sachen. Alice arbeitete zwei Wochen lang nur noch am Morgen im Reformkostladen, um nachmittags mit Wilbur Ausflüge nach Manhattan unternehmen zu können. Sie besuchten Ellis Island und Liberty Island, standen in der Krone der Freiheitsstatue und auf dem Empire State Building, streiften durch Chinatown und Little Italy und ließen sich durch den Central Park kutschieren.

Wilbur verschlug es im Schatten der Wolkenkratzer die Sprache, er stand staunend in der Halle der Grand Central Station, und während eines Heimspiels der *New York Giants* saß er neben Alice und schrie im Chor mit den übrigen Fans, obwohl ihm die Regeln des American Football ein Rätsel waren. Auf Coney Island fuhren sie Riesenrad, und Wilbur sah den Steg, von dem seine Mutter damals die Münzen ins Meer geworfen und sich ein Kind gewünscht hatte, ihn.

Trevor und Clive empfingen Wilbur mit offenen Armen, fütterten ihn mit zuckerfreien Keksen und organischem Obst und zahlten ihm zwei Dollar fünfzig die Stunde, wenn er vor dem Laden Handzettel verteilte. An den Wochenenden ging er mit Alice in die Lower East Side und half den beiden alten Männern beim Wechseln des Wassers in den Karpfenbecken und sah mit ihnen Super-8-Filme an, die Trevor in den sechziger und siebziger Jahren gedreht hatte. Trevor Cohen war früher Journalist gewesen und für diverse Zeitungen und Zeitschriften um die Welt gereist. Clive Lombard hatte als junger Mann in Korea gekämpft und danach an verschiedenen Colleges in Maine und New Hampshire Geschichte unterrichtet. Mit sechzig Jahren begegneten sie sich in einer Klinik in Queens, wo beide wegen Magengeschwüren behandelt wurden, und beschlossen, gemeinsam einen Laden für Gesundheitskost zu eröffnen.

Wenn sie nicht ins Kino oder ein Konzert im Central Park gingen, saßen Alice und Wilbur zu Hause im Wohnzimmer und lasen, spielten Scrabble oder sahen fern. Manchmal stießen beim Versuch, gleichzeitig nach der Fernbedienung oder dem Stoffbeutel mit den Buchstabensteinen zu greifen, ihre Fingerspitzen gegeneinander, und sie zuckten verlegen zurück. Solche Momente entstanden auch, wenn Alice nachts in Slip und T-Shirt das Badezimmer betrat, wo Wilbur sich gerade die Zähne putzte, oder wenn Alice ihre Unterwäsche von der Leine über der Badewanne nehmen musste, weil Wilbur verschwitzt von einem Spaziergang zurückkam und duschen wollte.

Alice hatte Wilbur nie die ganze Wahrheit darüber erzählt, warum sie ihn zu sich geholt hatte. Über Chestnut Hill, die in Erwägung gezogene Adoption und die Trennung von Lawrence hatte sie gesprochen, ihre monatelange Depression verschwieg Alice aber ebenso wie ihre Alkoholsucht, die Aufenthalte in den Kliniken und die Treffen in der Foster Avenue.

Sie habe sehen wollen, was aus dem kleinen Jungen, den sie vor vielen Jahren fast schon als ihren Sohn betrachtet hatte, geworden sei, hatte sie Wilbur damals in Sligo gesagt, und Wilbur hatte sich damit zufriedengegeben. Die Alternative zu Alice und Amerika hätte Kinderheim bedeutet, vielleicht Miss Ferguson, bis er achtzehn gewesen wäre. Eine Wahl hatte man ihm sowieso nicht gelassen, wollte ihn loswerden, bevor er wieder irgendwo Feuer legte.

Manchmal hatte Wilbur sich gefragt, was wohl die Leute in der Nachbarschaft von Alice und ihrem neuen Untermieter dachten, sich dann aber im Spiegel gesehen und die Antwort gewusst. Er war einen Meter neunundfünfzig groß und sein kindliches Gesicht ohne Anzeichen eines baldigen Bartwuchses, und wenn er neben Alice stand, hielt man ihn vermutlich für ihren Sohn oder Neffen. Neben ihr wirkte er wie ein Zwerg und nicht wie ein Achtzehnjähriger, in dessen Körper Hormontumulte tobten und der eine Erektion bekam, wenn er unter der Bluse einer Passantin Brustwarzen zu sehen glaubte. Nie versucht zu sein, Alice mit den Augen zu betrachten, mit denen er andere Frauen betrachtete, empfand Wilbur als Entlastung. Zu seinem Glück war Alice riesig und dünn, hatte kaum einen

Busen und trug das Haar so kurz, dass Wilbur sich, wenn sie auf dem Sofa neben ihm saß oder im Nachthemd zur Toilette ging, einreden konnte, sie sei ein Mann.

Im Juli kamen Harold und Louise mit dem kleinen George zu Besuch aus London. Harold und Louise begrüßten Wilbur mit überschwänglicher Freude und schenkten ihm, von seiner Wasserphobie nichts ahnend, ein Surfbrett, das sie auf dem Weg vom Flughafen gekauft hatten. Harold mochte Wilbur auf Anhieb, und schon am ersten Abend, den sie in einem indischen Restaurant um die Ecke verbrachten, schlug er vor, Wilbur zum Patenonkel von George zu machen. Louise fand die Idee großartig und meinte, darauf müssten alle mit Champagner anstoßen. Den strengen Blick, den Harold seiner Frau zuwarf, und das darauffolgende betretene Schweigen erklärte sich Wilbur damit, dass Harold ihn trotz Volljährigkeit für zu jung hielt, um Alkohol zu trinken. Er dachte daran, auf scherzhafte Art zu erzählen, wie er vor ein paar Tagen während eines abendlichen Streifzugs durch das Viertel eine halbe Flasche Bier getrunken und sich danach elend gefühlt hatte, ließ es dann aber bleiben.

Harold beendete die unangenehme Stille mit dem Vorschlag, am nächsten Tag nach Long Island zu fahren. Er wolle beim Haus Halt machen, die Mieter, eine Familie aus Detroit, begrüßen und sich davon überzeugen, dass sie mit allem zurechtkam. Er meinte, das sei eine gute Gelegenheit, um an den Strand zu gehen, zu schwimmen und Wilbur bei seinen ersten Versuchen auf dem Surfbrett zuzuschauen. Alice und Louise waren von der Idee begeistert, und auch Wilbur tat, als könne er sich nichts Aufregenderes vorstellen.

Tags darauf, Louise und Alice packten Getränke in eine Kühlbox, schnitt Wilbur sich so heftig in die Hand, dass Alice und Harold mit ihm zum Arzt fahren mussten, der die Wunde mit acht Stichen nähte. Obwohl Wilbur es angesichts der Schwere der Verletzung und der Menge an Blut, die er verloren hatte, für unmöglich hielt, dass ihm jemand Absicht unterstellen könnte, erkundigte er sich, kaum vom Operationstisch aufgestanden, nach einem wasserfesten Überzug für die Hand, die ihm das Baden im Meer erlauben würde. Als der Arzt eindringlich von jeglichem Kontakt mit Wasser abriet, zeigte Wilbur sich enttäuschter als Harold, der ihn damit tröstete, man würde das Surfbrett bei seinem nächsten Besuch ausprobieren.

Am Nachmittag gingen sie alle in den Central Park und veranstalteten ein Picknick unter einem Baum, der dreihundert Meter Luftlinie vom nächsten Gewässer entfernt stand.

Nach einer Woche flogen Harold, Louise und George zurück nach London. Alice beneidete sie um ihre Flucht vor der drückenden Hitze New Yorks ins kühle England. Sie arbeitete jetzt jeden Tag im Reformkostladen, auch samstags. Clive hatte ein Rückenleiden und musste ins Krankenhaus, ein künstliches Hüftgelenk schien unumgänglich. Trevor geriet in Panik, weniger wegen der fehlenden Arbeitskraft als vielmehr weil er eine Ahnung davon bekam, wie alt er und sein Geschäftspartner waren.

Wenn Wilbur nicht beim Einräumen der Regale half, das Lager aufräumte, die Schaufensterscheibe reinigte oder einen Stapel von Clives handgeschriebenen und fotokopierten Handzetteln verteilte, saß er in einem klimatisierten Kino. Nachdem er an drei Nachmittagen hintereinander die Die-Hard-Trilogie gesehen hatte, ging er in die Bibliothek und las alles, was es an Lektüre über Bruce Willis und seine Filme gab. Zwei Wochen später setzte er sich mit einem Berg Notizen vor dem offenen Fenster an den Küchentisch und schrieb den ersten Satz einer Biografie mit dem Titel The Life And Death Of Bruce Willis.

Gegen Abend, wenn die Hitze erträglicher wurde, durchstreifte er zu Fuß die Straßen, oft zwanzig Blocks und mehr. Manchmal setzte er sich in einen Bus, stieg irgendwo aus und erkundete fremde Viertel. Wenn ein alter Mann auf einem Klappstuhl vor einem Haus oder einer Mauer im Schatten eines Baumes saß, zeigte Wilbur ihm das Foto seines Vaters und fragte, ob er den Abgebildeten schon einmal gesehen habe. Die Männer nahmen Wilbur in Augenschein, verwarfen den Gedanken, er sei von der Polizei, und betrachteten das Bild mal flüchtig, mal eine kleine Ewigkeit. Einige fragten, wer das sei, andere wollten wissen, ob es sich um einen gesuchten Verbrecher handle, aber keiner kannte Lennard Sandberg.

In einem der beiden Briefe, die Lennard nach Schweden geschickt hatte, erwähnte er einen Freund in Brooklyn, nannte aber weder Namen noch Adresse. Bei jedem Streifzug hielt Wilbur nach der roten Tür mit der weißen 73 Ausschau, obwohl ihm klar war, dass sie irgendwo in New York sein konnte und vielleicht längst übermalt, ausgewechselt oder samt dem dazugehörenden Gebäude verschwunden war.

Als er von einer seiner vergeblichen Suchaktionen zurückkam, lag ein Brief von Conor im Briefkasten. Wilbur setzte sich im kühlen, dämmrigen Treppenhaus auf die untersten Stufen und riss den Umschlag auf. Conor schrieb, es gehe ihm gut, obwohl unter dem neuen Direktor ein rauerer Wind in Four Towers wehe. Er bedankte sich für das Geld, das man ihm jedoch nicht ausgehändigt habe, sondern für ihn verwahre, bis er entlassen werde. Er gebe sich Mühe, nicht aufzufallen, und hoffe, bald rauszukommen und Wilbur in New York besuchen zu können.

In der Wohnung ging Wilbur unter die Dusche, während Alice kochte. Nach dem Essen spülte er das Geschirr, und Alice sammelte die schmutzigen Kleider zusammen, um sie in die Waschküche zu bringen. Dabei fiel das zerknitterte, abgegriffene Foto von Lennard Sandberg aus der Tasche von Wilburs Hose. Alice hob es auf und betrachtete es lange.

»Ist das dein Vater?«, fragte sie schließlich.

Wilbur zuckte zusammen und drehte sich um. Alice sah noch immer das Bild an. Wilbur hatte mit ihr nie über seine Suche gesprochen. Er wusste, dass sie ihm angeboten hätte zu helfen, aber er wollte nicht, dass sie ihre Zeit damit verschwendete, nach jemandem zu forschen, der vermutlich längst tot war. Er zog es vor, die unvermeidliche Enttäuschung mit niemandem teilen zu müssen.

»Ja«, sagte er.

Alice setzte sich an den Tisch. »Ich glaube, ich kenne ihn«, sagte sie leise.

Wilbur wartete, aber Alice sagte nichts mehr, sah nur das Foto an. Er setzte sich hin, wie benommen. Durch die offenen Fenster drangen Verkehrslärm, die Rufe von Nachbarn, das Musikgewirr zahlloser Fernsehapparate und Radios. Mit der Sonne war das grelle Licht verschwunden, aber die verzehrende, von keinem Windhauch bedrohte Hitze blieb. Alice setzte sich Wilbur gegenüber an den Tisch, dann erzählte sie ihm von ihren Zusammenbrüchen und den Aufenthalten in den Kliniken. Und sie erzählte ihm von dem Mann, der ab und zu bei den Treffen der Anonymen Alkoholiker aufgetaucht war.

Am nächsten Tag trafen sie Robert Brent, den damaligen Leiter der Gruppe, und zeigten ihm das Foto. Brent erinnerte sich an den schweigsamen Mann, wusste aber auch nicht mehr über ihn als das, was dieser am ersten Abend von sich preisgegeben hatte, nämlich dass er Lenny heiße und seit Jahren trinke. Die Wahrscheinlichkeit, dass Lenny Wilburs Vater war, schien Alice und Wilbur groß genug, um eine Suchaktion zu starten, die über die Grenzen der von Wilbur zu Fuß und mit dem Bus durchstreiften Viertel hinausging.

Als Erstes rief Alice bei der Polizei an, danach bei sämtlichen Krankenhäusern in Brooklyn, Queens und der Bronx, und schließlich bei mehreren Ämtern. Lennard Sandberg war weder irgendwann verhaftet noch in eine Klinik eingeliefert worden, zumindest nicht im Verwaltungsbezirk von New York City, und ein Totenschein auf diesen Namen war ebenfalls nie ausgestellt worden. Die Sozialversicherungsbehörde hatte einen Lennard Arne Sandberg registriert, aber an der angegebenen Adresse in

Gravesend, einem Stadtteil im Süden Brooklyns, erkannte nur einer der von Alice und Wilbur angetroffenen Mieter seinen ehemaligen Nachbarn. Der alte, mit mehreren Katzen in einer finsteren Zweizimmerwohnung hausende Mann erinnerte sich an den dünnen Schweden, der sehr still und eigenartig gewesen und vor anderthalb Jahren einfach verschwunden sei. Wohin Lennard gegangen war, wusste er nicht.

Alice und Wilbur hängten fotokopierte Plakate auf und verteilten Handzettel, von denen Lennards schmales Gesicht lächelte, als sei ihm die Aufmerksamkeit, die ihm zuteil wurde, peinlich. Wilbur fuhr jeden Tag mit Bussen und der U-Bahn, er ließ Handzettel in Imbissbuden und Parks liegen und klemmte sie unter Scheibenwischer, er heftete Plakate an Wände und Bäume, zeigte wildfremden Menschen das Bild seines Vaters und hoffte in jeder Straße die rote Tür mit der Zahl 73 zu entdecken. Mit Harolds Hilfe gaben sie für achthundert Dollar ein Inserat in der *New York Times* auf. Es erschien an einem Freitag und verlor sich zwischen der Vermisstenanzeige für einen Perserkater und der Werbung einer Kreditfirma. Als es erschien, hatte Wilbur ein seltsames Gefühl und fragte sich zum ersten Mal seit Wochen, was er mit seinem Vater anfangen würde, wenn er ihn fände.

Den Gedanken, ihn zu erschießen, hatte er verworfen, allein schon deshalb, weil ihm die Beschaffung einer Waffe unmöglich erschien. Wenn er den ganzen Tag unterwegs gewesen war, begleitet vom erschöpften Lächeln seines Vaters, wurde sein Hass nur noch vom Ehrgeiz übertroffen, den Gesuchten endlich zu finden, ihn zur Strecke zu bringen und Rechenschaft zu verlangen. Diese Gefühle verbarg er gegenüber Alice, die ihre Zeit und Energie in dem Glauben einsetzte, an der wunderbaren Zusammenführung von Vater und Sohn beteiligt zu sein, und eine verklärte Vorstellung davon hatte, wie sich die beiden in die Arme fallen und vor Glück weinen würden.

Ein paar Leute meldeten sich telefonisch bei ihnen und behaupteten, Lennard Sandberg gesehen zu haben. Alice und

Wilbur gingen jedem Hinweis nach, fuhren nach Queens und in die Bronx und einmal bis nach Newark, um die Anrufer zu treffen. Ein als Hobbydetektiv tätiger Vietnamveteran brachte sie zu einem Mann, der entfernt wie Lennard aussah, aber zwanzig Jahre älter war und seine verbleibenden Tage in einem städtischen Altersheim und geistiger Umnachtung hinter sich brachte. Mehrmals wurden sie zu einer Gruppe von Obdachlosen geführt, unter denen sich Lennard angeblich befand. Eine alte Frau behauptete, ihr eigener Sohn, der bei ihr im Keller wohnte und Tiere ausstopfte, sei der Gesuchte. Eine Krankenschwester glaubte sich an ein Unfallopfer zu erinnern, ein Hausmeister an einen ehemaligen Mieter, ein Drogeriebesitzer an einen Kunden. Viele fragten am Telefon nach einer Belohnung und legten auf, wenn Alice ihnen im Erfolgsfall hundert Dollar anbot. Angeber riefen an und Spinner, verwirrte Seelen und Säufer, Leute, die reden wollten und selber verzweifelt jemanden suchten, Menschen, die es gut meinten und Psychopathen, hilfsbereite Bürger, pensionierte Polizisten, gelangweilte Hausfrauen und Tagediebe, die auf eine Tasse Kaffee und ein paar Dollar aus waren.

Aber keiner von ihnen wusste, wo Lennard Sandberg war. Die Anrufe und hinterlassenen Nachrichten wurden weniger, ganze Wochen vergingen, ohne dass sich neue vermeintliche Zeugen meldeten. Die Treffen verkamen zu grotesken Schauspielen, zu peinlichen Wiederaufführungen vergangener Misserfolge. Wilbur kam es vor, als stolpere er über die ewig gleichen Bühnen, als höre er dieselben schüchtern gestammelten und wichtigtuerisch deklamierten Texte immer wieder, als sei sogar seine Reaktion auf die unausbleibliche Enttäuschung inzwischen einstudiert und flach, Teil einer miesen, abgeschmackten Inszenierung.

Alice wurde müde und zunehmend mutlos, aber aufzugeben kam für sie nicht infrage. Sie hatte diese Suchaktion angeregt und vor, sie erst an dem Tag zu beenden, an dem Lennard Sandberg gefunden war. Wenn abends oder nachts das Telefon klingelte, musste sie sich dazu zwingen, den Hörer abzuheben und mit diesen fremden Menschen zu sprechen und für den nächsten Abend ein Treffen an irgendeiner Straßenecke, in einer Kneipe oder Wohnung zu vereinbaren, als handle es sich um eine Verabredung zweier Krimineller oder verklemmter Zeitungsinserenten. Wurde sie mitten in der Nacht aus dem Schlaf geschreckt, blieb sie erst liegen und dachte daran, das Telefon diesmal klingeln zu lassen, sprang dann aber doch aus dem Bett und hörte sich eine neue Geschichte voller Versprechungen, Ungereimtheiten und schicksalhafter Fügungen an, notierte sich einen Namen und eine Adresse und versprach zu kommen. Sie schlief immer schlechter und widerstand der Versuchung, etwas zu trinken. Ihre Träume wurden kurz und farblos, und Lennard Sandberg kam in ihnen nicht mehr vor.

Bald fuhr Wilbur nur noch jeden zweiten Tag in irgendeinen Stadtteil, um Zettel zu verteilen, Plakate aufzuhängen und schläfrigen Männern das Foto unter die Nase zu halten. Er war die Hitze und die mürrischen Passanten leid, er mochte nicht mehr Ladenbesitzer um Erlaubnis bitten, ein Plakat anzubringen, er ertrug es nicht mehr, die Frage zu beantworten, warum er den Mann auf dem Foto suchte, weil er es selber nicht mehr wusste. Im Oktober, dem alles Herbstliche fehlte, half er Alice im Reformkostladen, saß auf dem Gehsteig unter einem Sonnenschirm und bediente eine Maschine, in deren Bauch ein träges Rührwerk organisches Zitroneneis bewegte.

Trevor und Clive befanden sich auf einer Kreuzfahrt für pflegebedürftige Senioren in der Karibik, ihrer letzten Reise, wie sie in einem Zustand kindlicher Vorfreude und leiser Panik orakelt hatten. Nachdem Clive ein neues Hüftgelenk eingesetzt worden war, erholte er sich nur sehr langsam, und kaum war er wieder halbwegs auf den Beinen, entdeckten die Ärzte bei Trevor Altersdiabetes. Obwohl weder Clives zögerliche Genesung noch Trevors überraschender Befund in irgendeiner Weise besorgniserregend waren, meinten die beiden den Hauch des Todes zu spüren. Bevor sie nach Miami flogen, wo das Lazarettschiff, wie sie es scherzhaft nannten, auf sie wartete, übertrugen sie Alice feierlich die Verantwortung für den Laden und händigten ihr neben den Schlüsseln einen Umschlag aus, den sie öffnen sollte, falls beide nicht lebend zurückkehren sollten.

Doch statt Todesnachrichten trafen Postkarten aus Antigua, Barbados und Saint Lucia ein, die Alice an die Wand neben der Kasse pinnte. Sie führte im Laden einige Änderungen ein, nahm Naturheilmittel und Fleisch aus artgerechter Haltung ins Sortiment auf und gewann dadurch neue Kundschaft. Sie brachte Ordnung in die Regale und befreite den Lagerraum von Kisten mit leeren Einmachgläsern, vergilbten Prospekten und längst abgelaufenen Produkten. Trevors und Clives Tradition, den Laden am Mittwoch geschlossen zu halten, hob sie auf und verlängerte die abendliche Öffnungszeit um eine Stunde. Trotz dieser Belastungen opferte sie ihre Sonntage, um Wilbur bei dem, was sie für seine Lebensaufgabe hielt, zu helfen. Innerlich hatte sie schon lange resigniert, erschöpft und von der Illusion befreit, jemals Zeugin des Wunders der Zusammenführung zu werden.

Im November betraten zwei braungebrannte ältere Männer den Laden, die unter ihren Mänteln bunte Hawaiihemden trugen und von Schnorchelkursen, durchtanzten Nächten und, kaum waren sie mit Wilbur alleine, von meerjungfraugleichen Pflegerinnen und gut erhaltenen, ohne Begleitung reisenden Seniorinnen schwärmten. Die Lungen voller Seeluft und betörendem Parfüm, stellten sich Trevor und Clive hinter den Ladentisch, pfiffen Salsamelodien und schickten Alice zur Erholung für eine Woche nach Hause. Sie wollten wissen, wie die Suche nach Wilburs Vater verlaufen war, und schlugen vor, eine Belohnung auszusetzen, eine Art Finderlohn. Aber Wilbur lehnte dankend ab, obwohl ihm die Vorstellung gefiel, seinen Vater auf den Plakaten wie einen Verbrecher oder entlaufenen Hund darzustellen.

Im letzten Monat des Jahres flog Alice nach London, um zwei Wochen bei Harold, Louise und George zu verbringen. Nach tagelangem Ringen und der Heraufbeschwörung faszinierender Fahrten in roten Bussen und Besuchen atemberaubender Ausstellungen hatte sie es aufgegeben, Wilbur zum Mitkommen zu bewegen. Als Grund, New York nicht zu verlassen, gab Wilbur an, die Suche nach seinem Vater fortsetzen zu wollen. In Wahrheit hatte er schon vor Wochen die letzten Handzettel auf einer Bank im Juniper Valley Park in Queens liegen gelassen und nicht vor, noch mehr Zeit mit der Jagd nach einem Phantom zu vergeuden.

Die beiden Wochen ohne Alice verbrachte er in der Wohnung, wo er schlief und las und fernsah und es schaffte, sich mit Reformkost ungesund zu ernähren, und in der Bibliothek, wo er an seiner Bruce-Willis-Biografie arbeitete. Zweimal pro Woche half er einen halben Tag im Laden, packte frische Waren aus, klebte Preisschilder darauf und räumte sie in die Regale. An Heiligabend luden ihn Trevor und Clive zum Essen bei sich zu Hause ein und schenkten ihm einen Schal, eine CD von Billie Holiday und eine Erstausgabe von *Wer die Nachtigall stört*, Trevors Lieblingsbuch. Drei Tage später sah Wilbur sich zu Hause einen Film mit Winona Ryder an und dachte über die beschämende Tatsache nach, dass er noch Jungfrau war. Sein spätnachts gefällter Entschluss, sich zu betrinken und zu einer Prostituierten zu gehen, endete in Demütigung und Reue.

Nach weiteren drei Tagen kam Alice aus London zurück. An Silvester aßen sie in einem chinesischen Restaurant in der Nähe der Wohnung und fuhren danach mit der U-Bahn nach Manhattan, wo sie um Mitternacht zusahen, wie am Times Square die Kristallkugel herabsank. Sie umarmten einander, Alice weinte völlig überdreht, dann tränkten die explodierenden Farben des Feuerwerks den Himmel, erleuchteten für Sekunden die Zukunft und sanken erlöschend zwischen die Häuser.

12

Der Tod ist kein Sensenmann, der nachts taktvoll an dein Bett tritt und dir sagt, deine Zeit sei abgelaufen, und der deine Hand nimmt und dich in die ewige Dunkelheit führt, wie dich damals deine Mutter in die erste Schulstunde geführt hat. Der Tod ist ein mies gelaunter Beamter, der Überstunden schiebt und seinen Frust an dir auslässt, der dich durch die Flure eines gigantischen Gebäudes schleppt, wo das Sterben verwaltet wird und die Türen mit ANGST, SCHMERZ und VERLORENHEIT angeschrieben sind. Der Tod ist ein Geschäftsmann, ein Experte, ein virtuoser Techniker ohne Fantasie. Der Tod trägt keinen schwarzen Umhang, sondern einen weißen Kittel, und statt des Knochenschädels lächelt dich ein fleischiges Gesicht an, das jeden Tag ein anderes ist. Der Tod hat eine gebräunte Fresse, und heute heißt er Doktor Alexander Cartridge.

»Sie können da nicht rein«, sagt Cartridge, als ich im Flur an ihm vorübergehe, zum Zimmer 239, in dem Spencer liegt, den ich seit einer Stunde suche, weil er wieder verlegt wurde, das dritte Mal innerhalb von vierzehn Tagen. Ich gehe weiter.

»Mr. Sandberg?«

Man kennt mich hier. Die Ärzte sagen mir jeden Tag mindestens zehnmal, was ich hier drin alles nicht kann, und ich scheiße darauf. Als man sich letzte Woche weigerte, Spencer zu entlassen, damit er in seinem Hotelzimmer sterben kann, wurde ich laut und habe einen Arzt weggestoßen, der mich am Arm angefasst hat, und seither gelte ich als renitent. Man drohte mir mit Hausverbot, aber zum Glück habe ich einen Brief von Spencers Schwester Zelda, in dem steht, dass ich mich um alles kümmern soll, was ihren Bruder betrifft. Spencer ist so mit Medikamenten vollgepumpt, dass er kaum je bei Bewusstsein ist. Wenn er doch einmal halbwegs und für einen flüchtigen Moment aus seinem Dämmerzustand erwacht, starrt er mich an, und ich meine, Panik in seinen Augen zu erkennen. Dann drücke ich seine kühle, welke Hand, gerade fest genug, um die Knöchelchen darin nicht zu brechen und ihn trotzdem spüren zu lassen, dass ich da bin und nicht gehe, solange er mich braucht.

Zelda, acht Jahre jünger als Spencer, lebt in Henderson, Nevada. Der Streit um eine Erbschaft hat die beiden vor vielen Jahren entzweit, das weiß ich von Spencer. Und dass sie in England aufgewachsen sind. Am Telefon klang Zelda betrübt, als ich ihr erzählte, Spencer würde bald an Prostatakrebs sterben, aber so etwas wie Geschwisterliebe scheint sie längst abgelegt zu haben. Sie bat mich, ihren Bruder vom Städtischen Krankenhaus in eine Privatklinik verlegen zu lassen, die Kosten übernehme sie. Das tut sie auch wirklich und sorgt so aus dem Hintergrund dafür, dass Spencer auf seinem letzten Weg Erster Klasse reist. In der Privatklinik hat Spencer ein Einzelzimmer, was auf jeden Fall besser ist als das Achtbettzimmer im Armeleutehospital, wo er noch vor zwei Wochen lag. Aber das alles hier jagt ihm einen ungeheuren Schrecken ein, das ganze Weiß und die Stille und die Schwestern, die ihm vorkommen müssen wie sterile Engel in einem Himmel, in den er nie kommen wollte. Als er noch nicht in einen Ozean aus Schmerz- und Schlafmitteln versenkt worden war, hat er mich gefragt, wo er sei, und ich habe ihm geantwortet, man kümmere sich hier um ihn, bis er wieder auf den Beinen ist. Er wolle zurück in sein Zimmer im Hotel, hat er gesagt, und ich habe ihm versprochen, dafür zu sorgen.

Spencers Zimmer im Hotel ist so klein wie alle anderen, aber wer es betritt, erlebt ein Wunder. Spencer hat den Fußboden von seinem miefigen Teppich befreit und ihn in einen prächtigen

Dielenboden zurückverwandelt, Stück für Stück, mit Schleif-papier, auf Händen und Knien. Die Wände, auf denen zahllose arme Schweine ihr Gekritzel hinterlassen haben, hat er mit hübschen, hellen Tapeten beklebt. An diesen Wänden hängen Hunderte von gerahmten Bleistiftzeichnungen, vom Boden bis zur Decke, über der Tür, an jedem verfügbaren Fleck. Die Rahmen sind alle aus demselben dunklen Holz gefertigt, aber von unterschiedlicher Größe. Die Zeichnungen, zarte Geflechte aus Graphit, zeigen Menschen. Spencer hat sie über Jahrzehnte hinweg festgehalten, sie stehen oder sitzen, abwesend, ohne ir-gendeine Beschäftigung, mit leeren Händen, umgeben nur von Andeutungen, feinen, ins Nichts fließenden Strichen. Nachdem ich eine Weile nur staunend dagestanden war, habe ich die Gesichter der Gezeichneten betrachtet, Hunderte von Fremden, bis ich an einer Wand Dobbs erkannte, dann Alfred, Randolph, Enrique, Elwood, Leonidas, Mazursky, Winston. Mich. Und Aimee. Spencer hat uns aus dem Gedächtnis gezeichnet. Er hat scheinbar teilnahmslos in der Lobby gesessen und uns unter müden Lidern hervor betrachtet, ist nach oben in seine eigene Welt, seine eigene Zeit gegangen und hat uns gezeichnet. Ich hätte ihm gerne dabei zugesehen. Ich hätte gerne gesehen, wie er Aimee auf dem Papier festhält, wie ihr Körper das leere Blatt betritt, wie aus seiner Erinnerung ihr Gesicht wird und wie er zaubert und ihren Blick einfängt, der mich trifft, wie mich der Blick der echten Aimee immer getroffen hat.

»Sie können jetzt nicht rein«, sagt Cartridge. Er hat mich überholt und steht vor der Tür mit der Nummer 239. Cartridge ist nur einen halben Kopf größer als ich, aber er ist breit und durchtrainiert, bestimmt stählt er seinen Körper in Fitness-studios, Squashhallen und auf Golfplätzen.

»Warum nicht?«, frage ich.

Cartridge senkt den Blick, vielleicht für zwei Sekunden. Das reicht mir, um zu wissen, dass Spencer tot ist. Gerade als Car-tridge zu einer Antwort ansetzen will, öffne ich die Tür. Ich sehe, wie zwei Pfleger Spencers Leiche in einen Plastiksarg legen, der im Deckenlicht schimmert. Ein Arzt, dessen Namen ich vergessen habe, steht neben dem Bett und blickt von einem Heft auf, in das er schreibt, sieht mich an. Cartridge zieht meine Hand von der Türklinke und schiebt mich weg, aber ich habe sowieso nicht vor, das Zimmer zu betreten. Ich drehe mich um und gehe den Flur hinunter und Stufen und durch einen anderen Flur und eine Glastür, die sich vor mir öffnet, und durch noch eine Schiebetür, wie ein Astronaut, der eine Raumstation verlässt und ins Nichts tritt, in die Leere des Universums, das sich vor ihm ausdehnt und doch zu klein ist, zu eng zum Atmen.

Es ist kalt, und was an Licht da wäre, liegt auf den Wolken, weit weg und unsichtbar. Ich gehe den Weg zum Hotel zu Fuß, vielleicht hundert Blocks. Ich wünschte, es wären tausend.

Für den Rest des Tages sitze ich in Spencers Zimmer. Ich sollte Zelda anrufen, aber ich warte noch damit. Ein Song von Count Basie weht durch das Gebäude, eine Brise aus Tönen, die sich in den Gängen verliert. Dreihundertzweiundfünfzig Bilder zähle ich, unter dem Bett waren noch mehr, alle gerahmt. Schwarzweißfotos auf der Kommode zeigen ein Landhaus, einen Mann und eine Frau auf einem Sofa, einen Jungen in einem Ruderboot und auf einem Pferd, ein Mädchen, das vermutlich Zelda ist. Im Schrank hängen zwei Anzüge, auf Regalen liegt ein Stapel Hemden und ordentlich gefaltete Unterwäsche. Ein Radiogerät aus blauem Kunststoff steht auf dem Nachttisch. Ich schalte es ein und setze mich auf das Bett, als Claude Debussys Sonate für Cello und Klavier ertönt. Zeit vergeht, hinter den Fenstern lärmt und rauscht die Stadt und bleibt doch in weiter Ferne.

Ich sitze da und überlege, was mit Spencers Sachen geschehen soll. Dass Zelda etwas davon will, bezweifle ich. Am Telefon ist ihre Stimme klar, nicht wie die einer alten Frau. Ich sollte sie anrufen, obwohl das einer der Ärzte bestimmt schon längst getan hat. Ich sollte die Kommode und die Schubladen des Schreibtisches nach einem Testament durchsuchen, aber ich bleibe auf dem Bett sitzen und lausche der Musik. Ich muss an Matthew denken und daran, dass ich einmal Cello spielen konnte. Ich betrachte meine Hände, lege mich hin. Die Bettdecke ist kühl, ich breite die Arme aus wie in Schnee. Matthew. Colm. Conor. Ich liege im Viereck meiner Kindheit, Orla liest mir aus der Zeitung die Geschichte vom schiffbrüchigen Schwein mit Sonnenbrand vor, und ich weine.

In Zeldas Auftrag suche ich einen Sarg für Spencer aus. Es gibt Särge aus heimischem und tropischem Holz, aus Kupfer und Bronze und Chromstahl. Sie haben Namen wie *Olympus*, *Century* und *Lincoln*, ein Modell heißt *Süßes Jenseits*, ein anderes *Letzte Reise*. Im Internet finde ich Särge aus Zellulose, die sich im Boden umweltverträglich auflösen, und solche aus Sperrholz, das Stück für hundertsiebzig Dollar. Zelda hat mir einen Scheck geschickt, davon soll ich die Beerdigung bezahlen, Sarg, Grabstein, Blumen, Fahrt zum Friedhof, Pfarrer und anschließendes Essen. Ich entscheide mich für den Sarg mit dem schönen Namen *Memory*, der innen mit beigefarbenem Samt ausgekleidet ist, und einen Grabstein aus Granit der Kategorie *Klassisch*, mittlere Preislage. Ein Bestattungsunternehmen, dessen Verkaufsraum fünf Blocks entfernt liegt, besorgt eine Grabstätte auf dem Greenwood-Friedhof und erledigt alles, was für die Beisetzung nötig ist.

Das alles kostet einen Haufen Geld, und weil ich Zelda nicht anrufen und um mehr bitten will, ist am Ende kaum noch etwas für das Leichenmahl übrig. Wir könnten hier im Hotel ein Essen kochen, aber Madame Robespierre hat uns vor einigen Tagen verlassen, um bei ihrer kürzlich verwitweten Schwester in Alabama zu leben. Der Hotelbesitzer will keine Köchin mehr einstellen und hat Randolph beauftragt, eine andere Lösung für das Frühstücksproblem zu finden. Diese Lösung bin im Moment noch ich, und wie es aussieht, wird sich daran so schnell nichts ändern. Bis Randolph oder mir etwas Besseres einfällt, koche ich am Ende meiner Nachtschicht Tee und Kaffee und backe tiefgefrorene Brötchen in einem Gasofen auf, dem ich nicht traue. Dobbs und Mazursky, die beiden Frühaufsteher, übernehmen das Braten von Eiern, Speck und Schinken und legen alles in den Ofen, der vom Brötchenbacken noch warm ist. Wer Joghurt und Cornflakes will, bedient sich aus dem Kühlschrank, das ist hier nicht das *Four Seasons*.

Weil das Essen in Gedenken an Spencer ein Mindestmaß an Würde und Stil aufweisen soll, werde ich meine Ersparnisse zu dem Geld legen, das von Zeldas Scheck übrig geblieben ist. Vielleicht kann ich Randolph überreden, etwas aus der Kasse für besondere Anlässe rauszurücken.

Am Tag der Beerdigung scheint die Sonne. Sämtliche Stammgäste des Hotels sind gekommen, außer Elwood, der mit Nierensteinen im Krankenhaus liegt. Weil wir zurzeit ziemlich gut belegt sind, ist Randolph im Hotel geblieben. Am Morgen hat er mir hundert Dollar für das Essen gegeben, fünfzig mehr, als ich erwartet hatte. Winston hat seinen Laden dichtgemacht, um hier zu sein. Als wir um das offene Grab stehen, empfinde ich für alle Zuneigung, sogar für Mazursky, der Pantoffeln trägt. Der Pfarrer spult den offiziellen Teil der Zeremonie herunter, dann sage ich ein paar Worte und lese den Brief vor, den Leonidas per E-Mail aus Griechenland geschickt hat. Nachdem der Sarg in die Grube gesenkt worden ist, sagt Dobbs ein Gedicht auf. Alle sind überrascht und senken den Kopf, weil Dobbs vor Aufregung ein wenig stottert und den Text vergisst. Am Schluss klatscht Mazursky Beifall, streckt sich und meint, er sei hungrig. Der Pfarrer schüttelt mir die Hand und eilt davon. Zwei Männer mit Schaufeln warten in diskreter Entfernung darauf, dass wir gehen und sie das Grab zuschütten können. Ich sage den anderen, ich würde nachkommen, und bleibe noch einen Moment bei Spencer.

Schließlich zwängen wir uns in die beiden gemieteten Limousinen und lassen uns zu einem italienischen Lokal fahren, dessen

Besitzer uns einzeln begrüßt und sein Beileid ausspricht. Wir essen etwas Warmes und trinken Rotwein dazu, einen der besseren. Ich habe seit einiger Zeit die Finger vom Alkohol gelassen, aber heute will ich auf Spencers Wohl trinken, was mit Wasser oder Cola unangemessen wäre, eine Beleidigung. Wir sind in einem Nebenraum untergebracht, im vorderen Teil des Lokals findet eine Hochzeitsfeier statt, wofür der Wirt sich mehrmals bei mir entschuldigt. Irgendwann kommt das Brautpaar zu uns und schenkt uns die Reste der Hochzeitstorte. Die Braut ist klein und hat langes schwarzes Haar und blaue Augen, und sie fragt mich voller Mitgefühl, ob der Verstorbene mein Großvater gewesen sei. Ich bin betrunken und sage ja und verliebe mich unsterblich in sie.

Später ist mir so übel, dass ich zum Friedhof fahren, mich neben Spencer legen und sterben will. Mazursky meint, mit so etwas spaße man nicht, und küsst für mein Seelenheil das silberne Kreuz, das an einer Kette um seinen schrumpeligen Hals hängt. Winston und Enrique nehmen mich in die Mitte, der Wirt gibt uns einen leeren Mayonnaisekübel mit. Im Hotel werde ich in den Fahrstuhl geschleppt und dann in mein Zimmer, wo man mich auf das Bett fallen lässt. Dobbs bleibt bei mir, bis ich eingeschlafen bin. Jedenfalls finde ich diese Vorstellung tröstlich.

Eine Woche nach der Beerdigung ruft Zelda im Hotel an, sagt, sie sei in Manhattan, und will wissen, ob ich sie zu Spencers Grab bringen könne. Ich erzähle Mazursky davon, und ein paar Stunden später haben sich alle bis auf Dobbs in der Lobby versammelt, auch Elwood, der vorgestern aus dem Krankenhaus entlassen worden ist. Die alten Knacker wollen Spencers Schwester kennenlernen, und Alfred hat sich auf die Idee verstiegen, ihr den Hof zu machen. Heute hat er sich zum ersten Mal, seit er seinen Job als Klimagerätevertreter verloren hat, wieder die Haare gefärbt und ein sauberes Hemd angezogen.

»Ich werde nicht jünger«, sagt er. »Ich muss sehen, dass ich irgendwo unterkomme, solange ich noch in Schuss bin.« Er ist siebenundsechzig. Er ist Stammgast im Hotel der alten Männer geworden und schlägt sich mit Gelegenheitsjobs durch. Er war mal verheiratet, vor vielen Jahren. Seine Frau und seine Tochter wollen nichts mehr von ihm wissen, seit er die Familie mit einem todsicheren Geschäft, das irgendwie mit Hühnern und Hormonen zu tun hatte, in den Ruin getrieben hat.

»Unterkommen?«, frage ich ihn, obwohl ich mir denken kann, was er damit meint.

»Bei einer Frau.«

»Du willst dich an Spencers Schwester ranmachen? Du kennst sie nicht mal.«

»Sie ist reich, mehr muss ich nicht über sie wissen.«

»Vielleicht ist sie ja schon vergeben«, sage ich.

»Du hast gesagt, sie ist nicht verheiratet!« In Alfreds Augen blitzt Panik auf.

»Ich hab gesagt, dass sie noch immer Prescott heißt.«

»Na also, ledig«, sagt Alfred und lächelt. »Wie seh ich aus?«

»Wie ein Heiratsschwindler.«

»Bestens.« Alfred grinst und rückt den Krawattenknoten zurecht. Dann setzt er sich neben Enrique auf das Sofa, nimmt die *New York Times* vom Vortag und tut, als lese er den Wirtschaftsteil.

Zwei Stunden später betritt Zelda die Lobby. Alle Männer stehen auf, nur Elwood bleibt sitzen, bis er seinen Fauxpas bemerkt und sich ebenfalls erhebt. Zelda hat graublondes, zu einem verdrehten Turm hochgestecktes Haar, schwarz geschminkte Augen und dunkelrote Lippen, was ihr die künstliche Tragik eines Stummfilmstars verleiht. Ihr weißer Hosenanzug fängt alles Licht ein, sie ist ein Schwan und lässt uns aussehen wie zerzauste Enten. Ich stelle mich ihr vor, und sie versucht nicht einmal, ihr Erstaunen über mein Alter und meine Größe zu verbergen. Alfred hüstelt, aber Zelda macht meinen Versuch, sie mit dem herausgeputzten Haufen bekannt zu machen, zunichte, indem sie mich bittet, gleich zum Friedhof aufzubrechen.

»Ich dachte, Sie möchten vielleicht sein Zimmer sehen«, sage ich, »sein ehemaliges.«

Der Vorschlag scheint Zelda zu verwirren, sie überlegt. Ihr ungeschminkter Hals ist weißer als das Gesicht und übersät mit Falten und blassrosa Flecken. In ihrem Mund stehen kleine gelbe Zähne, unter ihrem Parfüm rieche ich Tabak.

»Ist es denn nicht bereits wieder belegt?«, fragt Zelda.

»Wir warten auf Ihre Anweisungen, was mit den Sachen geschehen soll«, sage ich.

»Oh …« Zelda schaut auf die Uhr, bestimmt fliegt sie am Abend zurück.

»Spencer … Ihr Bruder hat gezeichnet«, sage ich, »Bleistiftzeichnungen. Ich weiß nicht, ob Sie davon wussten. Er war ein Künstler.«

»Nein«, sagt Zelda bestimmt und offenlassend, ob sie nichts von Spencers Leidenschaft wusste oder die Bezeichnung Künstler für ihren Bruder als unangemessen empfindet.

»Er hat uns alle gezeichnet«, sagt Alfred und löst sich einige Schritte aus dem Pulk der Männer, die zustimmend nickend und murmelnd aus einer Starre fallen. »Sein Strich ist vergleichbar mit dem von Toulouse-Lautrec oder Kandinsky.«

Die Stille, die nach diesem Satz in der Halle steht, ist mit Händen greifbar. Zelda mustert Alfred irritiert, ihre Mundwinkel zucken. Alfred, der sich offenbar gut auf dieses Treffen vorbereitet hat, wartet ab, was passiert. Zelda sieht noch einmal auf ihre Armbanduhr, ein flaches Modell aus Gold, auf dem diskret ein paar Diamanten blitzen.

»Wenn es nicht zu lange dauert«, sagt Zelda schließlich. »Mein Taxi wartet.«

Alfred prescht vor und bietet ihr sein Geleit an, während ich zum Fahrstuhl gehe und auf den Knopf drücke. »Mein Name ist übrigens Alfred«, sagt er, »Alfred Kerkin.« Es scheint ihm nichts auszumachen, dass sie ihm keinerlei Beachtung schenkt, vielleicht lässt er sich auch bloß nichts anmerken. »Ich war ein enger Freund und großer Bewunderer Ihres Bruders, Gott hab ihn selig.«

Im Fahrstuhl quatscht er weiter und hört nicht auf, bis wir vor dem Zimmer stehen. Zelda bittet darum, alleine hineingehen zu dürfen. Ohne eine Antwort abzuwarten, betritt sie den dunklen Raum und schließt die Tür hinter sich.

Nach einer halben Stunde, während der Alfred mich mit geflüsterten Fragen und Spekulationen genervt hat, öffnet sich die Tür. Zelda hat geweint, das Schwarz um ihre Augen ist nachgezogen, Schminke und Puder sind frisch aufgetragen. Sie hat ein Bild von der Wand genommen, presst es mit beiden Händen gegen ihren Bauch. Mit gesenktem Blick geht sie zum Fahrstuhl, Alfred und ich folgen ihr. Die Fahrt ins Erdgeschoss dauert zehn Sekunden, lange genug für Alfred, um Zelda zu fragen, warum sie ohne ihren Gatten nach New York gekommen sei. Als die Lifttür sich öffnet, sagt Zelda ruhig, es gebe keinen Ehemann, und durchschreitet dann eilig die Halle, ohne von den Männern Notiz zu nehmen, die aus den Sesseln und Sofas aufgesprungen sind wie Reporter, die ein Gerichtsurteil erwarten.

Vor dem Hotel steigt Zelda in ein Taxi, ich setze mich neben sie, und Alfred nimmt neben dem Fahrer Platz. Fünfzehn Minuten lang redet Alfred von den philosophischen Diskursen, die Spencer und ihn durch die Nächte getragen haben, von der Willkürlichkeit, mit der Gott seine Kinder zu sich holt, von einer Reise durch Nevada als junger Mann, von Toulouse-Lautrec und Cézanne und Degas. Dabei dreht er sich dauernd um, und weder Zeldas Desinteresse, das in Wut umzuschlagen droht, noch meine eindringlichen Blicke und stumm geformten Worte bringen ihn zum Schweigen.

Auf dem Friedhof begleiten wir Zelda zum Grab ihres Bruders, wo sie mir einen Umschlag überreicht und sich bei mir bedankt und verabschiedet. Alfred will zu einer Betrachtung über die Untröstlichkeit vor einem Grab anheben, aber ich ziehe ihn weg. Ich hätte Zelda gerne gefragt, welche Zeichnung sie mitgenommen habe, denn sie hat sie die ganze Zeit mit dem Glas gegen ihren Bauch gehalten, aber mir fehlt Alfreds Unverfrorenheit. Bevor wir den Friedhof verlassen, drehen wir uns um und sehen Zelda als weiß glitzernden Punkt zwischen den Grabsteinen.

»Sie weint wieder«, sage ich.

»Sie ist einsam«, sagt Alfred. Er legt mir seine Hand auf die Schulter. »Du hast doch ihre Telefonnummer, nicht wahr?«

Ich habe Randolph gefragt, ob ich Spencers Bilder in der Lobby aufhängen darf, und er hat den Besitzer angerufen, der es unter der Bedingung erlaubt hat, dass ich gleich sämtliche Wände neu streiche. Alfred hat die Farbe billig aufgetrieben, und Dobbs und Enrique haben mir beim Malen geholfen, die anderen beim Aufhängen. Wir haben eine kleine Vernissage veranstaltet, ein paar Nachbarn, Ladenbesitzer aus der Gegend und Passanten sind gekommen.

In dem Umschlag, den Zelda mir auf dem Friedhof gegeben hat, waren fünfhundert Dollar und eine Karte, auf der sie sich für meine Hilfe bedankt und schreibt, ich solle mit Spencers Sachen tun, was ich für richtig halte. Am gleichen Tag bin ich in sein ehemaliges Zimmer umgezogen. Die hellen Rechtecke an den Wänden, wo früher die Bilder waren, werden bald verschwunden sein. In der Kommode lagen noch mehr Zeichnungen und Skizzen, Hunderte von Blättern. Von Zeldas Geld werde ich Rahmenleisten und Glas kaufen und die Wände wieder füllen. Ich denke auch darüber nach, mir in Kursen das Zeichnen beibringen zu lassen.

Im Sommer werde ich durch die Straßen spazieren und mir die Gesichter der Menschen einprägen, um sie später auf dem leicht körnigen Papier, von dem noch viel da ist, festzuhalten. Spencers Hemden und Anzüge passen mir wie angegossen, sogar seine Schuhe haben meine Größe. Ich werde mir seinen

Blick für das Unscheinbare aneignen, seine heimliche Aufmerksamkeit für die verborgenen Dinge und glanzlosen Wunder. Ich werde seinen Hut tragen und seinen Stock schwingen und tagelang nicht sprechen. Die Leute werden mich für exzentrisch halten, meinetwegen für verrückt.

Das macht mir nichts aus. Es ist mir egal, was die Menschen von mir denken. Mit Ausnahme einiger weniger sind sie dumm und gefühllos und laut, und ich werde ihnen wann immer möglich aus dem Weg gehen. Ich will nichts von ihnen, und wenn sie an mich keine Erwartungen haben, soll mir das recht sein. Es klingt schwer, sich auszuklinken aus dem tosenden Hauptstrom des Lebens, aber es ist leicht. Dobbs, Mazursky, sie alle machen vor, wie einfach es ist. Sie sind vielleicht nicht besonders glücklich dabei, aber was soll's. Glück ist dein Lieblingssong aus dem Radio eines Autos, das an dir vorbeirast und in einen Abgrund stürzt.

Ich werde meinen Namen ändern lassen, McDermott statt Sandberg. Ich will keine Briefe mehr, keine schlechten Neuigkeiten, mein Bedarf ist gedeckt. Ich muss mich von niemandem verabschieden, niemand begrüßt mich, weil ich längst angekommen bin. Ich beklage mich nicht, ich brauche keine tröstenden Worte, keine mitfühlenden Blicke. Ich komme zurecht, kümmere mich um meine Angelegenheiten. Das ist mein Plan.

The Sixth Sense

1999

Trevor und Clive waren der Ansicht, der bevorstehende Jahrtausendwechsel sei ein guter Zeitpunkt für grundlegende Veränderungen. Im April zogen sie nach Cape Coral, Florida, nachdem sie den ganzen Februar mit der Suche nach einem Haus verbracht hatten. Harold trennte sich von seinem Besitz auf Long Island und kaufte mit einem Teil des Erlöses den Reformkostladen. Alice wurde Geschäftsführerin, Wilbur ihr Stellvertreter. Mehr zum Spaß als aus Notwendigkeit ließen sie Visitenkarten drucken, auf denen in dunkelgrüner Schrift das alte Firmenlogo prangte. Obwohl Trevor und Clive bewegt protestiert hatten, behielt der Laden seinen angestammten Namen: Lombard & Cohen, Gesundkost.

Gegen die Idee von Alice, alles moderner zu gestalten, die Fassade zu renovieren und den verwitterten Schriftzug über der Tür einem neuen, kürzeren und griffigeren wie zum Beispiel *Fitfood* oder *Organische Oase* zu opfern, lief Wilbur Sturm, beschämt angesichts ihres mangelnden Taktgefühls gegenüber Trevor und Clive und entsetzt über ihren fragwürdigen Geschmack. Er bat um eine Woche Zeit, während der er die Fassade in der alten Farbe neu strich, die halbmeterhohen Buchstaben aus verzinktem Blech aufpolierte und der Eingangstür sowie den Schaufensterrahmen einen neuen Anstrich verpasste. Das Resultat überzeugte Alice und rührte Trevor und Clive zu Tränen, als sie in Florida die Fotos betrachteten.

Alice und Wilbur arbeiteten sechs Tage in der Woche, und

wäre es nach Wilbur gegangen, hätten sie den Laden auch am Sonntag geöffnet. Er dachte noch ab und zu an seinen Vater, aber der Wunsch, ihn zu finden, war weg. An die Stelle der zornigen, ungeduldigen Sehnsucht waren Enttäuschung, Resignation und Wut getreten und eine maßlose Leere, die Wilbur mit Arbeit im Laden und in der Bibliothek füllte. Von seinem ersten Lohn nahm er Fahrstunden und kam sich selbst im kleinsten Auto lächerlich vor, kaum saß er hinter dem Steuer. Trotzdem bestand er ein paar Wochen später die Prüfung, kaufte aber statt eines gebrauchten Autos ein neues BMX-Fahrrad, das drei Tage später am Eingang zum Marine Park gestohlen wurde, wohin er es, da er nicht Rad fahren konnte, geschoben hatte. Aufgrund dieses Diebstahls, der Tatsache, dass er den Straßenverkehr hasste, und der Erkenntnis, die Lernfahrten nur deshalb überlebt zu haben, weil er seine Intelligenz über seine Emotionen stülpen konnte wie einen Helm, fasste er den Entschluss, den Rest seines Lebens als Fußgänger und Passagier zu verbringen.

Manchmal stieg er nach der Arbeit in einen Bus und ließ sich irgendwohin fahren, wechselte planlos die Linien und landete an Orten, an denen er nie zuvor gewesen war, nicht einmal, als er nach seinem Vater gesucht hatte. Seit Monaten hatte niemand mehr angerufen und behauptet, Lennard Sandbergs Aufenthaltsort zu kennen. Trotzdem passierte es immer wieder, dass Wilbur an einer Haltestelle ausstieg und einem Mann hinterherrannte, nur um in sein Gesicht zu sehen. Er hasste sich jedes Mal dafür, aber unterdrücken konnte er den Zwang nicht. Einmal hatte er einen Mann über drei Blocks verfolgt und sogar angesprochen, weil er in der dürren, verkommenen Gestalt seinen Vater zu erkennen glaubte. Darauf fühlte er sich so elend, dass er in die nächste Bar ging und sich, nachdem er seinen ansonsten nutzlosen Führerschein einer Reihe von ungläubigen Angestellten und dem herbeigerufenen Geschäftsführer gezeigt hatte, mit zwei *Caribbean Cool Wave*, die es mit Sonnenschirm und Trinkhalm gab, besinnungslos trank. Vor jedem Schluck an Alice zu denken hielt ihn ebenso wenig von seinem ersten Alkoholdelirium ab wie die begründete Vermutung, dass sein Vater sich totgesoffen hatte.

Der Sommer ging vorbei wie ein langer Fieberschub, wie ein Traum, aus dem Wilbur ohne Erinnerung erwachte. Die Arbeit im Laden, die Beschränkung auf diesen einen Flecken Welt und seine gelegentlichen, diszipliniert dosierten Abstürze in wechselnden Bars hatten ihn stetig der Wirklichkeit entzogen. Das wahre Leben spielte sich vor ihm auf der Straße ab, es lärmte und roch und ließ das Schaufensterglas erzittern und Wilbur doch ungerührt. Menschen betraten den Laden und wurden von ihm bedient, effizient und fachkundig und mit freundlicher Distanziertheit. Wilburs Stadt schrumpfte auf die immergleichen Orte, was er tat, war eine Liste aus Wiederholungen, seine Gedanken kreisten um denselben unbewohnten Planeten, tagaus, tagein und jede Nacht. Nichts war ihm zu viel, kein Kunde zu anspruchsvoll, keine Frage zu banal, aber es war ihm auch nichts zu wenig, keine Woche zu leer, kein Monat zu unbedeutend.

An seinem Buch arbeitete er mit Fleiß und Disziplin, aber ohne Leidenschaft. In der Dunkelheit der Kinos kam er manchmal zu sich und stellte sich vor, wie das Leben draußen sei und wie man sich darin bewegte. In zunehmendem Maße verstand er die Filme nicht mehr oder verstand sie falsch, verließ mitten in der Vorführung den Saal und trat benommen und ratlos auf die Straße hinaus. In der Wohnung legte er sich zum Schlafen hin, während Alice am Küchentisch über der Buchhaltung saß und vergeblich darauf wartete, dass er mit ihr sprach. Sonntags begleitete er sie in den Park, weil er gegen ihre fordernde Lebenslust nicht ankam und weil es ein winziges Eingeständnis an ihr Bedürfnis nach Mustern war, nach tröstlichen Zeichen von Beständigkeit und Normalität.

Alice wusste nicht, wie sie mit Wilburs Verstocktheit umgehen sollte, tat sein Schweigen mal als pubertäre Verunsicherung ab, mal als Folge der ergebnislosen Vatersuche. Sie las heimlich Bücher von Jugendpsychologen und befolgte deren Rat, Wilbur zu nichts zu drängen, auch nicht zu einem Gespräch. Und sie suchte eine größere Wohnung.

Zwei Monate später bezogen sie mit ihren Habseligkeiten eine Dreizimmerwohnung in einem achtgeschossigen Apartmenthaus in Midwood im Süden Brooklyns. Eine gute Kundin des Reformkostladens war eine der Besitzerinnen des Hauses und revanchierte sich dafür, dass Alice sie mit einer ausgeklügelten Diät und homöopathischen Mitteln fast vollständig von einer Gichterkrankung geheilt hatte. Wilbur durfte sich sein Zimmer aussuchen und nahm das kleinere zur Straße hin, weil er außer einer Holzkiste keine Möbel besaß und im dritten Stock der Blick aus keinem der Fenster lohnend war. In einem Trödelladen kauften sie ein Bett, einen Schreibtisch und einen Stuhl für Wilbur und einen Polstersessel, damit sie beim Fernsehen nicht länger zusammen auf dem Sofa sitzen mussten. Alice strich die Küchenwände gelb und stellte Pflanzen auf die Fenstersimse. Sie hängte Bilder auf und gerahmte Fotos, sie fand eine alte Kommode, die sie im Keller ablaugte und schliff und ölte und in ein Schmuckstück verwandelte, und sie fuhr bis nach Connecticut, um einen Teppich aus gefärbtem Bast zu kaufen.

Wilbur ließ die Wände in seinem Zimmer, wie sie waren, gebrochen weiß und mit den Sternzeichen alter Nagellöcher überzogen. Er stellte seine Bücher und Colms Nashorn in die Regale und schob den Koffer mit den restlichen Andenken an seine Vergangenheit unter das Bett. Natürlich entging es ihm nicht, wie sehr Alice den Bezug der neuen Wohnung als Versprechen auf Glück und Harmonie empfand, und er gab sich Mühe, ihre oft angestrengt gute Laune nicht zu trüben. Aber so gemütlich Alice alles einrichtete, so wenig konnte sie verhindern, dass Wilbur sich von ihr entfernte. Statt nach Hause zu kommen und mit ihr zu essen, setzte er sich lieber in ein

Kino, eine Spielhalle oder Kneipe, von wo er erst spätnachts heimkehrte, wenn Alice längst schlief. Regnete es am Sonntag, nahm er das als Grund, die gemeinsame Fahrt zum Park auszulassen und stattdessen alleine loszuziehen. Wenn Alice ihn fragte, was er vorhabe, erhielt sie die Antwort, er wolle am Buch arbeiten, und ahnte nicht, dass die Biografie mittlerweile über vierhundert handgeschriebene Seiten dick und weit entfernt von einem Abschluss war.

Im Laden fühlte sich Alice Wilbur am nächsten. Sie liebte es, ihn mit Kunden sprechen zu hören, und war selber dankbar für jedes Wort, das er mit ihr wechselte, auch wenn der Grund dafür meistens geschäftlicher Natur war. Zuzusehen, wie er mit schlafwandlerischer Sicherheit Artikel aus den überfüllten Regalen holte, in den Katalogen nach ausgefallenen Produkten suchte oder die Kasse bediente, erfüllte sie mit Freude, die nur durch den Umstand getrübt wurde, dass sie sich der Vergänglichkeit dieses Glücks bewusst war. Aus dem zurückhaltenden, aber neugierigen und offenen Jungen, den sie vor mehr als einem Jahr in ihr Leben geholt hatte, war ein verschlossener Mann geworden, für dessen Eigentümlichkeiten, Komplexe und Probleme sie zwar reichlich Erklärungen, aber keine Lösungen hatte.

An einem jener Sonntage, an denen es regnete und Wilbur schon am Morgen die Wohnung verließ, um sich in einem Kino in Manhattan die Matineevorstellung anzusehen, traf Alice eine Frau, die gelegentlich als Kundin in den Laden kam und in ihrer Freizeit Pullis, Schals und Mützen aus naturbelassener Wolle strickte. Ruth Cole war vierzig und geschieden und lebte mit ihren drei Kindern ein paar Straßen weiter in einer Wohnung über der Autowerkstatt ihres Bruders. Morgens arbeitete sie im Büro der Werkstatt, nachmittags strickte sie, und alle paar Monate verkaufte sie ihre Waren unter einem *Goodyear*-Sonnenschirm auf dem Markt. Alice lud sie zum Kaffee ein und schlug ihr vor, die Sachen im Laden anzubieten, und Ruth Cole gefiel die Idee. Weil der Verkaufsraum für weitere Artikel zu klein war, sah Alice sich in der Straße nach einem geeigneten Objekt um und fand eine ehemalige Zoohandlung, die zur Miete ausgeschrieben war.

Sie erzählte Wilbur von ihrem Plan, und am selben Abend trafen sie den Makler und besichtigten den Laden, in dem noch immer leere Käfige und Aquarien standen und der nach Fischfutter roch. Alice war voller Energie, redete von einem neuen Boden, indirektem Licht und flexiblen Regalsystemen, von Kleidern aus biologischer Baumwolle und Seide und schließlich davon, auch Gesundheitsschuhe ins Sortiment aufzunehmen, vielleicht sogar Hüte und Handtaschen aus natürlichen Materialien. Der Makler, ein übergewichtiger Mann mit schulterlangem grauem Haar, bejubelte jeden von Alice' Einrichtungsvorschlägen mit seiner tiefen, dröhnenden Stimme und ließ ihre spontan geäußerte Idee, in dem Laden auch Teppiche aus Hanffasern und Sisal anzubieten, im gleißenden Licht seiner uneingeschränkten Zustimmung leuchten.

Während die beiden laut zählend den mit Sägemehl, Stroh, fleckigen Zeitungen und Kassenzetteln bedeckten Boden abschritten, den idealen Standort für den Kassentisch berieten und beim Fund eines hinter einem Rollschrank zerquetschten und in der trockenen Heizungsluft mumifizierten Hamsters in kindisches Gelächter ausbrachen, stand Wilbur bei der Eingangstür und sah auf die Straße, wo ein heftiger Regen den Müll durch die Rinnsteine schwemmte. Es war dunkel, Leute ohne Schirm hasteten vorbei, das Geräusch von Reifen, die durch Pfützen glitten, drang herein. PET SHOP A. ZEGOYAN stand auf der Schaufensterscheibe, darunter, mit abwaschbarer roter Farbe hingepinselt, HUNDEWELPEN. Wilbur erinnerte sich an die jungen Hunde, die sich das Schaufenstergehege mit Kaninchen geteilt und die Scheibe abgeleckt hatten, wenn man draußen die Hand dagegen hielt. Er war nie lange vor dem Geschäft stehen geblieben und irgendwann nur noch auf der anderen Straßenseite gegangen, um sich den Anblick der Hunde zu ersparen, deren Verkaufschancen in demselben rasenden Tempo schwanden, in dem ihre Körpergröße zunahm.

Den letzten Tagen vor der Schließung des Ladens hatte er bewusst keine Aufmerksamkeit geschenkt und fragte sich jetzt, ob es einen Räumungsverkauf, drei für zwei Kanarienvögel und Zierfische im Dutzend billiger gegeben hatte. Er hätte gerne gewusst, was aus den Hunden geworden war und aus der Schildkröte, die neben der Kasse in einem Glaskasten ihre Jahre abgesessen hatte, ein jämmerliches und ergreifendes Symbol für die Zähigkeit, mit der sich der Laden am Leben hielt, nur um irgendwann doch einzugehen.

»Wilbur, was meinst du, die hier raus?«, fragte Alice und klopfte gegen eine Wand, an der ein Plakat mit Kanarienvögeln und Sittichen, deren Namen und Preisen hing.

Wilbur zuckte mit den Schultern, nickte dann und sah wieder auf die Straße. Am Morgen war ein Brief aus England in der Post gewesen. Norma Kennedy schrieb ihm, dass Matthew Fitzgerald im Jahr zuvor an einer Lungenentzündung gestorben sei. Nach seinem Tod war sie umgezogen und auf eine lange Reise durch Indien und Nepal gegangen und hatte Wilburs Brief erst nach ihrer Rückkehr vor ein paar Tagen erhalten. Matthew, schrieb sie, habe ihr oft von ihm erzählt und sich gefragt, wo er wohl sei und was er aus seinen Möglichkeiten und seinem Leben mache. Es tue ihr unendlich leid, dass sie ihm diese traurige Nachricht übermitteln müsse, und wenn er wolle, könne er irgendwann nach Dover kommen und das Cello holen, das Matthew ihm hinterlassen habe. Dem Brief lag eine Schwarzweißfotografie bei, auf der Matthew ihm so heiter und lebendig entgegenblickte, dass Wilbur in Tränen ausgebrochen war.

Alice hatte er davon nichts erzählt. Sie hätte die Trauer um Matthew zu seinen anderen Problemen getan und ihn gebeten, alles vor ihr auszuschütten, damit sie es gemeinsam betrachten und bestimmen konnten. Vor ein paar Wochen hatte er ihr Geld aus der Handtasche genommen und dabei ein Taschenbuch über Jugendpsychologie gefunden, und er hatte keine Lust, Objekt ihrer angelesenen Missverständnisse zu werden.

Nach der Besichtigung des Ladens tranken sie in einem Restaurant in der Nähe einen Kaffee und redeten über Alice' Erweiterungsvorhaben. Wilbur machte keinen Hehl daraus, dass er nichts davon hielt. Er vertrat den Standpunkt, Trevors und Clives Tradition fortzuführen sei Verpflichtung genug und ein zusätzlicher Laden nur mit finanziellen Risiken verbunden. Aber Alice plädierte für Veränderung und gegen Stillstand, als halte sie eine Rede vor Wirtschaftsvertretern. Sie wollte mit Ruth Cole das neue Geschäft auf die Beine stellen, eine eigene Modelinie entwerfen und noch mehr Strickerinnen beschäftigen. Sie redete von unerfüllten Träumen, von kreativen Möglichkeiten und davon, dass sie in ihrem Leben noch etwas anderes sehen wolle als ungeschälten Reis und Dörrpflaumen. Dann bot sie Wilbur an, die Geschäftsleitung des Reformkostladens zu übernehmen.

»Du wirst der Boss«, sagte sie und war versucht, Wilburs Hand über den Tisch hinweg zu berühren, ließ es dann aber bleiben. »Du kannst Leute einstellen. Und entlassen.« Sie lachte nervös und verlegen.

Wilbur sagte nichts. Der heftige Schauer war in feinen Nieselregen übergegangen. Vom gelben Neonlicht des Eingangs gefärbte Tropfen rannen in willkürlichen Bahnen über die Scheibe, Autos trieben summend auf Pfützen vorüber.

»Ich bin sicher, du schmeißt den Laden mit links«, sagte Alice nach einer Weile. »Ach, und weißt du, wer gerne mit dir arbeiten würde?« Sie wartete, obwohl ihr klar war, dass Wilbur nicht antworten würde. »Jenna. Du weißt schon, Hoffman? Sie kauft immer diesen Tee, diese Kräutermischung. Sie studiert, drittes Semester Politikwissenschaften. Im Sommer hat sie mich wegen eines Aushilfsjobs gefragt, aber da brauchten wir niemanden.« Alice rührte in ihrer Tasse, obwohl kaum noch Kaffee darin war. Sie sah sich nach dem Kellner um, aber der war im hinteren Teil des Lokals verschwunden, nachdem er die Bestellung gebracht hatte, und nicht mehr aufgetaucht.

Wilbur wusste, wer Jenna Hoffman war. Nur wenige Zentimeter größer als er, behandelte sie ihn, als ginge er auf die Highschool. Sie sah nicht besonders gut aus, zumindest nicht in Wilburs Augen, machte ihre mangelnde Attraktivität jedoch mit einem Selbstbewusstsein wett, das er für Arroganz und Alice offenbar für Pfiffigkeit hielt. Alice hatte immer wieder versucht, ihn mit Jenna zu verkuppeln, hatte mit ihr über Filme gesprochen und erwähnt, wie gerne Wilbur ins Kino ging. Einmal hatte sie es so eingerichtet, dass Jenna sie wie zufällig im Park traf und den ganzen Sonntagnachmittag mit ihnen verbrachte. Er konnte Jenna Hoffman nicht leiden, und die Vorstellung, mit ihr zusammenzuarbeiten, ließ ihn erschauern.

»Aber du hast in Personalfragen natürlich absolut freie Hand«, sagte Alice, als sie Wilburs Gesichtsausdruck von unbeteiligt zu missmutig wechseln sah.

»Ich finde alles gut, so wie es ist«, sagte Wilbur nach langem Schweigen und verschränkte die Arme vor der Brust. Um über den Wahrheitsgehalt seiner Aussage nicht weiter nachdenken zu müssen, las er die große, handgeschriebene Speisekarte in Alice' Rücken. Er hatte Hunger, aber er wollte dieses Gespräch nicht mit einer Mahlzeit in die Länge ziehen.

»Ich doch auch«, sagte Alice. Offenbar war es ein Fehler gewesen, Jenna Hoffman zu erwähnen, und sie war froh, dass Wilbur wieder den Mund aufmachte. »Aber ich will etwas Neues ausprobieren. Ruth und ich freuen uns auf dieses Projekt.« Sie winkte dem Kellner, der endlich aufgetaucht war und wie zufällig in ihre Richtung blickte, und zeigte auf die beiden leeren Tassen.

»Was sagen Trevor und Clive dazu?«

»Sie wissen noch nichts davon. Es ist ja alles noch gar nicht spruchreif. Außerdem hat der neue Laden nichts mit den beiden zu tun. Er wird etwas völlig Eigenständiges.«

Wilbur sah auf die Straße, wo eine Gruppe alter Frauen in durchsichtigen, von den Scheinwerfern und Rücklichtern der Autos gesprenkelten Regenumhängen vorbeischwebten wie plumpe Elfen. Durch die Wasserschlieren auf dem Glas sah er einen großgewachsenen, durchnässten Mann, der sein Vater hätte sein können, und widmete sich wieder der Speisekarte.

»Harold wird mir einen Kredit geben«, sagte Alice. »Er findet die Idee vielversprechend.«

»Na, dann wäre ja alles geregelt«, sagte Wilbur, stand auf und prallte beinahe mit dem Kellner zusammen, der zwei Tassen Kaffee brachte.

»Wilbur, jetzt warte doch!«, rief Alice, aber Wilbur ging zwischen den Tischen hindurch zur Tür und verließ das Lokal. Alice bezahlte den Kellner und wartete nicht auf das Wechselgeld, aber als sie auf die Straße trat, war Wilbur weg.

Noch im November unterschrieb Alice den Mietvertrag für die ehemalige Zoohandlung und begann mit dem Umbau. Wilbur stellte Ernest Shelby ein, einen dreiundfünfzigjährigen Mann, der zwei Jahre zuvor seine Stelle als Filialleiter eines Supermarkts verloren und seither als Parkplatzwächter, Vertreter und Kurierfahrer gearbeitet hatte. Er war glatzköpfig und korpulent, und wenn er mit Kunden scherzte, klang es, als bewerbe er sich für die Sprechrolle eines Bären oder Gnoms in einem Trickfilm. Seine Frau Rebecca, dreifache Mutter, ehemalige Kugelstoßerin und ausgebildete, aber arbeitslose Sportlehrerin, die bei einer Cateringfirma jobbte, half beim Umbau des neuen Ladens. In der ersten Woche mussten der alte Bodenbelag entfernt und eine Mauer eingerissen werden, und Rebecca erledigte diese Arbeiten mit einem Eifer und konzentrierten Groll, die ahnen ließen, was sie in ihrem Alltag vermisste.

Obwohl Wilbur die Idee mit dem zweiten Geschäft noch immer nicht guthieß, stritt er mit Alice nicht mehr über das Thema. Je mehr Gründe gegen die Expansion er in traurigen Bars und schlaflosen Nächten auflistete, wirtschaftliche und diffus emotionale, desto bewusster wurde ihm, dass er unrecht hatte und dass Alice' teilweiser Rückzug aus dem Reformkostladen nur seinen eigenen aus dem schwierigen Zusammenleben mit ihr spiegelte. Die Zuneigung und Unterstützung, die er von Alice erfuhr, das grenzenlose Vertrauen, das sie in ihn hatte, und die Hoffnungen, die sie für seine Zukunft hegte, das alles erschien ihm wie eine tonnenschwere Last, eine riesige Hypothek, die einzulösen er sich außerstande sah. An guten Tagen nahm er ihre Liebe teilnahmslos und mit schlechtem Gewissen hin, wenn er sich mies fühlte, verloren und als Objekt verschwendeter Zuneigung, verachtete er sie für ihre Sanftheit und Geduld und ihren Glauben an ihn. Jedes Gespräch, das sie vorsichtig begann, jedes Lieblingsessen, das sie ihm bereitete, jede ihrer zaghaften Berührungen bewirkte das Gegenteil des von ihr Beabsichtigten und weckte in ihm den Wunsch, sie anzuschreien und ihr zu zeigen, wie mies und leer er in Wirklichkeit war und wie wenig Sinn es hatte, sich mit ihm zu beschäftigen. In solchen Momenten wünschte er sich weit weg, um Alice nicht wehzutun, sehnte sich zurück in die Zeit, in der er mit Conor auf dem Hügel vor Orlas Haus saß, stumm und auf einfältige, ahnungslose Weise glücklich.

Bei einer der von den Mechanismen des Zufalls gesteuerten Busfahrten gelangte Wilbur in eine Gegend von Queens, die mit ihrer geduldig ertragenen Traurigkeit und dem schläfrigen Willen, nicht vollends in Verwahrlosung zu versinken, etwas Rührendes hatte. Obwohl ein kalter Sprühregen niederging, lief Wilbur eine Stunde lang durch die Straßen, vorbei an Läden, die Autoteile verkauften, Perücken und Tapeten, die Kostüme verliehen und auf Schildern billigen Zahnersatz und Sofortkredite versprachen und deren Schaufenster überfüllte blinkende Guckkästen waren, Einblicke in vergehende Welten aus fröhlicher Schäbigkeit und trotzigem Zukunftsglauben.

In vielen Vorgärten standen auf gemähten, doppelbettgroßen Rasenstücken bunte Vogelhäuschen, Fahnenmasten und

Gipsrehe, das Licht Hunderter Glühbirnen schneite auf ein frühes Rentier, in einer offenen Garage lag, groß wie ein Auto, ein Weihnachtsmann aus Kunststoff. In einem winzigen Laden verkauften drei schwarze Frauen Hosen, die es nur in einer Farbe und einer Größe zu geben schien, ein anderes Geschäft beschränkte sein Angebot auf Schaufeln, Blecheimer und Taschenlampen, als stünde eine Katastrophe oder Goldfieberepidemie bevor. Ein kleiner, bebrillter Mann sah in einem Friseursalon zu, wie zwei Kinder einen Tanz übten, den Wilbur für Walzer hielt. Der Mann unterbrach das Paar, griff sich das übergewichtige Mädchen und zeigte dem Jungen die richtige Schrittfolge, wobei er, um dem schwankenden Busen auszuweichen, den kahlen Kopf nach hinten legte. Der Junge sah aus dem winzigen, hell erleuchteten Ballsaal hinaus in die Nacht und traf den Blick von Wilbur, der stehen geblieben war und jetzt eilig weiterging.

Als er müde wurde und fror, setzte Wilbur sich in eine Bar, wo er und zwei alte Männer in roten Pförtneruniformen die einzigen Gäste waren. Wilbur bestellte einen *Hawaiian Sundowner*, der in einem hohen, bauchigen Glas, der Rand in Zucker getaucht, serviert wurde. Weil der Trinkhalm fehlte und es ihm egal war, was man hier von ihm hielt, bat er um einen und bekam auch noch einen Rührstab in Form eines Spießes, auf dessen Ende ein Teufel hockte. Die alten Männer, die in ihren Mänteln wie Soldaten eines geschlagenen Heeres aussahen, prosteten ihm zu und wollten wissen, was er da im Glas habe. Wilbur zählte ihnen die Zutaten auf, Rum, Blue Curaçao, Ananas- und Kokosnusssaft, und die Männer schüttelten sich und tranken ihr Bier.

Zwei Stunden und zwei Drinks später verließ Wilbur die Bar und machte sich auf die Suche nach einem Kino oder einer Bushaltestelle. Es regnete nicht mehr, dafür wehten eisige Windstöße zwischen die Häuser. Zeitungsseiten wurden hochgehoben und stiegen in den Nachthimmel, gespenstische Vögel mit beschriebenen Flügeln. In einer Straße, in der es nur Wohnhäuser und keine Läden und Kneipen gab, sah Wilbur auf einer schwarzen Tür eine rote Hand, die mit Linien und Symbolen bedeckt war. Unter der Hand stand in gelber Schrift HAND-LESEN und die Aufforderung BITTE EINTRETEN. Eine Weile blieb Wilbur, die Hände in den Taschen der Daunenjacke vergraben und mit den Füßen auf der Stelle tretend, vor dem Haus stehen, dann trat er ein.

Im Flur fand er keinen Lichtschalter und wartete erneut einige Atemzüge lang, bis sich seine Augen an die Dunkelheit gewöhnt hatten. Es roch nach Essen und Tabak, und von weit her drangen die Stimmen, die Musik und der Applaus einer Fernsehshow an Wilburs Ohren. Er fand den Schalter und drückte ihn, worauf ein paar Lampen angingen. Licht sickerte durch einen Bodensatz trockener Insektenleiber, der sich in den Schalen gesammelt hatte. An der Wand, an der schief die verbeulten Briefkästen hingen und Fahrräder lehnten, war die Hand aufgemalt und ein Pfeil, dem Wilbur folgte. Bald stand er vor einer Kopie der Haustür, deren Beschriftung ihn diesmal bat, fünf Mal zu klingeln. Die Wand um die Tür war blau gestrichen und mit gelben Sternen übersät, die, als sich das Licht automatisch ausschaltete, im Halbdunkel nachleuchteten. Wilbur, dem der Alkohol einen fragwürdigen Mut verliehen hatte, klingelte tatsächlich, erschrak dann aber, als in der Wohnung die Glocke schrillte. Trotzdem drückte er den Knopf weitere vier Mal und trat einen Schritt zurück, bereit, augenblicklich umzudrehen und wegzurennen.

Nach einer Minute, die ihm länger vorgekommen war und während der er mit lauem Gefühl an die Begegnung mit der Wahrsagerin auf dem Rummelplatz von Kindrum gedacht hatte, öffnete eine Frau mit einem Kleinkind auf dem Arm die Tür. Sie war sehr dick und sah eher aus wie vierzig als zwanzig, und sie musterte Wilbur aus geröteten, halboffenen Augen.

»Ja?«

Wilbur sah das Baby an. Es lutschte an einem Hühnerknochen, der größer war als der größte Knochen in seinem kleinen, bis auf eine gigantische Windel nackten Körper. Der speckige, haarlose Zwerg hielt den Knochen mit der einen Hand fest, die andere hatte sich in die fleischige Brust seiner Mutter verkrallt. Er glotzte Wilbur mit einer dreisten Blödigkeit an und wackelte dabei mit den Zehen.

»Wahrsagen«, brachte Wilbur schließlich heraus.

Die Frau drehte sich um. »Carrie!«, rief sie in die erleuchtete Leere hinter sich und wandte sich dann wieder Wilbur zu. »Moment.«

Wilbur lächelte. Dass diese Frau offenbar nicht die Wahrsagerin war, erleichterte ihn ein wenig. Der Zwerg zeigte mit dem Knochen auf ihn und gab ein paar Laute von sich, die Wilbur als Verwünschungen deutete.

»Was?«, tönte von irgendwoher eine Mädchenstimme.

Die Frau drehte sich erneut um. »Kundschaft für Großmutter!« Eine Tür knallte. Die Frau trat zur Seite und nickte Wilbur herein. »Warten Sie hier«, sagte sie, schloss die Wohnungstür und verschwand in einem der angrenzenden Räume. Der Zwerg sah über ihre Schulter und hielt den Knochen wie einen Zauberstab in Wilburs Richtung, ein winziger fetter Magier, geheime Formeln lallend.

Wilbur dachte daran zu gehen, wartete eine Sekunde zu lange und sah, wie eine etwa sechzigjährige Frau aus der gegenüberliegenden Tür trat. Sie war groß und korpulent und trug ein weites dunkelblaues Kleid ohne Ärmel und einen breiten, mit Strass besetzten Gürtel. Ihr graues Haar war mit einem schwarzen Stoffband aus der Stirn geschoben und zu einem Knoten geflochten, die Farbe ihrer Lippen deutete Wilbur als Aubergine, beinahe Schwarz.

»Guten Abend«, sagte sie und breitete die mit Reifen behangenen Arme aus. »Sie wollen einen Blick in die Zukunft werfen?« Die Frage, theatralisch gefärbt, klang einstudiert.

Wilbur nickte. Er hatte den Duft von gegrilltem Huhn in der Nase, von Knoblauch und etwas Süßem, Schokolade oder Karamell, und er hörte Stimmen und das Klappern von Tellern und Besteck. Die Gerüche und Geräusche vervielfachten sich, als eine der Türen aufging und der Kopf der dicken Mutter auftauchte. »Essen ist fertig!«, rief die Frau und verschwand wieder.

Die Wahrsagerin sah Wilbur an. »Sie sind hungrig«, sagte sie in bestimmtem Ton, und es klang wie ihre erste hellseherische Feststellung. »Kommen Sie.« Sie machte einen Schritt auf die Tür zu, hinter der sich die Küche oder das Esszimmer zu befinden schien, und winkte Wilbur zu sich.

Wilbur blieb stehen, lächelte und schüttelte den Kopf. »Nein, ich ... danke«, sagte er.

»Nur einen Happen. Danach widmen wir uns Ihrem Schicksal.«

Wilbur sah auf die Uhr. Es war kurz vor zehn. Wer um alles in der Welt aß um diese Zeit zu Abend? Er schüttelte abermals den Kopf und wich einen Schritt zurück, als die Frau auf ihn zukam und ihn am Arm fasste. »Einen kleinen Bissen.«

»Nein, wirklich.« Wilbur wollte sich umdrehen und gehen, weg von diesen seltsamen Menschen und überwältigenden Düften und hinaus in die nach Regen und Benzin und U-Bahn-Schächten riechende Kälte, aber plötzlich strömten aus zwei verschiedenen Türen ein Mädchen und zwei Jungen und trieben ihn in die metallisch klimpernden Arme der Hellseherin, die ihn anstrahlte und in einen Raum schob, den Ursprungsort allen Geklirrs und Schepperns und aller Gerüche.

Die Wahrsagerin stellte sich hinter Wilbur und fasste ihn an den Schultern. »Seht mal alle her! Der junge Mann hier ist ...« Sie beugte den Kopf nach vorn und sah Wilbur an.

»Wilbur«, sagte Wilbur so leise, dass es im Zischen der Fleischstücke auf dem Herd unterging.

»Wilbur«, wiederholte die Wahrsagerin laut und schubste ihren Gast auf einen der vielen Stühle, die um einen riesigen Holztisch standen. »Er isst mit uns.«

Freundliches Gemurmel schlug Wilbur entgegen, ansonsten machte niemand viel Aufhebens um seine Anwesenheit.

Sein Wasserglas wurde gefüllt, eine Scheibe Brot lag plötzlich auf seinem Teller, und das Mädchen, das eine Runde um den Tisch machte, übergab ihm eine orangefarbene Papierserviette. Wilbur sah, dass sich neben der Wahrsagerin, der dicken Frau mit dem Baby und den drei Kindern noch zwei Männer in der Küche befanden. Einer von ihnen war mindestens achtzig, der andere vielleicht fünfzig. Der Jüngere schnitt mit einem Messer Scheiben von einem riesigen Brotlaib, der Alte rührte mit einer Holzkelle in einer Schüssel.

»Mein Name ist übrigens Fedora«, sagte die Wahrsagerin, nachdem sie neben Wilbur Platz genommen und ihm eine Portion grüne Bohnen auf den Teller getan hatte. »Und das ist meine Tochter Mabel mit dem kleinen Everett.« Mabel nickte Wilbur kurz zu und versorgte ihn mit einem Berg Kartoffelpüree, während Everett, der inzwischen in einem Kinderstuhl saß, mit seinem Knochen einen wilden Takt auf dem Essnapf schlug. »Das da drüben«, sagte Fedora und deutete mit dem tropfenden Schöpflöffel auf die beiden Männer, »sind Barney und Malcolm. Barney ist mein Bruder, Malcolm mein Schwiegersohn.« Wilbur lächelte den Männern zu, die ihrerseits freundlich grinsten. »Die drei da sind Norman, Dexter und Carrie.« Von den drei Kindern hob nur Carrie kurz den Kopf und die Hand, um Wilbur zu begrüßen, die beiden Jungen waren zu sehr damit beschäftigt, ihre Teller zu füllen.

»Lassen Sie es sich schmecken«, sagte Malcolm zu Wilbur und tunkte seine Scheibe Weißbrot in die Soße. Die anderen am Tisch wünschten sich gegenseitig guten Appetit und fingen ebenfalls an zu essen, gierig und bedächtig zugleich, mit geübten Handgriffen, stumm und versunken in die Tätigkeit, die offensichtlich ihre liebste war. Everett kaute zahnlos an einem Brotkanten, den er wie eine Mundharmonika hielt.

Wilbur nickte und besah sich seinen Teller, auf dem neben den Bohnen und dem Kartoffelbrei jetzt auch etwas Undefinierbares lag.

»Eintopf mit Huhn«, sagte Fedora, als wolle sie Wilburs Bedenken zerstreuen. Der feiste, auf seinem Kinderstuhl thronende König griff nach dem Knochen, richtete ihn auf Wilbur und gab ein paar gutturale Töne von sich. Erst jetzt hörte Wilbur das Plappern und Fiedeln eines Fernsehers, das durch eine Wand drang. Musik schwoll an und Leute klatschten, worauf der Gnom beide Arme in die Luft streckte, als gelte der Applaus ihm. Keiner der selig Schlingenden beachtete ihn, was ihm nichts auszumachen schien.

Wilbur aß zögernd ein paar Bissen und stellte fest, dass es ihm schmeckte. Er nickte kauend in die Runde, und Barney und Malcolm nickten pausbäckig zurück. Niemand sprach ein Wort in diesem von Schweigen und Schmatzen erfüllten Raum, dessen Wände braungelbes Licht absonderten und machten, dass alles wie in Bernstein eingegossen wirkte. Über die gebeugten Köpfe der Essenden hinweg sah Wilbur massive Schränke, in denen hinter Bleiglasfenstern weiße Teller leuchteten, einen Kühlschrank, groß und silbrig glänzend wie ein Sarkophag, einen Kochherd, dessen schwarzer bauchiger Körper mehr Türchen und Schubladen hatte als ein Adventskalender und über dem Pfannen und Töpfe mit rußigen Böden baumelten. Er sah Regale aus dicken Brettern, krumm unter der Last der Einmachgläser und Konserven, eine Spüle, deren Becken aus hellem Stein überquoll von schiefen Stapeln aus Geschirr und Sträußen versengter Kochlöffel, eine stählerne Maschine, auf der ein Schinken lag, stumpfe Wandkacheln von unbestimmter Farbe, Topflappen, so riesig wie Fanghandschuhe beim Baseball, und überall, wo Platz war, Fotos und Postkarten und Zettel, Zeitungsausschnitte, Gutscheine, Kassenbelege, Kinderzeichnungen und gerahmte Bilder, das Glas überzogen von Fett und Staub und dem Bernsteinlicht, das alles für immer einschloss.

»Sie wollen sich also in die Karten Ihrer Zukunft sehen lassen«, sagte Barney plötzlich, und alle am Tisch sahen Wilbur an. Sogar der pummelige Zwergenkönig ließ die durchweichte Brotrinde sinken und schien auf eine Antwort zu warten.

Wilbur verschluckte sich und trank etwas Wasser, dann nickte er vage, wobei ein halbes Kopfschütteln herauskam. Er bemerkte erst jetzt, dass bis auf seinen alle Teller leer waren und Carrie einen Kuchen zerteilte, während Mabel Kaffee machte.

»Ich hätte Schiss«, sagte der kleinere der Jungen. Er war vielleicht fünf und fischte die Krumen aus dem Kuchenteller, die beim Zerschneiden abfielen. Seine Bemerkung erntete ein paar Lacher. Wilbur lächelte unsicher.

»Keine Sorge«, sagte Fedora und legte Wilbur ihre Hand auf seine, »Ihren Todestag kann ich nicht voraussehen.«

»Ich werde uralt«, sagte der ältere Junge stolz. Wilbur schätzte ihn auf neun oder zehn. Er trug ein Leibchen der *New York Giants* und war neben Barney der Einzige in der Familie ohne Übergewicht. »Das kommt von den Strichen in meiner Hand.«

»Das stimmt, Norman«, sagte Fedora, »deine Lebenslinie ist sehr ausgeprägt und lang.«

Wie zum Beweis zeigte Norman allen seine Handflächen, während sein kleiner Bruder verstohlen die eigenen betrachtete.

»Wie lang ist deine, Wilbur?«, fragte Norman.

»Das geht dich nichts an, Norm«, sagte seine Mutter, die mit der Kaffeekanne an den Tisch kam. »Hol die Tassen.«

Norman erhob sich und ging zu einem der beiden Schränke. Er musste auf eine leere Getränkekiste steigen, um an das Regal mit den Tassen heranzukommen.

Wilbur merkte, dass er rot angelaufen war. Er wusste nicht, was ihn mehr verwirrte, Normans Frage oder die Tatsache, dass der Junge ihn beim Vornamen genannt hatte, als sei er kein Gast, der zum ersten und aller Voraussicht nach einzigen Mal am Tisch saß, sondern ein regelmäßiger Besucher, ein alter Freund, ein Familienmitglied. Für Sekunden durchflutete Wilbur das absurde Gefühl, Teil dieser seltsamen Sippe zu sein. Er trank sein Glas leer, das von Fedora gleich wieder gefüllt wurde, und faltete umständlich seine Papierserviette zusammen.

»Ich wette, seine Lebenslinie ist lang«, sagte Carrie. Ihr Gesicht, das trotz der fleischigen Backen und des Doppelkinns hübsch war, machte es schwer, ihr Alter zu erraten, aber Wilbur vermutete, dass sie mindestens zwölf und höchstens fünfzehn war.

Wilbur erinnerte sich an die Kirmeshellseherin, die seine Hand betrachtet und ihn wortlos fortgeschickt hatte, und zum ersten Mal kam ihm der Gedanke, mit seiner Lebenslinie könnte etwas nicht in Ordnung sein. Wie ein Verbrecher, der sich stellt und auf das Anlegen der Handschellen wartet, streckte er Fedora beide nach oben gedrehten Handflächen hin.

Fedora sah ihn überrascht an. »Jetzt?«

Wilbur nickte. »Ja«, sagte er. Falls etwas im Geflecht seiner Handlinien stand, das Anlass zur Sorge gab, wollte er es in dieser nach Kaffee und Kuchen duftenden Küche hören, im Beisein dieser Menschen, deren bloße Anwesenheit Trost versprach, und nicht in einem Raum, den er sich mit orientalischem Nippes geschmückt vorstellte und in dem er mit Fedora und seinem aller Wahrscheinlichkeit nach düsteren Schicksal alleine wäre.

»Eine Sitzung kostet dreißig Dollar«, sagte Fedora, während sie Wilburs Hände in den fleckenlosen Kreis der Tischdecke legte, wo eben noch ihr Teller gestanden hatte.

»Ich hab genug dabei«, sagte Wilbur. Er hätte das Geld herausgenommen, wären seine Handgelenke von Fedora nicht sanft festgehalten worden.

»Ich weiß«, sagte Fedora lächelnd, »in Ihrer Brieftasche befinden sich achtzig Dollar.«

Wilbur hatte am Morgen hundert Dollar eingesteckt und in der Bar zwanzig ausgegeben. Er sah Fedora mit einer Mischung aus Besorgnis und Ehrfurcht an und nickte.

»Wow!«, rief Norman, gleichermaßen sein Erstaunen über Wilburs Reichtum und die hellseherischen Fähigkeiten seiner Großmutter zum Ausdruck bringend.

Der Königsklops schwang glucksend sein Zepter. Mabel nahm ihm das Lätzchen ab und stellte ein kleines Stück Kuchen vor ihn hin, das er skeptisch betrachtete. Alle tranken Kaffee, auch die Kinder, die viel Milch und löffelweise Zucker in ihre Tassen schütteten. Mittlerweile zeigten die beiden Uhren in der Küche zwanzig nach zehn beziehungsweise halb elf. Fedora hatte eine Brille aufgesetzt und studierte Wilburs Handfläche wie ein altertümliches Schriftstück, das zu entziffern nur sie in der Lage war. Nach einer Weile nahm sie die Brille ab und sah Wilbur an.

»So etwas habe ich noch nie gesehen«, sagte sie ruhig und mit einem Ton in der Stimme, in dem Bewunderung und Bestürzung schwangen. »Noch nie.«

Barney und Malcolm setzten ihre Tassen ab, Mabel ließ die Hand mit dem Kaffeekrug sinken, und die Kinder hielten in ihren Kaubewegungen inne.

Wilbur stockte der Atem. Er überlegte hektisch, ob Fedoras Aussage etwas Gutes oder Schlechtes bedeutete, ob sie gerade seinen nahenden Tod gesehen hatte oder ihm gleich verkünden würde, er sei zu ewigem Leben verdammt.

»Hier, schauen Sie«, sagte Fedora und zeigte auf eine Stelle am Ansatz des Handgelenks. »Das ist der Beginn Ihrer Lebenslinie.« Sie folgte mit dem schwarz lackierten Fingernagel der Linie. »Und da endet sie.«

Wilbur sah genauer hin und erkannte den Ansatz einer Kerbe, die nach etwa fünf Millimetern in einem glatten, rillenlosen Nichts endete. Seine Handfläche, das wurde ihm zum ersten Mal bewusst, war leer, eine Ebene ohne Straßen. Er fragte sich, warum ihm das bisher nicht aufgefallen war und ob Orla es je bemerkt hatte, und falls ja, ob sie diese furchenlose Nacktheit seiner allgemeinen Unterentwicklung zugeschrieben hatte.

Norman und Carrie waren aufgestanden und hatten sich hinter ihre Großmutter gestellt, um das Naturereignis in Wilburs Hand zu bestaunen.

»Eine Schicksalslinie kann ich überhaupt nicht erkennen«, sagte Fedora. »Nicht eine Spur davon.« Sie schüttelte den Kopf. »So etwas habe ich noch nie gesehen. Nie.«

Wilbur fühlte sich an den Moment in dem stickigen Wohnwagen in Kindrum erinnert, als die Zigeunerin ihm das Geld zurückgegeben und ihn weggeschickt hatte.

»Aber hier«, sagte Fedora und tippte mit dem Fingernagel in die Mitte von Wilburs Handfläche, »taucht die Lebenslinie wieder auf.« Fedora zog Wilburs Hand nah ans Gesicht. »Und teilt sich in zwei Richtungen.«

»Was bedeutet das, zwei Richtungen?«, fragte Dexter. Kuchenkrümel klebten in seinen Mundwinkeln.

Fedora lächelte Wilbur an. »Dass Wilbur zwei verschiedene Wege gehen kann«, sagte sie. Dann bettete sie seine Hand zurück auf den Tisch, wo sie liegen blieb, ein offenes Buch ohne Text, eine Landkarte ohne Straßen.

Als Wilbur weit nach Mitternacht ins Freie trat, regnete es wieder. Fedora hatte ihm einen Schirm gegeben, den er jetzt aufspannte. Sie hatte gesagt, er könne das hässliche Ding mit dem Aufdruck einer Motorenölmarke jederzeit zurückbringen. Wilbur merkte sich die Adresse und machte sich auf die Suche nach einem Taxi. Während der Heimfahrt betrachtete er im flackernden Schein der über die Fensterscheiben gleitenden Lichter seine Handflächen. Die Lücke zwischen dem Stummel und der Fortsetzung seiner Lebenslinie maß etwa fünf Zentimeter, und Wilbur rätselte, ob er diese Leere bereits hinter oder noch vor sich hatte. Er hielt es auch für möglich, dass Fedora sich irrte, dass es keine zwei Wege für ihn geben würde und das abrupte Ende der Linie seinen baldigen Tod bedeutete. Dann verwarf er diesen Gedanken und zog die Seriosität der gesamten Veranstaltung in Zweifel, rief sich die gemütliche, letztendlich aber absurde Szenerie in der fremden Küche in Erinnerung und wunderte sich nachträglich über seine Gutgläubigkeit und Naivität.

»Glauben Sie, dass der Lebensweg, das Schicksal eines Menschen in seiner Handfläche eingraviert ist?«, fragte er den Taxifahrer, einen vielleicht sechzigjährigen, fast kahlköpfigen

Mann, der laut dem am Armaturenbrett angebrachten Ausweis Fernando Ramirez hieß.

»Was?«, fragte der Fahrer und drehte dabei den Kopf nach hinten, was bedeutete, dass nur noch Wilbur, der seine Frage augenblicklich bereute, auf die Straße sah. Der Gedanke, in dieser Sekunde das Niemandsland am Ende seiner Lebenslinie zu erreichen, schoss Wilbur durch den Kopf, aber dann widmete sich der Fahrer wieder dem Verkehr, der auf der Flatbush Avenue dichter geworden war.

Sie hielten an einer roten Ampel, und Wilbur beugte sich nach vorne und zeigte dem Fahrer seine Handfläche. »Die Linien auf unserer Hand, glauben Sie, man kann darin die Zukunft lesen?«

»Oh, die Zukunft!«, rief der Mann und hob beide Hände, als wolle er sich ergeben, »die Zukunft, nur Gott kann sie …«, er suchte nach einem Wort, »machen!« Er nahm das Metallkreuz, das, zusammen mit einem Rosenkranz und einem Stoffwimpel der *New York Yankees*, am Rückspiegel hing, zwischen die Finger und hielt es so, dass Wilbur es sehen konnte. »Alles andere, es tut mir leid, ist Humbug, Hokuspokus!« Die Ampel sprang auf Grün, und er fuhr los. »Meine Meinung«, fügte er halb entschuldigend und halb trotzig hinzu.

Wilbur lehnte sich zurück und schloss die Augen. Vielleicht, so dachte er, befand er sich längst im flachen Abgrund zwischen seinen Lebensstraßen, und es spielte keine Rolle, ob er ein Ziel verfolgte oder das Steuer einfach losließ.

An dem Abend, an dem die Frau anrief, die Lennard Sandbergs Aufenthaltsort zu kennen vorgab, war Wilbur nicht zu Hause. Er saß in einer Spielhalle und fütterte Automaten mit Geld, um Raumschiffe in Feuerbälle und feindliche Planeten in unbewohnte Trabanten zu verwandeln. Zuvor hatte er in einer Bar, wo auf einer Großleinwand eine MTV-Verkupplungsshow lief, gerade so viel Wodka getrunken, dass er nicht daran denken musste, wie wenig sein verkorkstes Leben mit denen im Fernsehen zu tun hatte, und er später trotzdem einen Joystick würde bedienen können.

Als Alice ihm am nächsten Morgen von dem Anruf erzählte, weigerte Wilbur sich, ihr zuzuhören. Weder ihr Versuch, ihn von der Glaubwürdigkeit der Frau zu überzeugen, noch ihre Absicht, am Abend alleine zu dem vereinbarten Treffpunkt in der Bronx zu fahren, falls er nicht mitkäme, konnten etwas an Wilburs Haltung ändern. Er sagte ihr nicht, wie leid er es war, sich die Vermutungen, Behauptungen und Lügen dieser Leute anzuhören, und auch nicht, wie weh es getan hatte, jedes Mal enttäuscht zu werden. Er erzählte ihr nichts von der lähmenden Verzweiflung, die ihn jeweils befallen hatte, nachdem sie mit diesen guten Menschen, Aufschneidern und Wracks gesprochen hatten, nur um erneut vor dem Nichts zu stehen.

Im Badezimmer wusch er sich das Gesicht mit kaltem Wasser und kämpfte gegen die brennende Versuchung, Alice anzubrüllen, ihr ihre naive, gefühlsduselige Zuversicht, was ihn betraf, vorzuwerfen und sich ein für alle Mal aus dem Seidenkokon ihrer Anteilnahme und Güte zu befreien. Stattdessen ließ er sie mit dem Frühstück, das sie jeden Morgen in der Hoffnung auftischte, er würde sich zu ihr setzen, alleine und fuhr mit der U-Bahn zum Laden, den Ernest schon vor einer Stunde aufgesperrt hatte. Während der Fahrt kritzelte er BILLIGE WOHNUNG GESUCHT, BITTE AN DER KASSE MELDEN auf einen Zettel und zerknüllte ihn, als er ausstieg. Denselben Wortlaut schrieb er einige Stunden später auf die Rückseite eines Bestellformulars, das er an die Korktafel pinnte.

Nach der Arbeit aß er in einem indischen Schnellimbiss und setzte sich danach in ein Kino, in dessen Sälen zwei Wochen lang Filme von Regisseuren wie Don Siegel, Ridley Scott, Arthur Penn, Sam Peckinpah und Robert Aldrich gezeigt wurden. Vier Stunden lang ließ er sich einlullen von den vertraut fremden Farben, den grobkörnigen, zerkratzten Bildern, die ihn mit spiegelnden Karosserien, weiten blauen Himmeln, Rauchsäulen, Explosionen und Mündungsfeuern und dem schwermütigen Lächeln tötender und sterbender Männer blendeten und mit Lärm und infernalischer Stille übergossen, dann stand er wieder auf der Straße und wusste nicht, wohin mit seiner Sehnsucht nach etwas, das ihn am Leben hielt. Dreißig Blocks ging er zu Fuß, stand ewig vor dem Haus, frierend und müde, drehte sich um und ging nochmals zwanzig Blocks in eine andere Richtung, bis er eine Bar fand, die schäbig genug war, um seinen Ansprüchen zu genügen.

Die Kellnerin, die ihm den *Tropical Thunder* mit Trinkhalm, Quirler und Fruchtspieß brachte, setzte sich eine Weile zu ihm, sagte, er sei ein hübscher Junge, und erzählte eine Geschichte von Liebe und Betrug, die schrecklich endete. Wilbur vergaß, wie viel er vertragen konnte, trank, was die Frau ihm hinstellte, und hörte ihr zu und der Musik, die, einer knisternden Galaxie gleich, über seinem Kopf schwamm. Am Tresen stritten sich lustlos zwei Männer, in einer Ecke lag schlafend ein schwarzer Hund.

Wilbur versank und kam erst wieder an die schaukelnde Oberfläche, als er am Arm der Kellnerin vor der Bar in der eisigen Kälte stand und vom eigenen Körper wachgerüttelt wurde. Ein Auto, ein gelbes schwankendes Boot, glitt heran und nahm die beiden auf. Wilbur kippte zur Seite, legte den Kopf in den Schoß der Kellnerin und schlief erneut ein.

Als er aufwachte, aus einer bodenlosen Bewusstlosigkeit zu sich kam, lag er angezogen auf einem Sofa, zugedeckt mit einer Wolldecke, deren Fransen sich in seinem Atem bewegten wie die Wimpern eines Tieres. Sein Mund war trocken, vor seinen Augen zuckten winzige Blitze. Er hatte Durst, der Gedanke an ein Glas Wasser löste Wellen von Verlangen in ihm aus. Als er den Kopf bewegte, rutschte ein Schmerz gegen den Schädel und vibrierte minutenlang. Wilbur blinzelte. Von der Decke hing eine Lampe, eine dunkle Blume an einem langen, dünnen Stiel, über deren Kelch er schwebte.

Er dämmerte weg und schreckte im nächsten Augenblick

hoch, stöhnte leise auf unter der Qual, die er sich selbst bereitete, bewegte die Füße und setzte sich auf. Seine Schuhe standen am Boden, er fiel beinahe über sie und schlüpfte hinein, unfähig, mit den Schnürsenkeln etwas Vernünftiges anzufangen. Durch ein Fenster fiel farbloses Licht in den Raum, den das Sofa, ein Tisch, ein Sessel und eine Kommode fast bis auf den letzten Fleck füllten. Wilbur tappte auf ein helles Rechteck zu, das er für die Küche hielt, landete im Badezimmer und trank kaltes, nach Metall schmeckendes Wasser, mit dem er sich anschließend das Gesicht wusch.

Eine Weile stand er mit den Händen auf den Waschbeckenrand gestützt da und vermied es, in den Spiegel zu sehen. Dann bewegte er sich tastend zurück ins Wohnzimmer, lauschte auf Geräusche und schob dann vorsichtig eine angelehnte Tür auf, hinter der, mit ausgebreiteten Armen das weiße Rechteck des Bettes umschlingend, die Kellnerin lag, leise ächzend in einem erschöpften Schlaf. Sie trug ein weißes Nachthemd, das mit dem Laken verschmolz, und ihr kurzes schwarzes Haar schimmerte im schwachen Licht des Weckers. Wilbur setzte sich auf den Boden und betrachtete die Frau. Vermutlich hatte sie ihm ihren Namen genannt, aber er konnte sich nicht daran erinnern.

Als sie sich im Traum seufzend von ihm wegdrehte, stand er auf und verließ das Zimmer. Er nahm eine Zwanzigdollarnote aus seiner Brieftasche und legte sie auf den Tisch im Wohnzimmer. Er wollte eine Nachricht schreiben, dass das Geld für die Taxifahrt sei, fand aber weder Zettel noch Stift. Draußen fuhr polternd ein Zug über eine Hochbrücke, weit weg tönte die Sirene eines Feuerwehrwagens. Wilbur widerstand dem Drang, sich zurück auf das Sofa zu legen, nahm seine Daunenjacke und ging aus der Wohnung. Im Halbdunkel des Flurs suchte er nach dem Namen auf dem Klingelschild, aber da war nichts. Zurück in der Kälte lief er ein paar Blocks, bis irgendwann ein Taxi hielt und ihn mitnahm.

Zu Hause trank er im Schein des offenen Kühlschranks Mineralwasser aus der Flasche. In seinem Kopf schwelte etwas, das in ein paar Stunden ein heftiger Kater sein würde. Draußen schreckte die Stadt aus dem Halbschlaf. Das Summen Hunderttausender Kaffeemaschinen wurde nur übertönt vom Lärm der ersten Autos und Lastwagen. Eine Alarmanlage trällerte wie ein lauter exotischer Vogel, die Rollgitter von Läden wurden hochgezogen, Zeitungsbündel klatschten auf den Asphalt. Wilbur fror, schloss den Kühlschrank und setzte sich an den Tisch. Neben der Obstschale lag ein Zettel, auf dem ein Name stand, Nathalie Kerkowski, und eine Telefonnummer.

»Das ist die Frau, die weiß, wo dein Vater ist.«

Wilbur war zu müde, um zu erschrecken. Er drehte den Kopf, und die Umrisse der Möbel verschwammen, ein dumpfer Schmerz drückte von innen gegen seine Augen. Alice stand in der Tür ihres Zimmers. Sie war angezogen, nicht einmal die Schuhe fehlten. Licht fiel in ihren Rücken und lag auf ihren Schultern wie eine dünne Lage Schnee. Wilbur war noch immer kalt. Er erhob sich, um Teewasser aufzusetzen.

»Ich bin gestern Abend nicht zu dem vereinbarten Treffen gefahren. Eine Stunde später hat sie angerufen.« Alice kam zum Tisch und hob den Zettel auf.

Wilbur starrte auf das rote Licht des Wasserkochers. Ihm war übel. Das Scheppern eines Müllwagens hallte zwischen den Häusern.

»Sie weiß, dass er getrunken hat.«

Das Wasser fauchte, bevor es den Siedepunkt erreichte. Wilbur sah Alice an. Dann wandte er sich ab und nahm eine Tasse und die Büchse mit Schwarztee aus dem Schrank. »Hat? Ist er tot?« Das Gefühl von Scham über diese Frage wich rasch dem Erstaunen darüber, wie sehr er sich noch immer nach einer Antwort sehnte, nach endgültiger Klarheit.

Alice setzte sich an den Tisch. Sie sah müde aus, aber nicht verschlafen. Wilbur kam der Gedanke, dass sie gar nicht im

Bett gewesen war. Vielleicht hatte sie die ganze Nacht auf ihn gewartet. »Nein. Er lebt in der Bronx, mit einer Frau.«

Wilburs Brust und Kehle krampften sich zusammen, dass er kaum noch atmen konnte. Er spürte, wie sein Herz raste. Eine Weile stand er an die Spüle gelehnt da, die Augen geschlossen, und versuchte, Luft in die Lungen zu bekommen.

»Lass uns hinfahren, Will.« Als Alice neben Wilbur trat, sah sie die Tränen, die ihm über das Gesicht liefen. Sie nahm ihn in die Arme, streichelte seinen Kopf und schaukelte ihn sanft hin und her, und er ließ es zu.

Sie trafen Nathalie Kerkowski nahe der U-Bahn-Station Cypress Avenue in einem Diner, das rund um die Uhr geöffnet hatte. Nathalie wartete vor der Tür, wo sie in der Kälte eine Zigarette rauchte. Sie war schmal wie Alice, aber kleiner und ein paar Jahre jünger, und sie trug eine dünne blaue Regenjacke, in der sie fror. Ihr schulterlanges schwarzes Haar wurde von ein paar Klammern aus dem bleichen, nachlässig geschminkten Gesicht gehalten. Sie wirkte müde und nervös, und als Alice ihr Wilbur vorstellte, nickte sie ihm linkisch zu und sah ihm dabei kaum in die Augen.

Drinnen setzten die drei sich an einen der hinteren Tische und bestellten Kaffee. Die lange Fahrt in der U-Bahn hatte Wilbur wachgerüttelt, aber jetzt, in der Wärme des Lokals, traf ihn die Müdigkeit wie eine Welle.

»Wir möchten Ihnen noch einmal danken, dass Sie sich bei uns gemeldet haben«, sagte Alice. Sie trug das erste Modell aus ihrer eigenen Kollektion, einen graublauen Strickmantel aus biologischer Wolle, die farblich passende Mütze lag neben ihr auf der Bank. Die Eröffnung des Ladens, den sie zusammen mit Rebecca Shelby einrichtete und für den neben Ruth Cole noch vier weitere Frauen strickten, stand unmittelbar bevor und sorgte dafür, dass Alice seit Wochen an die Grenzen ihrer Belastbarkeit ging, literweise Kaffee trank und kaum schlief. Trotzdem wirkte sie an diesem Morgen hellwach und voller

Energie, und nur Wilbur nahm den leicht überdrehten Ton ihrer Stimme und das Flackern in ihrem Blick wahr, der zwischen ihm und Nathalie Kerkowski hin und her sprang.

Nathalie nickte. »Sie müssen mir nicht danken«, sagte sie, hob kurz den Kopf und sah dann wieder auf ihre Hände, die ein Papiertaschentuch zerknüllten.

Die Kellnerin brachte den Kaffee und ein Kännchen Milch. Nathalie tat vier Löffel Zucker in ihre Tasse und rührte um. »Meine Mutter hat ihn vor etwa zwei Jahren kennengelernt«, sagte sie plötzlich und so leise, dass es in den Nebengeräuschen beinahe unterging. Sie räusperte sich und schloss die Faust um das weiße Taschentuch.

»Woher wissen Sie, dass es Lennard Sandberg ist?«, fragte Wilbur, nachdem er eine Weile gewartet hatte, ob die Frau noch mehr sagen würde.

Nathalie zog den Reißverschluss der Windjacke herunter, holte einen Umschlag aus der Innentasche und schob ihn Wilbur zu. Wilbur hob ihn auf und entnahm ihm einen amerikanischen Pass. Er schlug das Dokument auf und sah das Foto seines Vaters, das Porträt eines jungen Mannes, dessen Lächeln Übermut ausdrückte und in dessen Augen man Glück erkennen konnte. Zum ersten Mal sah Wilbur seinen Vater nicht verlegen grinsend oder abwesend in die Kamera blicken, und er betrachtete das Bild so lange, bis er sich jede Einzelheit eingeprägt hatte, das lange, glattrasierte und ein wenig überbelichtete Gesicht mit dem Grübchen im Kinn, die gescheitelten, von Pomade gebändigten Haare, das linke Ohr, das ein wenig nach außen geknickt schien, das Muttermal auf der rechten Wange, dessen Erwähnung auf den Suchplakaten er versäumt hatte. Dann blätterte er durch die Seiten und fand einen Stempel der amerikanischen und einen der schwedischen Einwanderungsbehörde. Das Ausstellungsdatum des Passes war der Oktober des Jahres, in dem Lennard Sandberg und Maureen McDermott geheiratet hatten. Das erklärte das Glück in den Augen von Wilburs Vater.

»Wo ist er?« Wilbur legte den Pass auf den Tisch. Alice nahm ihn und sah sich das Foto an.

»In der Wohnung meiner Mutter«, sagte Nathalie. »Nicht weit von hier.« Sie machte eine vage Bewegung zur Straße hin.

»Weiß er, dass wir nach ihm gesucht haben?«, fragte Alice.

Nathalie schüttelte den Kopf. Sie hielt die Tasse mit beiden Händen fest und blies hinein, bevor sie trank.

»Warum haben Sie sich nicht schon früher gemeldet?«

»Ich habe den Handzettel erst vor ein paar Tagen gelesen.« Sie stellte die Tasse ab und schob den Pass, den Alice ihr hingelegt hatte, zurück in die Tischmitte. »Nehmen Sie ihn.«

Alice sah Wilbur an, der den Pass schließlich einsteckte.

»Können wir zu ihm? Jetzt?«, fragte Wilbur. Er schob seinen Stuhl zurück und zog den Reißverschluss der Daunenjacke hoch.

Nathalie nickte und erhob sich. Alice legte Geld auf den Tisch, dann verließen sie das Lokal.

Verna Kerkowski wohnte im elften Stock eines Mietshauses aus den vierziger Jahren. Die Fassade des Gebäudes hatte ihren ehemals prunkvollen Charakter nur deshalb eingebüßt, weil sie überzogen war vom rußigen Schmutz der Jahrzehnte, einer grauen, ätzenden Schicht, die sich in den Sandstein der Fenstersimse, Zierleisten und stilisierten Blumen über der Eingangstür fraß und helle, bröckelnde Flecken entblößte. Wie ein starrköpfiges Symbol gegen den äußeren Verfall des Gebäudes ragte in seiner Mitte, aus einer dunklen Blüte im achten Stockwerk, eine weiße Fahnenstange, an der eine neue amerikanische Flagge hing, unbewegt in der eisigen Windstille und feucht vom nächtlichen Regen.

»Meine Mutter ist hier vor etwa fünf Jahren eingezogen«, sagte Nathalie, als sie die kleine Lobby betraten, in der hinter einem gewaltigen Pult ein schwarzer Portier saß, dessen blaue, mit goldenen Knöpfen und Troddeln geschmückte Uniform die eines Generals einer imaginären Armee hätte sein können und die Aufgabe der Flagge im Innern weiterführte, nämlich die fast unmerklich fortschreitende Verwahrlosung des Gebäudes mit bezahlbarem Pomp zu kaschieren. »Ein paar Jahre nachdem mein Vater gestorben ist.« Sie winkte dem Portier zu, der zwei Finger an den Mützenschild legte, und ging zum Fahrstuhl.

Wilbur betrachtete den durchgetretenen Teppich, die abgeblätterte Farbe, den beschädigten Stuck und die kranken Pflanzen in ihren riesigen, mit römischen Ornamenten verzierten Töpfen, warf verstohlene Blicke auf die magere, bleiche Frau, die die nächste Zigarette kaum erwarten konnte, und fragte sich, ob sie erneut einer Geisteskranken aufgesessen waren, einer gelangweilten Spinnerin, die den Pass seines Vaters in der Gosse gefunden hatte und ihnen in der Wohnung ihrer senilen Mutter einen polnischen Onkel als Lennard Sandberg unterjubeln würde.

»Das war vor neun Jahren. Ein fehlerhaftes Medikament. Meine Mutter hat von der Herstellerfirma viel Geld bekommen und sich diese Wohnung gekauft.«

Der Fahrstuhl kam, und sie stiegen ein. »Sie kümmert sich sehr gut um Ihren Vater«, sagte Nathalie, während sie nach oben fuhren. Dabei sah sie Wilbur zum ersten Mal richtig an. »Es ist nur … manchmal …« Sie wandte den Blick ab und machte eine hilflose Geste mit der Hand. Plötzlich sprach sie sehr schnell, als wolle sie so viel wie möglich loswerden, bevor sie in der elften Etage ankamen. »Manchmal kann sie sich kaum um sich selber kümmern. Und ich, ich kann nicht jeden Tag herkommen und nach ihr sehen.« Sie wischte sich mit dem Taschentuch über die Nase. »Ich habe ein eigenes Leben, eigene Probleme.« Sie sah Alice an. »Verstehen Sie?«, fragte sie beinahe flehend, und Alice nickte.

Wilbur hörte kaum etwas von dem, was die Frau sagte. Er stand da, das Geräusch des Fahrstuhls in den Ohren und das Gefühl schwarzer Leere unter den Füßen, und versuchte sich vorzustellen, wie es sein würde, zum ersten Mal seinem Vater gegenüberzustehen. Er sah sein Gesicht im Spiegel, der an der

Stirnseite der Kabine angebracht war, und erschrak über die fahle Maske aus Panik, die ihm entgegenstarrte. Als der Fahrstuhl anhielt, sackte sein wild hämmerndes Herz vom Hals in den Magen, wo es aufhörte zu schlagen. Seine Knie wurden weich, der Flur, durch den sie Nathalie folgten, war tausend Meter lang, Türen mit goldenen Zahlen flogen an ihm vorbei, obwohl er auf dem schwankenden Teppich nicht vorwärtszukommen schien. Fast hoffte er, das Ganze würde sich gleich als erneutes Missverständnis herausstellen, als weiterer schlechter Scherz, der verzweifelte Hilferuf einer vereinsamten Frau.

»Sie müssen entschuldigen, wenn es etwas unordentlich ist«, sagte Nathalie, als sie vor dem Apartment mit der Nummer 42 standen. Sie drehte den Schlüssel im Schloss, öffnete die Tür und betrat den kleinen, fast dunklen Eingangsbereich. »Bitte, kommen Sie rein«, sagte sie, nachdem sie Licht gemacht hatte.

Wilbur blieb auf der Schwelle stehen, die Beine schwer und taub. Koffein strömte durch seine Venen und pumpte warme Blitze in seinen Kopf, der Finsternis wollte. Alice war hinter ihm und berührte für einen Moment seine Schulter, dann gingen beide hinein. Nathalie legte den Schlüssel auf eine Kommode, über der ein gerahmtes Ölbild hing. Das Gemälde zeigte eine seltsam leere, in düsteres Licht getauchte Landschaft, durch die ein einsames schwarzes Pferd galoppierte.

»Mutter?«, rief Nathalie. Sie zog die Regenjacke aus und hängte sie an eine bis auf einen Mantel und einen Schirm leere Garderobe. »Legen Sie doch ab«, sagte sie zu Wilbur und Alice. »Ich hole meine Mutter.« Damit verschwand sie in einem der Zimmer, in dem es dunkel und still war.

»Alles in Ordnung?«, fragte Alice. Sie nahm die Strickmütze ab und kämmte sich mit den Fingern einer Hand das Haar.

Wilbur nickte. Ihm war zu warm, noch immer krümmten sich die Wände vor seinen Augen, und jeder Atemzug in dieser stickigen, nach Zigaretten und Essen riechenden Luft strengte ihn an. Nathalies Stimme drang aus dem Zimmer, dann eine zweite, tiefe und müde. Ein Gegenstand fiel zu Boden, die schlaftrunkene Stimme wurde lauter, erwachte zu empört nuschelndem Leben. Je leiser und eindringlicher Nathalie sprach, umso dröhnender wurde ihre Mutter. Plötzlich ging die Tür auf und eine Frau stürmte aus dem Zimmer, in das durch zwei große Fenster trübes Winterlicht fiel.

Verna Kerkowski war vierundfünfzig Jahre alt und so groß wie ihre Tochter, aber sie hatte einen fülligeren Körper und dauergewelltes blondes Haar. Sie trug enge schwarze Hosen und über einem hellblauen Pulli eine Jacke aus türkisfarbenem Stoff, alles zerknittert, als habe sie darin geschlafen.

»Was wollen Sie hier?«, rief sie. »Das ist meine Wohnung!«

Nathalie kam aus dem Zimmer und fasste ihre Mutter am Arm. »Mutter, bitte, ich hab dir doch gesagt, wer das ist.« Sie versuchte erfolglos, Verna zurück in das Zimmer zu schieben.

»Ich will, dass Sie gehen!« Verna hob eine ringlose Hand und wies zur Tür. Sie war barfuß, ihre Zehennägel waren rot lackiert.

»Der Junge ist Wilbur Sandberg«, sagte Nathalie laut und griff nach der Hand ihrer Mutter, »Lennys Sohn.«

Wilbur wusste nicht, wie er sich dieser Frau gegenüber verhalten sollte. Soviel er mitbekommen hatte, war sie die Freundin seines Vaters und schien sich in den letzten zwei Jahren um ihn gekümmert zu haben, was immer das heißen mochte. Jedenfalls hielt er es für ratsam, ihr nicht zu nahe zu kommen, auch wenn ihre Tochter sie mit sanfter Gewalt festhielt.

»Lennard hat keinen Sohn«, sagte Verna bestimmt. »Und jetzt verlassen Sie meine Wohnung!«

»Wo ist er?«, fragte Wilbur.

Nathalie deutete mit dem Kopf in den hinteren Teil der Wohnung.

»Er will niemanden sehen!«, rief Verna und packte Wilbur am Arm. »Er schläft! Gehen Sie endlich!«

Wilbur machte sich los und ging mit Alice am Wohnzimmer und einem Badezimmer vorbei zu einer verschlossenen Tür.

»Geh hinein«, sagte Alice leise, »ich warte hier.«

Wilbur drehte den Türknauf, betrat das Halbdunkel des

Raumes und schloss die Tür hinter sich. Verna fing erneut an zu keifen, dann klang es, als würde sie in ein anderes Zimmer gebracht. Als sich seine Augen an das diffuse Licht, das kaum durch die dicken Vorhänge drang, gewöhnt hatten, sah Wilbur eine Tür, an der ein Bademantel hing, einen Sessel, einen offenen Schrank, aus dem das Weiß eines Hemdes leuchtete, eine Kommode mit offenen Schubladen und ein Bett, in dem ein Mann lag. Wilbur atmete flach, roch kalten Zigarettenrauch und, ganz schwach, Schweiß und Urin. Auf einem Tisch neben dem Bett stand schmutziges Geschirr, am Boden lagen Kleidungsstücke, Handtücher, Pantoffeln, leere Papiertüten einer Bäckerei, mit seltsamen Zeichnungen vollgekritzelte Zettel, ein Bildband über Alaska, Zeitungen und billige Werbeprospekte.

Eine Weile stand Wilbur nur da und versuchte sich zu beruhigen und normal zu atmen. Von weit weg hörte er Frauenstimmen, aus den Straßen stieg Verkehrslärm zwischen den Häusern hoch. Schließlich trat er ein paar Schritte näher an das Bett heran und betrachtete den Schlafenden. Obwohl der magere Schädel, über dem sich fleckige, fein geriffelte Haut spannte und auf dem Strähnen gelben Haars lagen, keinerlei Ähnlichkeit mit dem Gesicht auf dem Passbild mehr hatte, erkannte Wilbur seinen Vater sofort.

Es war nicht die lange Kopfform, die ihn Lennard Sandberg erkennen ließ, auch nicht der Schwung der Nase oder der Lippen, nicht einmal das Muttermal. Es war überhaupt kein Wiedererkennen, keine Erinnerung an eine Fotografie, kein Abgleichen der Wirklichkeit mit den Bildern von früher. Es war ein Gefühl, das nichts mit Wissen zu tun hatte und doch jeden Zweifel ausschloss, und es war so überwältigend, so betäubend, dass Wilbur zu Boden sank und den Kopf auf das Fußende des Bettes legte, schluchzend und unsagbar erschöpft.

Irgendwann, neunzehn Jahre, neunzehn Sommer, Geburtstage, Weihnachten, hundertmal Drachensteigenlassen, Schlittschuhlaufen, Angeln, tausend Gutenachtgeschichten, sechstausendneunhundertdreiundzwanzig Tage, ein ganzes

Kinderleben später griff Wilbur nach der Hand des Mannes, der ihn um all das betrogen hatte, und flüsterte: »Vater.«

Lennard Sandberg öffnete die Augen ein wenig und schloss sie wieder. Wilbur drückte seine Hand. Sein Vater schlug die Augen erneut auf, blinzelte ins Halbdunkel und bewegte den Kopf zur Seite. Er sah seinen Sohn an, und in seinem Blick lag kein Erschrecken, kein Erstaunen und kein Erkennen. Er öffnete den Mund, und ein leises Ächzen entwich seiner Kehle. Wilbur suchte nach etwas zu trinken, fand aber nichts und ging ins angrenzende Badezimmer, wo er das Zahnputzglas mit Wasser füllte. Er kniete sich neben das Bett und hielt seinem Vater das Glas an die Lippen.

»Du kennst mich nicht«, sagte Wilbur und wusste nicht, wie weiter. Sein Vater trank in kleinen Schlucken das ganze Wasser. Wilbur stellte das Glas auf den Tisch. »Ich heiße Wilbur.« Warten. Draußen begann es zu regnen. Ein kaum hörbares Geräusch erfüllte den Raum, es klang wie das Hintergrundrauschen einer alten Schallplattenaufnahme. Das wenige Licht hinter den Fenstern verschwand. Wilbur knipste die Lampe auf dem Nachttisch an, damit sein Vater ihn sehen konnte. »Sandberg.« Er nahm wieder Lennards Hand und drückte sie leicht. Lennard sah ihn ausdruckslos an. Er bewegte die Lippen, formte sinnlose Vokale, die Augen groß und auf Wilbur gerichtet. Wilbur beugte sich vor. Sein Vater rang nach dem ersten Ton eines Wortes, den Mund verzerrt, die Pupillen fast unter den flatternden Lidern verschwindend.

»Ich komme gleich zurück«, sagte Wilbur, legte die feingliedrige, leblose Hand auf die Decke, erhob sich und verließ das Zimmer.

Alice lehnte an der Wand neben der Tür zum Wohnzimmer und flüsterte in ihr Handy. Als sie Wilbur sah, beendete sie das Gespräch mit einem hastigen Satz. »Und? Ist er es?«, fragte sie.

Wilbur blieb stehen, plötzlich unangenehm wach. Er nickte. Es kam ihm vor, als sei er einer Zeitkapsel entstiegen, einer engen, finsteren Kammer, die ihn aus der Vergangenheit zurückgeschleudert hatte in die Gegenwart dieses Flurs mit seiner Lorbeertapete und den kolorierten Stichen und dem goldgefassten Läufer, auf dem Bonbons und Handschuhe und Blüten zerknüllten Papiers lagen wie die Überbleibsel einer merkwürdigen Parade.

Alice strahlte, widerstand aber dem Verlangen, Wilbur in die Arme zu nehmen. »Geht es ihm gut?«

Wilbur dachte nach, zuckte mit den Schultern. Die Stiche zeigten Jagdszenen, Hunde, die sich in die Flanken von Hirschen verbissen, von Lanzen durchbohrte Bären. Eine Standuhr tickte, ein Turm aus dunklem Holz, in dem hinter einem Glasauge ein silbernes Pendel schwang.

»Hat er dich erkannt?«

Wilbur schüttelte langsam den Kopf. »Wo ist ... wie heißt sie noch mal?«

»Nathalie«, sagte Alice. Der freudige Ton war aus ihrer Stimme verschwunden. Sie steckte das Handy in ihre Umhängetasche aus militärgrünem Flachs, einen weiteren Artikel des Ladens. »Sie sind beide in der Küche.«

Wilbur stand unschlüssig da, bewegte sich nicht vom Fleck. Er tastete nach dem Pass in der Jackentasche und war erstaunt, dass er tatsächlich dort war.

»Komm.« Alice berührte Wilbur kurz am Arm, dann drehte sie sich um, und er folgte ihr.

In der Küche herrschte die Unordnung, für die sich Nathalie vorsorglich entschuldigt hatte. Die Arbeitsflächen waren überfüllt mit Geschirr, Konservendosen und Verpackungen, mit Lebensmitteln in allen Stadien des Verfalls und des Welkens, mit Zeitungen, Kochbüchern, Lockenwicklern, mit Sonnenbrillen und aufgerissenen Briefumschlägen und vollen Aschenbechern. An der Wand hingen gerahmte Lithographien, die bäuerliche Motive zeigten, ein Kalender des *Museum of Modern Art*, bemalte Porzellanteller und eine bis auf das Flugblatt eines Chinarestaurants leere Magnettafel.

Nathalie räumte den Tisch ab, zerknüllte kaffeegetränkte

Zeitungen und stopfte sie in einen der Müllsäcke, die in der Ecke standen. Sie trug gelbe Gummihandschuhe und rauchte. Aus einem Radio drang kaum hörbar die Stimme eines Mannes, der Schnee voraussagte. Als Alice und Wilbur die Küche betraten, wischte Nathalie sich eine feuchte Strähne aus der Stirn und sah Wilbur an.

»Was ist mit ihm?«, fragte Wilbur.

Nathalie setzte sich hin. Werbung plärrte aus dem Radio, und sie machte es aus. Eine Weile starrte sie auf die Dinge, die den Tisch bedeckten, als kapituliere sie vor der Aufgabe, sie wegzuräumen. »Er hatte einen Schlaganfall«, sagte sie schließlich. Sie streifte die Handschuhe ab und drückte die Zigarette, von der nur noch die Glut über dem Filter übrig war, in einem Unterteller aus. »Vor etwa einem Monat.« Sie räusperte sich, spielte mit der Zigarettenpackung.

Wilbur stand regungslos da, während das Wort in ihm nachhallte. Er hatte es schon gehört, es tauchte im Zusammenhang mit alten Menschen auf, es leuchtete in seinem Kopf und strahlte andere Wörter an, Hirnblutung und Lähmung und Sprachverlust, es brannte so hell, dass sein Kopf wehtat. Alice nahm seine Hand. Als plötzlich der Kühlschrank summte, zuckte sie zusammen und ließ Wilburs Hand los. Vor dem Fenster flog eine Taube vorbei. Es regnete noch immer.

»Vielleicht hat es mit dem Trinken zu tun, vielleicht ist er irgendwann gestürzt. Ich weiß es nicht. Eines Tages lag er so im Bett.« Nathalie kratzte mit dem Fingernagel etwas von der Tischplatte, abwesend und gründlich.

»War er bei einem Arzt? Oder war ein Arzt hier?«, fragte Alice.

Nathalie schaute hoch, als habe sie die Frage nicht verstanden, aber dann schüttelte sie den Kopf. »Meine Mutter hasst Ärzte.«

»Er wurde nie untersucht?« Alice nahm einen Stapel Zeitungen von einem Stuhl und setzte sich hin. Sie sah Nathalie an, die den Blick senkte und sich auf einen weiteren eingetrockneten

Fleck konzentrierte. »Woher wollen Sie dann wissen, dass es ein Schlaganfall war?«

»Schlaganfall oder Sturz, was spielt das für eine Rolle?«, sagte Wilbur müde und emotionsloser, als er beabsichtigt hatte. »Er hat sich in diesen Zustand gesoffen.« Alice sah ihn an, aber er wandte den Blick ab.

Eine Weile war es bis auf das Summen des Kühlschranks und das schabende Geräusch von Nathalies Fingernagel still in der Küche.

»Er muss in ärztliche Behandlung«, sagte Alice irgendwann.

»Meine Mutter kann sich jedenfalls nicht mehr um ihn kümmern.« Nathalie nahm eine Zigarette aus der Packung und zündete sie mit einem Wegwerffeuerzeug an.

»Wo ist sie?«

»Sie schläft.« Nathalie senkte die Stimme, ein Reflex. »Ich habe ihr ein Schlafmittel gegeben.« Sie lächelte Alice an, dann wurde ihr Blick leer. »Ich schütte es ihr in den Orangensaft. Ich betäube meine Mutter regelmäßig. Damit ich hier aufräumen kann, ohne …« Sie nahm einen Zug und blies den Rauch zur Seite. »Sie glaubt, er wird wieder gesund. Aber das wird er nicht.« Mit der gleichen entrückten Hingabe, mit der sie die Flecken von der Tischfläche gekratzt hatte, zerdrückte sie jetzt mit der Zigarettenspitze die erkalteten Ascheröllchen auf dem Unterteller. »Sie schafft das nicht mehr«, sagte sie, und leiser: »Sie ist selber krank.«

»Sie ist Alkoholikerin«, sagte Alice sachlich. Nathalie sah sie an, und es war schwer zu sagen, ob sie diese Direktheit schockierte oder erleichterte. »Ich hab einen Blick dafür. Ich war selber eine.« Jetzt war es Alice, die lächelte, ein kurzes, bekümmertes Lächeln.

Wilbur drehte sich um und ging aus der Küche. Eine Weile stand er im Flur und sah zu der Tür, hinter der sein Vater lag. Was von seinem Vater übrig war. Dann verließ er die Wohnung, rannte das Treppenhaus hinunter und hinaus auf die Straße, in den Regen und die Kälte.

Den restlichen Morgen und den ganzen Nachmittag lief Wilbur durch die Straßen der Bronx. Am Abend setzte er sich in eine U-Bahn nach Brooklyn und dann in eine Bar. Er trank obszön farbige Cocktails, die *Waikiki Dream* und *Crazy Coco* hießen und in denen Trinkhalme mit dreifachen Loopings und Sonnenschirmchen steckten, und fragte sich, wie viel Wodka und Rum mit Fruchtsaft er wohl in sich hineinschütten müsste, um seinem Vater im Dämmerland der Sprachlosigkeit und des befreienden Vergessens Gesellschaft leisten zu können. Irgendwann nach Mitternacht sank Wilbur vom Barhocker und richtete sich auf dem Fußboden ein. Der Geschäftsführer bat ihn zu gehen, wofür Wilbur ihm dermaßen überschwänglich dankte, dass er vom Barkeeper und einem Kellner, die Überdruss und Mitleid verkörperten, vor die Tür befördert wurde.

Zu Hause legte er sich angezogen ins Bett. Er war nicht mehr betrunken und noch nicht nüchtern und wünschte sich nichts sehnlicher als Schlaf. Seine Haare waren feucht vom Regen, der immer wieder in Schnee übergegangen war, nasse, unförmige Flocken, die, von den Straßenlampen angestrahlt, zu Boden sanken wie Fischfutter in einem Aquarium. Als Alice sich auf die Bettkante setzte, glaubte er zu träumen, aber dann sagte sie etwas, das er nicht verstand, und strich ihm sanft über den Kopf. Sie beugte sich über ihn und küsste ihn auf die Stirn, und er legte den Arm um sie und zog sie zu sich heran. Er küsste sie auf die Wange und auf den Mund, und für einen Moment öffnete sie die Lippen und ihre Zungenspitzen berührten sich. Er fuhr über ihren nackten Arm und berührte ihre kleine, feste Brust unter dem Nachthemd. Sie atmete in seinen Mund, ein Stöhnen, ein Seufzen, ein leiser Satz mit einem Nein darin. Wilbur atmete schwer und wollte etwas sagen, aber Alice legte ihm zwei Finger auf die Lippen und schüttelte langsam den Kopf. Dann stand sie auf und ging in ihr Zimmer.

Eine Weile lag Wilbur reglos da und starrte an die Decke, auf der sich, dünn wie draußen der Schnee, eine Schicht Helligkeit ausbreitete. Dann holte er den Koffer unter dem Bett hervor, legte ein Hemd und eine Hose, Unterwäsche und Socken hinein und Colms Nashorn. In der Küche nahm er alles Geld, fast zweihundert Dollar, aus der Notfallbüchse, schrieb ES TUT MIR LEID auf einen Zettel und verließ die Wohnung.

Das Hotel fand er zufällig. Er war stundenlang durch die von einer seifigen Schneeschicht bedeckten Straßen gegangen und spielte mit dem Gedanken, sich in einer Bar aufzuwärmen, als er das Schild sah. Der Nachtportier, ein südländisch aussehender Bursche mit einem schwer einzuordnenden Akzent, nannte den Übernachtungspreis und verlangte das Geld im Voraus. Er versuchte eine Unterhaltung in Gang zu bringen, gab aber angesichts der Einsilbigkeit seines Gastes schnell auf. Wilbur ging in sein Zimmer im ersten Stock und legte sich hin.

Eine Stunde später stand er erneut in der Lobby und fragte den Portier nach einer Bar in der Nähe. Er ließ sich den Weg beschreiben, verzichtete auf ein Taxi und ging die fünf Blocks und zwei Querstraßen zu Fuß. Er betrank sich mit drei Eigenkreationen des Barkeepers, süßen Cocktails, die *Midnight Mango* hießen und das Hirn mit Rum, Cointreau, Gin und Mangosaft verklebten. Musik berieselte ihn und die Stimme eines Mannes, der die Geschichte seiner vier Ehen rezitierte.

Im ersten Licht des Tages stand Wilbur auf der Straße und konnte sich weder an den Namen des Hotels erinnern noch an die Richtung, in der es lag. Einem Taxifahrer sagte er in einer plötzlichen Eingebung, das Hotel sei nur für Männer, und Minuten später hielten sie vor dem trostlosen Gebäude. Vom Alkohol redselig geworden, war Wilbur in der Stimmung für einen einfältigen Schwatz, eine jämmerliche Herzausschüttung, eine nach Erlösung winselnde Beichte, aber jetzt hatte der Mann hinter der Empfangstheke kein Interesse mehr. So ließ Wilbur sich ein zweites Mal auf sein neues Bett fallen und glitt durch das lärmende Erwachen Brooklyns in einen zerfransten, nach Zucker schmeckenden Schlaf.

Am nächsten Tag holte er in einem Schnapsladen Rum und

Wodka und verschiedene Obstsäfte und schloss sich damit in seinem Zimmer ein. Wilbur Sandberg, tagelang betäubt von Cocktails, für die er Namen wie *Sweet Amnesia*, *Baccardi Brainwash* und *Pineapple Paranoia* erfand, war einer der wenigen Menschen in New York, die die Silvesternacht, den von düsteren Warnungen begleiteten Wechsel ins nächste Jahrtausend, den Sturz ins prophezeite Chaos, verschliefen.

13

Dobbs besucht mich fast jeden Tag und bewundert den Holzboden, den ich alle zwei Wochen mit Leinöl poliere. Ich schlage vor, dass wir in seinem Zimmer den Teppich ebenfalls herausreißen und die Dielen schleifen und ölen, und Dobbs strahlt. In Winstons Laden habe ich eine Schleifmaschine gefunden, mit der die Arbeit ein wenig leichter zu schaffen ist. Ich frage Randolph um Erlaubnis, und er hat nichts dagegen, solange es nichts kostet.

Wir schleppen die Möbel auf den Flur, was wegen Dobbs' steifem Bein ewig dauert. Dann entfernen wir die Sockelleisten und zerren den Teppich von den Dielen, schwitzend und fluchend unter den Masken, die uns vor dem Staub und dem pulverisierten Leim schützen. Der Teppich lässt sich nur in mürben, faserigen Placken vom Untergrund lösen, und wir schneiden ihn in taschenbuchgroße Stücke, die wir in Müllsäcke stopfen. Nach einer Stunde keucht Dobbs dermaßen, dass ich das Herausreißen alleine erledige und ihm das Schneiden überlasse. Drei Stunden später sind wir fertig. Wir schleppen die Müllsäcke hinunter und ignorieren dabei Alfred und Enrique, die wissen wollen, wessen Leiche wir entsorgen.

An manchen Stellen ist der alte Leim knochentrocken und wie kristallisiert und lässt sich mit dem Spachtel leicht abschaben, an anderen ist er hart und zäh und mit dem Holz eine Verbindung für die Ewigkeit eingegangen. Dobbs und ich knien beziehungsweise liegen bäuchlings auf Schaumstoffkissen wie

Archäologen, die ihre eigene unrühmliche Vergangenheit freilegen. Wir arbeiten verbissen, hören Glenn Millers Orchester zu und vertreiben neugierige Gaffer mit flapsigen Antworten. Dobbs schläft in einem der freien Zimmer, das er für die kurze Zeit des Exils heimelig macht, indem er seine Bilder darin aufhängt und eine Büchse mit intensiv riechendem Darjeeling offen auf die Kommode stellt.

Am Abend des nächsten Tages ist der Boden von den Leimresten befreit, am Nachmittag darauf fangen wir mit dem Schleifen an. Obwohl der Raum klein ist, zwölf Quadratmeter, sind wir drei Tage beschäftigt. Dann legen wir Zeitungen auf den Boden und streichen die Wände und die Decke mit der weißen Farbe, die vom Streichen der Lobby übrig geblieben ist. Drei Anstriche sind nötig, um die verdammte Tapete zu überdecken.

Am siebten Tag tragen wir das Leinöl auf, drei Schichten im Abstand von vier Stunden. Am Nachmittag des achten Tages polieren wir den Boden mit Baumwolltüchern, am Abend stellen wir die Möbel zurück in den Raum. Alle kommen hoch, um sich unser Werk anzusehen. Sogar Mazursky, der sich vor ein paar Tagen den Fuß verstaucht hat und keinen unnötigen Schritt geht, humpelt auf Krücken den Flur entlang und macht große Augen. Ich habe bei Winston ein paar alte Holzrahmen gekauft, in denen jetzt Dobbs' Heimwehbilder stecken, Landschaftsaufnahmen aus Louisiana, die vorher nur mit Reißzwecken an die Wand geheftet waren und auf den arktisweißen Wänden richtig edel aussehen.

»Ich mag die Wände«, sagt Randolph. Er schießt mit einer Wegwerfkamera Bilder, die er dem Besitzer des Hotels schicken wird. »Besser als die Tapeten. Macht den Raum irgendwie größer.« Bestimmt erzählt er dem Kerl, die Idee für die ganzen Renovierungen sei auf seinem Mist gewachsen.

»Ich will auch so ein Zimmer«, sagt Elwood. Mazursky schließt sich ihm an. »Mein Teppich stinkt.« Plötzlich wollen alle ihre Bude verschönert haben und bestürmen Randolph.

»Quatscht nicht mich an«, sagt Randolph, macht ein letztes Bild und verlässt das Zimmer. »Wendet euch an die Firma Sandberg.« Er grinst mir zu und geht zum Fahrstuhl.

Elwood ist der Erste, der mich mit Flehen und Betteln weichklopft. Er erzählt mir, dass er in dem Haus in New Jersey, wo er vor einem halben Jahrhundert mal gelebt hat, genau solche Holzböden hatte, wie ich sie freilege. Zuerst vertröste ich ihn auf unbestimmte Zeit, aber dann bietet Dobbs mir seine Hilfe an und wir machen aus Elwoods tristem Loch ein sauberes, helles Zimmer, an dessen Wänden gerahmte Bilder hängen wie in einem vornehmen Haus. Am Tag, an dem wir fertig sind, wird Elwood einundachtzig. Am Nachmittag feiern wir, essen Bananenkuchen nach Madame Robespierres Rezept und trinken Fruchtpunsch. Enrique spendiert eine Flasche Gin, und wer will, kriegt seinen Punsch mit Schuss. Ich habe seit Spencers Beerdigung keinen Alkohol getrunken und vor, noch eine Weile abstinent zu bleiben. Dabei mache ich mir keine Illusionen. Das Leben ist eine Achterbahn, und wenn es abwärtsgeht und die Räder aus den Schienen springen, federt ein Rausch den Aufprall ein wenig. Elwood braucht drei Anläufe, um die zehn oder zwölf symbolischen Kerzen auf dem Kuchen auszupusten. Er weint gerührt und beschwipst und erzählt von früher. Gegen Abend döst er auf seinem frisch bezogenen Bett ein, und wir lassen ihn schlafen.

Später in dieser Nacht sitze ich hinter dem Empfangstresen und vertreibe mir die Zeit damit, die Karteikarten mit den Personalien der Dauergäste neu auszufüllen. Randolphs Schrift ist kaum zu entziffern, winzig und kringelig, und Leonidas hat auf die Rückseite jeder Karte Bemerkungen gekritzelt. Bei Elwood, der mit Nachnamen Watts heißt, steht zum Beispiel: VORSICHT! RELIGIÖS, KEINE SCHERZE ÜBER GOTT!, daneben: SCHWERHÖRIG. Anthony Howard Mazursky hat den Eintrag STUR UND EINFÄLTIG, KEINE DISKUSSIONEN ÜBER POLITIK, KULTUR, KRIMINALITÄT. Die letzten drei Wörter sind durchgestrichen und mit IRGENDWAS! ersetzt. Auf der Rückseite von Spencers Karte steht: REDET NICHT, BESCHWERT SICH NIE. DER PERFEKTE GAST. SCHWESTER IN KALIFORNIEN (ZELDA). Ich setze seinen Todestag dazu und stecke die Karte ein.

Alfred und Enrique sitzen nebeneinander auf dem Sofa. Sie haben den restlichen Gin getrunken und halten ein schläfriges Gespräch in Gang. Ich höre ihr Lallen und Glucksen und raues Lachen über etwas, das mit Sicherheit nicht witzig ist, und schwöre mir, nie wieder einen Schluck Alkohol zu trinken.

Enriques Boden mache ich unter der Bedingung, dass er im Gegenzug Mazursky bei seinem hilft. Alfred ist der Einzige der Dauergäste, der seinen schmuddeligen Teppich behalten will. Er behauptet, die Arbeit lohne sich nicht, weil er das Hotel bald verlasse. Nach dem kläglichen Scheitern seiner Versuche, bei Zelda Prescott zu landen, wollte er eine Weile nichts mehr von Frauen wissen, aber jetzt wärmt eine neue Flamme sein altes Herz. Sie heißt Iris Rawlings, ist seit drei Jahren Witwe und kinderlos. Ihr Mann hatte eine Druckerei besessen, nichts Großes, sagt Alfred, aber in einer guten Gegend. Das Gebäude alleine habe vermutlich über eine Million gebracht. Alfred hat Iris bei einer Dichterlesung in der öffentlichen Bücherei kennengelernt, wo sie ehrenamtlich arbeitet. Er hat mit Poesie etwa so viel am Hut wie mit seriöser Arbeit oder Steuererklärungen, aber er ist ein begnadeter Schauspieler und genial, wenn es ums Improvisieren geht. Bei seiner ersten Begegnung mit Iris muss er zur Höchstform aufgelaufen sein, denn schon eine Woche später hat er davon gesprochen, mit ihr zusammenzuziehen.

Wir haben auch ohne Alfreds Zimmer genug zu tun. Unter Mazurskys Teppich kommen keine Holzdielen, sondern schimmelige Spanplatten zum Vorschein, was bedeutet, dass wir Parkettboden auftreiben müssen. Mit Winstons Hilfe finden wir einen Restposten *Eiche dunkel* für achtzig Dollar. Die Hälfte davon bezahlt Randolph aus der Kasse für Instandhaltungsarbeiten, Mazursky übernimmt die andere Hälfte. Wegen seines verstauchten Fußes kann er Enrique und mir beim Entfernen des Teppichs und der Spanplatten nicht helfen, dafür erzählt er uns seine Lebensgeschichte, inklusive Kindheit in Hell's Kitchen, Gaslampen und Bandenkriegen. Er beteuert, früher ein toller Hecht gewesen zu sein, zählt die Namen seiner Freundinnen auf und kramt verblichene Fotos aus der Kommode, die auf dem Flur steht. Er macht uns mit seiner Theorie zur Ermordung Kennedys vertraut und schildert die erste Mondlandung, als wäre es gestern gewesen. In einem Nebensatz erwähnt er eine gescheiterte Ehe und ein Kind, verklärt seine Zeit beim Militär und zeigt uns Briefe ehemaliger Kameraden, die alle tot sind oder irgendwann aufgehört haben, ihm zu antworten. Was er nicht erzählt, ist, warum es ihn an diesen Ort verschlagen hat, und wir fragen ihn nicht danach.

Mazurskys Einweihungsfest ist rauschender als das von Elwood. Randolph überrascht alle und lässt von einem nahen Imbisslokal Essen für uns kommen, und obwohl im Hotel laut Hausordnung Alkoholverbot herrscht, drückt er beide Augen zu und trinkt mehr, als er verträgt. Am Schluss sind außer mir und Dobbs alle betrunken, sogar Elwood, der behauptet, man habe ihm das Bier als alkoholfrei angedreht.

Nachts sitze ich hinter dem Empfangstresen, lese oder surfe im Internet. Leonidas schickt mir regelmäßig Mails. Er ist von Griechenland über die Türkei nach Deutschland gereist und lebt jetzt in Berlin mit einer Gruppe von Malern und arbeitslosen Schauspielern. Er schreibt, Sprache sei überholt, die bildende Kunst habe ihm die Augen geöffnet. Wenn er nicht gerade seinen Lebensunterhalt mit unterbezahlten und gesundheitsgefährdenden Aushilfsarbeiten verdient, malt er im Keller des Wohngemeinschaftshauses Bilder. Ich berichte ihm, was im Hotel läuft, dass wir zwei neue Dauergäste haben, Harvey und Joe, und dass Spencers Zeichnungen die Sitzecke in der Lobby adeln. Dass ich ein paar der Zimmer renoviert habe, schreibe ich ihm auch.

Er schickt mir digitale Aufnahmen seiner Werke als Foto-dateien und bittet mich um Bilder der verwandelten Zimmer. Leonidas' Gemälde sind zwei mal drei Meter groß und un-gegenständlich, eine Stilrichtung, die ihm als blutiger Anfänger am meisten entgegenkommt. In einem Fotoladen leihe ich mir eine Digitalkamera und mache Aufnahmen von Dobbs', El-woods, Mazurskys und meinem Zimmer und von der Galerie in der Lobby. Während ich die makellos weißen Wände mit den gerahmten Bildern fotografiere, fällt mir auf, wie herunter-gekommen der Rest der Lobby ist.

Am nächsten Tag hebe ich eine Ecke des Teppichs neben einem Sofa hoch und sehe, dass darunter ein tadellos erhaltener Holz-boden liegt. Der Teppich ist nicht verleimt, sondern mit Mes-singschienen an den Boden geschraubt. Ich frage Randolph, ob er etwas dagegen hat, wenn ich die Lobby ein wenig aufpoliere, und er lässt mir freie Hand. Enrique, Alfred und Harvey, einer der beiden neuen Dauergäste, helfen mir dabei, die Möbel zu verrücken. Harvey Kurz ist dreiundsiebzig und der optische Zwillingsbruder von Gene Hackman. Er hat ein Vierteljahrhun-dert lang als Außendienstmitarbeiter Rasenmäher verkauft und dann, nachdem sein Arbeitgeber in Konkurs ging, noch einmal so lange die unterschiedlichsten Jobs gemacht, von Gärtner, Wachmann und Kellner bis zu Autowäscher und Küchenhilfe, immer ein wenig schlechter bezahlt, immer ein wenig ent-würdigender. Wie alle alten Männer im Hotel, hat auch Harvey keine Verwandten, die sich um ihn kümmern oder ihn sogar aufnehmen könnten. Sein älterer Bruder, mit dem er sich eine winzige Wohnung in Queens geteilt hat, ist vor zwei Monaten gestorben, und alleine brachte er das Geld für die Miete nicht mehr auf. Jetzt wohnt er bei uns, im Zimmer neben Dobbs. Er sagt, er bleibe wahrscheinlich nicht lange, das New Yorker Klima bekomme ihm immer weniger. Aber ich glaube, Harvey wird uns eine Weile Gesellschaft leisten. Er ist ein umgänglicher Kerl, sogar mit Mazursky versteht er sich erstaunlich gut, obwohl der ihn schon am ersten Abend bezichtigt hat, beim Poker zu betrügen. Außerdem ist Harvey pleite. Er bekommt Sozialhilfe, aber das ist zu viel zum Sterben und zu wenig zum Leben. Auf jeden Fall reicht es nicht, um in Key Largo einen Laden für Angelzubehör zu eröffnen.

Wir rollen den Teppich auf und tragen ihn in den Heizungsraum. Ich kaufe Spachtelmasse, um die Risse und Nagellöcher und tiefen Kratzer zu füllen. Es gibt das Zeug in verschiedenen Farbtönen, und wenn es ausgehärtet ist, sieht es aus wie Holz. Dann schleifen wir den Boden, aber nur, um die Flecken und feinen Schrammen zu beseitigen. Enrique hat einen Aushilfsjob in einem Supermarkt gefunden und muss uns am frühen Nachmittag verlassen, aber Harvey und Alfred bleiben, und sogar Mazursky widmet sich hingebungsvoll einer Ecke und erinnert uns alle paar Minuten mit einem lauten Stöhnen daran, dass ihm sein Fuß noch immer Schmerzen bereitet. Alfred ist schlecht gelaunt, weil Iris ohne ihn nach Denver geflogen ist, wo einer ihrer Neffen heiratet.

»Vermutlich hält sie mich für nicht vorzeigbar«, sagt Alfred.

»Ihr kennt euch doch erst … wie lange? Drei Wochen?« Ich hätte lieber etwas anderes gesagt, etwas Fieseres, das Alfred auf die Palme bringt, aber ich weiß, wie ernst ihm die Sache mit Iris ist und dass er tödlich beleidigt wäre, wenn ich über seine hehren Absichten witzeln oder sie gar anzweifeln würde.

»Fast vier, einen ganzen Monat. Wenn ich einen Neffen hätte, der mich zu seiner Hochzeit einlädt, würde ich Iris mitnehmen.«

Mazursky stemmt sich ächzend hoch und trinkt einen Schluck Wasser. »Habt ihr beiden eigentlich schon …« Er steht grinsend da, die Hose gepudert vom Holzstaub. »Du weißt schon.«

»Es geht dich zwar einen feuchten Kehricht an, aber die Antwort ist nein. In dieser Beziehung geht es um Vertrauen, Respekt, seelische Verbundenheit. Dinge, von denen ein seniler Dummschwätzer wie du keinen Schimmer hat.« Alfred tobt sich mit seinem Sandpapier schon seit einer Ewigkeit an derselben Stelle aus.

»Du schleifst noch eine Mulde in den Boden«, sage ich zu ihm.

Alfred rutscht ein Stück weiter. »Ich bin ihr nicht gut genug, so sieht's aus.«

»Sie will nichts überstürzen«, sage ich, um Alfred aufzumuntern.

»Sie will sich nicht festlegen«, sagt Mazursky, »wenn ihr mich fragt.«

»Dich fragt aber keiner«, sagt Alfred. Er steht auf und holt ein neues Stück Sandpapier.

Eine Weile arbeiten wir schweigend. Randolph sitzt hinter der Empfangstheke und hört Radio, aber so leise, dass wir den Sprecher nicht verstehen. Obwohl Randolph weit davon entfernt ist, reich zu sein, hört er den ganzen Tag Radiosendungen zum Thema Wirtschaft und Finanzen. Während seiner Schicht ist er dauernd vom Flüstern der Börsengurus umgeben, vom geheimnisvollen Murmeln der Analysten. Von Alfred weiß ich, dass Randolph in einem Mietshaus in der Nähe wohnt, das es in Sachen Schäbigkeit mit dem Hotel aufnehmen kann, und aus Mazurskys zweifelhafter Quelle stammt die Information, Randolph habe vor Jahren viel Geld mit Aktien verloren. Ich wünschte, Dobbs würde sein Radio runterbringen und wir könnten Swing hören statt die unverständliche Litanei von Gewinn und Verlust.

»Sie vermisst ihren Mann«, sagt Harvey plötzlich in die nur von Schleifgeräuschen, Mazurskys gelegentlichem Stöhnen und dem Radiowispern gestörte Stille.

»Was?« Alfred wischt sich den Schweiß von der Stirn.

Erst sieht es so aus, als bereue Harvey, etwas zum Thema Alfred und Iris beigetragen zu haben, aber dann sagt er: »Sie kann ihren Mann nicht vergessen. Sie liebt ihn noch immer.«

Alfred starrt Harvey eine Weile an, dann beugt er sich wieder über den Fußboden und bearbeitet ihn mit Schleifpapier, als wären Harveys Sätze auf das Holz geschrieben und müssten ausradiert werden. Für eine lange Zeit redet keiner mehr, sogar Mazursky hält die Klappe. Ab und zu werfe ich einen Blick auf Harvey, der von der Seite noch mehr wie Gene Hackman aussieht und an dessen linker Hand ein goldener Ehering glänzt.

Am späten Nachmittag bringt Elwood uns alkoholfreies Bier, das Randolph aus der Instandhaltungskasse zahlt. Dobbs kommt mit einer Tüte Hot Dogs, lobt unseren Fortschritt und entschuldigt sich zum tausendsten Mal dafür, dass er nicht mithelfen kann. Er hat sich vom Schleifen eine Sehnenscheidenentzündung am Handgelenk geholt und kann kaum noch einen Löffel halten. Die Salbe aus der Apotheke verströmt einen Geruch nach Menthol und Harz, der sich mit dem Duft von Sauerkraut, Zwiebeln und Chili mischt. Während wir essen, tritt Joe Feltrinelli, neben Harvey der zweite Neuzugang, der uns wohl eine Weile erhalten bleiben wird, aus dem Fahrstuhl. Joe ist sechsundsiebzig und nicht gerade das, was man einen geselligen Kerl nennt. Er redet mit keinem von uns auch nur ein einziges Wort, strahlt dabei aber nicht die Freundlichkeit aus, die Spencer zum sympathischen Sonderling gemacht hat, sondern verbreitet eine Aura von Kälte und Verschlossenheit. Enrique hat ihm den Spitznamen Silent Joe gegeben, und hinter seinem Rücken nennen ihn alle so. Mazursky versteigt sich zu der Theorie, Silent Joe sei ein ehemaliger Mafiaboss, der hier untertauche, um einem familiären Mordkomplott zu entgehen, aber die meisten hier halten den schweigsamen Neuling einfach nur für einen Kotzbrocken. Joe setzt seine Sonnenbrille auf und verlässt das Hotel, ohne einen Blick an uns zu verschwenden.

»Eingebildeter Arsch«, sagt Alfred, dann macht er sich wieder über den Boden her.

Bis zum Abend sind wir mit dem Schleifen fertig. Wir feiern den Anlass in einem billigen Lokal drei Querstraßen weiter, wo es zu jeder Mahlzeit umsonst Suppe und Pudding gibt.

Am Sonntag fahre ich mit dem Bus zum Friedhof und besuche Spencers Grab. Gestern haben Enrique, Harvey und ich den Boden eingeölt, und als wir fertig waren, konnte nicht einmal Randolph ganz verbergen, wie sehr das Resultat ihn überwältigte. Davon und von Iris Rawlings und Harvey Kurz und Silent Joe erzähle ich Spencer, während ich Unkraut zupfe und einen Strauß frischer Blumen in die Vase stelle. Es ist bewölkt, aber es regnet nicht, obwohl Winston heftige Niederschläge angekündigt hat. Überall auf dem riesigen Friedhof knien Leute vor Grabsteinen und reden leise mit ihren Toten. Eine dicke Frau sitzt auf einem Klappstuhl und liest aus einem Brief vor. Wenn ich hier bin, muss ich an Orla denken und daran, wie gerne ich ihr Grab besuchen und ihr von all den vergangenen Jahren erzählen würde. Wie gerne ich die Erde berühren würde, unter der sie mit meiner Mutter in den Armen liegt.

Ich weine und entschuldige mich bei Spencer, dass es nicht seinetwegen ist. Ein kalter Wind kommt auf, die dicke Frau faltet die weißen Blätter zusammen und rückt mit dem Stuhl näher zum Grabstein wie an einen Ofen. Über gewundene Kieswege gehe ich zum Haupttor, ein weiter Weg, und plötzlich fallen Regentropfen. Von einer Sekunde auf die andere schüttet es, und ich renne unter die Äste eines Baumes und sehe zu, wie der Himmel sich leert. Und ich sehe Aimee. Ich weiß sofort, dass sie es ist. Sie ist die Einzige hier, die nicht rennt. Eine Weile warte ich, dann folge ich ihr. Leute kommen mir entgegen, Männer mit Zeitungen über dem Kopf, Frauen unter Handtaschen und Blumenpapier und hochgezogenen Mänteln. Aimee geht über eine Wiese, und ich renne von einem Baum zum nächsten und sehe ihr nach. Sie ist klatschnass, die Haare kleben ihr am Kopf, aber es scheint sie nicht zu kümmern. Ich bin zwischen zwei Bäumen auf einer Wiese, als sie vor einem Grab stehen bleibt. Deckungslos warte ich, nass bis auf die Haut, die durchweichten Schuhe im kurzgeschnittenen braunen Gras. Außer uns ist niemand mehr zu sehen, ein schwarzer Schirm verschwindet aus meinem Blickfeld, ein Vogel in einem Gebüsch.

Das Prasseln des Regens schluckt jedes andere Geräusch. Aimee nimmt etwas aus einem kleinen Rucksack und betrachtet es lange, dann geht sie in die Hocke und legt es auf die Steinplatte. Eine Weile kauert sie so, dann erhebt sie sich und dreht sich zu mir um. Ich weiß nicht, wie lange wir uns ansehen, aber es kommt mir wie eine Ewigkeit vor.

»Hallo«, sagt sie tonlos.

»Hallo«, sage ich, so leise, dass ich es selbst kaum höre. Ich gehe ein paar Schritte auf sie zu. Jetzt erkenne ich den Stapel aus hellen Seiten, der neben ihr am Boden liegt.

»Verfolgst du mich?« Sie streift sich eine Haarsträhne hinter das Ohr, und das kürzeste, traurigste Lächeln, das man sich vorstellen kann, wischt über ihr Gesicht.

»Ja«, sage ich. Mein Lächeln ist noch dürftiger.

Aimee senkt den Kopf, Wassertropfen glitzern auf ihren Wimpern. »Warum?«

Der Regen, noch eine Spur heftiger geworden, spült mich in Grund und Boden, ich friere und habe das Gefühl, mich langsam aufzulösen, aber ich habe keine Angst zu ertrinken. »Weil ich dich vermisse«, sage ich.

Aimee steht da und sieht mich an, als müsse sie nachdenken über das, was ich gesagt habe. Ich lese die Inschrift auf dem Grabstein. ROBERT J. WARD 1973–1998. Sie dreht sich um. Ich mache noch einen Schritt auf sie zu.

»Mein Bruder«, sagt Aimee.

Ich stehe da und sehe Aimees Rücken, den Hals, an dem feuchte Haare kleben, die Schulterblätter, über die sich nasser Stoff spannt. Ich möchte ihre Hand berühren, von deren Fingerspitzen Tropfen fallen, aber ich lasse es. »Woran ist er gestorben?«, frage ich, um irgendetwas zu sagen.

»Er hat sich umgebracht.« Aimee kauert sich hin und reißt ein paar Grashalme aus, die im Spalt zwischen der Platte und dem Grabstein gewachsen sind.

Eine Weile sagen wir beide nichts. Ich gehe in die Hocke und zupfe aus dem schweren Boden, was ich für Unkraut halte. Der

Papierstapel ist Aimees Artikel über die Stadt der Selbstmörder. Obwohl die Schrift vom Regen verschmiert ist, kann ich den Titel lesen. Ein Windstoß bewegt eine Ecke des obersten Blattes, und Aimee legt die Hand darauf. Dann nimmt sie mehrere der weißen, rundgeschliffenen Steine, die wie grober Kies das Grab einfassen, und beschwert damit den Stapel.

»Hat eine Zeitung ihn abgedruckt?«, frage ich.

Aimee schüttelt den Kopf. Sie richtet sich auf, wirft das Gras weg und wischt sich die Hände an den Hosenbeinen ab. »Ich bin keine Journalistin«, sagt sie so leise, dass ich noch einen Schritt näher an sie herangehen muss, um sie zu verstehen. »Die ganze Arbeit war umsonst. Es ist …« Sie hebt die Arme, lässt sie wieder sinken und fängt an zu weinen.

Vielleicht eine Sekunde zögere ich, dann mache ich den letzten Schritt und nehme sie in die Arme. Sie schluchzt und stammelt Satzanfänge gegen meine Brust, und ich streichle ihren Kopf und flüstere Wörter, unbeholfene Trostformeln für uns beide.

Ich weiß nicht, wie viel Zeit vergangen ist, seit wir den Friedhof verlassen haben. Jedenfalls regnet es noch immer, und das Lokal, in dem wir sitzen und Kaffee trinken, ist voller Wetterflüchtlinge. Aimee hat die Hände um ihre Tasse gelegt und sieht aus dem Fenster. Weil ich nicht weiß, was ich sagen soll, und weil ich sie nicht nach Robert fragen will, warte ich, bis sie von sich aus erzählt. Ein großer hellbrauner Hund trottet zu ihr und legt ihr die Schnauze auf das Bein. Aimee lächelt überrascht und streichelt seinen Kopf, dann geht der Hund zurück unter den Tisch, von wo er gekommen ist, und legt sich hin.

»Wir hatten auch einen Hund«, sagt Aimee. Sie sieht mich an, und ein Rest des Lächelns liegt auf ihrem Gesicht. »Harpo.« Sie dreht die Tasse zwischen den Händen. »Hattest du einen Hund?«

Ich schüttle den Kopf.

»Hast du Geschwister?«

»Nein«, sage ich.

Aimee sieht zu dem Hund hinüber, der zu schlafen scheint. Ihre Haare sind noch feucht und die Augen gerötet vom Weinen. Sie wendet sich wieder mir zu, spielt mit einem leeren Zuckerbriefchen. »Ich hatte Bobby. Fünf Jahre älter. Er konnte toll zeichnen, Pflanzen, Tiere, einfach alles. Den Hund da hätte er, also … na ja, jedenfalls, nach dem College hat er als Illustrator gearbeitet. Sachen für Zeitschriften, Werbung, ab und zu Kinderbücher. Ich bin mit achtzehn von zu Hause weg, aber Bobby ist bei meinen Eltern geblieben. Sie haben ihm ein Atelier eingerichtet, im Dachstock.« Aimee trinkt einen Schluck Kaffee, bevor sie weiterredet. »Er war schon als Kind seltsam, hat lieber drinnen gesessen und gemalt, statt draußen mit den Nachbarjungs rumzutoben. Er war immer so ernst, weißt du?« Sie sieht mich kurz an, dann senkt sie wieder den Blick. »Wenn ich über die Cartoons in der Zeitung gelacht hab, hat er sich nur gewundert. Meine Eltern fanden das nicht beunruhigend oder so. Sie meinten, er sei eben anders, tiefsinnig, ein Künstler. Ich würde mir unnötig Gedanken machen, haben sie gesagt, mit Bobby sei alles in Ordnung.« Sie zerknüllt das Zuckerbriefchen. »Nach dem College wollte ich studieren, Psychologie, aber … tja … meine Noten waren nicht gerade toll. Also habe ich gejobbt, als Kellnerin, Verkäuferin … du weißt schon, so was eben.« Aimee trinkt ihren Kaffee aus und löffelt dann abwesend den Zucker vom Boden der Tasse.

Die Leute um uns herum gehen, auch der Hund ist auf einmal weg. Ein paar Tische entfernt sitzt eine alte Frau und klaubt Flusen von ihrem feuchten Schal. Ihren Kaffee trinkt sie wie ich mit dem Löffel.

»Irgendwann hatte ich genug von den Idiotenjobs und hab eine Ausbildung zur Krankenschwester gemacht. Ein bisschen hat das ja auch mit Psychologie zu tun.« Sie leckt den Löffel ab und sieht mich an. Ich nicke. »Bobby war fünfundzwanzig, als er versucht hat, sich umzubringen. Er hat sich im Garten in den Schnee gesetzt und sich die Pulsadern aufgeschnitten. Die Tochter unserer Nachbarn, das Mädchen, das er immer heimlich gezeichnet hat, hat ihn gefunden. Er kam ins Krankenhaus, nicht das, wo ich gearbeitet habe, und eine Woche später wurde er ins Caldwell Institut verlegt. Meine Eltern hielten das für eine gute Idee, das Institut war ein halbes Jahr zuvor eingeweiht worden. Alle Welt lobte die neuen Methoden, die wunderbaren Therapien und deinen tollen Dr. Vermeer.«

»Er ist nicht mein Dr. Vermeer«, sage ich ruhig. »Und ich habe nie behauptet, er sei toll. Ich habe nur gesagt, dass ich ihm nichts vorwerfen kann.«

Aimee nickt, schiebt mit der Fingerspitze Zuckerkörnchen hin und her. Ich wünschte, ich hätte nichts gesagt, ihr einfach nur zugehört.

»Ja, klar«, sagt Aimee, »tut mir leid. Auf jeden Fall hat mein Bruder elf Tage später einen zweiten Selbstmordversuch unternommen, und diesmal hat er es geschafft.« Sie sieht mich an, in ihrem Blick liegt etwas Herausforderndes und unendlich Trauriges.

Vor dem Lokal bellt der Hund. Aimee zieht die Nase hoch und wischt sich mit dem Ärmel über die Augen. Der Kratzer auf ihrer Wange ist verschwunden. Die Kellnerin kommt und schenkt Kaffee nach. Sie ist müde und nicht sehr freundlich, aber Aimee lächelt ihr zu und bedankt sich. Jungen in Pfadfinderuniform gehen am Fenster vorbei, der vorderste trägt eine Fahne. Es regnet nicht mehr.

»Warum warst du auf dem Friedhof?«, fragt Aimee.

»Einer der Männer aus dem Hotel liegt da begraben.«

»Lebst du gerne in dem Hotel?«

Ich zucke mit den Schultern. »Ja. Es geht.«

»Hast du deinen Vater gefunden?«

»Was?« Ich sehe Aimee an, aber sie sagt nichts mehr, sie weiß, dass sie ihre Frage verstanden habe. Sie tut Zucker in ihren Kaffee und rührt um. Ich versuche mich zu erinnern, ob ich ihr von meinem Vater erzählt habe, aber es fällt mir nicht ein.

Vielleicht hat sie damals die Sachen in meinem Koffer gesehen, die Fotografie, die Briefe. »Nein«, sage ich schließlich.

»Lass uns gehen«, sagt Aimee und steht auf, gerade als ich nach ihrer Hand greifen will.

Eigentlich wollte ich Aimee den Boden der Lobby zeigen und die weißen Wände und Spencers Bilder, aber sie ist nicht in der Stimmung dafür, und außerdem sitzen Alfred, Enrique, Mazursky, Elwood und Harvey und zwei Männer, die ich noch nie gesehen habe, auf den Sofas, rauchen, spielen Karten und Domino und reden Schwachsinn. Obwohl Aimee schlecht gelaunt ist, grüßt sie die alten Männer beinahe fröhlich, und das Septett grüßt zurück und winkt. Natürlich lassen Alfred und Enrique ein paar dumme Sprüche vom Stapel, und Mazursky wiehert los. Aimee hat unterwegs ein Sixpack Bier gekauft, das Enriques Blick nicht entgangen ist, und als ich hinter ihr die Treppe hochgehe, ruft er irgendwas in der Art, dass sie mich erst abfüllen und dann Sex mit mir haben wird und dass ich auf der Hut sein soll. Ich zeige ihm den Finger und nehme mir vor, ihm bei der nächsten Gelegenheit die Brille zu verstecken und ihn einen Tag lang halbblind durch die Gegend tapern zu lassen.

Falls Aimee vom Anblick meines Zimmers beeindruckt ist, kann sie es gut verbergen. Sie sieht sich um und setzt sich in Spencers Sessel, das Bier auf den Knien. Eine Flasche hat sie schon im Taxi getrunken, obwohl der Fahrer davon nicht begeistert war und dauernd in den Innenspiegel gesehen hat, und jetzt öffnet sie die zweite.

»Willst du ein Glas?«, frage ich.

Aimee schüttelt den Kopf. Der leere Rucksack liegt neben ihr, und erst jetzt wird mir klar, dass der Artikel noch immer auf dem Grab ihres Bruders liegt. Ich setze mich aufs Bett. Aimee streckt die Beine aus, trinkt und betrachtet die Zeichnungen.

»Von wem sind die?«

Für einen Moment erwäge ich zu behaupten, sie seien von

mir, aber Aimee würde mir sowieso nicht glauben. »Spencer«, sage ich. »Ich war heute an seinem Grab.«

Aimee hat die Zeichnung von sich entdeckt und steht auf, um sie aus der Nähe zu betrachten. »Wow«, sagt sie leise, nachdem sie ewig vor dem Bild gestanden hat. Sie setzt sich zurück in den Sessel und trinkt die Flasche leer. Dann schabt sie mit dem Fingernagel am Etikett, löst kleine Papierfetzen vom Glas.

»Alles in Ordnung?«

Aimee sieht mich an, als würde die Frage sie überfordern.

»Du bist irgendwie seltsam.« Ich gehe zu ihr und knie mich neben dem Sessel hin, lege die Arme auf die Lehne.

»Ich komme gerade vom Grab meines Bruders«, sagt Aimee ausdruckslos. Sie starrt auf ihre Schuhspitzen. Ich kann das Bier in ihrem Atem riechen.

»Entschuldige.« Ich berühre ihren Arm. Aus Dobbs' Zimmer dringt kein Laut. Leise Swingmusik würde jetzt bestimmt helfen. Aimees Gesicht ist verborgen hinter strähnigen Haaren. Ich gehe mit dem Kopf nahe an sie heran, küsse sie auf den Hals.

»Nicht«, sagt sie leise und dreht den Kopf weg.

»Warum bist du hergekommen?«

Aimee schweigt.

Ich bleibe noch einen Augenblick in meiner Haltung, dann setze ich mich zurück aufs Bett. Aimee zupft Papierstückchen von ihren Knien. Ich frage mich, ob ich mich gerade zum Idioten gemacht habe. Wenn ich nachrechne, wie lange wir uns nicht gesehen haben, komme ich auf mindestens zwei Monate, eher drei, mein Zeitgefühl ist mir irgendwie abhanden gekommen. Gut möglich, dass Aimee inzwischen einen neuen Freund hat, falls ich überhaupt jemals ihr Freund war, ihr fester Freund. Vielleicht ist sie mit dem Löwenbändiger zusammen, Stewart, Stew.

»Wie lange willst du eigentlich hierbleiben?«, fragt Aimee plötzlich.

»Hier im Hotel?« Aimee sagt nichts. »Ich weiß nicht. Bis ich was Besseres gefunden habe.«

»Was ist das für dich, was Besseres?«

Offenbar überlege ich zu lange, denn Aimee steht auf und nimmt den Rucksack. Ich bleibe sitzen. »Wohin willst du?«

»Nach Hause.« Sie öffnet die Tür und geht hinaus.

Ich springe vom Bett hoch und laufe ihr nach. »Was hast du denn?« Aimee antwortet nicht. Sie geht den Flur entlang und zur Treppe, als müsse sie einen Zug erreichen. »Aimee?«

»Lass mich.« Aimee geht die Stufen hinunter.

»Bist du mit Stewart zusammen?«

Aimee bleibt stehen, dreht sich um und sieht mich an. Es dauert eine Weile, bis sie etwas sagt. »Du bist ein Idiot.« Dann geht sie weiter die Treppe hinunter.

»Ach ja?«, rufe ich und folge ihr. »Warum verschwendest du dann deine Zeit mit mir?« Ich überhole Aimee und stelle mich auf der untersten Treppenstufe vor sie hin. »Ich bin also ein Idiot. In Ordnung, du bist die Psychologin. Dann sag mir aber auch, wie ich daran was ändern kann! Was soll ich tun?«

Aimee holt ihre Brieftasche hervor und daraus ein Blatt Papier. Sie faltet es auseinander und hält es mir hin. Es ist einer der Handzettel, mit denen wir meinen Vater gesucht haben. Er ist zerknittert und hat einen dunklen Fleck dort, wo die Telefonnummer steht.

»Woher hast du den?«

»Ist doch egal. Gefunden.« Sie sieht mich an, scheint auf etwas zu warten.

»Wir haben nach meinem Vater gesucht«, sage ich.

»Und habt ihn nicht gefunden. Oder?«

Ich sage nichts. Ich weiß nicht einmal, ob ich den Kopf schüttle.

»Ich hab da angerufen«, sagt Aimee. Sie faltet den Zettel zusammen und will ihn in die Brieftasche stecken, aber dann hält sie ihn mir hin.

»Wann?« Ich nehme das gefaltete Blatt. Hunderte davon habe ich verteilt, eine Ewigkeit ist das her.

»Etwa vor einem Monat. Alice hat mir erzählt, ihr hättet deinen Vater gefunden. Dafür seist *du* jetzt weg.« Einen Augenblick bleibt Aimee noch stehen, dann geht sie die letzten Stufen hinunter in die Lobby.

»Hast du ihr gesagt, wo ich bin?«

Aimee dreht sich nicht mehr um. »Ist das dein einziges Problem?«

»Es ist alles viel komplizierter, als du denkst«, sage ich und halte sie am Arm fest.

Aimee sieht auf meine Hand, und ich lasse sie los. »Erklärst du's mir?« Sie steht da und sieht mich an, die Arme vor der Brust verschränkt. Ihr Blick ist fordernd und ungeduldig, das Gegenteil von ermutigend. Dann dreht sie sich mit einem Ruck um und will gehen, aber ich berühre sie am Arm, und sie bleibt stehen.

»Ich habe monatelang nach meinem Vater gesucht«, sage ich. Meine Finger zupfen an ihrem Ärmel, und als ich es merke, lasse ich die Hand sinken. »Und dann, nach einer Ewigkeit, habe ich ihn gefunden. Nach so vielen Jahren habe ich ihn endlich gefunden und konnte ihm nicht sagen, wie wütend ich auf ihn bin.«

»Du bist ein Idiot«, sagt Aimee mit bedauerndem Unterton.

»Du wiederholst dich, verdammt noch mal!«, brülle ich sie an. Ich habe die Schnauze voll von ihren Vorwürfen. Wenn sie mich loswerden will, um mit ihrem Zooheini glücklich zu werden, muss sie es mir nur sagen, aber ihre ständigen Beleidigungen habe ich satt.

»Das weiß ich, du Idiot!«, brüllt Aimee zurück. »Idiot!« Ihr Kopf ist plötzlich rot. Sie holt Luft und ballt die Fäuste, aber statt sich zu beruhigen, brüllt sie weiter. Ihre Stimme ist gigantisch, schwingend vor Zorn und trotzdem gefasst. Bestimmt kann Dobbs sie in seinem Zimmer hören. »Dein Vater hatte einen Schlaganfall! Er ist nicht tot! Du musst nicht an sein Grab gehen, um ihm zu sagen, dass du ihn vermisst! Du kannst jeden Tag bei ihm sein und ihm helfen, so lange, bis er dich versteht und weiß, wer du bist, und *dann* kannst du deinen aufgestauten dämlichen Frust an ihm auslassen!« Sie dreht sich um und geht durch die Lobby zum Ausgang, ihre Arme fliegen in die Luft. »Aber du, du verkriechst dich in diesem verfluchten Hotel und richtest dich ein, als wolltest du die nächsten siebzig Jahre hier verbringen!«

Ich folge ihr und nehme Randolph wahr, der hinter der Empfangstheke sitzt, und die Gesichter der Lobbyisten, die sich in einem synchronen Schwenk mit Aimee zur Tür bewegen, und am liebsten würde ich allen unter Androhung von Prügel raten, sich wieder um ihren eigenen Scheiß zu kümmern, aber Aimee rennt schon durch den Vorhang.

»Ich liebe dich!«, rufe ich ihr hinterher und bleibe stehen. Es ist mir egal, dass mich alle anglotzen, Zeitungen und Dominosteine und Zigaretten in den vor Neugier und Verwunderung erschlafften Händen haltend. Es kümmert mich nicht, dass ich acht Zeugen für diesen Satz habe. Meinetwegen sollen sie sich Popcorn holen, das Licht ausmachen und vergessen zu atmen.

Nach einer effektvollen Pause teilt sich der Vorhang, und Aimee erscheint. Die Stille im Raum ist intensiver als der Lärm eines vorbeirasenden Güterzuges.

»Noch ein Problem, großartig!«, ruft Aimee und klingt gleichzeitig genervt und erheitert, ihre Augen blitzen. »Wenn du die andern gelöst hast, kannst du dich ja darum kümmern.« Damit geht sie. Ein Hauch kalter Luft weht durch den sich schließenden Vorhang. Die schwere Tür quietscht und fällt gleich darauf ins Schloss.

Mazursky klatscht vorsichtig Beifall, hört aber sofort auf, als ich den Kopf in seine Richtung drehe. Noch immer starren mich alle an. In ihren Blicken liegt erwartungsvolle Unruhe, als sei ich ein Schauspieler, der vergessen hat, wie das Stück weitergeht. Elwoods Mund steht offen. Trotz seiner Schwerhörigkeit dürfte er den Dialog einwandfrei verstanden haben. Die beiden

Neuen, die offenbar ein Zimmer für die Nacht gebucht haben, halten je einen Teller in den Händen, auf denen angebissene Brote liegen. Wahrscheinlich denken sie, das hier sei so eine Art Abendveranstaltung, ein flotter Einakter, und vergessen mit vollen Backen zu kauen.

Ich weiß tatsächlich nicht, was ich tun soll. Die Uhr über der Empfangstheke tickt plötzlich so laut, dass ich zusammenzucke. Enrique schüttelt den Kopf, meine Vorstellung scheint ihn zu enttäuschen.

»Was stehst du noch rum, Mann?«, ruft Alfred schließlich. »Geh ihr nach!«

Ich sehe noch, wie Harvey mir aufmunternd zunickt, dann renne ich hinaus auf die Straße, wo Aimee gerade in einem Taxi davonfährt. Auf dem Gehsteig steht eine Kiste, eine zweite trägt Winston in seinen Laden. Damit ist auch die Frage geklärt, warum sich ein Taxi in unsere Straße verirrt hat. Eine Weile stehe ich noch da und lausche dem Echo meines letzten Satzes, dann hebe ich die Kiste hoch und bringe sie Winston. Er steht vor einem Klapptisch und wickelt kleine Porzellanfiguren aus Zeitungspapier.

»Ich wollte sie noch mit einem Schwätzchen über das Wetter aufhalten, aber sie schien es sehr eilig zu haben«, sagt Winston und betrachtet eine Figur, die einen im Stroh schlafenden Bauernjungen darstellt. Ein Schlapphut liegt auf dem Gesicht des Jungen, auf seinem Bauch hockt ein dösendes Huhn. Winston kann sich kaum sattsehen an den Details und der kunstvollen Bemalung. »Deine Freundin?« Er schiebt die Brille hoch und sieht mich kurz an, um sich dann einer anderen Figur zuzuwenden, einer Frau in wallenden Gewändern, die sich mit einer Hand auf ein Gewehr stützt und auf deren abgewinkeltem Arm ein Falke sitzt. Winson kneift die Augen zusammen, seufzt.

Ich stelle die Kiste auf den Boden neben die andere. »Ich weiß nicht mal, wo sie wohnt.«

Winston stellt die Figuren in eine Vitrine. »Danke fürs Reintragen«, sagt er.

Ich murmle ein »Nichts zu danken« und gehe zur offenen Tür.

»Will?«

Ich bleibe stehen und drehe mich um.

»Du wirst sie schon finden.« Winston hält die Figur eines sich umschlingenden Paares in der Hand, um das sich Gänse scharen.

Ich nicke, vermutlich nicht sehr überzeugend, dann verlasse ich den Laden.

Am nächsten Tag bin ich früh wach. Die Nachtschicht ist mir endlos lang vorgekommen, weil keiner der Männer in der Lobby war und nicht mal Dobbs runterkam, um mir Gesellschaft zu leisten. Am Ende der Schicht war ich hundemüde, aber schlafen konnte ich trotzdem nicht. In der Küche habe ich mir eine Tasse Kaffee und einen Doughnut geholt und sitze in der Lobby auf einem Sofa. Randolph verhandelt mit einem Gast den Preis für ein Zimmer. Der Mann, der nicht viel älter als sechzig ist, trägt eine graue Hose und eine blaue Jacke, aus der sein kleiner bleicher Kopf ragt wie aus einem vom Wind geblähten Zelt. Offenbar werden die beiden sich einig, denn der Mann legt Geld auf den Tresen, nimmt seinen Koffer und die Tasche und schlurft die Treppe hoch. Ich sehe mir die drei Säulen an, die zwischen dem Fliesenboden des Empfangsbereichs und den renovierten Dielen der Sitzecke stehen und deren Holzverkleidung von einer Schicht dunkelbrauner Farbe überzogen ist. Nachdem ich den Kaffee ausgetrunken habe, stehe ich auf und klopfe mit dem Knöchel des Zeigefingers gegen das Holz.

»Ich wette, das waren mal sehr schöne Säulen aus einem guten Holz«, sage ich.

»Schon möglich«, sagt Randolph, ohne vom Bildschirm des Computers aufzusehen. Wenn draußen kein Auto vorbeifährt, ist das leise Klacken der Tastatur zu hören. Manchmal rauscht

Wasser durch eine Röhre in den Wänden. In der zweiten Etage stochert ein Schlüssel im Loch, dann schließt sich eine Tür. Der neue Gast steht jetzt in seinem Zimmer und fragt sich, wie es so weit kommen konnte. Wenn er lange genug bleibt, reiße ich ihm den Teppich unter den Füßen weg und poliere ihm den Boden so blank, dass er nie mehr weg will. Müdigkeit erfasst mich bei dem Gedanken, die restlichen achtundzwanzig Zimmer des Hotels zu renovieren, aber auch eine seltsame Ruhe. Randolph dreht an der Skala des Radios, knisternde Stimmen ertönen und Fetzen prasselnder, verzerrter Musik.

»Die Farbe lässt sich abbeizen. Dauert zwei Tage pro Säule, vielleicht drei.« Ich löse mit dem Fingernagel ein Stück Farbe vom Holz.

»Mir gefallen sie, wie sie sind«, sagt Randolph.

»Vielleicht helfen mir Dobbs und Alfred, dann sind wir in einer Woche fertig.« Ich gehe zur Empfangstheke und fahre mit der Hand über die zerkratzte Arbeitsfläche. »Abgeschliffen und geölt könnte das ein Schmuckstück sein.« Ich klatsche mit der flachen Hand auf das Holz, damit Randolph merkt, dass ich von der Theke rede.

Randolph dreht das Radio leiser und sieht mich an. »Warum tust du das, Will?«

»Was meinst du?«

»Warum lebst du hier? Warum arbeitest du hier? Warum bist du besessen von der Idee, jedes Stück Holz in diesem Hotel freizulegen?«

»Was soll das? Ich brauche ein Dach über dem Kopf und einen Job. Und in meiner Freizeit renoviere ich ein paar Zimmer.«

»Stimmt das mit deinem Vater?«

Es dauert einen Moment, bis mir klar wird, dass alle, die gestern Abend in der Lobby waren, die Unterhaltung zwischen Aimee und mir mitbekommen haben. Laut genug waren wir ja. Mein Blick ist auf die Holzfläche gerichtet, deren mit Schmutz und Tinte verfärbten Kratzer ein dunkles Gewirr bilden, in dem hastig eingeritzte Initialen und Symbole zu erkennen sind.

»Kann ich den Schlüssel für den Abstellraum haben?«, frage ich schließlich und so kühl und beherrscht wie möglich. Ich habe keine Lust, mich mit Randolph über meinen Vater zu unterhalten.

»Wozu?« Randolph sieht mich noch immer an, was sehr ungewöhnlich ist, denn meistens gibt er einem das Gefühl, man sei einen Blickkontakt nicht wert.

»Ich will die Leiter holen, das Werkzeug.«

»Wozu?«

Jetzt sehe ich Randolph ins Gesicht. »Hab ich doch gesagt! Ich will die Säulen abbeizen!«

»Und ich habe gesagt, mir gefallen sie, wie sie sind«, sagt Randolph ruhig.

»Aber unter dieser hässlichen Farbe liegt schönes Holz verborgen!«

»Meinetwegen kann darunter Marmor liegen. Die Säulen bleiben so.«

Eine Weile starre ich Randolph an. Ich merke, wie mein ganzer Kopf rot und warm wird vor Wut, vielleicht sogar anschwillt. In Randolphs Gesicht rührt sich kein Muskel, es ist ein stiller See, in den man einen Stein werfen möchte. In meinem Hirn blitzen Beschimpfungen auf, aber Fassungslosigkeit und plötzlicher grenzenloser Hass auf Randolph verhindern, dass ich den Mund öffne. Ich drehe mich um und gehe zur Treppe. Hinter mir ertönt ein loses Stück Musik, dann erfüllt das monotone Murmeln eines Börsengurus die Halle.

Zwei Stunden später klopft es an meine Tür. Ich liege auf dem Bett und lese eine Kurzgeschichte von Tschechow, aber ich kann mich nicht konzentrieren, brauche eine Ewigkeit für eine Seite und habe beim Umblättern schon wieder alles vergessen. Alfred und Harvey stehen auf dem Flur, hinter ihnen sehe ich Dobbs.

»Können wir mit dir reden?«, fragt Alfred, und er klingt, als habe er eine neue Rolle einstudiert, die des ernsthaften Unterhändlers, des taktvollen Überbringers gewichtiger Nachrichten.

»Sicher.« Ich mache einen Schritt zur Seite, und die drei treten ein. Dobbs lächelt und senkt den Blick, ein kleiner Junge beim Besuch im Büro des Schuldirektors. Ich werfe die Tagesdecke über das Bett und setze mich auf den Stuhl. Dobbs und Harvey nehmen auf dem Bett Platz.

»Also, Will«, sagt Alfred, »es ist so …« Er wirft einen raschen Blick auf seine Freunde, bevor er weiterredet. »Wir sind ja nun nicht mehr die Allerjüngsten, und was die Gesundheit betrifft, so haben wir doch mit den verschiedenen Auswirkungen des Zerfalls zu kämpfen.« Er macht eine Pause und sieht mich an, als erwarte er meinen Einspruch. Aber ich bin nicht in der Stimmung für geistreiche Bemerkungen und schweige. Außerdem bin ich gespannt, worauf Alfred mit seiner geschwollenen Ansprache hinauswill. Alfred räuspert sich und faltet die Hände. »Unsere Möglichkeiten auf dem Arbeitsmarkt sind, sagen wir es mal so, recht limitiert.«

Harvey nickt und murmelt etwas. Dobbs zupft Fusseln von seiner Hose.

»Aus diesen Gründen haben wir gestern mit Randolph gesprochen. Und sind uns einig geworden.« Alfred verstummt wieder.

»Ach ja?«, sage ich. »Und worüber?« Ich sehe Dobbs so lange an, bis er meinen Blick erwidert.

»Über die Arbeiten«, sagt Dobbs leise, »hier im Hotel.«

»Randolph gibt uns die Zimmer billiger, wenn wir ein paar Jobs übernehmen.« Harvey erhebt sich, und Dobbs beeilt sich, ebenfalls aufzustehen.

»Redet ihr von *meinen* Jobs?« Ich bleibe sitzen. Sollen sich die drei ruhig bedrohlich fühlen, aufdringlich und unverschämt.

»Sieh mal, Will, die Nachtschicht und das alles, das ist doch sowieso zu viel für einen allein.« Jetzt markiert Alfred den netten Onkel, der es gut meint mit seinem Neffen. »Du kannst nicht vierundzwanzig Stunden in diesem Kasten hocken. Das ist ungesund.«

»Genau!«, sagt Harvey. »Du bist jung! Hier drin verschwendest du deine Begabung!«

»Mit deiner Intelligenz stehen dir alle Türen offen«, sagt Dobbs.

»Türen? Begabung? Wovon zum Teufel redet ihr?« Ich würde gerne aufstehen, aber bleierne Müdigkeit hat meinen Körper befallen. Außerdem wäre ich dann noch immer ein paar Zentimeter kleiner als Dobbs, der Kleinste der drei.

»Wir haben ein paar Seiten aus deinem Buch gelesen, die du weggeworfen hast«, sagt Alfred und tut, als sei er wegen dieser Indiskretion ein wenig zerknirscht.

»Sie lagen im Abfalleimer«, sagt Dobbs.

»Jedenfalls bist du hochtalentiert, Will!« Alfred zeigt mit dem Finger auf mich. »Du musst raus ins Leben!« Er deutet zur Tür, als läge dahinter eine vor Möglichkeiten berstende Welt.

Harvey nickt. »In diesem Loch zu vergammeln ist eine Sünde!«

Eine Zeitlang betrachte ich den polierten Boden. Alfred, Harvey und Dobbs setzen sich wieder auf das Bett.

»Du findest bestimmt problemlos einen Job«, sagt Alfred.

»Und eine neue Bleibe«, sagt Harvey.

Ich sehe die drei an. »Warum sollte ich mir eine neue Bleibe suchen?«

Dobbs senkt den Blick. Harvey sieht Alfred an, der sich räuspert. »Hat Randolph es dir noch nicht gesagt?«

Ich schüttle den Kopf. »Nein, hat er nicht.«

»Nun ja, es ist so«, sagt Alfred, dem der Part des Übermittlers schlechter Neuigkeiten auf den Leib geschneidert ist, »der Besitzer des Hotels ... wie heißt er noch gleich?«

»Greenwood«, sagt Dobbs.

»Greenberg«, sagt Harvey.

»Wie auch immer, jedenfalls hat er beschlossen, das Hotel nur noch für Männer zugänglich zu machen, die das fünfzigste Lebensjahr überschritten haben.«

»Was?«

»Ein Hotel für reife Herren.«

»Hotel für reife Herren?«, rufe ich, und meine Stimme kippt ein wenig.

»Nun ja, Absteige für alte Säcke trifft es wohl eher.« Harvey lacht, und Alfred und Dobbs stimmen mit ein, hören aber auf, als sie sehen, dass ich das alles überhaupt nicht witzig finde.

Eine Weile sitzen wir schweigend da. Ich versuche die Wut auf Randolph aufzukochen, um sie über das Trio auszuschütten, aber es gelingt mir nicht. Ich bin eine Figur in einem abgekarteten Spiel, ich erkenne einen Zaunpfahl, wenn man damit vor meinem Gesicht winkt. Von hier verschwinden soll ich, schon kapiert. Die drei Heinis glotzen mich an, Dobbs scharrt mit dem Fuß. Ich würde ihnen gerne sagen, dass sie mir tierisch auf die Nerven gehen, und sie dann mit Arschtritten aus dem Zimmer befördern.

Stattdessen sage ich: »Wir wollten doch noch den Boden in deinem Zimmer machen, Al.«

»*Du* wolltest den Boden in meinem Zimmer machen«, sagt Alfred. »Ich mag den Teppich.«

»Der Teppich ist versifft«, sage ich. Ich höre mich überdeutlich, mein Ton ist trotzig.

»Ich habe ihn schaumgereinigt.«

»Ich dachte, du ziehst bald aus.«

»Wohl eher nicht. Iris und ich … na ja.« Alfred presst mit einem Geräusch Luft durch die Lippen. Dobbs und Harvey tätscheln synchron seine Knie.

Ich nicke mit hängendem Kopf. Im dunklen, glänzenden Holz kann ich mein Gesicht erkennen. Ich hasse die dumpfe, dumme, ewig gleiche Traurigkeit darin.

Am Nachmittag stehe ich mit meinem Koffer und einem Seesack, den ich bei Winston gekauft habe, vor Alice' Haus. Es kommt mir vor, als läge ein ganzes Leben zwischen dem Tag, an dem ich die Wohnung verlassen habe, und heute. Irgendwie stimmt das ja auch. Ich setze mich neben dem Eingang auf den Seesack und warte. Leute gehen vorbei, zwei Kinder in Superheldenkostümen rennen zwischen ihnen hindurch. Miss Talbott, die auf derselben Etage wie Alice wohnt, tritt mit einem altertümlichen Radiogerät im Arm aus dem Haus und sieht in den graublauen Himmel. Ihre silbernen Haare stecken unter einer Plastikhaube, an den Füßen trägt sie winzige rosa Gummistiefel. Ein Seufzer entfährt ihrem blutrot geschminkten Mund, als sei sie enttäuscht, dass es nicht regnet. Sie wirft einen kurzen Blick auf mich, scheint mich nicht zu erkennen und geht über die Straße. Das Kabel, das aus dem Radio hängt, berührt beinahe den Boden.

Es ist Abend, als Alice, beladen mit einer Papiertüte vom Supermarkt, im langsamen Strom der Passanten auftaucht. Sie sieht mich und bleibt stehen, dann rennt sie auf mich zu. Ich erhebe mich, und sie lässt die Papiertüte mehr oder weniger fallen, und wir umarmen uns. Nach einer Weile sieht sie mich an, in ihren Augen liegen Bestürzung und Freude, ihre Hände halten meinen Kopf und streichen durch meine Haare, die viel zu lang geworden sind. Gleich weint sie, aber dann steht plötzlich Batman neben uns und hält eine Apfelsine in der ausgestreckten Hand.

Alice braucht einen Moment, bis sie begreift, dann sagt sie: »Möchtest du sie behalten?«

Der kleine Junge schüttelt den Kopf, drückt ihr die Frucht in die Hand und rennt mit flatterndem Umhang davon, verschwindet zwischen den Leuten. Ich helfe Alice beim Aufsammeln der übrigen Apfelsinen, nehme mein Gepäck und folge ihr ins Haus.

Am nächsten Morgen fahren wir in die Bronx. Alice hat gestern Abend mit Nathalie Kerkowski telefoniert und unseren Besuch angekündigt. Im Taxi hält sie meine Hand und versucht erst gar nicht, mit mir zu reden. Ich bin so nervös, dass mir schlecht ist, mein leerer Magen schaukelt im Rhythmus des Verkehrs. Es ist der erste sonnige Tag des Jahres, jedenfalls der erste, den ich wahrnehme. Licht füllt den Wagen aus, ein trüber weißer Dunst, der warm auf der Haut liegt. Die halbe Nacht lang haben wir geredet, danach konnte ich kaum schlafen.

Alice bestand darauf, dass ich meine Geschichte zuerst erzähle, und ich fing mit dem Hotel der alten Männer an, dem Ausgangs- und Schlusspunkt meiner Reise im Kreis. Dazwischen lag ein wirrer, vermutlich lückenhafter Bericht von Abstürzen und Umnachtung, vom Treibenlassen in der Stadt der Selbstmörder, von gescheiterten Anläufen einer Rückkehr ins Leben und misslungenen Versuchen meines Verschwindens aus der Welt. Das meiste, was ich erzählte, erschreckte Alice. Ich brachte sie aber auch beinahe zum Lachen, als ich Sams Petition gegen die Ziegen erwähnte und Mazurskys Auftritt an Spencers Beerdigung beschrieb. Wir tranken Kaffee, und um Mitternacht machte Alice Pfannkuchen, weil wir beide das Abendessen vergessen hatten.

Alice hörte einfach nur zu. Wenn ich stockte, saß sie da und wartete, bis ich fortfuhr. Dann war die Reihe an ihr. Sie hatte damals gedacht, ich würde ein paar Tage für mich alleine brauchen, mich irgendwann bei ihr melden und zurückkommen, wenn ich so weit wäre. Nach einer Woche begann sie sich ernsthaft Sorgen zu machen, aber Ernest und Rebecca meinten, ich sei jung und durch die Begegnung mit meinem Vater verwirrt, aber bestimmt wohlauf. Zehn Tage wartete Alice, dann ging sie zur Polizei, wo man ihre Angst um mich nicht sehr ernst nahm und ihr riet, Geduld zu haben. Von Typen wie mir wimmle es in New York City, sagte man ihr, ich würde entweder nie mehr auftauchen, irgendwann gefunden oder bald von alleine nach Hause kommen.

Harold, Louise und George kamen zu Besuch, und Harold verbrachte mehrere Tage damit, in einem Mietwagen durch Brooklyn zu fahren und nach mir zu suchen. Im Reformkostladen und in Alice' Geschäft hingen Plakate mit meinem Bild, und diesmal gab es für Hinweise auf meinen Verbleib zweihundert Dollar Belohnung. Aus Sorge, nicht da zu sein, wenn ich mich blicken ließe, verschob Alice ihre Reise nach Florida, wo Trevor und Clive auf sie warteten. Alice hatte ihnen nichts von meinem Verschwinden erzählt und holte es nach, worauf die beiden unverzüglich nach New York fliegen und eine groß angelegte Suche starten wollten. Nur die von Alice erwogene Möglichkeit, ich könnte mich nach Cape Coral durchschlagen und bei ihnen klingeln, vermochte sie von ihrem Vorhaben abzubringen.

Alice und Nathalie waren einen Tag nach meiner Flucht mit meinem Vater zu einem Arzt gegangen. Der Schlaganfall hatte sein Hirn geschädigt, seine rechte Seite gelähmt und ihm die Sprache genommen. Von Verna Kerkowskis Geld wurde eine zweiwöchige Therapie in einer Klinik bezahlt. Der Zustand meines Vaters hatte sich kaum verändert, aber immerhin hatte er ein wenig an Gewicht zugelegt. Das erste Wort, das er von sich gegeben hatte, war Ball. Hätte man ihm ein anderes Wort eingetrichtert, hätte er es ebenfalls irgendwann nachgesprochen. Das Gute an dem Schlaganfall war, dass mein Vater sich nicht mehr betrinken wollte. Vielleicht hatte sein beschädigtes Hirn schlicht vergessen, dass es früher von dem brennenden Gedanken angetrieben worden war, sich mit Alkohol zu tränken. Falls er körperliche Entzugserscheinungen gehabt hatte, waren diese wahrscheinlich in den ersten Wochen aufgetreten, als er in seinem Zimmer lag, von Verna ins Bett gesteckt, als habe ihn bloß eine Grippe erwischt.

Die Ärzte meinen, mein Vater würde nie mehr derselbe sein wie früher, aber da ich nicht weiß, wie er früher war, gibt es nichts, worum ich trauern könnte. Dass er mich vielleicht nie erkennen und mir nie erzählen können wird, warum er mich damals im Stich gelassen hat, muss ich wohl hinnehmen. Meine Fragen und meine Wut werde ich für mich behalten müssen. Dreimal in der Woche übt er in der Klinik mit einer Therapeutin so simple Dinge wie das Ergreifen und Festhalten von Gegenständen oder sich zu kämmen. Jede Woche lernt er ein neues Wort, vielleicht auch irgendwann Will oder Sohn. Ob er jemals die Bedeutung dieser Worte begreifen wird, können die Ärzte nicht sagen.

Bevor ich mich in meinem Zimmer ins Bett legte, um schlaflos an die Decke zu starren, fragte ich Alice nach Aimee. Sie rief vor ein paar Wochen hier an und sagte, sie wisse, wo ich sei, und es gehe mir gut. Obwohl Alice sie anflehte, ihr meinen Aufenthaltsort zu verraten, schwieg Aimee und meinte, ich würde mich zu gegebener Zeit melden, jedenfalls hoffe sie das. Sie fragte nach Lennard Sandberg, und Alice erzählte ihr von der Suche nach meinem Vater und dem Schlaganfall und meiner Reaktion auf alles.

Wir halten vor dem Haus mit der Flagge, und der Himmel ist so blau und hell, dass ich beim Betreten der Eingangshalle das Gefühl habe, in eine dunkle Gruft zu taumeln. Ich schwitze und bringe es nicht fertig, in den Fahrstuhl zu steigen, und so nehmen wir zusammen die Treppe in den elften Stock. Vor der Wohnungstür schnappe ich nach Luft, die Augen geschlossen. Alice nimmt meine Hand, und die Faust öffnet sich. Sie sagt etwas, ihre Stimme ist sanft und ruhig, und ich nicke. Sekunden nachdem Alice geklingelt hat, öffnet Nathalie die Tür. Sie hat sich verändert. Ihr Gesicht, ihre Stimme, ihre Augen und Bewegungen, alles ist anders, lebendiger. Ich bin überrascht, als sie mich umarmt, und lasse es geschehen. Aus der Küche dringt leise Musik.

Ich habe das Gefühl, neben mir zu stehen. Ein Teil von mir beantwortet Fragen und nimmt wahr, dass die Musik ein Walzer ist, der Rest atmet heftig, geht durch den schummrigen Flur und betritt das hinterste Zimmer. Mein Magen ist ein leerer Ballon, ich schwebe. In meinem Kopf ist plötzlich Stille. Ich bin klein, noch kleiner als in Wirklichkeit. Mein Herz schlägt langsamer, Ruhe erfasst mich wie ein warmer Wind.

Mein Vater sitzt aufrecht im Bett, und vermutlich bilde ich mir nur ein, dass er lächelt. Ich setze mich zu ihm und nehme noch einmal seine Hand.

Drei Wochen später stehe ich in der Bronx am Eingang des Zoos in der Fordham Road. Heute Morgen um elf habe ich das rot und weiß gestrichene Haus mit der schwarzen Feuerleiter gefunden. Fünfeinhalb Tage brauchte ich dazu. Eine von Aimees Mitbewohnerinnen streckte den Kopf aus dem Fenster, und nach langem Hin und Her verriet sie mir endlich, dass Aimee bei Stewart im Zoo sei. Als ich ging, rief sie mir nach, ich soll Aimee in Ruhe lassen. Ich habe mich nicht mehr nach ihr umgedreht, bin losgerannt und habe mir auf der Webster Avenue ein Taxi geschnappt.

Obwohl es der erste einigermaßen warme Tag des Jahres ist, sind nicht viele Besucher da. Ich bezahle Eintritt und sprinte los, über einen Platz, wo gebaut wird, vorbei am Affenhaus und einen gewundenen Weg zwischen Bäumen entlang. Nach einer Biegung kommt mir eine Schulklasse entgegen, und ich pralle fast in die vordersten Kinder und eine Lehrerin hinein. Immer zwei Kinder halten sich an der Hand, alle tragen gelbe Mützen und sehen mich an, als sei ich ein entlaufenes Tier. Vor einem Café sitzen alte Leute und recken die Gesichter in Richtung Sonne. Ich frage einen Mann, der einen Wegweiser repariert, nach Stewart, aber der Kerl kennt ihn nicht. Ein Reiher oder Kranich läuft über den Weg und verschwindet in einer Gruppe von Büschen. Ich könnte auch normal gehen, trotzdem renne ich, überzeugt, dass jede Sekunde zählt.

Auf einem Platz rufe ich laut nach Aimee, und vom Dach eines Gebäudes fliegen Vögel hoch, Tauben. In der Wiese neben einem Weg steht ein Fahrzeug. Auf der Ladefläche liegen Holzpfosten, Rollen mit Draht und Werkzeuge. Zwei Männer heben mit Spaten Löcher aus der Erde. Sie kennen Stewart, wissen aber nicht, wo er ist. Ich bedanke mich und trabe schwitzend und keuchend weiter. Einer der Männer ruft mir nach, ich dürfe hier nicht rennen. Auf einem Platz sitzen Kinder auf Klappstühlen und zeichnen Flamingos, die reglos in einem Teich stehen. Ich zwinge mich, zwischen ihnen hindurchzuschlendern, dann hetze ich weiter.

Aimee steht auf einem eingezäunten Stück Land, neben sich Stewart. Gelbe Helme sitzen auf ihren Köpfen. Die beiden halten ein großes Stück Papier in den Händen, einen Plan vermutlich, und Stewart deutet mit einem Arm über die aufgewühlte Erde hinweg. Ein Bagger schiebt einen Felsbrocken vor sich her. Bäume, deren Wurzelballen in Plastik gewickelt sind, liegen herum. In einer entfernten Ecke des Geländes sind Arbeiter damit beschäftigt, noch mehr Bäume von einem Lastwagen zu laden.

Ich klettere über eine Absperrung, hinter der ein Streifen ungemähter Rasen liegt, und bleibe vor einem Betongraben stehen. Der Graben ist mit schmutzigem Wasser gefüllt, auf dem Blätter treiben. Das Wasser ist braun, hat die Farbe von Tee. Ich kann den Grund sehen, Steine und Äste, möglicherweise sogar etwas Lebendiges, Wuselndes. An einer Seite ist der Graben von einem hohen Drahtzaun begrenzt, an der anderen beschreibt er eine Kurve und verläuft ins Endlose. Ich rufe nach Aimee, aber der Lärm des Baggers übertönt alles. Der Zaun ist mindestens drei Meter hoch, ganz oben verläuft Stacheldraht, in dem bunte Plastikfetzen flattern. Stewart faltet den Plan zusammen und legt seinen Arm um Aimee, und ich denke daran, einen Stein nach ihm zu werfen. Aber ich bin ein schlechter Schütze, ich würde nicht einmal den Bagger treffen. In der Sekunde, in der ich Aimees Namen brülle, verstummt der Bagger.

Aimee dreht sich zu mir um, und ich winke. Ich habe meine Probleme gelöst. Ich wohne nicht mehr im Hotel der alten Männer. Ich begleite meinen Vater dreimal in der Woche zur Therapie, und in der restlichen Zeit bringe ich ihm bei, wie man einen Löffel hält und sich Socken anzieht. Ich schiebe ihn im Rollstuhl durch den Park und sage jedes Mal das Wort Hund, wenn uns einer begegnet, Baum, wenn wir einen sehen. Einen Job habe ich auch, ich trage Lunchpakete in die Bürohäuser, wo es Leute gibt, die in der Mittagspause etwas Gesundes essen wollen. Ernest hatte die Idee, und der Kundenkreis wird immer größer. Noch immer habe ich seit Spencers Beerdigung keinen

Tropfen Alkohol getrunken. Sogar mein Gedächtnis funktioniert wieder. Ich kann mich daran erinnern, wo ich ins Meer gefallen bin. Ob man mich jetzt schon als normal bezeichnen würde, bezweifle ich, aber ich denke, ich mache Fortschritte.

Aimee ist ein Stück in meine Richtung gegangen, Stewart folgt ihr. Er fuchtelt mit den Armen. Der Motor des Baggers springt brummend an, schwarze Abgaswolken steigen in den Himmel. Ich renne den Graben entlang, aber hinter der Biegung versperrt mir eine Mauer aus Felsblöcken den Weg. Schaufeln stecken in der Erde, am Boden liegen Zementsäcke.

Ich bleibe stehen, schwindlig vom Rennen. Dann springe ich in den Graben. Das Wasser ist kalt und tief. Für einen Augenblick, eine Sekunde, eine Ewigkeit, ist es still und dunkel. Ich schlage mit den Armen und Beinen, schlucke Wasser.

Ich will nicht ertrinken.

Ich ertrinke.

Unbreakable

2000

Als Wilbur aufwachte, war der größte Teil der Woche, für die er im Voraus bezahlt hatte, vorbei. Er zog die Kleider aus, in denen er geschlafen hatte, und ging ins Badezimmer auf dem Flur, um zu duschen. In frischer Unterwäsche, der alten Hose und dem zerknitterten Hemd setzte er sich in ein Imbisslokal und trank drei Tassen Kaffee. Nüchtern, wach und aufgeputscht vom Koffein, kam ihm seine Lage dermaßen trist und ausweglos vor, dass er gegen die Tränen kämpfte. Als die Kellnerin ihn besorgt ansah, legte er Geld auf den Tisch und verließ das Lokal.

Weil es kalt war und er trotz der dicken Daunenjacke fror, ging er zurück ins Hotel, wo ein paar der Gäste, ausnahmslos alte Männer, die Sessel und Sofas der Lobby besetzt hielten. Vom Portier, der nur tagsüber arbeitete und weit weniger gesprächig als sein Kollege von der Nachtschicht war, lieh er sich ein Blatt Papier und einen Kugelschreiber, ging auf sein Zimmer und schrieb Alice einen Brief.

Später nahm er einen Bus zur Post, blieb sitzen und fuhr weiter bis in die Nähe des Reformkostladens. Seine Geldreserve schmolz, und er dachte daran, sich etwas von Ernest zu leihen, aber als er vor dem Schaufenster stand, kam er sich so erbärmlich vor, dass er wegging.

Eine Woche später arbeitete Wilbur für eine Transportfirma, deren Lastwagen den Hausrat von umziehenden Familien an den neuen Wohnort irgendwo in Amerika brachten. Weil Wilbur für das Schleppen von Möbeln und Kartons zu wenig kräftig und für das Fahren eines Gabelstaplers nicht qualifiziert war, wurde er einer Gruppe von zwei Männern und drei Frauen zugeteilt, die sich um das Verpacken kleiner und zerbrechlicher Güter kümmerten. Den ganzen Tag wickelte er in fremden Häusern Vasen, Lampen und Porzellanhunde in Luftpolsterfolie, meistens argwöhnisch beobachtet von Bediensteten oder den Hausfrauen, die das Einpacken ihrer Schätze zwar nicht selber besorgen, aber unbedingt überwachen wollten.

An den Wochenenden floh Wilbur aus der Enge seines Hotelzimmers in eine Gegend im Osten Brooklyns, in die sich Alice oder Ernest und Rebecca kaum verirren würden. Er fand ein libanesisches Lokal, wo es den Kellnern egal war, wenn er einen ganzen Nachmittag nur Kaffee trank und heimlich mitgebrachte Brote aß. Es kümmerte sie auch nicht, dass er einen ganzen Tisch mit Notizheften, Büchern aus der Bibliothek und den Seiten der Bruce-Willis-Biografie bedeckte, an der er nach einer längeren Unterbrechung wieder zu arbeiten begonnen hatte. In einem Anflug von Zuversicht, deren Ursprung Verzweiflung war, redete Wilbur sich ein, das fertige Manuskript schon bald bei einem Verlag unterzubringen und Geld dafür zu bekommen. Vor ein paar Tagen hatte er zudem eine alte Gewohnheit wieder aufgenommen und hielt sich in Internetcafés über das Privatleben von Willis auf dem Laufenden, das die Betreiber zahlloser Fanwebseiten mit detektivischer Gründlichkeit und skrupelloser Neugier verfolgten. Obwohl er in seinem Buch keinen Klatsch aus zweiter und dritter Hand verwendete und sich auf die Karriere und Filme des Schauspielers konzentrierte, half ihm das Lesen dieser gesammelten Indiskretionen, die Verbindung zum Objekt seiner zwischenzeitlich abgekühlten Leidenschaft nicht zu verlieren.

In einem Ramschladen, der sich starrköpfig *Freeman Antiquitäten* nannte und dessen schwarzer Besitzer, Winston Freeman, den größten Teil des Tages damit verbrachte, auf einem

Klappstuhl vor seinem Geschäft zu sitzen und für Passanten das Wetter vorauszusagen, kaufte Wilbur eine gebrauchte Reiseschreibmaschine, um die mittlerweile vierhundertfünfzig handgeschriebenen Seiten abzutippen. Weil er das im Restaurant nicht tun konnte und ihm sein winziges, schlecht geheiztes Zimmer nach einer Stunde zur finsteren, jeden Gedanken vernichtenden Zelle wurde, fragte er den Portier nach einem Ort im Hotel, wo es sich in Ruhe arbeiten ließe.

Randolph Byrd, gelernter Buchhalter und nach gescheiterten Ausflügen in die Gastronomie und Bekleidungsbranche auf dem Posten des stellvertretenden Geschäftsführers und Portiers des Hotels gelandet, erlaubte Wilbur, den Heizungsraum im Keller zu benutzen. Randolphs einzige Bedingung war, dass Wilbur nicht nur seine zukünftige Arbeitsstätte, sondern gleich den ganzen Keller aufräumte, eine Arbeit, die Wilbur fünf Tage kostete und in deren Verlauf er, neben viel Staub und Dreck, ein Dutzend von Holzwürmern zerfressene Bettgestelle, halb so viele Kommoden, vier museumsreife Waschmaschinen, drei Trockner und die Skelette zahlloser Ratten und zweier Tiere, die er für Katzen hielt, entsorgte.

Im unwahrscheinlichen Fall, dass jemand Wilbur suchte, fand man ihn abends und an den Wochenenden im warmen Bauch des Hotelgebäudes, wo er, Schaumstoffstöpsel in den Ohren, an einer zum Schreibtisch umfunktionierten Werkbank saß und sein Opus magnum in die Tasten der *Smith Corona* hämmerte, eingehüllt in das gedämpfte Wummern und Zischen der Ölheizung und das Gurgeln der Wasserleitungen über seinem Kopf. Manchmal arbeitete er die halbe Nacht durch, wachgehalten von Kaffee und der aus einer unbenennbaren Quelle gespeisten Gewissheit, etwas zu erschaffen, das brillant und einzigartig war und sich zudem verkaufen ließ. Doch neben den Momenten vorweggenommener Triumphe gab es Nächte und ganze Wochenenden, an denen Wilbur sein Werk hasste. Je mehr *The Life And Death Of Bruce Willis* die Form eines Buches, zumindest aber die leidlich sauber getippte Ordnung und den Aufbau eines vorzeigbaren Typoskripts annahm, desto weniger Sinn sah er in dessen Fertigstellung. Er saß in seiner überheizten, gluckernden Katakombe und las das Kapitel über den Film *Twelve Monkeys*, das er vor einer Woche in einem flüchtigen Rausch der Eitelkeit noch als genial bezeichnet hatte, und kämpfte gegen den Drang, das Papierbündel in einem bereitstehenden Blecheimer zu verbrennen. Eine Woche später überflog er die Seiten, die sich Willis' Rolle in *Pulp Fiction* widmeten, und konnte sie nur vor der blindwütigen Vernichtung retten, indem er sie auf der Werkbank liegen ließ und nach oben stürmte, hinaus auf die Straße und in die eisig kalte Wirklichkeit, die ihn daran erinnerte, dass er für sein Zimmer bezahlen und essen musste und dass er schon zu viel Arbeit in das Buch investiert hatte, um es jetzt in einen Haufen Asche zu verwandeln.

So schleppte er sich durch die Tage und Seiten, sah sich in der einen Woche als begnadeten Autor und in der nächsten als weltfremden Trottel, der seine Zeit verschwendete. Allen Zweifeln und Rückschlägen, Wutausbrüchen und Vernichtungsfantasien zum Trotz war das Buch am letzten Februartag fertig. Wilbur ließ die zweihundertachtzig Seiten, auf die er sein Werk gekürzt hatte, fotokopieren und in drei Exemplaren heften. Schon während der Recherchen und vor dem Schreiben der ersten Zeile hatte er drei auf Filmbücher spezialisierte Verlage ausgesucht, deren Interesse zu wecken er überzeugt war, doch als er die Pakete zur Post brachte, wusste er nicht, ob er seine Leistung bewundern oder sich für die Selbstgefälligkeit schämen sollte, zu der er sich im flammenden Begleitbrief hatte hinreißen lassen.

Eine positive Begleiterscheinung des ungezügelten Schreibens war Wilburs völliger Verzicht auf Alkohol. Er hatte von Schriftstellern gelesen, die betrunken zur Höchstform aufliefen, aber bei ihm funktionierte das nicht. Die Seiten, die er unter dem Einfluss von Wodka und Papayasaft in wahnwitzigem Tempo herunterschrieb, erwiesen sich bei nüchterner Betrachtung als unbrauchbar. Außerdem gefährdete die Trinkerei seinen Job bei der Transportfirma. Ein einziges Mal war er leicht verspätet und verkatert zur Arbeit erschienen und von Octavio, dem mexikanischen Chef der Verpackungstruppe, verwarnt worden. Weil es keine zweiten Verwarnungen gab und Wilbur so lange auf das Geld von *Stockton Transportation Limited* angewiesen war, bis ihm einer der drei Verlage einen Vorschuss bezahlen würde, hatte er mit dem Trinken aufgehört, war von einem Tag auf den nächsten trocken geworden. Wenn die Last der Gedanken an seinen Vater oder Alice gedroht hatte ihn zu erdrücken, war er statt in einer Bar in seiner blubbernden, klappernden Hölle verschwunden und hatte sich mit stickiger Luft und düster leuchtenden Sätzen benebelt.

Jetzt, wo das Buch fertig war und es keinen Grund mehr gab, Stunden und Tage im Heizungsraum zu verbringen, außer vielleicht dem, sich aufzuwärmen, wunderte Wilbur sich nachträglich, wie leicht ihm der Verzicht auf Alkohol gefallen war. Eine Zeitlang versuchte er, ein neues Buch zu schreiben, eine Art Lexikon der kaputten Filmhelden, las Bücher über James Cagney und Humphrey Bogart und Clint Eastwood, gab das Projekt aber nach wenigen Tagen wieder auf. Er verschickte Briefe an die *New York Times* und mehrere Szeneblätter, in denen er sich als Filmkritiker anbot. Den Anfragen legte er fotokopierte Auszüge aus dem Kapitel über *Twelve Monkeys* bei und ließ das baldige Erscheinen seines Buches nicht unerwähnt. Die *Village Voice* und *The Onion* waren die Einzigen, die antworteten. Beide bedankten sich bei Wilbur und brachten ihm mehr oder weniger diplomatisch bei, dass seine Qualifikationen für eine Tätigkeit als freier Mitarbeiter nicht ausreichten. Der Redakteur der *Onion* war sogar mitfühlend oder sarkastisch genug, Wilbur die Besprechung seines Buches in Aussicht zu stellen, sobald es erscheine.

Diese Absagen und die Tatsache, dass er kein zweites Buch würde schreiben können, waren der Grund, weshalb Wilbur der Aufenthalt im Heizungsraum und der Anblick der Schreibmaschine unerträglich wurden. Er brachte die Schreibmaschine zurück in den Trödelladen und tauschte sie gegen eine Wollmütze, ein Paar Lederhandschuhe und einen Stapel Taschenbücher.

Am ersten Sonntag im März wachte Wilbur ungewöhnlich früh auf. Es war kalt im Zimmer, aber durch die Vorhänge drang Sonnenlicht, in dem ein Universum aus Staubpartikeln glitzerte, sachte bewegt vom Luftzug, der durch das undichte Fenster wehte. Wilbur zog sich an, ging ins Bad und dann hinunter in die Lobby, wo auf einem der Sofas Elwood in seinem besten Anzug saß.

»Guten Morgen!«, rief Elwood. Rasiert, gekämmt und im Sonntagsstaat erinnerte er kaum noch an den schlampigen alten Kerl, der tagelang im selben schmuddeligen Trainingsanzug und Badelatschen herumgammelte.

»Morgen«, sagte Wilbur. Er sah sich um, aber außer Elwood war niemand da. Dann erinnerte er sich daran, dass Leonidas am Samstag nur bis Mitternacht arbeitete und Randolph heute erst um zehn auftauchen würde.

»Aus dem Bett gefallen?«, fragte Elwood so ernst, dass die scherzhafte Frage besorgt klang.

Wilbur lachte höflich. Das war tatsächlich das erste Mal, dass er um diese Zeit schon wach war. Üblicherweise schlief er am Wochenende bis zehn oder elf. Weil Madame Robespierre sonntags nicht arbeitete, frühstückte er in der Nähe des Hotels und brach dann zu einer langen Wanderung durch die Viertel auf, eine Gewohnheit, die er nach Beendigung des Buches wieder aufgenommen hatte.

»Ich geh spazieren«, sagte er, setzte die Mütze auf und nahm die Handschuhe aus den Taschen der Daunenjacke.

»Was?« Elwood reckte den Hals, legte eine gekrümmte Hand ans Ohr und zog eine Grimasse, ein Denkmal der Schwerhörigkeit.

»Spazieren«, sagte Wilbur lauter, machte ein paar Schritte auf der Stelle und schlenkerte mit den Armen.

»Ein prächtiger Tag dafür«, sagte Elwood und nickte eifrig. Er roch nach Rasierwasser und Seife, seine Schuhe waren poliert, und neben ihm lag ein schwarzer Filzhut, der heute die Baseballkappe der *Dodgers* ersetzte.

»Und Sie?«, fragte Wilbur, halb aus Höflichkeit, halb aus Neugier. »Warum so früh auf?« Er war näher an Elwood herangetreten und sprach laut und deutlich.

»Oh, ich werde abgeholt«, sagte Elwood.

Wie zur Bestätigung klopfte jemand von draußen an die Scheibe. Elwood stemmte sich aus dem Sofa hoch, setzte den Hut auf und ging durch die von Wilbur offen gehaltene Lücke im schweren Vorhang, der die kalte Luft von der Lobby fernhielt. Wilbur machte die Tür auf, die ohne Schlüssel nur von innen zu öffnen war, und trat hinter Elwood ins Freie. Als Elwood auf dem Treppenabsatz stolperte, hielt Wilbur ihn am Arm fest.

»Hoppla. Geht's?«

»Ja«, sagte Elwood beschämt über seine Gebrechlichkeit. »Danke.«

Der Mann, der ans Fenster geklopft hatte, kam auf sie zu. Er war klein und schmal, und seine krausen Haare schimmerten im Morgenlicht wie Stahlwolle. Wilbur vermutete, dass er in seinem dünnen schwarzen Anzug fror.

»Sie schickt der Himmel!«, rief der Mann an Wilbur gewandt. »Guten Morgen, Elwood.«

»Morgen, Leroy«, sagte Elwood, der sich bei Wilbur untergehakt hatte und mit vorsichtigen Schritten auf einen vor dem Hotel geparkten weißen Kleinbus zuging. Leroy schob die Tür auf und half Elwood in den Wagen, in dem schon mehrere alte Frauen und Männer saßen. Ein Kanon aus Begrüßungen wurde angestimmt.

»Mein Name ist Leroy Perkins«, sagte Leroy und streckte Wilbur die Hand entgegen.

»Wilbur«, sagte Wilbur und ließ sich die Hand schütteln. »Sandberg.«

»Sie sind ein Freund von Elwood?«

»Nun ja, ich kenne ihn erst seit … ich weiß nicht … noch nicht sehr lange.«

Leroy strahlte, als sei das eine wundervolle Nachricht. »Es ist schön, wenn die Jungen sich um ihre älteren Mitmenschen kümmern«, sagte er und deutete dann auf den Kleinbus. »Sie müssen sich leider hinten reinquetschen. Donna hat ein schlimmes Bein.«

Auf dem Beifahrersitz saß angeschnallt eine runzlige, herausgeputzte Frau von mindestens achtzig Jahren und blickte konzentriert nach vorne, als würde das Auto fahren. Die Alten auf den Bänken im Fond rutschten enger zusammen. Ein Mann winkte Wilbur zu.

»Oh, ich glaube nicht, dass ich …«

»Ach was, das geht schon«, sagte Leroy und legte Wilbur die Hand auf den Arm. »Wir hatten mal ein Dutzend Leute da drin.« Er lachte. »Stimmt's?«, rief er. Aus dem Bus kam zustimmendes Gemurmel, dann, von ganz hinten, eine dünne Frauenstimme: »Es ist kalt. Warum ist die Tür offen?«

»Es geht gleich weiter, Rose«, sagte Leroy. Er schob Wilbur mit sanftem Druck in den Wagen, schloss die Schiebetür, setzte sich ans Steuer und fuhr los.

Wilbur saß in einer Duftwolke aus schwerem Parfüm, Rasierwasser, Schuhcreme und Mottenkugeln, beantwortete tausend Fragen und sah, wie sie über die Queensboro Bridge nach Manhattan fuhren. Sie hatten unterwegs noch zweimal angehalten. Einmal, um einen alten, gelähmten Mann aus seiner Wohnung im fünften Stock eines Mietshauses mit kaputtem Fahrstuhl zu tragen, und einmal, um in einem Gemeindesaal und der Gesellschaft von mindestens hundert Menschen ein Frühstück einzunehmen, das nicht zufällig mit so exotischen Speisen wie Stockfisch und Bananenbrot aufgewartet hatte, sondern weil Madame Robespierre eine der Köchinnen war. Mit ihrer Anwesenheit war Wilbur auch die Verbindung zwischen Elwood und der Sonntagsgesellschaft klar geworden, in deren Mitte er inzwischen freiwillig und immer entspannter durch die Gegend fuhr. Als die Hotelköchin ihn entdeckt hatte, was nicht lange dauerte, da Wilbur der einzige Weiße in dem mit Kreppblumen geschmückten Raum war, hatte sie ihn, perlende Melodien der Überraschung und Freude singend, umarmt wie einen verschollenen Verwandten.

»Mein Sohn hat mich gestern in der Badewanne vergessen«, sagte der Mann zu Wilburs Linken und grinste, als betrachtete er den Vorfall als gelungenen Streich. »Eine ganze Stunde.« Er hatte schlohweißes Haar und trug eine Sonnenbrille. Sein Mantel war ihm zu groß, die Hände verschwanden in den dunklen Höhlen der Ärmel.

Wilbur stellte sich die Situation schrecklich vor. »Wie unangenehm.«

»Oh, überhaupt nicht«, sagte der alte Mann fröhlich. »Ich habe immer wieder heißes Wasser nachgefüllt.« Jetzt strahlte er, noch immer stolz auf sein bestandenes Abenteuer.

»Da hatten Sie aber Glück«, sagte Wilbur, und sein Sitznachbar nickte. Wilbur überlegte, ob er ihm von seiner Angst vor Badewannen erzählen sollte, ließ es dann aber bleiben und sah aus dem Fenster. Sie bogen auf die Lexington Avenue ab und fuhren nördlich in Richtung Harlem. Beim Frühstück, das für Wilbur trotz des üppigen Angebots nur aus einem Pfannkuchen und einer Tasse Kaffee bestanden hatte, hatte Elwood ihm erzählt, dass sie auf dem Weg zu einem Gottesdienst seien. Wilbur hatte sich so etwas Ähnliches gedacht und verwarf den aufflammenden Gedanken an Flucht, als Leroy ihm ein Stück Schokoladenkuchen an den Tisch brachte und sich für seine Hilfe mit den alten Leuten bedankte.

Der Gottesdienst fand in einem Gebäude am Martin Luther King Boulevard statt, dessen Fassade mit keinem Wort oder Symbol auf einen religiösen Versammlungsort, geschweige denn eine Kirche hinwies. Am Eingang stand eine junge Frau und hieß die Besucher willkommen, plauschte mit einigen und ermahnte die Kinder gespielt streng, sich heute ausnahmsweise zu benehmen. Wilbur und Leroy trugen Carl, den gelähmten Mann, in den Saal und setzten ihn auf eine der Bänke. Als Leroy der Frau an der Tür seinen neuen Freund vorstellte, schien sie so erfreut über das Erscheinen des weißen, hilfsbereiten Jungen zu sein, dass Wilbur von einer Welle aus Verlegenheit und leiser Panik überschwemmt wurde. Er spürte, wie er rot anlief, und war froh, als Leroy meinte, sie sollten sich beeilen, bevor die Leute im Bus Dummheiten machten. Die Frau lachte und begrüßte zwei junge Männer mit Instrumentenkoffern. Wilbur half einer alten Frau, die sich ihm als Millie vorstellte und beteuerte, ihr besseres Kleid sei in der Reinigung, zu ihrem Platz.

Nachdem alle Gebrechlichen drinnen waren, setzte Wilbur sich neben Leroy und Carl und wartete, was passieren würde. Der lange, schmale Raum machte auf ihn den Eindruck eines ehemaligen Ladens, den man leergeräumt und mit einer niedrigen Bühne, mehreren Lautsprecherboxen, Sitzbänken und Plastikstühlen ausgestattet hatte. Auf dem mit rotem Teppich verkleideten Podest saßen ein Klarinettist, ein Trompeter, ein Saxofonist, ein Gitarrist, ein Percussionist, zwei Keyboarder und, hinter einer Plexiglaswand, ein Schlagzeuger. Während die Musiker, junge Burschen in dunklen Hosen und weißen T-Shirts und alte Männer in Anzügen, ihre Instrumente stimmten und Notenblätter sortierten, rollten zwei Männer eine Kanzel in den freien Raum zwischen dem Podest und den Besucherbänken, schlossen ein Mikrofon an einen Verstärker an und begrüßten gleichzeitig die Leute, die noch immer hereinkamen.

Kurz vor halb zehn spielte die Band das erste Lied. Die Lautstärke, mit der die Musik aus den Boxen dröhnte, war für Wilbur ein Schock, schien den Leuten um ihn herum aber völlig angemessen zu sein. Leroy lächelte ihm breit zu und klatschte rhythmisch in die Hände. Der alte Mann hatte die Sonnenbrille nicht abgesetzt und ruckte mit dem Kopf. Nach etwa zehn Minuten verstummte ein Instrument nach dem andern, bis nur noch die wogenden Töne eines Synthesizers übrig blieben. Vier Frauen und drei Mädchen kamen aus einem Nebenraum herein und stellten sich vor die Bühne, wiegten sich im Wellengang der Melodie, die Augen geschlossen, hingebungsvoll, schüchtern. Eine der Frauen trug ein bodenlanges lilafarbenes Kleid mit Stickereien und einen gelben Turban, eine andere weiße Leggins und einen weißen Pullover. Die Mädchen steckten in dunkelblauen Hosen und Pullovern und machten auf Wilbur den Eindruck, als wären sie lieber woanders.

In der Reihe vor Wilbur saßen vier Kinder, die ihn, das Kinn auf der Banklehne, unverwandt anstarrten, obwohl eine stämmige Frau den ältesten Jungen immer wieder am Kragen seines Anzugs packte und umdrehte. Die Frau trug ein weites, mit Rüschen verziertes Kleid aus billardtischgrünem Stoff, weiße, bis zu den Ellbogen reichende Handschuhe und ein von künstlichen Blumen und Efeu überwuchertes Hütchen. Wilbur schnitt den Kindern eine Grimasse, was diese gänzlich unberührt ließ, und blickte dann beharrlich nach vorne.

Der Mann am Synthesizer, dessen baumlanger Körper das Instrument zum Spielzeug machte, senkte den bärtigen Kopf zu einem Mikrofon herunter und begrüßte die Leute, die teilweise aufstanden, fröhlich zurückriefen und den Herrn priesen. Dann intonierte der Mann ein Kirchenlied, das Wilbur noch nie zuvor gehört hatte, und der Chor und ein Großteil der Besucher stimmten mit ein. Nachdem Gesang und Orgelklänge verstummt waren, betrat ein gut aussehender, elegant gekleideter Mann von etwa Mitte vierzig den Raum und stellte sich hinter das mobile Rednerpult.

»Das ist mein Cousin Dexter«, sagte Leroy zu Wilbur. »Seine Predigten sind legendär.«

Wilbur lächelte, nickte. Er hatte das Gefühl, als trage er Kopfhörer, in denen es summte. Leicht besorgt fragte er sich, ob dieses Summen aus den Boxen kam oder in seinen Gehörgängen entstand als Folge der lauten Ouvertüre.

Nach einem zwischen Bühne und Bankreihen hin und her

fliegenden Begrüßungsritual hob der Reverend zu einer Predigt an, die über eine halbe Stunde dauerte und nur gelegentlich von bestätigenden Zwischenrufen und dem Echo des Riesen am Synthesizer unterbrochen wurde. Diese kurzen, effektvollen Pausen nutzte der Mann hinter der Kanzel, um sich mit einem blütenweißen Taschentuch den Schweiß von der Stirn zu tupfen oder ein paar Schritte im Kreis zu gehen und seine mal warnenden, mal drohenden und sparsam tröstenden Worte auf seine Zuhörerschaft wirken zu lassen.

Am vermeintlichen Ende seiner Predigt stimmte er ein weiteres Lied an, und alle außer Wilbur und den Kindern sangen mit. Die Frau mit dem Turban hatte sich das Mikrofon genommen, und nach mehreren Rückkoppelungen drang ihre leicht verzerrte Stimme aus den schwarzen Boxentürmen, deren Leistung ausgereicht hätte, um einen Flugzeughangar zu beschallen. Alle außer Carl, Donna, Millie und einer alten Frau, die man zwischen den Bankreihen im Rollstuhl geparkt hatte, standen, klatschten im Takt in die Hände und sangen oder bewegten zumindest die Lippen. Wilbur, verstört und aufgewühlt und halb taub, klatschte mit und versuchte, etwas vom Liedtext aufzuschnappen, verstand aber nur einzelne Worte wie Herr oder Vertrauen und Angst.

Zu Wilburs Überraschung baute sich der Mann im Maßanzug nach dem Lied erneut hinter der Kanzel auf und setzte seine Predigt fort. Immer wieder stellte er seinen Zuhörern Fragen, die diese mit lauten Ja- oder Neinrufen beantworteten. Wie ein Lehrer oder Quizmaster lobte er seine korrekten Schüler, sein untadeliges Publikum, schmückte die Antworten mit traurigen Schicksalen aus, mit feurigen Mahnungen und im grellen Licht der Gnade leuchtenden Versprechen auf ewiges Leben. Dann betupfte er seine glänzende Stirn und holte zu einer neuen Frage aus, untermalt von den Orgelklängen des Riesen, der schwitzte und mit dem Kopf wackelte und jedes sinnbefrachtete Wort und jede bedeutungsschwere Phrase wiederholte. Dazwischen blitzten die Rufe aus dem Saal auf, Amen, Gelobt sei der Herr, Halleluja, kleine Funken im Gewitter des Glaubens, das sich über Wilbur entlud.

Elwood, der ein paar Plätze neben Wilbur saß, schien zu schlafen. Vielleicht hatte er auch nur die Augen geschlossen, um andächtig zu lauschen. Wilbur machte die Augen ebenfalls zu. Er war müde, wünschte sich, er hätte mehr Kaffee getrunken und weniger gegessen. Das Summen in seinen Ohren war noch da. Der Prediger, ein Wahlkampfhelfer in einer Hochburg Gottes, sprach von Verbrechen und Bestrafung, von Schuld und Buße, von Reue und Vergebung und der jedem Menschen gegebenen Macht, die Wendungen des eigenen Schicksals zu bestimmen. Wilbur trieb auf dem Floß dieser Stimme über ein Meer aus Schläfrigkeit und Zweifel, bis die Musik erneut alles Leben im Raum in einen Block aus Lärm goss und mit hämmernden Bässen und übersteuerten, klirrenden Höhen gegen seinen Kopf schlug.

Als er die Augen öffnete, waren die Leute um ihn herum wieder aufgestanden und klatschten ihren eigenen, beseelten Takt, während der Prediger in einem Nebenzimmer verschwand und die Kinder nach vorne gingen und sich im Chor versteckten wie in einer Baumgruppe. Die Frau vor Wilbur hob beide Arme, wodurch ihre zahllosen Armringe klimpernd zu den Ellbogen rutschten. Sie legte den Kopf in den Nacken, flatterte mit den Händen und trat von einem Fuß auf den anderen, ein bebender grüner Hügel, auf dessen Spitze Blumen wuchsen. Die Musik drehte sich in einer rasenden Schleife, einer endlosen Wiederholung, als probte das Orchester in sturem Wahnsinn die läppische Tonfolge einer Eröffnung, dann hob die Frau mit dem Turban das Mikrofon an die Lippen und sang.

Wilbur blieb sitzen. Auf die Gefahr hin, Leroy zu beleidigen, hätte er sich die Ohren zugestopft, wären Papiertaschentücher in seiner Jacke gewesen. Sein Kopf schien anzuschwellen, seine Gehörgänge fühlten sich wund an. Er malte sich ein Leben in Taubheit aus. Für einen Moment dachte er an den Kaugummi, der bestimmt unter den Sitzbänken klebte und sich zu

Pfropfen formen ließe, während es den in Verzückung Schwankenden offenbar nicht laut genug sein konnte. Wilbur fragte sich, ob mit ihm etwas nicht stimmte, ob sein Trommelfell vielleicht so mickrig geraten war wie der Rest von ihm. Versunken im Schmerz, erwog er die Möglichkeit, Lärmempfindlichkeit habe etwas mit der Hautfarbe zu tun, verwarf diese absurde Theorie jedoch gleich wieder und sah sich verstohlen um, ob jemand seine Gedanken gelesen hatte. Elwood wippte vor und zurück, ein Schilfhalm in der Brandung der Musik. Jetzt wurde Wilbur klar, warum der alte Mann ihn nie beim ersten Mal verstand.

Vorne war die Frau in den weißen Leggins auf die Knie gesunken und warf flehend die Arme hoch. Sie weinte, ihr dicker Leib wogte im Rausch ihrer Gläubigkeit, der Trance ihrer Hingabe. Niemand tröstete sie, weil sie keinen Trost brauchte in ihrem Traum von Erlösung. Sie schien zu schweben, ein Speichelfaden war das Einzige, das sie mit der Welt verband. Wilbur betrachtete sie mit einem Gefühl aus Abneigung, Mitleid und Neid.

Als der Prediger abermals hinter die Kanzel trat, nahm Wilbur es mit der Gelassenheit eines entkräfteten Wanderers hin, der delirierend im Treibsand versinkt. Sein Körper sirrte, ein Bündel aus feinen Drähten, aufgeladen mit der elektrisch verstärkten Frömmigkeit der anderen. Er saß da und nahm mit nüchterner Geduld das Scheitern seiner Flucht durch Meditation hin und ertrug die Grimassen der Kinder im Rücken der grünen Frau. Er wehrte sich nicht mehr. Er war ein rohes, nach außen gestülptes Innenohr. Sein Kopf, tonnenschwer, schwebte im Raum, stieg über den erhitzten Lautsprechern empor, drehte eine Runde über dem Wald des Chors und senkte sich auf die Tasten des Synthesizers, rollte von Schwarz zu Weiß. Bei den ersten Klängen eines neuen Liedes sprang Wilbur auf und gab sich torkelnd dem Ereignis hin, illusionslos auf religiöse Erleuchtung, zumindest rettende Ohnmacht hoffend.

Warum konnte der Geist, der offenkundig in diesem ehemaligen Schuh- oder Eisenwarenladen, dieser umfunktionierten Imbissbude, diesem zur Kirche gewordenen Gemüseladen wohnte, nicht auf ihn überspringen? Was unterschied Wilbur Sandberg, abgesehen von äußeren Merkmalen, von den Menschen um ihn herum, die mit aufgewühltem Herzen die Welt umarmten und von ihr umarmt wurden? Was musste er tun, um von diesem Taumel hinweggeschwemmt zu werden? Welche inneren Schranken galt es niederzureißen, welche verborgenen Türen aufzustoßen, um Elwoods Grad der Ekstase zu erreichen? Wenn es Gott gab, warum legte er in Wilburs argwöhnischem Hirn keinen Schalter um und okkupierte seine Seele?

Wilbur zitterte, legte die gefalteten Hände auf die Vorderlehne, wo sie nicht von Kinderköpfen besetzt war, und imitierte ein Gebet. Jetzt brach die Musik tosend über ihn herein. Er schnappte nach Luft. Seine Handflächen brannten. Die Worte des Predigers trafen ihn wie glühende Schneebälle. Wilburs Uhr zeigte die Zeit einer anderen Welt, eines fernen, verlorenen Planeten. Er trieb im Ozean der Wahrheit und des Leidens, ein winziger Fisch, vom Schwarm getrennt. Ihr Ende war so brutal wie die Musik selbst, ihr Verklingen ein Orkan. Irgendwann wurde Wilburs Hand geschüttelt, Frauen umarmten ihn. Die Dame in Grün presste ihm ein Zeichen aus Schweiß auf die Brust. Der Prediger hieß ihn in der Gemeinde willkommen, sprach ihn selig. Eine Tür wurde geöffnet, Luft strömte herein. In der Stille des Nachmittags fiel Wilbur auf die Knie, seine Hände berührten den Asphalt, als wolle er ihn küssen. Die Helligkeit und Kälte ließen ihn weinen. Leroy brachte ihm Wasser, eine Frau bettete seinen Kopf in ihren Schoß. Wilbur sah das Licht und schloss die Augen.

Als Wilbur aufwachte, war es zehn Uhr montagmorgens. Er lag angezogen in seinem Bett im Hotel und wusste, dass er seinen Job verloren hatte. Ein feuchter Waschlappen klebte am Kopfkissen. Seine Ohren fühlten sich an, als steckten Finger darin.

Er bewegte die Hände, hob sie vor das Gesicht, zählte. Das Aufstehen fiel ihm schwer, er hörte seine Gelenke knirschen. Im Badezimmerspiegel suchte er sein Gesicht nach Veränderungen ab, dann duschte er, bis das heiße Wasser aufgebraucht war und das kalte seinen Schädel versengte. Er zog frische Kleidung an, stopfte die schmutzige in einen Beutel und ging hinunter.

Elwood saß in der Lobby, ein Sonntagsschmetterling, der sich in eine graue, faltige Alltagsraupe zurückverwandelt hatte. Er grüßte Wilbur, fragte nach dem Befinden. Wilbur, der Elwoods Stimme durch das Summen in seinem Kopf nur als Wispern wahrnahm, hob die Hand und verließ unter den missbilligenden, spöttischen und besorgten Blicken der alten Männer das Hotel.

Nachdem er die Wäsche in die Hände einer mürrischen Chinesin gelegt hatte, fuhr er mit dem Bus zum Büro seines ehemaligen Arbeitgebers, ließ sich seine fristlose Entlassung bestätigen und einen Scheck für die vergangene Woche überreichen. Danach setzte er sich in ein Lokal, trank Kaffee und überflog die Stellenanzeigen mehrerer Zeitungen. Wie ihm ein falsch geschriebenes Wort auf einer Buchseite oder der Schatten eines Mikrofons in einer Filmszene nicht entging, so übersah er auch nicht seinen Namen, der, eingerahmt von winzigen schwarzen Herzen, in der Spalte *Glückwünsche und Liebesgrüße* verborgen lag. »Lieber Wilbur«, las er, »wir würden gerne Deinen 20. Geburtstag mit Dir feiern. Es gibt nichts, was Dir leid tun muss. Alice und Lennard.«

Die ganze nächste Woche verbrachte Wilbur damit, dem Drang, sich zu betrinken, nicht nachzugeben. Er kaufte bei *Freeman Antiquitäten* ein Buch, las es, verkaufte es Winston für die Hälfte zurück und erwarb aus den unerschöpflichen Beständen ein anderes. Irgendwann fand Winston diesen Kreislauf zu albern und lieh Wilbur die Bücher für fünfzig Cent pro Stück aus. Wilbur fuhr lesend mit der Bahn bis nach Waterbury und Wassaic und Poughkeepsie, nach Port Jervis und Montauk und

Greenport, stieg irgendwo aus, ging ein paar Stunden ziellos umher, las auf einer Gartenbank oder in einem Ausflugslokal weiter und fuhr am Abend zurück nach Brooklyn. Einmal verschlug es ihn nicht ganz zufällig nach Long Island, wo er über den Strand zum Haus ging und den Kindern der neuen Besitzer beim Spielen im Garten zusah. In einem Scherzartikelgeschäft kaufte er eine Brille mit Fensterglas und einen Schnurrbart und Koteletten zum Ankleben.

Am nächsten Tag ging er zum Reformkostladen und beobachtete eine Weile, was für ein wundervolles Verkäufergespann Ernest Shelby und Jenna Hoffman abgaben. Dann stellte er sich in den Hauseingang gegenüber von Alice' Geschäft, das sich *Alice In Woolland* nannte, aber bis zum Abend bediente nur Rebecca Shelby die Kundinnen, ohne dass Alice auftauchte.

Als er beim Mietshaus in der Bronx ankam, war es dunkel. Er zählte die Stockwerke und sah zu den erleuchteten Fenstern hoch. Er fühlte sich lächerlich und schäbig in seiner Verkleidung. Die Haut über seiner Lippe juckte von dem Klebstoff, und die Bügel der schweren Brille verursachten wunde Stellen hinter den Ohren. Er hatte die Strickmütze tief in die Stirn gezogen und trug einen braunen Regenmantel, eine Leihgabe aus der Kleiderabteilung von *Freeman Antiquitäten*. Die Koteletten hatte er unter den irritierten Blicken der übrigen U-Bahn-Passagiere abgenommen und kratzte sich jetzt mit dem Fingernagel kleine Fetzen von der Wange wie nach einem Sonnenbrand. Ein kühler Wind bewegte die Flagge an der Fassade, schnell ziehende Wolken spiegelten sich in einer alten Pfütze. Wilbur fröstelte und war hungrig. Er wartete, ohne genau zu wissen, worauf, sah dem wechselnden Muster der an- und ausgehenden Lichter in den Wohnungen zu, den Leuten, die das Haus betraten und verließen, und dem uniformierten Portier, der einem alten Paar die Tür aufhielt. Autos fuhren vorbei, ein Junge mit einem Modellflugzeug rannte über die Straße. Von einer Sekunde auf die andere fiel ein feiner Regen.

Wilbur schlug gerade den Mantelkragen hoch und wollte gehen, da entdeckte er Alice auf der anderen Straßenseite. Sie schob einen Rollstuhl, in dem Lennard saß, daneben ging Nathalie, einen aufgespannten schwarzen Schirm über die beiden haltend. Um Lennards Hals war ein roter Schal gewickelt, über seine Knie eine Wolldecke gebreitet, auf der seine weißen Hände lagen. Alice sah in Wilburs Richtung, wischte sich eine Haarsträhne aus dem Gesicht. Wilbur trat einen Schritt zurück, sein Herz raste. Er verscheuchte einen Hund, der an seinen Schuhen schnüffelte. Das Summen in seinem Kopf vermischte sich mit dem leisen Rauschen des Regens und dem Sirren der Reifen auf dem nassen Asphalt. Er wollte rufen und brachte nur ein Flüstern hervor, während die drei im Haus verschwanden. Als er über die Straße rannte, hupten Autos, ein Fahrradkurier beschimpfte ihn. Vor der großen Tür blieb Wilbur stehen. Er nahm die Anzeige hervor, die er aus der Zeitung gerissen hatte, und las sie, merkte, dass seine Hände zitterten. *Es gibt nichts, was Dir leid tun muss.*

Wilbur ging die Straße hinunter und setzte sich in eine Bar. Dass er vergessen hatte, die Verkleidung abzulegen, merkte er erst, als der Barkeeper meinte, das sei ein ziemlich kläglicher Versuch, älter auszusehen. Wilbur nahm den Schnurrbart und die Brille ab, zeigte seinen Führerschein und bestellte etwas zu trinken.

Aus einem Cocktail wurden zwei. Den dritten brauchte Wilbur, um im Kopf die Strecke über die Straße zu bewältigen, den vierten, als er sich ausmalte, wie es sein würde, Alice und seinem Vater gegenüberzutreten. Nach dem fünften war er so betrunken, dass er sich auf dem Weg zur Toilette übergab, neben einer künstlichen Palme auf den Teppichboden sank und in einen ohnmachtsähnlichen Schlaf fiel.

Der Boden und die Wände des Raumes, in dem Wilbur zu sich kam, waren weiß gefliest. Er lag auf einer Schicht flachgetretener Pappkisten, sein Kopf ruhte auf einem Knäuel aus feuchten Geschirrtüchern. Wie eine Decke lag der Regenmantel über ihm. Ein Mann in weiten grauen Hosen und einem schwarzen T-Shirt hockte vor einer Spülmaschine und räumte Gläser in die Gitterkörbe. Er hatte die blonden Haare zu einem Pferdeschwanz gebunden, seine Arme waren mit einem blauschwarzen Geflecht aus Tätowierungen bedeckt. Wilbur setzte sich auf. Ihm war übel, und das Neonlicht tat seinen Augen weh. An der Wand über ihm hing ein Kalender, auf dem eine bis auf einen gelben Helm und Handschuhe nackte, schwitzende Frau so tat, als bediene sie einen Presslufthammer. Es roch nach Reinigungsmittel und Zigarettenrauch. Zwischen einem rot gestrichenen Schrank und einem Kochherd stand ein Barhocker, auf dem sich leere Getränkekisten stapelten. Schichten bekritzelter Zettel klebten an der Tür eines silberfarbenen Kühlschranks.

Als Wilbur sich hochrappelte, drehte sich der Mann um. Er grinste und entblößte dabei einen goldenen Schneidezahn. »Na, ausgeschlafen?«, fragte er, schloss die Klappe der Spülmaschine mit dem Knie und drückte einen Knopf.

Wilbur blinzelte in die Helligkeit, sein Mund war ausgetrocknet. Er schüttelte den Kopf, als der Mann ihm eine Zigarette anbot. »Wo bin ich?«

Der Mann lachte. »Fünf Meter von der Stelle entfernt, an der du weggetreten bist.« Er zündete sich eine Zigarette an, sog den Rauch in die Lungen und breitete die Arme aus. »Willkommen in meinem Reich, der Grabkammer meiner gescheiterten Träume!« Er klemmte die Zigarette zwischen die Zähne und streckte Wilbur die Hand hin. »Roscoe Murphy.«

Wilbur betrachtete die Hand, an der Ringe blitzten, dann ergriff er sie. »Elwood«, sagte er, »Elwood Mazursky.« Er zog den Mantel an, in dessen Taschen die falsche Brille und die Wollmütze steckten.

Roscoe Murphy hob eine Augenbraue, grinste dann erneut breit und drückte Wilburs Hand eine Spur zu fest, bevor er sie losließ. »Also dann, Elwood, wie fühlst du dich?« Er lehnte sich gegen den Tisch, der in der Mitte des Raumes stand und mit

Zeitungen, Putzlappen, leeren Zigarettenpackungen, Kaffeetassen und verschrumpelten Äpfeln übersät war.

»Besser«, sagte Wilbur, obwohl ihm hundeelend war. »Danke«, fügte er hinzu.

»Mein Boss wollte dich in den Rinnstein schmeißen. Ich hab ihm gesagt, das kann er nicht machen, nicht bei dem Wetter.« Murphy öffnete eine zweite Spülmaschine, der eine Dampfschwade entwich, die sich mit dem Zigarettenrauch vermengte. »Lassen Sie den Jungen seinen Rausch bei mir drinnen ausschlafen, hab ich ihm gesagt. Ich übernehme die Verantwortung.« Er hob Körbe mit sauberen Gläsern aus der Maschine und stellte sie auf eine mit Tüchern ausgelegte Arbeitsfläche vor sich.

»Danke«, sagte Wilbur noch einmal.

»Schon in Ordnung. War auch mal jung.« Murphy räumte die Körbe mit den Gläsern in einen Warenlift und drückte auf einen Knopf. Ein Klingelgeräusch ertönte aus dem Schacht, dann fuhr der Lift nach oben.

»Also dann«, sagte Wilbur möglichst munter, knöpfte den Mantel zu und klappte den Kragen hoch. »Ich muss los.« Er hielt Murphy die Hand hin. »Nochmals vielen Dank.«

»Wo willst du denn hin um die Zeit?«, fragte Murphy, ohne Wilburs Hand zu ergreifen.

Erst jetzt wurde Wilbur bewusst, dass er keine Ahnung hatte, wie lange er weggetreten war. »Wie spät ist es denn?«, fragte er.

Murphy holte ein Handy aus der Hosentasche und hielt Wilbur das eisblau leuchtende Display hin. Es zeigte kurz vor drei. Ernüchtert gab Wilbur die Idee auf, bei Verna Kerkowski zu klingeln.

»Wo wohnst du?«, fragte Murphy.

»Brooklyn.«

»In einer Stunde hab ich Feierabend. Ich fahr dich nach Hause.«

»Danke, das ist nicht nötig.«

»Kein Problem. Spielst du Schach?«

Wilbur schüttelte den Kopf. Ein leichter Schwindel befiel ihn, und er legte die Hand auf die Tischkante.

»Dame?«

»Nein.«

»Karten. Was ist mit Karten?«

Wilbur erinnerte sich an die Abende mit Colm. »Rommé«, sagte er.

»Auch gut. Ich sag dir was, wir spielen ein paar Runden, dann fahr ich dich nach Brooklyn.« Murphy ging zum Schrank, öffnete eine Schublade und wühlte darin herum.

»Lieber nicht«, sagte Wilbur. »Ich kann mir ein Taxi nehmen.«

»Nein, kannst du nicht«, sagte Murphy, ohne ihn anzusehen. »Du hast kein Geld für ein Taxi nach Brooklyn.« Er drehte sich um, präsentierte ein Set Karten und grinste. »Mein Boss hat dir das Geld für die Drinks aus der Brieftasche genommen. Du hast noch etwa fünf Dollar.« Er schob die Sachen auf dem Tisch zur Seite, setzte sich hin und mischte die Karten.

Wilbur tastete nach seiner Brieftasche und stellte fest, dass sie noch da war. »Ich kann zu Fuß gehen. Wird meinem Kopf gut tun.« Er lächelte, hob die Hand.

Murphy mischte weiter die Karten. »Weißt du, wie langweilig es hier unten werden kann? Wie lange eine Zehnstundenschicht dauert? Wie sehr man sich irgendwann nach menschlicher Gesellschaft sehnt?«

Wilbur zuckte mit den Schultern. Er wollte gehen, aber sein schlechtes Gewissen Murphy gegenüber hielt ihn davon ab. Außerdem fühlte er sich wacklig auf den Beinen. Das Summen in seinem Kopf war einem Druck gewichen, als würde sich das Hirn mit flüssigem Blei vollsaugen.

»Weißt du, wer deine Kotze aufgewischt hat?« Murphy verteilte die Karten.

Wilbur zog den Mantel aus und setzte sich auf den zweiten Stuhl. Murphy verteilte die Karten.

Es war halb fünf, als Wilbur hinter Murphy zu dessen Mazda ging, der auf dem Hinterhof der Bar stand und zwischen den Pfützen und dem Abfall aussah wie ein Wagen auf dem Schrottplatz. Murphy öffnete die Beifahrertür und warf Wilbur die Schlüssel zu. »Du fährst.«

Wilbur fischte den Schlüsselbund aus einer Pfütze und schüttelte ihn. »Ich kann nicht fahren.«

»Ich auch nicht.« Murphy setzte sich ins Auto. Er hatte während des Kartenspiels zwei Joints geraucht und immer glasigere Augen bekommen. Wilbur hatte ihn gewinnen lassen und Kaffee getrunken, während Murphy seinen Durst mit Bier löschte, das ihm von einem Freund aus der Oberwelt mit dem Lift heruntergeschickt worden war. Jetzt saß er da und klebte im Schoß weitere Zigarettenpapierchen zusammen, beschienen vom gelben Licht der Innenbeleuchtung.

»Ich kann nicht Auto fahren«, sagte Wilbur. Er sah in eine Pfütze, in der neben seinem Kopf der Mond schwamm.

»Blödsinn.« Murphy kramte etwas aus der Jackentasche und hielt es gegen die Scheibe.

Wilbur ging näher heran und erkannte seinen Führerschein.

»Nun steig schon ein.«

Wilbur öffnete die Fahrertür. »Kann ich den bitte zurückhaben?«

»Erst fährst du los.« Murphy zerbröselte den Tabak einer Zigarette auf das kunstvolle Gebilde aus diagonal versetzt geklebten Papierchen.

Wilbur ließ sich in den Fahrersitz fallen, atmete einmal tief ein und aus. »Ich weiß nicht mehr, wie das geht«, sagte er.

»Zündschlüssel drehen, Fuß aufs Bremspedal, Gang rein, Fuß aufs Gaspedal, lenken.«

Eine Weile saß Wilbur einfach nur da und starrte durch die Windschutzscheibe in die Nacht. Sie standen vor einer Mauer, also musste er zuerst ein Stück rückwärts fahren. Er betrachtete die Armaturen, den Schalthebel, legte die Hände auf das Lenkrad und den rechten Fuß auf das breite Pedal in der Dunkelheit unter ihm. Neben ihm hielt dieser seltsame Mensch, dessen Alter er aus Mangel an Anhaltspunkten irgendwo zwischen dreißig und fünfzig ansiedelte, ein Feuerzeug an ein Stück Haschisch, was aussah, als wolle er einen Brief mit braunem Lack versiegeln. Schließlich zog Wilbur die Tür zu, schnallte sich an und drehte den Schlüssel um. Der Motor gab ein Geräusch von sich, sprang aber nicht an.

»Er springt nicht an.«

»Er wird.« Murphy krümelte das Haschisch auf den Tabak. Auf seinem Hals saß eine Spinne, deren Rücken ein Kreuz zierte. Wilbur fragte sich, ob Murphys gesamter Körper von Tattoos bedeckt und ob die Prozedur schmerzhaft war und was in aller Welt er in diesem Auto verloren hatte. Dann drehte er den Zündschlüssel erneut, und nach einem schleifenden Stottern erwachte der Motor zum Leben.

Ein Schauder aus Glück und Panik durchrieselte Wilbur. Er sah nach hinten, wo zwischen Zeitungen, zerknüllten Strafzetteln und einem schwarzen Hemd eine Flasche Whiskey auf dem Rücksitz lag. Der Motor klang, als würde er jeden Moment den Geist aufgeben, sein Zittern floss durch das Metall und ließ Wilburs Sitz vibrieren. Als Regentropfen auf das Dach schlugen, zog Wilbur den Kopf ein. Er versuchte sich zu erinnern, wie viel Platz bis zur nächsten Mauer war, legte den Rückwärtsgang ein und fuhr langsam an.

»Licht.«

»Was?«

»Du solltest das Licht einschalten«, sagte Murphy ruhig. Er befeuchtete den Leimstreifen mit der Zungenspitze, rollte den Joint und strich ihn zwischen den Fingern glatt. Dann zündete er die Spitze an und inhalierte mit einem heiseren Seufzer, legte den Kopf zurück und schloss die Augen.

Wilbur hielt an und suchte nach dem Schalter. Schließlich fand er ihn und steuerte den Wagen vorsichtig vom Hof auf die leere Seitenstraße. Die Scheinwerfer beleuchteten ein Plakat an einer Hauswand, auf dem schöne junge Frauen und Männer in

Badesachen an einem Strand Volleyball spielten und Bier tranken. Wilbur fragte sich, warum er nicht irgendwo mit Freunden im Sand herumtollen und in vernünftigen Mengen Alkohol zu sich nehmen konnte, statt sich alleine in einer Kneipe in der Bronx besinnungslos zu saufen. Er dachte an das Surfbrett, das er von Harold geschenkt bekommen und Wochen später verkauft hatte. Er stellte sich vor, wie er durch den glasgrünen Tunnel einer sich brechenden Welle ritt, bronzefarben und furchtlos.

»Links.«

Wilbur kam aus dem Tunnel. Sonnenlicht fing sich in der Bierflasche auf dem Plakat. »Was?«

»Du musst nach links«, sagte Murphy. »Das ist eine Einbahnstraße.«

Wilbur setzte den Blinker. Murphy kicherte und hustete.

»Und jetzt?«, fragte Wilbur, als sie an eine Kreuzung kamen. Er schaltete den Scheibenwischer an und lehnte sich nach vorne, um besser sehen zu können.

»Egal. Lass uns rumgondeln.«

Wilbur wollte widersprechen, fuhr dann aber einfach los. Das Blei in seinem Kopf kühlte aus und verfestigte sich, der dumpfe Schmerz klang ab. Die Straße war schwarz und breit und so gut wie leer. Das Hin und Her der Wischerblätter hatte etwas Beruhigendes. Wilbur entspannte sich ein wenig. Für Sekunden schwebte sein Bewusstsein als Hubschrauber über dem Geschehen und zeigte ihm, wie der von ihm gelenkte Wagen im unwirklichen Licht der Stadt dahinglitt, eine mit Haschischrauch gefüllte Metallkapsel im trägen Strom der Nacht.

»Warum hast du gesagt, du heißt Elwood?« Murphy rutschte in seinem Sitz nach unten und streckte die Beine aus. Er hielt Wilbur den Joint hin, aber der schüttelte den Kopf.

»Es war mir peinlich, dass ich gekotzt habe.« Hinter ihnen hupte jemand, und Wilbur bremste erschrocken ab. Der Fahrer überholte und sah Wilbur ins Gesicht, seine Lippen formten sich zu einem obszönen Wort.

»Und wozu schleppst du eine Kostümfestbrille und einen falschen Schnurrbart mit dir rum?«

»Haben Sie meine Taschen durchsucht?« Wilbur wäre am liebsten rechts rangefahren, aber das hätte die Ausführung eines Manövers erfordert, über dessen einzelne Schritte er im Moment nicht nachdenken wollte.

»Wir haben nach einer Brieftasche und einem Ausweis gesucht«, sagte Murphy. Er drehte den Kopf zu Wilbur. Rauch quoll aus seinem Mund und seinen Nasenlöchern. »Hast du ein krummes Ding gedreht? Mir kannst du's sagen.«

»Quatsch«, sagte Wilbur. »Ich wollte nicht erkannt werden, das ist alles.«

»Wobei denn?«

Wilbur schloss müde und genervt die Augen, öffnete sie aber gleich wieder, als ihm einfiel, dass er Auto fuhr. »Das ist eine persönliche Sache.« Er musste an einer roten Ampel anhalten und konzentrierte sich auf den Bremsvorgang wie auf eine Mondlandung. Als der Wagen wieder rollte, wurde er ruhiger. Die Gleichmäßigkeit der Scheibenwischerbewegungen erinnerte ihn an das Metronom, das ihm in Matthews Wohnzimmer den Takt vorgegeben hatte. »Ich wollte rausfinden, ob meine Freundin einen anderen hat.« Das war zwar nicht die Wahrheit, aber wenn er schon den Besitz der Sachen aus dem Scherzartikelladen rechtfertigen sollte, dann wenigstens mit einer Geschichte, in der er eine Freundin hatte. Eine Freundin, die ihn betrog und Dinge tun ließ, wie er sie nur aus Büchern und Filmen kannte.

»Und? Hat sie?«, fragte Murphy.

Wilbur hupte, weil ein Mann weit vor ihnen die Straße überquerte. Der Mann zeigte ihm den Finger. Murphy kicherte.

»Ja«, sagte Wilbur.

Murphy schwieg eine Weile und füllte seine Lungen mit THC-gesättigtem Qualm. Was er wieder ausstieß, war gerade genug, um Wilburs Angst vor dem Fahren zu betäuben.

»Kennst du Sartre?«, fragte Murphy schließlich.

»Wen?«

»Jean-Paul Sartre. Franzmann. Denker. Was von ihm gelesen?« Ein Stück glühender Asche fiel in Murphys Schoß und brannte ein Loch in den Stoff der Hose. Murphy bemerkte es nicht.

Wilbur unterdrückte ein Lachen. Neben ihm saß ein ganzkörpertätowierter, bekiffter Gläserwäscher, der sein armseliges Auto und sein offensichtlich noch armseligeres Leben in die Hände eines ihm völlig fremden, ebenso offensichtlich irren, miserabel fahrenden Säufers legte und im Begriff war, ein von Drogen erhelltes Gespräch über den bedeutendsten Philosophen des zwanzigsten Jahrhunderts anzuleiern. Er schüttelte den Kopf. »Hatte nie die Gelegenheit dazu.« Er hatte *Der Ekel* und *Die Wörter* für die Bibliothek in Four Towers vorgeschlagen, aber sein Antrag war von den Hütern der geistigen Werte abgelehnt worden. An die Besserungsanstalt zu denken versetzte Wilbur einen Stich. Mit einem Schlag war er wieder betrübt, Säure schwappte in seinem Magen. Bei der nächsten Gelegenheit würde er Conor einen Brief schreiben.

»Ich habe mich mit seinem Werk im Gefängnis vertraut gemacht«, sagte Murphy, eine Formulierung, die Wilbur ein kleines bisschen aufheiterte. »Nicht zu empfehlen.« Mit dem Daumen zerdrückte er das Stückchen Glut, das vom Joint übrig geblieben war, auf dem Armaturenbrett. »Sartre im Gefängnis lesen, meine ich. Zu deprimierend.«

Wilburs Augen brannten. Der Gedanke, Roscoe Murphy könnte ein Mörder sein, beschäftigte ihn erstaunlicherweise weniger als die Frage, wie man die Heizung ausmachte.

»Willst du nicht wissen, warum ich gesessen habe?«, fragte Murphy. Er zwängte seinen Oberkörper zwischen die Rückenlehnen und streckte die Hand nach der Whiskeyflasche aus.

»Doch«, sagte Wilbur pflichtschuldig. In Gedanken ging er das Lösen des Sicherheitsgurtes und das Öffnen der Tür durch. Weil er sich den Sturz auf die Straße sehr schmerzhaft vorstellte, fuhr er noch ein wenig langsamer.

»Verdammt!« Murphy drehte sich um und kurbelte das Fenster herunter. Dann versuchte er, das Handschuhfach zu öffnen, aber es klemmte. »Verdammt!« Er hämmerte mit der Faust dagegen. »Verfluchte Scheiße!«

Wilbur wollte fragen, was los sei, als die Sirene aufheulte.

»Fahr los!«, rief Murphy und trat mit dem Fuß gegen das Handschuhfach. Wilbur hielt an. Die Sirene verstummte. Zuckendes Licht drang durch den Qualm, der sich ein wenig verzog. »Mach schon, fahr los!« Murphy schrie so laut, dass Wilbur nicht verstand, wozu die Megafonstimme ihn aufforderte.

Im Rückspiegel sah Wilbur, wie ein Beamter aus dem Polizeifahrzeug stieg.

»Worauf wartest du, verflucht noch mal?«, brüllte Murphy.

Wilbur legte beide Hände gut sichtbar auf das Lenkrad, eine Verhaltensregel, die er aus dem Fahrunterricht und Polizeivideos im Fernsehen kannte. Murphy warf sich über seine Beine und drückte mit beiden Händen Wilburs Fuß auf das Gaspedal. Die Reifen drehten durch, der Motor röhrte, dann schoss der Wagen schlingernd los, rammte einen geparkten Lieferwagen und raste die Straße hinunter, über eine Kreuzung und auf die roten Tupfer zu, die Rücklichter weit vorne in den Regen kleksten. Murphy griff nach dem Lenkrad, und sie gerieten auf die leere Gegenfahrbahn, flogen an verwischten Lichtern und jaulenden Hupen vorbei über die Kreuzung und hinein in einen Tunnel aus schwarzen, gekrümmten Häusern, geparkten Autos und dem Regen, der vor ihnen zerstob wie ein Schwarm aus winzigen gelben Fischen.

Als Wilbur das Steuer herumriss und mit dem freien Fuß auf die Bremse trat, prallte das Auto zur Seite kippend gegen die Bordsteinkante, landete auf dem Dach und schlitterte zurück auf die Straße, wo es, begleitet von Scheppern und Klirren und dem Schrei, der endlich aus der Tiefe von Wilburs erstarrtem Körper stieg, gegen den Mast einer Straßenlampe krachte, eine letzte knirschende Pirouette vollführte und dann liegen blieb.

Wilbur machte die Augen auf. Kalte Luft wehte durch die

Öffnung, wo einmal die Windschutzscheibe gewesen war. Er befreite sich mit zitternden Händen aus dem Sicherheitsgurt, drehte sich um und kroch auf die nasse Straße. Taumelnd ging er um das Wrack und sah nach Murphy, der bewusstlos dalag, gekrümmt und dunkel verfärbt wie ein kranker Fötus. Wilbur ging auf die Knie, zerrte Murphy durch das geborstene Fenster ins Freie und suchte in seinen Jackentaschen nach dem Führerschein, fand aber nur einen Kugelschreiber, leere Zettel und ein paar Spielkarten. Als er zurück in das nach dem ausgelaufenen Whiskey riechende Wrack kroch, sah er die Pistole. Sie lag im Handschuhfach, dessen Klappe aufgesprungen war, und er nahm sie und steckte sie ein. Der Führerschein lag neben dem zertrümmerten Innenlicht, dessen Drähte aus der zum Boden gewordenen Decke ragten. Wilbur steckte ihn ebenfalls ein, nahm das schwarze Hemd und legte es unter Murphys Kopf. Murphy stöhnte, und Wilbur zog den Mantel aus und deckte ihn damit zu.

Ein Taxifahrer hielt an, fragte, ob er die Ambulanz rufen solle. Wilbur nickte und erhob sich. Ihm war schwindlig, in seinen klebrigen Haaren wuchs eine Beule. Er wollte sich setzen, blieb aber stehen. Der Wagen lag zwischen den Gebäuden wie eine Skulptur. Nachtschwärmer fanden sich ein, Besucher einer absurden Ausstellung. Wilbur hätte gerne mit der Pistole herumgefuchtelt. Der Kofferraumdeckel war aufgesprungen, was im dunklen Inneren lag, weckte die Neugier der Gaffer. Eine Frau schrie auf, Männer stießen Flüche in die Nacht. Als Wilbur das flackernde Licht des Polizeifahrzeugs sah, rannte er weg.

Im Nieselregen und ersten Tageslicht bot der Vergnügungspark von Coney Island ein Bild ergreifender Verlorenheit. Ein Riesenrad und ein Turm aus Stahl überragten eine flache, durch eine Promeniermeile von Strand und Ozean getrennte Budenstadt, die unter Kunststoffplanen und Wellblech die Zeit bis zur Eröffnung verschlief. Gondeln in Tierform warteten zusammengepfercht in einem Maschendrahtkäfig auf Kinder, die in ihren gepolsterten, sonnenerwärmten Bäuchen Platz nehmen würden, um auf einer Bahn schwindlige Kreise zu ziehen. Unter Plexiglasdächern parkten Gokarts, deren abmontierte Räder schwarze Säulen bildeten. Ein Imbisslokal trug die Last einer Rakete. SHOOT THE FREAK war über einem Stand zu lesen, CLOSED über einem anderen, als bedürfe die vorübergehende Stilllegung eines schriftlichen Hinweises.

Wilbur setzte sich unter das Dach eines Toilettenhauses und lehnte den Kopf an die Wand. Nach dem Unfall war er eine Stunde lang gerannt, ohne anzuhalten. Er hatte sich in einen dunklen, trockenen Hauseingang gelegt und nach Atem gerungen. Er war weggedöst, ohne zu wissen, für wie lange. Ein Bus hatte ihn geweckt und nach Manhattan gebracht, mit der U-Bahn war er hinüber nach Brooklyn gefahren und immer weiter bis zur Endstation, wo er abermals aus dem Schlaf schreckte. Jetzt saß er auf dem kalten Boden, versunken in den Anblick des Meeres. Eine Frau in gelber Regenjacke ging den leeren Strand entlang, ein schwarzer Hund folgte ihr, die Schnauze gesenkt. Möwen trudelten am Himmel, unter sich die aufgewühlte See. Der Regen war wässrige, sprühende Luft, die dem Licht und den Farben die Kraft nahm. Wellen brachen sich, schoben ein beinahe regelmäßiges, weite Entfernung vortäuschendes Rumpeln an Land.

Die Pistole in seiner Tasche fühlte sich warm an. Er schloss die Augen, hörte der Brandung zu. Keiner seiner Gedanken erschreckte ihn oder spendete ihm Trost. Sie waren wie Möwen, die hochgehoben wurden aus dem unscharfen Viereck des Himmels, die dunkle Höhle des Kopfes verließen und im Grau verschwanden. Er öffnete die Augen und stand auf. Seine Beine taten weh vom Rennen. Er sah zwei Männern zu, die auf den Pier hinausgingen. Ihre schwarzen Regenjacken schimmerten in der Dämmerung. NO SWIMMING las Wilbur auf dem Geländer in schmutzigweißer, im Holz versickernder Schrift.

Als er auf den nass glänzenden Planken stand, blieb er stehen. Unter ihm schwappte das Meer gegen die Pfeiler, er meinte, leise zu schwanken. Die Angelruten der Männer waren lange, wippende Fühler im diesigen Licht. Er folgte ihnen bis ans Ende. Auf den Brettern glitzerten die Schuppen von Fischen, Millionen silberner Plättchen. Die Männer grüßten ihn, er hob die Hand, wollte fragen, was sie zu fangen hofften, welche Köder sie benutzten. Aber dann schwieg er und drehte sich weg zum Meer, das ohne Horizont vor ihm lag.

Er berührte die Beule, die vom getrockneten Blut steifen Haare. Seine Fingerspitzen waren rot und taub. Bald würde er nass bis auf die Haut sein. Die Angler sprachen Spanisch, Wilbur mochte den Klang der kurzen Sätze, die sie wechselten. Er nahm die Pistole aus der Hosentasche und betrachtete sie. Heute war sein Geburtstag. Vielleicht hatten seine Eltern hier gestanden vor einundzwanzig Jahren. Er hörte die Stimme seiner Mutter und das Klimpern der Geldstücke in der Streichholzschachtel. Als er über das Geländer kletterte, rief sein Vater nach ihm. Die Pistole fiel ins Wasser und versank, funkelnd wie die Glücksmünzen seiner Mutter. Er starrte hinab und sah nichts. Eine Hand griff nach ihm, aber er fiel. Das Wasser war warm, es umfing ihn mit rauschender Stille.

14

Ich bin aufgetaucht. Das Wasser ist grün und kalt. Die Sonne wärmt mir den Kopf. Ich blinzle und kneife die Augen zusammen. Auf den Hügeln hinter mir grasen Schafe.

Ich bin nicht ertrunken. Statt tot auf dem dunklen Grund des Grabens im Zoo von New York zu liegen, bin ich in Irland. Neun Stunden Flug vom JFK-Airport nach Dublin. Danach fünf Stunden Busfahrt nach Donegal Town, über Cavan und Enniskillen. Die letzte Strecke mit dem Taxi, zwei Stunden durch Kindheitsland, vorbei an Piratensegeln, Zirkuswiesen, an Ritterburgen, Indianerpferden, an sprechenden Eseln, tanzenden Hunden und dem größten Baum der Welt.

Das Haus sehen, nach so langer Zeit, es nicht betreten, noch nicht. Die rote Tür, die Farbe ausgebleicht wie die Erinnerung. Der Hügel eingesunken, kein Berg mehr, nicht einmal für Kinder. Mit geschlossenen Augen dastehen und das Radio hören zwischen dem Rauschen des Meeres. Colms Land, das Gras zum summenden Wald geworden, verschwundene Wege.

Am zweiten Tag war ich auf dem Friedhof. Ich saß so lange da, dass ich in die Erde sehen konnte. Die Urne meiner Mutter, zwei Hände voll glitzerndem Staub, eingesunken in Orlas Bauch. Wolken flogen nur für sie. Ich versuchte zu singen, dann erzählte ich, langsam und sorgfältig, wusste keinen Anfang und kein Ende. Colms Grab ist zur Wildnis geworden, im Baum über seinem Kopf haben Vögel ein Nest gebaut, Käfer laufen auf dem Grabstein, umkreisen unermüdlich seinen Namen.

Einen ganzen Nachmittag verbrachte ich beim Notar. Eamons Geld will ich noch immer nicht. Das Gold und die Diamanten des Matrosen. Es ist zu viel geworden in all den Jahren, und es gehört mir so wenig, wie es Eamon gehörte. Vielleicht hilft es den Hinterbliebenen der südafrikanischen Seeleute, die mit der *Pride of Durban* untergegangen sind. Harold hat mich auf die Idee gebracht und alles erledigt. Meine beiden Retter von Coney Island wollten keine Belohnung, also habe ich Harold gebeten, ihnen die beste Angelausrüstung zu besorgen, die man in New York City kaufen kann.

Zwei Wochen vor meiner Abreise aus Amerika rief Alfred an und sagte, im Hotel der alten Männer lägen drei Briefe für mich, also fuhr ich hin. Es waren standardisierte Schreiben der Verlage, denen ich meine Bruce-Willis-Biografie angeboten hatte. Drei Absagen. Ich hatte das Buch völlig vergessen und war über die Ablehnung enttäuschter, als ich der versammelten Lobbytruppe gegenüber zugeben wollte. Bis ich im Flugzeug saß, verwünschte ich diese Idioten von Verlegern und Lektoren und spielte sogar mit dem Gedanken, sie anzurufen und zu beschimpfen. Aber dann flog ich über den Atlantik und dachte, was soll's. Irgendwo zwischen Neufundland und Dublin habe ich Bruce Willis abgehakt, wie ich Fintan Taggart oder John Townsend abgehakt habe.

Alfred will uns bald besuchen. Er hat sich in eine Frau verliebt, Olga Sweetwater, Witwe eines kürzlich verstorbenen Fleischgroßhändlers. Die beiden haben sich auf dem Friedhof kennengelernt, wo Alfred Spencers Grab und sie das ihres Mannes besuchte. Seine Betrachtungen zur Einsamkeit vor einem Grabstein hätten Olga tief berührt, erzählte Alfred am Telefon. Jedenfalls will er Olga noch in diesem Herbst heiraten und dann mit dem ganzen Tross herüberfliegen zu uns. Mazursky sei schon ganz aufgeregt und habe gefragt, ob man für den Flug sein eigenes Essen mitbringen müsse.

Hinter mir, auf einem Felsbrocken, sitzt Aislin Lynch. Sie und Mary O'Sea wohnen mit Fiona, Sean und Kieran in Orlas Haus.

Sie haben alles neu gestrichen und einen großen Garten angelegt. Im Hof, wo Orla und ich früher spielten, laufen Hühner herum. Ihr Gackern vermischt sich mit dem Blöken der Schafe, das der Wind über die Hügel trägt. Alice hat vorgeschlagen, wir sollten uns welche zulegen und ihr die Wolle verkaufen. Fast zweihundert Tiere haben wir uns angeschafft. Im September kommt Alice aus New York, um sich alles anzusehen. Auf dem Land hofft sie ein paar Frauen zu finden, die stricken können. Einen Hund, der auf die Schafe aufpasst, gibt es auch. Es ist einer von McGonigles Streunern. Er lag am Straßenrand, von einem Auto angefahren. Der Tierarzt in Letterkenny hat ihn zusammengeflickt, so gut es ging. Wenn er am Abend die Herde ins Gatter treibt, humpelt er noch ein wenig, aber den Schafen ist das egal.

Auf Colms Wiese stehen drei Pferde. Von meinem Schlafzimmerfenster aus kann ich sie sehen. Wenn schönes Wetter ist, reiten Sean und Kieran auf ihnen. Sie sind Könige. Sie drehen Kreise, gemächlich und endlos wie Planeten auf ihrer Bahn. Mein Vater sieht ihnen staunend zu. Manchmal ruft er ein Wort. Polly. So heißt seine Freundin. Sie ist sieben Jahre alt, ein weißes Tinker-Pony, ein Zigeunerpferdchen mit braunen Flecken. Wenn ihr langweilig ist, stößt sie ihn mit der Nase an, aber es wird noch eine Weile dauern, bis er auf ihr reiten kann. Er ist noch nicht so weit. Er weiß nicht, wer ich bin. Trotzdem freut er sich jeden Morgen, mich zu sehen. Er kann sich selber anziehen, selber zur Toilette gehen, er nimmt Bäder und macht sich in der Küche Brote. Vor ein paar Tagen habe ich in Letterkenny ein Cello gekauft. Es ist zerkratzt, und ich musste alle Saiten auswechseln, aber es klingt wie ein Cello. Als ich meinem Vater darauf vorgespielt habe, ungelenk und kaum einen Ton sauber treffend, schien etwas in ihm, das lange in Dunkelheit lag, zu erwachen. Ich hatte Angst, er könnte vergessen zu atmen, so hingebungsvoll lauschte er meiner unsicheren Melodie. Sein Körper entspannte sich und seine Züge wurden weich, und als er weinte am Schluss, weinte ich auch. Irgendwann wird er sich an mich erinnern, und vielleicht wird er mich erkennen.

Im Herbst werde ich zu Norma Kennedy nach Dover fahren und das Cello holen, das Matthew mir hinterlassen hat. Fiona lernt, auf dem billigen aus Letterkenny zu spielen, aber auf meinem ehemaligen Übungsinstrument wird sie viel besser sein. Vielleicht spielen wir eines Tages im Duett. Fiona geht in dieselbe Schule wie ich damals, nur Schwimmunterricht hat sie keinen. Taggarts Tempel ist vor zwei Jahren eingestürzt, an einem Sonntag, dem Tag des Herrn. Die Dachkonstruktion hat dem Gewicht der Wassertanks nicht mehr standgehalten. Es hatte eine Untersuchung gegeben, Schuldige waren gesucht, gefunden und, weil der Einsturz keine Opfer gefordert hatte, freigesprochen worden. Fintan Taggart, heißt es, sei zurück nach Neuseeland gegangen. Was mich betrifft, ist das gerade weit genug weg.

Conor schickt jeden Monat einen Brief. Sie kommen aus Halifax und Shanghai und Buenos Aires. Die Frachtschiffe, auf denen er fährt, heißen *Mauretania*, *Princess of Cairo*, *Excalibur*, *San Cristobal*. Er schreibt von Stürmen und Elmsfeuern, von Walen und fliegenden Fischen, von Sternen und Tätowierungen und einem Mädchen in jedem Hafen. In einem Brief berichtet er von einem Landgang in Yokohama, wo die Leute so klein seien, dass ich überhaupt nicht auffallen würde.

In den zwei Jahren, die wir jetzt hier sind, bin ich fast drei Zentimeter gewachsen. Nicht, dass das wichtig wäre. Es ist nur schön zu wissen, dass ich nicht schrumpfe, das hat Zeit.

Aimee treibt auf dem Rücken, die Sonne im Gesicht. Sie trägt den Anhänger mit der Sonne und dem Mond. Winston hat ihn mir in den Seesack geschmuggelt, den ich bei ihm gekauft habe. Ich paddle auf Aimee zu, auf ihr Lachen. Die Zeit dehnt sich mit dem Himmel. Möwen fliegen.

Ich schwimme wie ein Hund, eher schlechter.

Aber ich schwimme.